LE PULL-OVER ROUGE

Gilles Perrault

LE PULL-OVER ROUGE

FRANCE LOISIRS
123, boulevard de Grenelle, Paris

Édition du Club France Loisirs, Paris
avec l'autorisation des Éditions Ramsay

© Copyright Editions Ramsay, 1978

ISBN 2-7242-0470-0

Aux neuf jurés d'Aix-en-Provence

Sommaire

Ils étaient trois à marcher à pas lents sur le quai du Vieux-Port. La défaite, comme le succès, est rarement absolue; la vie transige. Ces trois-là étaient absolument vaincus, et sans espoir de revanche, car aucun triomphe ne compenserait jamais l'insupportable défaite qu'ils venaient de subir. Une demi-heure plus tôt, dans une cour de la prison marseillaise des Baumettes, on avait guillotiné devant eux un garçon de vingt-deux ans, leur client Christian Ranucci.

L'aurore mettait à peine un peu de rose sur Notre-Dame de la Garde mais le quai de la criée au poisson était à son heure la plus animée. Contrairement à ses deux cadets qui auraient souhaité rouler en voiture dans les rues désertes, le plus âgé des trois avocats avait voulu venir à la criée comme on va à un feu pour s'y réchauffer. Il lui fallait des vivants autour de lui et, aux petites heures de l'aube, c'était sur ce quai braillard que battait le cœur de la ville.

Les trois avocats marchaient en silence. Il n'y avait plus rien à dire, plus rien à faire. La souffrance viendrait, puis la colère. Ils n'éprouvaient pour l'heure qu'une sorte d'hébétude et aussi un sentiment de solidarité dont la force les surprenait. Ils avaient peu de choses en commun. L'affaire même les avait conduits à s'affronter durement sur le choix d'une stratégie. Mais ce qu'ils venaient de vivre faisait tout le reste minuscule. Le cadet, qui avait à peine cinq ans de plus que son client décapité, songea que quoi qu'il arrive, ils resteraient tous les trois indissolublement liés : ils avaient communié dans la mort d'un homme. Car Christian Ranucci était mort. Le jeune avocat acceptait mal cette évidence. Deux années durant, il était allé deux fois par semaine visiter le prisonnier aux Baumettes. La mère exceptée, personne ne le connaissait aussi bien que lui, au moins pour l'ultime étape de sa courte vie. Les deux jeunes gens, l'avocat et son client, observaient par accord tacite un certain formalisme dans leurs rapports : ils ne manquaient jamais de se donner du « Maître » et du « Monsieur ». Parfois, l'empois fondait à la tiédeur d'un après-midi printanier et le prisonnier de vingt ans plaisantait et riait avec son avocat de vingt-cinq ans comme s'ils n'avaient pas été assis face à face dans un parloir de prison ; puis ils réintégraient leur personnage officiel. Jean-François Le Forsonney avait tutoyé pour la première fois Christian quelques minutes avant son exécution, dans l'interminable corridor souterrain reliant le quartier des condamnés à mort à la cour où était dressé l'échafaud. Car Christian Ranucci était mort. Pour le jeune avocat, il y avait le scandale inacceptable de cette vie tranchée net, mais aussi un sentiment qu'il ne pouvait surmonter, tout en le sachant dérisoire par rapport au reste : celui d'avoir été maltraité par le destin. Rares sont les condamnations à mort, et plus rares encore les exécutions capitales. La plupart des avocats, fussent-ils spécialistes des affaires criminelles, parviennent à la retraite sans avoir eu à accomplir le matinal pèlerinage. Et voici qu'au seuil de sa carrière, on lui éclaboussait de sang sa robe noire toute neuve. On venait de couper en deux son premier vrai client.

Un bar était ouvert. Les trois avocats entrèrent et burent un café, puis ils se séparèrent. Paul Lombard avait une affaire à plaider à neuf heures. André Fraticelli ignorait encore que le cadavre du décapité allait l'occuper toute la journée. Jean-François Le Forsonney rentra chez lui : il se sentait littéralement à bout de force.

Longue et athlétique, Monique était sous la douche quand son transistor, branché sur Radio Monte-Carlo, diffusa le premier bulletin d'information de cinq heures et demie. Il débuta par l'annonce que Christian Ranucci, l'assassin de Marie-Dolorès Rambla, avait été guillotiné à quatre heures treize à la prison des Baumettes. Elle éclata en sanglots incoercibles. Amis d'enfance, compagnons de jeux puérils, ils s'étaient redécouverts en leur adolescence et avaient fait l'amour. C'était la première fois pour elle comme pour lui. Christian avait seize ans ; Monique, dix-neuf. Splendide mulâtresse, éclatante de vitalité, Monique avait rompu un an plus tard mais cette séparation ne lui avait pas fait oublier pour autant son premier amour. Fidèle au rendez-vous du malheur, elle avait renoué avec le prisonnier des Baumettes et ses lettres, d'abord affectueuses, avaient tout naturellement retrouvé le ton ancien. Depuis le procès, auquel elle avait assisté, Monique était convaincue que Christian serait exécuté. Pourtant, l'annonce de cette exécution la stupéfiait et la bouleversait si fort qu'elle se demanda si elle ne conservait pas au fond de son cœur, et sans même le savoir, une infime espérance.

Il lui fallait aller à son travail, qui commençait à sept heures. Là-bas, personne ne savait ses liens avec Christian. « J'ai pleuré, pleuré, dit-elle. Après, je me suis maquillée pour que ça ne se voie pas trop. Mais comme je n'ai pas pu me retenir de pleurer encore, le résultat était pire. J'ai pleuré toute la matinée. J'entendais mes collègues parler autour de moi. Ils étaient heureux que Christian ait été guillotiné. C'était comme une fête, pour eux. Je pleurais et je pensais : " Il y a beaucoup de haine, sur cette terre, beaucoup de haine... " »

C'est également vers cinq heures et demie que Micheline Deville, journaliste, et Albert Botti, photographe de presse, sonnèrent à la porte de l'appartement des Rambla, au dernier étage d'une H.L.M. juchée sur les hauteurs de Saint-Barnabé et dominant tout Marseille. Ils arrivaient de la prison des Baumettes, où ils avaient assuré le difficile reportage de l'exécution. Albert Botti avait pu photographier le départ des avocats et la sortie du fourgon transportant les restes de Ranucci. S'ils obtenaient une déclaration des parents de la petite Marie-Dolorès, elle paraîtrait le jour même dans *Le Soir,* seul journal vespéral publié à Marseille, pour lequel ils travaillaient tous les deux.

Les quotidiens régionaux et nationaux n'allaient pas manquer de rapporter le lendemain la nouvelle de l'exécution mais elle risquait d'être éclipsée par la possible victoire de Guy Drut aux Jeux olympiques de Montréal : il s'alignerait dans quelques heures au départ de la finale du 110 mètres haies, porteur des ultimes espérances françaises. S'il gagnait, l'or de sa médaille recouvrirait le sang répandu sur l'échafaud des Baumettes.

Personne ne répondant à leur coup de sonnette, ce qui n'était guère surprenant à une heure si matinale, les visiteurs redescendirent l'escalier et sortirent de l'immeuble, résignés à attendre. Le bruit d'une fenêtre qu'on ouvre leur fit lever la tête. Micheline Deville reconnut le visage creusé de Pierre Rambla, qu'elle avait interviewé plusieurs fois. Penché à la fenêtre, il fit une mimique interrogative tout en se passant le tranchant de la main sur le cou. C'était clair : « Décapité?... » Les deux journalistes acquiescèrent. M. Rambla leur fit signe de monter et referma la fenêtre.

Il les reçut en pyjama. D'une maigreur presque squelettique, le visage marqué par l'épreuve impitoyable qui lui avait été imposée, Pierre Rambla avait cinquante ans et en paraissait dix de plus. Dès avant l'assassinat de sa fille, son métier d'ouvrier-boulanger l'avait prématurément usé et il était atteint d'une maladie professionnelle chronique causée par la poussière de farine qu'il respirait à longueur de temps. Le drame l'a achevé. Il souffre d'insomnie. Quand il parvient enfin à glisser dans un sommeil fragile, le visage de sa fillette martyrisée vient hanter ses rêves et il se réveille en croyant entendre Marie-Dolorès l'appeler à son secours. Physiquement incapable de reprendre son travail, moralement détruit, il tient sa propre existence pour achevée et dit ne plus survivre que pour assurer l'éducation de ses trois autres enfants.

Dans son français fruste et rocailleux, Pierre Rambla, d'origine espagnole, ne cacha point à ses visiteurs que la mort de Ranucci le satisfaisait. Il espérait qu'elle lui apporterait l'apaisement. Depuis deux ans, sa femme et lui-même vivaient dans l'obsession que l'assassin de leur enfant mangeait, buvait, lisait et dormait sans remords. Ce qui les avait par-dessus tout scandalisés, c'était l'attitude arrogante adoptée par Christian Ranucci lors de son procès. Il avait nié le crime et s'était donc abstenu d'exprimer un quelconque repentir. M. Rambla affirma à Micheline Deville que si le garçon s'était comporté autrement, s'il avait imploré son pardon, il le lui aurait accordé. Ce n'avait pas été le cas et « un tel monstre ne méritait pas de vivre ». A présent qu'il avait payé, Pierre Rambla, bon catholique, voulait bien lui pardonner. Mais il devait expier son crime.

Mme Rambla, comme d'habitude, laissait parler son mari. Elle a quinze ans de moins que lui et use d'un français encore plus malaisé. Son visage à l'expression très douce ne porte point les mêmes stigmates de la souffrance. C'est un beau visage de mère méditerranéenne comme on en voit de Naples à Séville. Tout le malheur s'est concentré dans le regard infiniment triste et qui s'embue chaque fois qu'est prononcé le nom de son enfant assassinée.

Elle aussi se déclara satisfaite de l'exécution : « Ma fille est vengée. » La perversité de Ranucci lui paraît d'autant plus haïssable qu'il exerçait une profession qui, selon elle, n'est pas à la portée de tout le monde : « C'était un représentant de commerce; il faut de la tête pour ça. »

La salle de séjour était comme de coutume impeccablement rangée et astiquée. Dans un coin, deux valises toutes prêtes. Les Rambla partaient le jour même passer des vacances en Espagne. Simple coïncidence, car ils ne savaient pas en prenant leurs billets que Christian Ranucci serait guillotiné à l'aube de ce 28 juillet 1976. Leur avion décollerait à midi de Marignane et les mènerait à Madrid; de là, ils gagneraient Malaga, où ils passeraient le mois d'août.

Héloïse Mathon, mère de Christian, se réveilla en sursaut juste avant sept heures du matin. La veille, elle avait dû prendre une forte dose de somnifère pour parvenir à s'endormir. Depuis la condamnation à mort de son fils, quatre mois plus tôt, elle ne tenait qu'à force de tranquillisants et de somnifères qui lui faisaient des réveils pâteux. Elle appuya sur la touche de son transistor pour capter le bulletin d'information de sept heures et apprit ainsi la mise à mort de Christian. De ce qui suivit, elle ne devait conserver qu'un souvenir confus. Elle se rappelle que son cœur battait à se rompre, qu'elle avait l'impression d'étouffer, qu'elle répétait sans cesse « ce n'est pas possible » et qu'il lui fallut se précipiter dans le cabinet de toilette pour vomir.

Le tumulte physique apaisé, elle accepta l'affreuse évidence mais continua de dire à haute voix : « Ce n'est pas juste. » Elle était certaine de l'innocence de son fils. Puis elle fit sa toilette, s'habilla et quitta le petit logement qu'elle avait loué à Toulon après l'arrestation de Christian. Elle put joindre Paul Lombard au téléphone. L'avocat lui dit que Christian, tout en protestant jusqu'au bout de son innocence, avait accepté la mort avec un grand courage et qu'il n'avait certainement pas souffert.

Micheline Théric et son mari apprirent la nouvelle dans un camping d'Alsace où ils passaient leurs vacances. Fidèles à Radio Monte-Carlo, ils captèrent le bulletin d'information de huit heures et demie qui débutait lui aussi par l'annonce de la décapitation de Christian Ranucci. Les Théric étaient voisins des Rambla au moment de l'enlèvement de Marie-Dolorès et, comme tous les habitants du quartier, ils avaient été profondément émus par le drame. Leur fille avait le même âge que la pitoyable victime. Plus tard, Micheline Théric avait eu la surprise de trouver chez sa marchande de journaux, puis chez son boucher, une pétition réclamant la mort pour Ranucci. Les deux feuilles étaient couvertes de signatures. Micheline Théric, catholique militante, avait été bouleversée par cette campagne qui lui paraissait incompatible avec l'idée qu'elle se faisait de la justice. Aussi avait-elle voulu assister au procès. Arrivée à Aix convaincue de la culpabilité de l'accusé, elle avait été ébranlée par les arguments de la défense. Son mari, présent au deuxième jour, partageait ses doutes. Ni l'un ni l'autre n'avait cru à une condamnation à mort. Ils étaient en tout cas persuadés que Christian Ranucci serait gracié, de sorte que l'annonce de son exécution les suffoqua : « On ne s'y attendait vraiment pas, disent-ils, il y avait trop de choses invraisemblables dans ce procès, trop de doutes. Nous ne pensions pas qu'on pourrait l'exécuter. »

Il ne leur restait plus qu'à prier.

La mère de Christian prit le train pour Marseille à neuf heures et demie et se rendit directement au cabinet de Paul Lombard, cours Pierre-Puget. Elle fut reçue par son collaborateur, Jean-François Le Forsonney. Le bref repos qu'il venait de prendre n'avait pas lavé l'avocat des épreuves de la nuit. Elle lui trouva un visage qu'elle ne lui avait jamais vu.

D'une voix rauque et entrecoupée de silences au cours desquels il s'efforçait de maîtriser son émotion, il répéta à Mme Mathon les dernières paroles de son fils. Christian avait affirmé jusqu'au bout son innocence et demandé à ses avocats de se battre pour sa réhabilitation posthume. Sa marche au supplice avait été sans faiblesse. Il était mort très courageusement. M^e Le Forsonney exprimait ainsi son opinion sincère mais il savait — et ne dit pas à Mme Mathon — que son confrère et aîné Paul Lombard avait au contraire vu « toute la peur du monde » concentrée sur le visage de Christian.

La mère exposa alors l'objet de sa visite : elle voulait récupérer immédiatement le cadavre de son enfant.

L'avocat n'avait plus la force de s'étonner, mais il n'avait pas davantage celle de s'occuper des formalités que supposait cette démarche, dont l'issue lui paraissait d'ailleurs très aléatoire : il croyait bien se rappeler que la dépouille mortelle des suppliciés devait rester enfouie dans un carré de terre anonyme. Il conseilla néanmoins à Héloïse Mathon d'aller voir son confrère Fraticelli, qui avait son cabinet à quelques centaines de mètres.

Lily Dumas était arrivée entre-temps au bureau. Secrétaire de Paul Lombard, elle s'était prise de sympathie pour la mère de Christian, dont elle aimait la douceur et qu'elle avait reçue chez elle à plusieurs reprises. C'était la première fois qu'il lui arrivait d'établir des relations privées avec un client du cabinet. Comme Mme Mathon et comme son patron, Lily Dumas croyait à l'innocence de Christian. Elle s'était effondrée en larmes en apprenant à la radio, aux informations de sept heures et demie, qu'il venait d'être guillotiné. Elle se jeta en pleurant dans les bras d'Héloïse Mathon, qui l'étreignit et la supplia : « Ne m'abandonnez pas!... » Lily Dumas décida de l'accompagner chez Me Fraticelli.

Agé de trente-quatre ans, ancien rugbyman et motard passionné, André Fraticelli s'était déjà acquis une place de choix dans le barreau marseillais. Ses compatriotes corses notamment, dont certains exerçaient des activités multiples et prospères, quoique officieuses, lui faisaient toute confiance lorsque l'infortune les mettait en contact avec l'appareil répressif. Il avait joué dans l'affaire Ranucci un rôle singulier. L'instruction était close lorsqu'il avait pris rang parmi les défenseurs de Christian, de sorte qu'il n'avait eu aucune part dans cette phase essentielle. Persuadé de l'impossibilité de plaider l'innocence (il ne prétendait pas que l'accusé fût coupable mais estimait que son innocence ne paraîtrait pas vraisemblable), il souhaitait plaider l'irresponsabilité, le coup de folie, l'acte de démence subite, de manière à obtenir les circonstances atténuantes et à sauver la tête de Christian Ranucci. Mais ses confrères Lombard et Le Forsonney avaient choisi de plaider l'innocence. Il n'était évidemment pas possible que la défense se divisât sur un choix stratégique aussi fondamental : un plaidoyer admettant la culpabilité annulerait la possible efficacité de ceux qui soutiendraient le contraire. André Fraticelli décida donc de ne point plaider. Il avait voulu cependant s'asseoir au banc de la défense et avait accompagné Christian jusqu'au bout du chemin. Son utilité, obscure mais essentielle, avait surtout tenu à l'assistance qu'il avait apportée à Héloïse Mathon au cours du procès et après le verdict de mort. Elle n'avait dû qu'à la force physique de l'avocat et à sa détermination d'échapper, sinon au lynchage, du moins aux pires sévices de la part de la foule déchaînée qui venait d'applaudir le verdict. Me Fraticelli, couvert de crachats, l'avait dégagée à coups de poing.

Il ne s'attendait pas à la voir ce matin-là. « Je vous assure, dit-il, que recevoir ainsi la mère d'un garçon de vingt-deux ans qu'on vient de guillotiner, c'est la pire des sales besognes. » Il lui répéta les pauvres phrases d'apaisement qu'avaient déjà eues ses confrères. Lily Dumas le trouva infiniment émouvant. Mⁿᵉ Mathon l'écouta en posant quelques questions, puis demanda quand on lui restituerait la voiture de Christian. Il s'agissait du coupé Peugeot 304 censé avoir servi à l'enlèvement de Marie-Dolorès Rambla et que la police avait saisi. Me Fraticelli connaissait assez Mᵐᵉ Mathon pour ne pas s'étonner de sa question, et il était trop intelligent pour s'en offusquer. Après le verdict d'Aix, et alors qu'il la ramenait en voiture à Marseille pour qu'elle y prenne le train de Toulon, elle lui avait demandé à plusieurs reprises d'accélérer : « Dépêchez-vous, il faut que je rentre donner à manger à mes chats! » Il savait cette femme profondément perturbée. Le calvaire qu'elle vivait la jetait dans l'incohérence. Il éluda donc la question sur la voiture mais resta pétrifié quand sa visiteuse lui dit qu'elle voulait entrer en possession du cadavre de son enfant pour le faire inhumer en Avignon, où elle comptait s'installer.

L'avocat savait aussi que cette exigence était dans la logique d'une longue histoire. Héloïse Mathon, divorcée du père de Christian alors que l'enfant n'avait pas quatre ans, s'était mis en tête à tort ou à raison que son ex-mari avait dessein de lui enlever l'enfant. Quinze ans durant, elle avait vécu dans cette obsession. Son existence et celle de Christian avait été déterminées par la hantise de soustraire l'enfant aux entreprises du père. Ainsi avait-elle déménagé plus de trente fois pour brouiller sa piste. Elle avait placé Christian dans des écoles privées plutôt que dans des établissements publics dont les liens avec les services administratifs officiels auraient multiplié les chances de retrouver sa trace. Elle s'était abstenue systématiquement de donner son adresse et se faisait envoyer son courrier poste restante. « J'avais l'impression, dit André Fraticelli, de vivre une scène biblique, l'une de ces terribles histoires de fatalité et de malédiction. Cette femme qui avait eu peur toute sa vie de perdre son unique enfant... Et on venait de le lui enlever... Et de cette façon! »

Il lui répondit que sa demande serait repoussée : le corps devait rester enseveli dans le carré des suppliciés — c'était la règle. Héloïse Mathon insista : Christian était son fils et, même mort, elle voulait l'avoir bien à elle; personne n'avait le droit de l'en priver.

Conformément à son habitude, elle parlait sans hausser le ton, d'une voix douce et obstinée. Elle avait cinquante-trois ans. Son visage fortement charpenté pourrait paraître dur s'il n'était éclairé par le regard chaleureux des yeux bruns. La voix surprend chez cette femme dont émane une indéniable expression de volonté têtue.

L'avocat, pour la convaincre, ouvrit son code pénal. L'article 14 fut une surprise : « Les corps des suppliciés seront délivrés à leurs familles, si elles les réclament, à la charge pour elles de les faire inhumer sans aucun appareil. » Mᵉ Fraticelli téléphona immédiatement au procureur de la République pour lui faire part de la demande de Mᵐᵉ Mathon. Le magistrat partageait l'opinion commune en la matière et répondit d'abord par la négative. Invité à consulter les textes, il s'étonna à son tour et reconnut que rien ne s'opposait à ce que le cadavre de Ranucci fût remis à sa mère. Pour la bonne règle, celle-ci aurait à introduire une requête à laquelle il donnerait son assentiment immédiat.

André Fraticelli rédigea la requête, la fit signer à Mᵐᵉ Mathon et lui demanda de repasser à son bureau le lendemain : il était midi moins le quart et l'exhumation ne pourrait pas avoir lieu le jour même. Elle en marqua de l'irritation.

20

Lily Dumas l'invita à déjeuner chez elle. Quand elles arrivèrent, elles trouvèrent le fils de Mme Dumas en train de regarder le journal télévisé de treize heures. Un film d'archives faisait revivre Christian à l'écran. Puis il y eut une image fixe montrant la guillotine. Lily Dumas se précipita pour éteindre le poste. Mme Mathon resta silencieuse.

Elles passèrent l'après-midi ensemble. Mme Dumas observa que sa compagne se gavait de tranquillisants. Malgré cela, elle avait des crises de larmes subites, des moments de faiblesse. « Je me demande, dit Mme Dumas, si elle réalisait vraiment que tout cela était bien vrai. » Le soir venu, elle insista beaucoup pour que Mme Mathon passe la nuit chez elle mais se heurta à un refus : les chats, à Toulon, attendaient leur nourriture.

Le lendemain matin, les deux femmes passèrent prendre chez Me Fraticelli l'ordonnance du procureur autorisant la restitution du corps. Elles se rendirent l'après-midi au cimetière Saint-Pierre. L'accueil du conservateur fut insolite : « Il nous a dit, raconte Mme Dumas, qu'il avait vu le cadavre de la petite Marie-Dolorès et aussi celui de Christian, et que les deux spectacles étaient également horribles. J'ai trouvé cette déclaration très bizarre. » Le conservateur ajouta que l'ordonnance du procureur ne changeait rien aux règlements administratifs : pour des raisons d'hygiène évidentes, aucune exhumation n'était pratiquée à Marseille en juillet et en août. Seul le maire pouvait autoriser une dérogation.

Les deux femmes s'en furent vers la tombe de Christian. C'était, dans un coin écarté, un simple tumulus de terre dans lequel était fiché, non pas une croix, mais un bâton portant le chiffre treize. Héloïse Mathon tomba à genoux en pleurant et en priant à haute voix. Puis elle sortit de son sac une image pieuse qu'elle enfouit dans la terre. Elle avait inscrit au dos : « Repose en paix. Je te jure sur ma vie que je te réhabiliterai. » Convaincue que l'exhumation aurait lieu le jour même, elle avait également apporté des ciseaux, de l'eau de Cologne et des serviettes pour procéder à la toilette funèbre de son fils, ainsi qu'une paire de draps pour lui servir de linceul.

La petite Marie-Dolorès reposait dans le même cimetière Saint-Pierre, à quelques centaines de mètres du tumulus de Christian.

Me Fraticelli, mis au fait de la nouvelle difficulté, effectua les démarches nécessaires à la mairie de Marseille et obtint un arrêté municipal autorisant l'exhumation. Mais celle-ci ne pourrait pas avoir lieu avant la mi-août.

Ce soir-là comme la veille, Héloïse Mathon voulut absolument rentrer à Toulon pour nourrir ses chats.

Le lendemain matin, 30 juillet, les deux femmes allèrent à la prison des Baumettes récupérer les affaires de Christian. Lily Dumas attendit à la porte et aida son amie à porter les deux valises et le sac. Elles trouvèrent un taxi à quelque distance. Il faisait un temps magnifique. Le chauffeur, bonhomme, chargea les bagages dans le coffre et lança gaiement : « Alors, Mesdames, on part en vacances? » Mme Mathon répondit doucement : « Non, Monsieur, nous en revenons. » Elle oscillait entre des périodes de calme et des crises de larmes, malgré un recours constant aux tranquillisants. De retour chez Mme Dumas, elle commença le tri des affaires. Le fils de Mme Dumas reçut le transistor de Christian et une paire de chaussures.

Les trois jours suivants, elle continua le tri, emportant chaque fois un paquet d'affaires. Le soir du troisième jour, bien après son départ, Mme Dumas reçut un télégramme de Toulon : « Il faut absolument soigner le chat blessé. Vous rembourserai tous les frais. « D'abord stupéfaite, Mme Dumas se rappela qu'elles avaient vu l'après-midi, à proximité de son propre domicile, un chat qui avait une patte cassée. Elle décida de satisfaire au vœu de son amie et sortit à la recherche du chat. Elle eut la chance de le retrouver mais échoua à l'attraper : la bête se sauvait dès qu'elle l'approchait. Elle rentra donc bredouille. La veille ou l'avant-veille, au cours de leurs pérégrinations, elle avait vu Héloïse Mathon s'apitoyer sur un chaton abandonné et affamé, le prendre et l'emporter à

Toulon. Cet intérêt pour les félins semblait atteindre avec le télégramme un caractère excessif, presque délirant. Lily Dumas ignorait que Christian, quelques semaines avant son arrestation, avait soigné l'un de ses chats blessé à la patte avec une tendresse dont le vétérinaire s'était émerveillé. Le spectacle d'un chat pareillement blessé avait évidemment ravivé ce souvenir chez Héloïse Mathon.

Enfin arriva le jour de l'exhumation. Il faisait une chaleur torride. Elles se rendirent au cimetière Saint-Pierre au tout début de l'après-midi. « Le cercueil était déjà dans le fourgon, raconte Lily Dumas, à l'intérieur d'un hanger. Un employé nous a accueillies en disant : " Venez, madame Mathon, il est à vous. " Elle a dit d'une voix que je n'oublierai jamais : " Il est à moi, enfin! " Et elle a éclaté en sanglots. Le chauffeur a ouvert les portes du fourgon. L'odeur nous a tous suffoqués. C'était épouvantable. »

Le cadavre avait été enterré dans le cercueil de l'administration mais la mère avait obtenu qu'après exhumation, ce cercueil fût doublé d'une enveloppe d'aluminium et placé lui-même dans un second cercueil de meilleure qualité. Un problème inattendu s'était cependant posé. Il n'était pas question de céder gratuitement à la mère le cercueil adminis-tratif, mais il était d'autre part impossible de lui demander de rembourser son prix à l'état neuf puisqu'il lui était fourni d'occasion. André Fraticelli avait pu régler cette délicate affaire.

Le concours d'un prêtre avait été refusé à Héloïse Mathon : on avait considéré que sa présence constituerait une infraction à l'article 14, qui interdit tout appareil. « Elle a fait elle-même le prêtre, raconte Lily Dumas. Elle avait apporté une plaque funéraire, en forme de livre ouvert, et de l'eau bénite de Lourdes. Elle en a aspergé le cercueil pendant qu'elle récitait des prières. Le chauffeur du fourgon était avec nous, très gentil, très compatissant. Quand elle lui a dit que Christian était innocent, il a répondu : " Si c'est pas lui, ça se saura un jour ou l'autre. "

« Elle a tenu à faire le voyage à l'arrière, à côté du cercueil, malgré l'odeur. Moi, je me suis installée à l'avant, avec le chauffeur. Je n'aurais pas pu supporter cette odeur absolument épouvantable. Personne ne peut savoir ce que c'était. Moi-même, je n'imaginais pas qu'une odeur pareille puisse exister. C'était irrespirable. Elle n'a d'ailleurs pas pu la supporter. Sur la route d'Avignon, elle a demandé au chauffeur de s'arrêter un moment et elle est descendue. Elle suffoquait. J'ai même cru qu'elle allait s'évanouir. Puis elle est remontée à l'arrière.

« En arrivant à Avignon, le chauffeur nous a gentiment offert à boire. Il faisait très chaud. Un commissaire de police et deux ou trois employés des Pompes funèbres nous attendaient au cimetière. Ils ont été très corrects. Là encore, au bord de la tombe, elle a refait le prêtre : aspersion d'eau bénite et prières. Puis il y a eu cet incident affreux. Quand les employés ont commencé à descendre le cercueil dans la tombe, on s'est aperçu qu'il était trop grand et qu'il n'y tiendrait pas. Il a fallu casser sur place le deuxième cercueil. Et là, malgré le premier cercueil, malgré la feuille d'aluminium, du sang a coulé sur le sol et a formé une flaque. Nous étions tous horrifiés. J'avais des chaussures à semelle de corde qui en ont été imprégnées. Et cette odeur, cette odeur atroce... Je dis que c'était du sang, mais ce n'était pas exactement du sang : c'était un liquide visqueux, épouvantable. Elle a ramassé deux ou trois éclats de bois provenant du grand cercueil et les a trempés dans ce liquide, puis elle les a rangés dans son sac.

« Nous sommes rentrées à Marseille avec le fourgon et elle m'a quittée à la gare Saint-Charles : toujours ses chats qui l'attendaient à Toulon. Je suis rentrée chez moi, je me suis déshabillée immédiatement et j'ai jeté mes chaussures à la poubelle. Ma fille m'a dit : " Mais qu'est-ce que tu sens? C'est infect! " »

Le conservateur du cimetière d'Avignon refusa de laisser graver sur la tombe le prénom et le nom du mort. Le procureur de la République, saisi par les avocats, envoya au conservateur une lettre indiquant que cette interdiction ne reposait sur aucun texte légal et qu'il devait par conséquent la lever. Il fut obéi.

Héloïse Mathon apporte régulièrement sur la tombe des fleurs blanches, symbole de l'innocence. Mais des mains inconnues ne se lassent point d'y déposer des fleurs rouges, et elle suppose que c'est pour lui rappeler que son fils est un assassin.

Première partie

LE CRIME

Marseille est vide. La chaleur et les trois jours de vacances de la Pentecôte ont drainé sa population vers les plages. Ce lundi 3 juin 1974, le soleil brille et un vent chaud balaie la ville. Marie-Dolorès Rambla, dont on a fêté la semaine précédente le huitième anniversaire, joue avec son frère Jean, six ans, dans une cour de la cité Sainte-Agnès. Leurs parents n'ont pas de voiture. La cité Sainte-Agnès, située dans le quartier des Chartreux, est constituée par un ensemble de bâtiments moroses. Elle donne sur la rue Albe. A moins de cent mètres, c'est la rocade du Jarret, l'une des principales artères d'accès à Marseille.

Comme la plupart des cités populaires de la ville, celle-ci est dépourvue de terrains de jeux ou de sport. Les enfants doivent s'ébattre dans les cours. Une pancarte comminatoire indique que les patins sont interdits, de même que les jeux de ballon et, d'une manière générale, les jeux bruyants. En cas d'infraction, le gardien assermenté verbalisera.

Mme Rambla est dans son logement, au premier étage du bâtiment C-7, avec ses deux plus jeunes enfants. Elle sait que les aînés s'amusent dans la cour avec deux petits voisins, compagnons de jeux habituels. Vers onze heures, elle jette un coup d'œil par la fenêtre de la salle à manger. Marie-Dolorès et Jean sont seuls. Elle se penche et leur demande de remonter. Marie-Dolorès répond : « Encore un petit moment... » Quelques minutes plus tard, et regardant cette fois par la fenêtre de la cuisine. qui s'ouvre sur l'autre côté du bâtiment, elle aperçoit Jean et lui demande où est sa sœur. « Elle cherche le chien », répond l'enfant. Mme Rambla ignore de quel chien il peut s'agir et croit à un jeu. Encore quelques minutes et elle aperçoit de nouveau le petit Jean par la fenêtre de la cuisine. Elle lui redemande où est Marie-Dolorès. L'enfant répond : « Je ne la trouve pas. »

Pierre Rambla rentre chez lui vers onze heures vingt. Ouvrier-boulanger au « Pompon rouge », boulevard Notre-Dame. il est en congé de maladie depuis quinze jours. Il aperçoit son fils errant entre les bâtiments. Jean explique qu'il est à la recherche de Marie-Dolorès. Le père se joint à lui et apprend ce que le petit Jean racontera bientôt aux policiers chargés de l'enquête :

« Je jouais avec ma sœur aînée, Marie-Dolorès, devant les bâtiments de la résidence où nous habitons. Nous nous amusions d'ailleurs devant le premier bâtiment de la cité, là où il y a trois garages. Nous étions seuls. Deux amis de ma sœur, et qui habitent la cité, venaient de nous quitter pour partir avec leurs parents.

« Un homme en voiture est arrivé. Il a garé son auto devant un des garages. Il est descendu et nous a parlé. Il m'a d'abord demandé de chercher son gros chien noir, qu'il venait de perdre. Il a demandé à ma sœur de rester auprès de lui.

« Je suis parti derrière le bâtiment et j'ai fait le tour de la cité pour chercher le gros chien noir. Je ne l'ai pas trouvé et je suis revenu à l'endroit où ma sœur et le monsieur m'attendaient. Il n'y avait plus personne, ni ma sœur ni le monsieur, et la voiture était partie. J'ai recherché ma sœur partout dans la cité et je ne l'ai pas retrouvée.

« Le monsieur avait une voiture grise. C'était un homme jeune, pas un vieux. Il avait un costume gris. Il parlait comme les gens d'ici. Il était grand et il avait des cheveux noirs et courts.

« C'est la première fois que je voyais ce monsieur. Je pense que je pourrais reconnaître ce monsieur. »

Pierre Rambla, très inquiet, élargit le cercle de ses

recherches et interroge plusieurs voisins. Personne n'a vu ni Marie-Dolorès ni l'inconnu qui a abordé les deux enfants. Il se décide alors à alerter la police.

*

Vincent Martinez, vingt-six ans, maître d'internat, roule sur la nationale 96 en compagnie de sa fiancée, Claude Bonafos, vingt-trois ans. Ils viennent d'Aix-en-Provence et se dirigent vers Toulon. Leur voiture, une R 16 blanche, aborde le lieu-dit La Pomme vers midi et demi. La nationale 96 croise ici la nationale 8 bis, menant à Marseille. Le croisement se situe à vingt kilomètres de Marseille.

Vincent Martinez aperçoit le croisement sur sa droite mais il a priorité : un panneau « stop » impose l'arrêt aux conducteurs venant de Marseille. Un coupé 304 Peugeot, gris métallisé, arrive précisément de cette direction. Son conducteur ne respecte pas le « stop ». Malgré le coup de frein de M. Martinez, le choc est inévitable. Sa Renault 16 percute contre l'arrière du coupé Peugeot et fait pivoter le véhicule. Le coupé, après un tête-à-queue complet, se retrouve face à la direction d'où il venait. Le chauffeur appuie sur l'accélérateur et disparaît dans cette direction, c'est-à-dire vers Marseille. Ni M. Martinez ni sa fiancée ne sont blessés mais leur voiture est immobilisée : l'aile gauche est profondément enfoncée. Ils ne peuvent poursuivre le chauffard. Mais voici qu'arrive une Renault 15 bleue occupée par un couple. Le conducteur accepte de se mettre en chasse. Il disparaît à son tour en direction de Marseille. Quelques minutes plus tard, il revient avec le numéro minéralogique du coupé 304, qu'il a retrouvé stoppé à environ un kilomètre de là. Vincent Martinez note le numéro — 1369 SG 06 — ainsi que l'identité du conducteur de la Renault 15 : Alain Aubert, demeurant à Toulon.

M. Martinez réussit à redresser son aile et peut redémarrer. Il emprunte à son tour la route de Marseille. Le coupé 304 a disparu. Il poursuit jusqu'à la gendarmerie de Gréasque, porte plainte et fait sa déposition. Il est une heure un quart. M. Martinez décrit les circonstances de l'accident et dresse l'inventaire des dégâts subis par sa voiture. Il déclare à propos du chauffard : « Le conducteur paraissait seul à bord. Je ne puis vous donner son signalement. Il me semble qu'il était jeune, mais je n'ai aucune idée du reste. »

*_**

A la même heure, Pierre Rambla fait sa déposition à l'hôtel de police, que tous les Marseillais appellent l'Evêché. Il raconte l'enlèvement de Marie-Dolorès tel que le lui a rapporté son fils Jean. L'inspecteur l'interroge vainement sur les motivations possibles du ravisseur. M. Rambla ne se connaît point d'ennemi. Sa situation conjugale exclut toute péripétie consécutive à un divorce. Marie-Dolorès, qui va à l'école communale du quartier, ne s'est jamais plainte d'avoir été abordée par un inconnu. Les Rambla ne sont d'ailleurs installés à la cité Sainte-Agnès que depuis quatre mois. Quant à une éventuelle demande de rançon, elle est peu concevable s'agissant d'une famille aux si maigres ressources.

Pierre Rambla donne enfin un signalement précis de Marie-Dolorès. C'est une enfant mesurant environ un mètre trente, plutôt mince, le teint clair, avec des cheveux longs châtain clair. Elle a une petite cicatrice sur l'aile droite du nez et une plaie au coude droit — souvenir d'une chute récente à l'école. Elle portait un short blanc, une chemisette blanche à manches courtes, des socquettes blanches et des sabots marrons à bandes vertes.

La machine policière se met en branle.

Pierre Rambla rentre chez lui. Sa femme se ronge d'inquiétude. Le petit Jean livre une indication supplémentaire : la voiture grise du ravisseur était une Simca. L'enfant est formel. Il précise même : une Simca 1100. Le père est d'autant plus enclin à le croire qu'il le sait passionné de voitures : à six ans, Jean est capable d'identifier la plupart des modèles.

*
**

Cinq heures de l'après-midi. Mohamed Rahou, cinquante-quatre ans, prend le frais devant sa maison en compagnie de sa femme. Celle-ci est restée fidèle au costume traditionnel arabe. Mineur de profession, M. Rahou s'est reconverti dans le champignon : la colline à laquelle s'adosse sa maison est truffée de galeries de mines désaffectées où l'on pratique la culture du champignon. Il y faut beaucoup de fumier, de sorte qu'une puissante odeur règne alentour. On s'y habitue puisque les Rahou ne la remarquent même plus. Ce lundi de Pentecôte, l'entreprise ne travaille évidemment pas et les galeries sont vides. La colline elle-même est inhabitée, exception faite de la maison des Rahou, située à proximité des hangars où est entreposé le matériel d'exploitation. Le croisement de La Pomme est à deux kilomètres.

Un jeune homme proprement vêtu, l'air très calme, débouche du chemin menant aux hangars et salue poliment le ménage Rahou, puis il explique : « J'ai ma voiture bloquée dans la galerie et je n'arrive pas à sortir. Est-ce que vous pouvez m'aider? » Mohamed Rahou se récuse : sa propre voiture est en panne et seul le contremaître, M. Guazzone, a le droit de se servir du tracteur de l'entreprise. Surpris, il ajoute : « Mais où elle est, votre voiture? — En bas. — Comment ça, en bas? Je ne comprends pas... » Pour en avoir le cœur net, M. Rahou se décide à accompagner l'inconnu.

Trois cents mètres plus loin, ils parviennent à une galerie. Le sol descend en pente raide jusqu'à l'entrée du tunnel. Ce sol est gras, malgré la sécheresse ambiante, et il doit l'être en permanence car la galerie exhale une humidité considérable. Cette bouche noire ouverte dans une végétation touffue est d'apparence extrêmement sinistre. M. Rahou pénètre dans la galerie avec l'inconnu. Quoique familier des lieux, il ne peut réprimer une sourde crainte tant cette histoire lui paraît singulière. Vingt à trente mètres plus loin, il découvre la voiture. C'est un coupé Peugeot 304, de couleur grise, garé en marche arrière. Ahuri, M. Rahou demande à l'inconnu comment il est venu se fourrer là. Le jeune homme répond qu'il était garé à l'entrée de la galerie, que son frein à main a lâché et que l'auto a glissé toute seule. M. Rahou est aussitôt convaincu que l'explication est mensongère : la galerie, bien loin d'être creusée en ligne droite, s'enfonce sous la colline selon un tracé sinusoïdal. Si la voiture avait glissé toute seule, elle aurait donc heurté une paroi et se serait immobilisée beaucoup plus tôt.

M. Rahou s'abstient de relever le mensonge. Il s'éprouve partagé entre l'inquiétude où le plonge cette histoire abracadabrante et le calme apaisant qui émane de l'inconnu. Celui-ci allume ses phares. Mohamed Rahou constate que la voiture est endommagée. L'autre explique qu'il a eu un accident. Des branches d'arbuste fraîchement coupées ont été glissées sous les roues arrière pour les empêcher de patiner. M. Rahou repère enfin, posée dans la galerie, une grosse nourrice blanche pouvant contenir dans les trente litres. L'inconnu déclare qu'elle lui appartient et qu'il l'a sortie du coffre pour alléger au maximum sa voiture.

Ensemble, ils font une nouvelle tentative pour désembourber le coupé. M. Rahou trouve du sable et le répand sous les roues. L'inconnu s'installe au volant, met le moteur en marche et tente de s'arracher à la boue. Echec total : les roues patinent toujours.

C'est alors que survient M. Guazzone.

*

Henri Guazzone, cinquante ans, est contremaître de la champignonnière. De taille moyenne, assez gros, le teint coloré, c'est un homme jovial et bourru. Il habite le village tout proche et a décidé de faire une tournée dans la colline, histoire de surveiller ses chantiers.

La voie d'accès qu'il emprunte n'est pas celle qui passe devant la maison des Rahou. Il arrive par la nationale 8 bis, c'est-à-dire par cette route que suivait le coupé Peugeot qui a, cinq heures plus tôt, heurté la voiture de Vincent Martinez. Le croisement de La Pomme, lieu de l'accident, est situé à quinze cents mètres de la voie d'accès choisie par Henri Guazzone.

C'est un simple chemin de terre s'enfonçant entre des buissons d'épineux. L'entrée est en principe fermée par un portail rudimentaire : une simple barre de fer qui se lève comme une barrière de passage à niveau. M. Guazzone constate que le portail est ouvert. Il ne s'en étonne pas outre mesure car il sait que la champignonnière est très fréquentée, notamment la nuit. Des couples viennent s'ébattre dans les nombreuses galeries dont la colline est truffée. C'est un peu étrange car ces antres humides et ténébreux sont véritablement lugubres. « C'est pourtant comme ça, nous dira M. Guazzone, et si vous ne me croyez pas, vous n'avez qu'à aller compter les capotes anglaises qui traînent là-dedans. » Elles sont en effet très nombreuses. « Il y vient de tout, précise M. Guazzone, des hommes avec des femmes, des hommes avec des hommes — de tout! On a eu beau mettre une barrière à l'entrée de la nationale : ça n'a rien empêché. Ils sont enragés. »

La barrière est donc levée. Henri Guazzone suit le chemin de terre et, arrivé à l'entrée d'une galerie, entend du bruit. Il pénètre dans la galerie et aperçoit très vite la lueur de deux phares. Deux hommes s'agitent autour d'une voiture. Il reconnaît Mohamed Rahou. Le second personnage est un homme jeune dont il distingue mal les traits. M. Guazzone le questionne sans ambages : « Qu'est-ce que vous faites là? » L'homme répond qu'il pique-niquait à l'entrée de la galerie et que sa voiture a glissé au fond, le frein à main ayant lâché. L'explication paraît aussi peu vraisemblable à M. Guazzone qu'à M. Rahou, et pour la même raison. Mais l'histoire du pique-nique lui semble tout aussi incohérente : « Vous aimez pique-niquer dans le fumier, vous? » L'entrée de la galerie est en effet à proximité immédiate d'un dépôt de fumier pestilentiel et il est singulier de choisir cet endroit pour un pique-nique alors que les collines offrent tant de plaisantes clairières. L'inconnu ne répond pas. Henri Guazzone repère les branchages sous les roues, la nourrice posée près de la voiture et enregistre le numéro d'immatriculation. Surpris, il s'exclame : « Dites donc, je vois que vous avez un numéro des Alpes-Maritimes : qu'est-ce que vous venez faire par ici? Je crois que je vais prévenir les gendarmes. Parce qu'ici, figurez-vous, c'est une propriété privée! » Le jeune homme ne se démonte pas. « Il était très tranquille, nous dira M. Guaz-zone. Un sang-froid terrible. Je voyais bien qu'il était jeune et, normalement, je l'aurais tutoyé. Mais quelque chose m'en empêchait. Son côté réservé, tranquille, sûr de lui. Quand je l'ai menacé des gendarmes, il m'a répondu sans élever la voix, sans montrer la moindre inquiétude : " Prévenez-les si vous voulez, Monsieur. Je suis chez vous, c'est vrai, mais je n'ai rien fait de mal. "

Rassuré par cette réaction qui lui paraît de bon aloi, Henri Guazzone grommelle : « Bon, je vais essayer de vous tirer de là avec mon tracteur. » Ils sortent ensemble de la galerie, suivis de M. Rahou qui va regagner sa maison. Le tracteur est garé à quelques centaines de mètres. M. Guazzone examine l'inconnu à la lumière du jour. Il lui attribue une trentaine d'années. C'est un homme d'un mètre soixante-quinze envi-ron, de corpulence moyenne, portant une chemise claire, un pantalon anthracite et des chaussures noires. Ses vêtements sont d'une propreté impeccable.

Les deux hommes reviennent à la galerie avec le tracteur. Au moment de fixer le câble de remorque au véhicule immobilisé, Henri Guazzone a un réflexe de prudence. Songeant qu'agenouillé, tête penchée, il sera à la merci de l'inconnu, il lui dit : « Eh jeune! Accrochez-le vous-même, le câble... »

Tout est en place. L'inconnu soulève sa lourde nourrice et la range dans le coffre. Il répète l'explication déjà donnée à Mohamed Rahou : « Je l'avais enlevée pour alléger ma voiture. » M. Guazzone constate qu'elle est pleine d'un liquide clair — essence ou eau. Il remarque également, posé sur la banquette arrière, un sac de sport Adidas à petits carreaux noir et blanc.

Le tracteur extrait sans difficulté la voiture de la galerie. A la lumière du jour, M. Guazzone s'aperçoit qu'elle a été accidentée : la carrosserie est froissée sur tout le côté gauche, depuis la porte jusqu'à l'aile arrière. Le choc paraît récent. L'inconnu s'emploie d'ailleurs à redresser l'aile arrière gauche. qui touche la roue. « C'est dans la galerie que vous vous êtes fait ça? » demande M. Guazzone. L'inconnu dément : il a été victime d'une collision. « Mais vous êtes seul? — Oui, et heureusement. D'ailleurs, cela m'arrive toujours quand je suis seul... » M. Guazzone est étonné : il aurait parié qu'il y avait une femme, quelque part, et que le couple faisait partie de la faune bizarre qui hante les galeries. L'inconnu ajoute que le responsable de la collision lui remboursera les dégâts, et il termine de manière énigmatique : « Je lui ferai payer ça et le reste... »

Les deux hommes se séparent. L'inconnu s'installe au volant et démarre. Il stoppe devant la maison des Rahou et descend pour les saluer. Mme Rahou lui offre une tasse de thé. Il accepte sans hésiter. On échange des banalités. L'inconnu boit son thé. remercie avec beaucoup de gentillesse, puis se lève en disant : « Je vais retourner là-bas pour dire au revoir au contremaître. Tout à l'heure, je l'ai à peine remercié. » Il remonte dans sa voiture, fait demi-tour et disparaît. Quelques minutes plus tard. les Rahou le voient revenir. Il s'arrête à leur hauteur et dit : « Je ne l'ai pas trouvé. Remerciez-le de ma part. » Et il redémarre, cette fois définitivement. en criant : « Au revoir! »

Après avoir remisé son tracteur, Henri Guazzone a poursuivi son inspection des diverses galeries sans rien noter d'anormal. Il arrive chez M. Rahou alors que l'inconnu a déjà pris la route. Les deux hommes échangent des considérations perplexes sur la présence, à trente mètres au fond d'une galerie ténébreuse, d'une voiture embourbée conduite par un chauffeur solitaire.

**
*

Le soir tombe sur la cité Sainte-Agnès. Chaque coup de sonnette ranime l'espérance des Rambla, et la sonnette ne cesse de retentir. Mais c'est un voisin qui, rentré de la plage et mis au courant du drame, vient exprimer sa compassion; c'est encore un journaliste qui fera répéter au petit Jean le récit qu'il a déjà donné dix fois; c'est un policier navré qui n'a rien à dire, sinon que les recherches continuent.

Mᵐᵉ Rambla, effondrée, ne cesse de répéter : « Porque?... Porque?... » Elle ne comprend pas. Des ennemis? Ils n'en ont pas. Un inconnu? Marie-Dolorès n'a pas l'habitude de parler à des inconnus. Elle est réservée, timide. Pierre Rambla, le visage creusé de rides, reçoit tous les visiteurs avec une force d'âme qui suscite leur admiration.

Les deux jumeaux, Noël et Carine, sont au lit depuis longtemps. Jean en impose à tous les journalistes par son sérieux et une maturité inattendue chez un enfant de six ans. Très brun, le visage ovale, le regard intelligent et réfléchi, il n'affabule pas et répète sans varier son témoignage : le monsieur était jeune, grand, bien habillé; sa voiture était une Simca 1100 de couleur grise.

Les visiteurs s'esquivent l'un après l'autre. On couche Jean, qui titube de fatigue, à côté du lit vide de Marie-Dolorès, que ses parents appelaient Marie-Do, et les deux jumeaux, Marie-Adorée.

Le père et la mère entament leur première nuit blanche.

Au matin du 4 juin, des manchettes énormes barrent la première page des quotidiens régionaux. Le drame des Rambla devient celui d'une population prompte à s'émouvoir, et d'autant plus que la vie d'un enfant est en jeu. Le visage souriant de Marie-Dolorès, dont la photographie est partout publiée, bouleverse et angoisse. Marseille tout entière adopte l'enfant perdue.

La police redouble d'efforts. Son chef, le commissaire central Jacques Cubaynes, conduit l'offensive sur deux fronts Le premier est celui de l'enquête classique, avec exploitation des témoignages et de tous les éléments traditionnels — fichiers par exemple — en possession de la police. Le second, qu'il appelle « recherche en surface », consiste notamment en un quadrillage géographique serré.

Le seul témoignage disponible reste celui du petit Jean. Les inspecteurs qui sonnent systématiquement à toutes les portes de la cité Sainte-Agnès échouent à recueillir le moindre indice. La veille, la plupart des locataires étaient à la plage ; les autres avaient fermé leurs volets ou tiré les stores pour se protéger du soleil. On retrouve les deux enfants qui ont joué avec les petits Rambla avant de partir avec leurs parents pour la plage. Ils n'ont rien remarqué, ni voiture ni individu suspect. Une voisine a croisé Marie-Dolorès et Jean alors qu'ils se dirigeaient vers la rue Albe : personne ne semblait s'intéresser à eux.

La « recherche en surface » repose essentiellement sur trois chiens policiers, Prince, Wolf et Hugo. Ils sillonnent les rues du quartier, fouillent les terrains vagues et les chantiers. Deux hélicoptères prennent l'air et survolent les calanques entre Marseille et Cassis. Toutes les gendarmeries ont la photo de Marie-Dolorès et le signalement du suspect.

En désespoir de cause, la Sûreté urbaine lance un appel au public par l'intermédiaire de la presse écrite et parlée : « Aidez-nous à découvrir le moindre indice, même s'il est peu important. Toute discrétion est assurée aux éventuels informateurs. » Les renseignements doivent être téléphonés au 91-90-40, poste 611. On demande de signaler tout individu qui achèterait des bonbons, des bananes, un jouet d'enfant...

Les Rambla restent cloîtrés dans leur appartement. En fin de matinée, Pierre Rambla fait une brève apparition mais supplie les journalistes de le laisser en paix.

Henri Guazzone, le contremaître de la champignonnière, est passé à la gendarmerie de Gréasque à dix heures et demie et a signalé aux gendarmes, avec lesquels il entretient d'excellents rapports, l'épisode de la veille. On prend note de l'immatriculation du véhicule, 1369 SG 06, et aussi du fait que « l'automobiliste était seul, très calme, décontracté ».

A une heure de l'après-midi, M. Guazzone apprend en écoutant la radio qu'un rapt d'enfant a été commis la veille à Marseille. Il fait un rapprochement avec l'incident de la galerie et téléphone à la gendarmerie. Son interlocuteur lui répond : « Putain, ne nous emmerde pas! Tu nous parles d'une Peugeot et nous, on cherche une Simca! »

Vers deux heures et demie, Pierre Rambla quitte la cité Sainte-Agnès à vélomoteur avec le petit Jean sur le siège arrière. Les policiers, qui ont besoin de l'enfant, ont proposé de le conduire à l'Evêché mais Jean s'est refusé à monter dans une voiture. Il est bouleversé. La veille, l'énervement général et l'intérêt dont il était l'objet l'avaient protégé de la réalité. Il en a pris conscience aujourd'hui Il sait qu'une terrible menace pèse sur sa sœur.

A l'Evêché, les policiers de la Sûreté urbaine enregistrent sa déposition. Puis ils mettent son témoignage à l'épreuve. L'enfant déclare depuis la veille que la voiture du ravisseur était une Simca. On lui présente « de nombreux types de véhicules automobiles » et on lui demande s'il reconnaît la voiture. Il désigne une Simca.

Il est alors conduit au « fichier Canonge » qui contient les photographies d'une centaine de maniaques et détraqués sexuels de la région marseillaise. Jean est invité à examiner attentivement les visages.

A trois heures dix, et tandis que le frère de Marie-Dolorès est plongé dans ses photos, la gendarmerie de Roquevaire reçoit un appel téléphonique d'Alain Aubert, cet automobiliste toulonnais qui a accepté de prêter assistance à Vincent Martinez après son accident. M. Aubert signale que « la veille, vers douze heures trente, il avait poursuivi l'auteur en fuite d'un accident de la circulation et que ce dernier, abandonnant son véhicule Peugeot gris métallisé, immatriculé 1369 SG 06, en bordure de la R.N. 8 bis, s'était enfui dans les bois en transportant un paquet assez volumineux. M. Aubert, ayant eu connaissance ce jour du rapt d'enfant à Marseille, pensait que les faits dont il avait été témoin pouvaient avoir un rapport avec l'enlèvement ».

La gendarmerie de Roquevaire transmet l'information à celle de Gréasque, territorialement compétente.

Jean Rambla achève de consulter les photos vers quatre heures. « Il a démontré beaucoup d'intelligence, dira un spécialiste de l'Identité judiciaire. Pendant plus d'une heure, il a regardé avec une attention toute particulière et avec beaucoup d'intérêt tous les portraits, mais aucun n'a éveillé particulièrement son attention. » C'est un échec. En quittant l'Evêché avec son fils, Pierre Rambla dit néanmoins aux journalistes : « Il a pu convaincre les policiers que c'était bien dans une Simca grise que sa sœur était partie. »

La gendarmerie de Gréasque a diffusé une demande de recherches dans le cadre de l'enquête ouverte pour délit de fuite. Le véhicule a été identifié au fichier et, à trois heures cinquante-cinq, un message est transmis à la brigade de recherches de Nice, territorialement compétente puisque la voiture en cause est immatriculée dans les Alpes-Maritimes.

Comme toujours en pareille circonstance, services de police et salles de rédaction sont submergés d'appels. Le soupçon prospère; la dénonciation s'épanouit. De mystérieux correspondants affirment détenir Marie-Dolorès. Certains réclament des rançons exorbitantes. L'un d'eux est assez adroit pour convaincre de son sérieux le reporter d'une station de radio qui sera licencié après s'être engagé à fond sur cette fausse piste. Mais la police elle-même refuse d'exclure totalement l'hypothèse d'une demande de rançon, encore que l'acte d'un déséquilibré ou d'un sadique lui paraisse d'heure en heure plus plausible. C'est en tout cas ce qu'elle déclare à la presse. Le malheureux Pierre Rambla dit aux journalistes qui attendent devant sa porte : « Je n'ai pas un sou, mais s'il le faut, je travaillerai jour et nuit pour rembourser. »

Les chiens policiers reviennent bredouilles au chenil. Les hélicoptères rallient leur base. Les hommes de la Sûreté urbaine se retrouvent à l'Evêché après une longue journée de vaines recherches. Ils sont pessimistes, convaincus que le temps joue contre eux.

En ville, l'émotion est si profonde que le commissaire Cubaynes croit devoir faire une déclaration apaisante : « Cette affaire est traitée en priorité absolue et nous avons bon espoir qu'une solution intervienne rapidement. Il n'y a aucune raison pour qu'une psychose d'insécurité s'installe chez les mères de famille marseillaises. »

Les Rambla entament leur deuxième nuit blanche.

Le lendemain, 5 juin, quarante-huit heures après l'enlèvement, un exhibitionniste est appréhendé dans le quartier Saint-Louis. en face d'une école communale. L'homme est propriétaire d'une Simca grise mais son signalement ne correspond pas à celui donné par Jean Rambla. Il est conduit à l'Evêché pour interrogatoire.

Au même moment. deux policiers arrêtent un second suspect dans le quartier Notre-Dame Limite. L'homme est également conduit à l'Evêché.

Mais alors que l'enquête piétine à Marseille, elle connaît à Gréasque des développement inattendus et foudroyants.

A dix heures, la gendarmerie reçoit un appel téléphonique de Vincent Martinez. Indiquant qu'il vient d'apprendre l'enlèvement perpétré à Marseille une heure et demie avant son accident, il estime qu'un lien existe peut-être entre les deux événements : « Contrairement à ce qu'il avait déclaré dans sa plainte, il pensait qu'un enfant avait pu se trouver dans le véhicule tamponneur. »

Le chef de la brigade de Gréasque conclut à la nécessité d'obtenir des précisions sur l'endroit où le coupé Peugeot s'est arrêté en bordure de la nationale 8 bis, abandonné par son conducteur qui, aux termes de la communication téléphonique de M. Aubert reçue la veille, s'est enfui dans les bois « en transportant un paquet assez volumineux ».

A dix heures et demie, la gendarmerie de Gréasque alerte celle de Toulon et lui demande d'entrer en contact avec Alain Aubert pour que celui-ci appelle Gréasque dans les meilleurs délais.

M. Aubert téléphone à midi et demi. Il raconte dans quelles conditions il a été amené à prendre en chasse le coupé Peugeot responsable de l'accident, puis la gendarmerie de Gréasque note : « A environ un kilomètre du carrefour, à partir de la sortie d'un virage, il apercevait à environ cent mètres le véhicule gris arrêté en bordure de la route, tandis qu'un homme jeune gravissait le remblai et s'enfonçait dans les fourrés en tirant un paquet assez volumineux. L'homme était vêtu d'un pantalon foncé et d'une chemise ou d'un vêtement de couleur claire. M. Aubert avait arrêté son véhicule à proximité de la Peugeot 304 grise, immatriculée 1369 SG 06, et interpellé sans le voir le conducteur dissimulé dans les fourrés, lui indiquant que l'accident n'avait pas de conséquences graves, qu'il s'agissait d'une affaire simple, et lui demandait de revenir sur la chaussée. N'ayant obtenu aucune réponse, entendu aucun bruit et constaté que personne ne se trouvait dans le véhicule Peugeot, il repartait en direction du carrefour et indiquait au conducteur accidenté le numéro d'immatriculation du véhicule Peugeot. »

Le capitaine Gras, commandant la compagnie de gendarmerie d'Aubagne, dont dépend hiérarchiquement la brigade de Gréasque, est informé à une heure un quart de ces nouveaux développements. Maurice Gras est un homme de haute taille, à forte carrure, et apparemment doté d'un système nerveux à toute épreuve. Il mesure aussitôt l'importance des informations qui lui sont soumises pour la première fois et met en branle un dispositif important. Dix-huit gendarmes de sa compagnie sont dépêchés au croisement de La Pomme, où ils sont rejoints par un peloton de gendarmerie mobile et deux patrouilles motocyclistes. Deux patrouilles supplémentaires de gendarmes arriveront bientôt pour participer aux recherches, ainsi que le chien policier de la compagnie d'Arles.

Le ratissage de la bordure nord de la route nationale 8 bis commence à deux heures cinq. Du croisement de La Pomme, lieu de l'accident, au chemin de terre donnant accès à la champignonnière, il y a mille quatre cent soixante-quinze mètres. La route, très sinueuse, est taillée à flanc de colline. Du croisement à la champignonnière, elle est bordée à gauche par une ravine et à droite par un talus de hauteur variable par lequel on accède à la colline. Celle-ci est une garrigue foisonnante où dominent les buissons d'épineux. Aucune construction aucune habitation. Le paysage, admirable, est composé de collines du même type, dont certaines aux pentes assez raides, qui se découpent sur le ciel bleu. Il fait très chaud.

Le ratissage ne sera pas aisé car certains fourrés sont très épais, hérissés d'épines, quasi impénétrables.

A trois heures un quart, le capitaine Gras est informé de l'identification du propriétaire du coupé Peugeot impliqué dans l'accident. Il s'agit de Christian Ranucci, représentant de commerce, demeurant à Nice, avenue des Terrasses de la Corniche Fleurie, bâtiment Les Floralies.

Cinq minutes plus tard, à trois heures vingt, un indice est découvert dans la galerie où s'était embourbé le coupé Peugeot et que fouillent, en compagnie de M. Guazzone, le capitaine Gras et quelques gendarmes. Ils trouvent, dissimulé derrière quatre portes en bois posées contre la paroi, un pull-over rouge.

A trois heures trente-cinq, un message radio est envoyé à la gendarmerie de Nice, lui enjoignant d'entendre Christian Ranucci dans le cadre de l'enquête ouverte pour délit de fuite.

A trois heures quarante, le chien policier de la compagnie d'Arles arrive à la champignonnière. On lui donne à flairer le pull-over rouge et on le met en piste à partir de l'entrée de la galerie.

A trois heures quarante-cinq, l'un des gendarmes motocyclistes détachés en renfort pour participer aux recherches, pénètre dans un buisson d'épineux et sent sous son pied quelque chose de mou. Il se penche, écarte un amas de branchages fraîchement coupés, et découvre un cadavre d'enfant. La vision est si horrible que le gendarme, pourtant rompu au spectacle sanglant des accidents de la circulation, est pris de violentes nausées et doit s'écarter pour vomir. On s'emploie à dégager le petit corps, soigneusement dissimulé sous les branchages. C'est celui d'une fillette. Ses vêtements sont identiques à ceux que portait Marie-Dolorès lors de son enlèvement, deux jours plus tôt.

A trois heures cinquante, le procureur de la République de

Marseille est informé de la découverte. Le juge d'instruction Mlle Ilda Di Marino, prescrit au capitaine Gras de laisser les lieux en l'état jusqu'à son arrivée.

A trois heures cinquante-cinq, le commandant de la compagnie de gendarmerie de Nice reçoit l'ordre d'appréhender Christian Ranucci, auteur d'un délit de fuite et soupçonné du meurtre de Marie-Dolorès Rambla.

Cinq minutes plus tard, à quatre heures précises — et sans aucune corrélation avec ces développements — l'inspecteur divisionnaire Jules Porte, de la Sûreté urbaine de Marseille, enregistre à l'Evêché la déposition d'un témoin inattendu et capital, Eugène Spinelli. De taille moyenne, vigoureux, énergique, cet homme de trente-six ans est garagiste-carrossier. Son garage est situé 4, impasse Albe. La cité Sainte-Agnès borde cette impasse. Le matin du lundi de Pentecôte, M. Spinelli ne travaillait pas mais se trouvait à son garage. Et il a assisté à l'enlèvement.

« Je tiens, déclare-t-il, à vous rapporter certains faits dont j'ai été le témoin. Sur le moment, je n'y avais pas prêté une attention particulière. C'est seulement en apprenant qu'une fillette avait été enlevée à la cité Sainte-Agnès que je prends conscience de l'importance de ce que j'ai vu...

« A onze heures moins dix, je suis sorti sur le trottoir. Je me souviens bien de l'heure car je me rendais chez ma mère. J'ai aperçu au bas de la traverse Albe une voiture de marque Simca 1100 de couleur gris clair. Une fillette prenait place côté passager avant, tandis qu'un homme âgé d'une trentaine d'années prenait place au volant du véhicule.

« Cet homme correspond au signalement suivant : il pouvait mesurer un mètre quatre-vingts environ. Il était de corpulence mince et avait des cheveux châtain clair. Ces derniers ne lui couvraient pas le haut des oreilles. Le visage de cet homme était plutôt de forme allongée. Il ne portait pas de moustache, de barbe ou de favoris. Il était vêtu d'une veste claire et d'un pantalon de couleur foncée (tout au moins plus foncée que la veste).

« Je ne suis pas en mesure de vous fournir de plus amples

détails sur cet homme que j'ai vu de quarante à cinquante mètres environ. Je ne pense pas pouvoir être formel quant à l'identification de cet individu pour le cas ou il me serait présenté.

« Je tiens à vous préciser que la fillette est montée d'elle-même dans le véhicule alors que l'homme lui parlait et lui souriait. A aucun moment je ne l'ai vu forcer la petite fille à faire quoi que ce soit. Cet homme m'est totalement inconnu. C'est la première fois que je le vois dans le quartier.

« Je n'ai pas relevé le numéro minéralogique de cette voiture Simca 1100.

« C'est tout ce que je puis vous dire sur ces faits. »

Invité à examiner le « fichier Canonge », Eugène Spinelli sort deux clichés du lot de photographies. Scrupuleux, il souligne son incertitude : « M. Spinelli nous précise toutefois que ces deux individus ne ressemblent que par la forme générale du visage à l'homme qu'il a vu monter dans le véhicule Simca en compagnie d'une fillette. M. Spinelli déclare ne pouvoir être formel quant à l'identification précise de cet inconnu. »

A quatre heures vingt, le chien policier mis en piste à la sortie de la galerie arrive à la hauteur du fourré où l'on a retrouvé trente-cinq minutes plus tôt le petit cadavre. Il a suivi le chemin de terre, long de quatre cent quarante-trois mètres, et remonté la route nationale 8 bis sur sept cent soixante-quinze mètres. Il dépasse de trente mètres le lieu de la macabre découverte et s'arrête. Le gendarme qui le tient en laisse le ramène à la perpendiculaire du fourré. Il s'immobilise de nouveau et ne reprend plus la piste.

A quatre heures trente, trois hommes en civil sonnent à la porte du petit appartement qu'Héloïse Mathon et son fils occupent sur les hauteurs de Nice.

L'exécution du 28 juillet 1976 n'a pas seulement amputé Héloïse Mathon de son avenir : elle a remodelé son passé. De toute existence, il est plusieurs lectures possibles. De celle-ci, il n'en est désormais qu'une seule. Mme Mathon, jusqu'à sa mort, ne sera plus que la mère d'un enfant guillotiné, et elle évoque sa vie comme s'il avait été écrit dès le jour de sa naissance que son destin se résumerait à mettre au monde Christian, à l'élever, à l'aimer, puis à le perdre. La mère a oblitéré la femme. Nous saurons peu de choses de ses amours. Ce n'est point qu'elle les dérobe : elles sont comme englouties. Sur cette vie, codée comme toutes les autres, la tragédie a posé une grille de déchiffrement si impérieuse qu'on ne peut plus y lire qu'un message univoque.

Avait-elle déjà cette phénoménale mémoire de son enfant, ou bien est-ce le traumatisme du 28 juillet qui a fait refluer pareille masse de souvenirs minutieux, comme si le passé devait désormais pourvoir à la défaillance de l'avenir, de sorte qu'elle raconte à quinze ans de distance le détail, heure par heure, d'une journée avec son fils, le menu de leur repas, le parfum de la glace qu'il a choisie, le jouet qu'elle lui a acheté? Ses souvenirs même sont-ils innocents, au sens psychanalytique du terme, ou bien l'horreur et l'angoisse braquent-elles sans qu'elle le sache les noirs projecteurs de l'inconscient sur tel épisode qui n'eût point émergé à la surface de sa mémoire avant le 28 juillet? Pour illustrer le peu d'affection que le père témoignait à Christian, elle avait le choix entre mille exemples puisqu'elle affirme la constance de la froideur paternelle. Voici celui qu'elle sélectionne entre tous : Christian voit son père prêt à partir au volant de la voiture qu'on vient d'acheter, qui est la première et dont on s'émerveille; il demande la permission de s'installer à côté de lui. Le père répond : « Non, je n'ai pas besoin de toi. » Et comme l'enfant insiste, il l'empoigne et le porte dans la cuisine en demandant qu'on l'en débarrasse. Christian sanglote de déception et de chagrin. Il a trois ans.

Héloïse Mathon est née à Avignon le 16 septembre 1922. Ses parents, originaires de Lozère, étaient issus de familles paysannes pauvres. Le père est employé municipal. La mère subit un tel choc en lisant le télégramme lui annonçant la mort de son propre père qu'elle éprouve des troubles de la vision aboutissant bientôt à la cécité complète. Héloïse, âgée de sept ans, doit pourvoir aux soins du ménage en attendant qu'une grand-mère, puis une tante, viennent tenir la maison désormais désolée. Une lueur dans cette tristesse : la mère aveugle avait été élevée avec une enfant de l'Assistance publique recueillie par ses parents et restée chez eux jusqu'à l'âge de treize ans; or, cette Andréa, enfant empruntée, allait restituer à sa famille d'adoption tout l'amour qu'elle en avait reçu. Mariée, mère de famille, elle vient à Avignon s'installer à trois cents mètres des Mathon pour aider l'aveugle et la réconforter.

A dix-huit ans, Héloïse s'enfuit. Elle étouffe entre un père aigri, rigoriste, et une mère enfermée dans sa cécité. Elle travaillait comme vendeuse dans une boutique de la ville mais elle brûle de franchir ses remparts et de découvrir le monde. Elle se sait séduisante. Elle a le goût du bonheur.

Nîmes, Agen, Toulouse, Bordeaux. Elle voyage en auto-stop, procédé qui n'est guère d'usage à l'époque chez les filles mineures. Petits travaux ici et là. Des cartes postales à ses parents, mais toujours au moment de quitter une ville : elle a lu dans la presse les avis de recherche la concernant. Paris enfin, où une amie d'Avignon lui apprend que sa mère est gravement malade. Elle rentre par le premier train, est reçue sans reproche. C'est un cancer. Mais une opération réussie laisse espérer une rémission. Elle sera longue.

Pour rester près des siens, Héloïse s'engage comme serveuse dans un café de Marseille. Puis, sa mère allant décidément mieux, elle part pour la Belgique avec une amie et trouve du travail dans une auberge. Retour à Marseille où elle se fait embaucher dans une fabrique de jouets. La guerre éclate. La fabrique de jouets périclite et finit par fermer ses portes. Héloïse survit en assurant la garde d'enfants dont les familles sont dispersées par les événements. C'est la découverte d'une sorte de vocation. Elle adore les enfants et sait s'en faire aimer par sa douceur, sa patience, l'affection qu'elle leur voue comme s'ils étaient siens. Est-ce le souvenir d'Andréa, la sœur adoptive aimante-aimée de sa mère? Pour Héloïse, l'amour n'est pas forcément enfermé dans les cloisons familiales : il est aussi bien dans ces auberges espagnoles ouvertes à tous vents où l'on trouve toujours ce qu'on apporte.

A la Libération, nouveau départ pour la Belgique avec l'amie ancienne. Elles s'embauchent comme serveuses dans une auberge tenue par des immigrés polonais. Le fils des patrons tombe follement amoureux d'Héloïse. Il a dix-huit ans; elle, vingt-trois. C'est un gentil garçon qui apprend l'ébénisterie. Héloïse hésite à s'engager. Sa mère est au plus mal. Elle va lui fermer les yeux. Au retour, le garçon la presse de l'épouser. Elle décide, d'accord avec ses parents, de lui imposer une mise à l'épreuve et part pour Toulon prendre avec sa fidèle amie la gérance d'un bar.

La gérance ne sera pas un succès, mais le séjour à Toulon est marqué par un événement inattendu : Héloïse adopte un enfant. C'est, pense-t-elle, le plus sûr moyen d'en avoir un, et peut-être le seul car elle craint de ne pouvoir être mère. Le petit fiancé belge? S'il l'aime vraiment, il acceptera. S'il renâcle, elle rompra. Un enfant lui importe plus qu'un mari.

Elle entame la longue série des démarches administratives, subit une visite médicale, fait l'objet d'une enquête approfondie, est enfin admise dans une salle où on lui donne à choisir entre une vingtaine d'enfants. Son choix se porte sur Gilbert, bébé métis de quatre mois.

Le fiancé apprend la nouvelle sans broncher.

Le mariage est célébré en Belgique. Naturellement, Héloïse refuse un voyage de noce qui la forcerait à se séparer du bébé. Le mari se fait une raison. Mais nul doute que l'accumulation des contraintes et l'amour passionnément exclusif d'Héloïse pour l'enfant entament rapidement la sérénité de cet excellent garçon dont l'âge tendre résiste mal à pareille avalanche. Les beaux-parents, craignant le naufrage du couple et constatant qu'Héloïse s'étiole au climat belge, conseillent un établissement dans le Midi. On trouve un logement à Marseille; le mari s'embauche dans une menuiserie. Mais cela ne va décidément plus et l'on décide de rompre. Ce sera une séparation à l'amiable, sans heurts ni ressentiment. On se quitte bons amis et on le restera.

Sa nouvelle solitude n'en est point une pour Héloïse : elle a Gilbert.

Puis elle rencontre Jean Ranucci. Mince, brun, taciturne, il est le contraire du petit mari belge. Ce marin de trente ans, dont la famille est d'origine romaine, a combattu sous le pavillon de la France Libre, servi en Indochine, navigué sur tous les océans du globe. Bien qu'ayant mis sac à terre, il n'aime que la mer et les bateaux, et passe des heures à écouter des disques exotiques. Il incarne enfin l'aventure. Et il fait bon accueil à Gilbert.

Le mariage est célébré le 20 mai 1952. Jean Ranucci travaille comme manutentionnaire dans un dépôt de pharmacie. Héloïse est réceptionniste dans un hôtel. Gilbert va à l'école.

Deux années passent et c'est la naissance de Christian, le 6 avril 1954. Héloïse est littéralement folle de joie. A trente et un ans, elle n'espérait plus la venue de cet enfant, que son mari tenait de son côté pour superflu : « On a déjà Gilbert. » Ce dernier, qui a maintenant sept ans et demi, accueille avec bonheur le petit frère. Héloïse engage, pour s'occuper du bébé, une jeune fille qui viendra naturellement de l'Assistance publique et deviendra bien entendu membre à part entière de la famille. La jeune fille ne fera d'ailleurs pas la découverte du bonheur car, orpheline à sept ans, elle avait été placée dans une ferme de l'Ardèche dont les patrons l'avaient entourée de tendresse.

Mais si notre histoire semble à l'envers du mélodrame de boulevard qui fait pleurer Margot, puisque les enfants orphelins ou abandonnés y trouvent leur bonheur dans des familles de hasard, voici le coup du sort qui va soumettre enfin les personnages à la loi du genre. Gilbert a neuf ans quand Héloïse reçoit du directeur de l'Assistance publique du Var une lettre lui annonçant que la vraie mère de l'enfant veut le reprendre, et que la loi l'y autorise. Héloïse est foudroyée. Elle ignorait jusqu'à l'existence de cette mère. Neuf ans anéantis par une simple lettre. Neuf années de soins constants, de soucis, d'affection, pour aboutir à cet arrachement. Que Gilbert ne fût pas né de sa chair, elle n'y pensait même plus. Il est son fils tout autant que Christian. Il est à elle. Et voici qu'on lui demande de le « préparer » à la séparation prochaine.

Cette femme fut ici admirable. Car s'il est peut-être aisé d'aimer un enfant adopté, il est sublime de consentir à le laisser partir sans éclats pour ne point mutiler sa sensibilité. La malheureuse, atrocement blessée, ne veut pas que Gilbert ait sa part de cette souffrance. Doucement, progressivement, elle le « prépare », selon le vœu de l'Assistance publique. Elle lui explique qu'il est un enfant chanceux : contrairement aux autres, il a deux familles, deux mamans, dont l'une lui est encore inconnue parce qu'elle était à l'hôpital. Il va bientôt faire sa connaissance. Ainsi ne va-t-il pas perdre sa famille : il en gagnera une seconde. L'enfant, d'abord perplexe, st bientôt gagné par ce tendre artifice.

Au jour fixé, Héloïse revêtit Gilbert de ses plus beaux habits et le conduisit à l'Assistance publique de Toulon, où sa vraie mère viendrait le chercher. Elle confia aux employés deux valises de linge, deux cartons remplis de jouets et le petit vélo du garçon. Puis, à bout de force, elle se réfugia dans un jardin public et, dissimulée derrière un arbre, pleura à longs sanglots. Elle croyait alors toucher le fond de la détresse humaine.

On venait de lui reprendre son premier enfant.

*
* *

Elle ouvre la porte. Trois policiers en civil sont sur le seuil. L'un d'eux exhibe sa carte et demande :

— M. Christian Ranucci ?

— Il est encore au travail. Il ne rentrera pas avant six heures un quart.

— Bon. On va faire un tour et on reviendra...

— Mais c'est à quel sujet ?

— Un petit accrochage qu'il a eu avec sa voiture. Ce n'est pas grave.

— Il y a eu des blessés ?

— Non, aucun.

Héloïse Mathon, inquiète, referme la porte. Christian est fou de vitesse et collectionne les accidents depuis son premier vélomoteur. Elle lui a offert une voiture pour son vingtième anniversaire, deux mois plus tôt, le 6 avril 1974. Et déjà un accrochage. Elle ne se demande pas pourquoi trois policiers se dérangent à propos d'un accrochage sans gravité. Un coup d'œil à la fenêtre : ils font les cent pas devant l'immeuble.

Au-delà, la vue est superbe. Bâtie sur les hauteurs de Nice, la résidence se situe dans l'axe de l'aéroport, avec le lent ballet silencieux des avions réduits aux dimensions de jouets d'enfant. Somptueux paysage où s'inscrivent successivement la montagne, la ville et la mer... La résidence elle-même n'est pas indigne du site. C'est un semis de constructions aux couleurs pastel enfouies dans la végétation, éclairées par de vastes baies. Héloïse Mathon et son fils occupent un appartement de trois pièces s'ouvrant sur un petit jardin en terrasse où Christian a planté des rosiers et des massifs de fleurs. Hormis quelques mois d'hiver, cette terrasse exposée au midi est en fait la pièce principale · on y prend ses repas face à la baie des Anges. Le calme est absolu. Un centre commercial inclus dans la résidence, au bord de la route d'accès, fait l'approvisionnement commode.

Héloïse Mathon vient de donner leur goûter aux deux enfants qui lui ont été confiés pour la journée. Cette garderie d'enfants à domicile est désormais sa seule activité professionnelle. Elle a été officiellement agréée par l'Assistance sociale après avoir subi deux visites médicales et une inspection des lieux. Les revenus qu'elle en tire l'aident à régler les traites de l'appartement.

Les parents viennent chercher les deux petits. Mme Mathon bavarde avec eux, puis sort faire quelques courses. A son retour, vers six heures vingt, elle trouve deux gendarmes chez elle. Christian, rentré entre-temps, leur a ouvert la porte. Il dit à sa mère : « J'arrive tout juste. Ils disent que je dois aller avec eux, qu'il y a des rapports à taper. Je me lave les mains et je voudrais bien boire quelque chose. » Il passe dans la salle de bains. Un gendarme se plante devant la porte. Christian ressort et se rend dans la cuisine, où il boit un verre d'eau minérale. Les gendarmes ne manifestent aucune impatience. Christian, très calme lui aussi, regarde sa mère avec une mimique éloquente : « Qu'est-ce qu'ils sont embêtants! » Il part enfin entre les deux gendarmes après avoir dit : « Ne t'inquiète pas, ce n'est pas grave. Je vais revenir dans une heure. »

C'est un garçon athlétique mesurant un mètre soixante-quinze pour soixante-neuf kilos. Ses cheveux châtain clair ont tendance à boucler. Le nez, fort et arqué, lui fait un profil un peu tourmenté, mais la face est harmonieuse, avec une bouche bien dessinée et des traits qui ont encore le délié de l'adolescence. Ses yeux sont marron clair. Il porte constamment des lunettes en raison d'une myopie accentuée. Les médecins lui trouveront une pilosité d'implantation nettement masculine, des organes génitaux normalement constitués, un foie se situant dans les limites habituelles, une rate ni percutable ni palpable, des masses musculaires bien développées, un indice céphalique l'apparentant aux brachycéphales, un biotype morphologique harmonieux, médioligne, avec une certaine prédominance des caractères athlétiques et respiratoires En somme, un beau garçon de vingt ans.

Il est six heures et demie.

* * *

Dix minutes plus tard, un cortège de voitures officielles s'arrête au bord de la route nationale 8 bis, face au fourré où l'on a retrouvé le petit cadavre. Les gendarmes ont bouclé le secteur. Conformément aux directives du juge d'instruction, le capitaine Gras a laissé les lieux en l'état.

Le juge d'instruction, Ilda Di Marino, est une célibataire d'une quarantaine d'années, le cheveu noir et court, dont on sait à Marseille le caractère extrêmement affirmé. Son greffier est une femme. Elle est accompagnée du procureur adjoint et d'un substitut, mais c'est à elle que revient la direction de ce transport sur les lieux et c'est d'elle qu'émaneront les instructions au médecin légiste, aux gendarmes et aux spécialistes de l'Identité judiciaire qui lui font cortège.

Le groupe des magistrats et des spécialistes franchit le fossé bordant la route et escalade le talus qui la surplombe. Une vague trouée permet la progression dans la garrigue. Dès le fossé, le capitaine Gras a signalé au juge la présence d'une empreinte de talon. A dix-sept mètres soixante-cinq de la route, on trouve un petit sabot à bande marron dont le talon correspond à l'empreinte précédente. Puis c'est une pierre à peu près rectangulaire et à bord tranchant; elle est tachée de sang. Un peu plus loin encore, une pierre ovale et une branche de pin longue de soixante dix-huit centimètres, l'une et l'autre tachées de sang. Enfin, à vingt et un mètres cinquante-cinq de la route, le cadavre dissimulé dans un buisson et recouvert de branchages fraîchement coupés.

Avant de faire dégager le corps, Mlle Di Marino le fait photographier par les spécialistes de l'Identité judiciaire. La petite victime repose sur le dos, le bras gauche replié et la main gauche touchant la tempe; le bras droit est allongé le long du tronc. Les jambes sont légèrement écartées. Elle est vêtue d'un short et d'un polo blanc. Son pied gauche est chaussé d'un sabot identique à celui qu'on a trouvé un peu plus bas. Le visage est tuméfié, couvert de sang.

Puis on dégage le corps. Les branchages ôtés, on constate de nombreuses blessures à la hauteur du cou et une plaie à la tempe gauche. D'évidence, le meurtrier a poignardé l'enfant; il s'est même acharné sur elle. Par contre, la fillette ne semble pas avoir subi de violences sexuelles : sa tenue vestimentaire est relativement ordonnée. Les photographes opèrent de nouveau. Lorsqu'ils ont terminé, Mlle Di Marino fait transporter le corps dans une ambulance stationnée sur la route. La procédure exige qu'il soit identifié. On va chercher Pierre Rambla, qui attend dans une voiture de police garée à proximité.

Ce fut atroce. Quatre ans plus tard, des témoins dont le métier a pourtant bronzé le cœur nous raconteront la scène avec une émotion intacte. Le commissaire Alessandra et ses adjoints avaient eu la lourde tâche d'aller annoncer aux parents la macabre découverte. Convaincus quant à eux de l'identité de la victime, ils s'étaient efforcés de laisser au père un ultime espoir : « Rien ne dit qu'il s'agit de votre fille... » La mère était dans un état nerveux si pitoyable qu'il n'avait pas été question de l'emmener.

Le médecin légiste, aidé du capitaine Gras, a rapidement nettoyé à l'alcool le visage de la petite morte. « Nous avons tout fait pour la rendre présentable, nous dira le capitaine Gras. Nous lui avons même mis des tampons de coton dans les joues. Mais que voulez-vous, elle était là depuis plus de deux jours, et avec la chaleur, les insectes... »

Le père s'approche de l'ambulance, blême, les traits ravagés par deux nuits blanches d'angoisse, pressant un mouchoir sur ses lèvres. Un gendarme soulève la couverture. « Oui, c'est ma petite! C'est ma petite! » Les cris pétrifient tous les témoins. Mlle Di Marino a les larmes aux yeux. Pierre Rambla se jette sur le corps sans vie de sa fillette avec un hurlement déchirant. Il faut l'en arracher. Il titube et s'effondre, évanoui. On le porte jusqu'à une voiture. « Une scène abominable, dit le commissaire Alessandra. Je suis certain qu'il avait gardé espoir jusqu'au bout. Ce fut réellement abominable. » Et le capitaine Gras : « Aussi longtemps que je vivrai, je me souviendrai du désespoir de ce pauvre homme. »

C'est fini. La cohorte judiciaire regagne ses voitures. Le juge d'instruction fait un bref arrêt à la champignonnière, inspecte la galerie et pose quelques questions au contremaître, M. Guazzone. Le médecin légiste fait transporter la dépouille de Marie-Dolorès à la morgue de Marseille, où il pratiquera une autopsie. Le capitaine Gras achève de procéder aux formalités d'usage, telles que saisie des pièces à conviction et moulage des empreintes de roues dans la galerie. A sept heures et demie, il rassemble tout son monde et ordonne un dernier ratissage de la zone où a été retrouvé le corps. Les cinquante gendarmes engagés dans l'opération ne découvrent aucun indice supplémentaire.

Mlle Di Marino notera dans son procès-verbal de transport sur les lieux : « Il nous a été indiqué qu'un pull-over rouge, propre, ne portant aucune trace de moisissure, avait été découvert à proximité des traces de pneus les plus éloignées de l'entrée de la galerie. »

Il est sept heures et demie.

« J'étais très inquiète, raconte Mme Mathon. Cela faisait plus d'une heure que Christian était parti. J'ai préparé des sandwiches, j'ai pris une bouteille d'orangeade et un paquet de cigarettes — il fumait des Dunhill — et je suis allée à la gendarmerie, qui était tout près de la maison. On m'a permis de le voir, mais deux ou trois minutes seulement. Il avait l'air fâché. On venait de lui annoncer qu'on ne le relâchait pas tout de suite. Il m'a dit : " Franchement, ils exagèrent! Ils auraient bien pu me convoquer demain. Passer la nuit à la gendarmerie pour une histoire comme ça!... " Les gendarmes écoutaient sans rien dire. Après, ils l'ont emmené et j'ai été heureuse parce qu'il avait retrouvé son sourire. Je lui ai demandé d'être patient et de ne pas s'inquiéter pour son travail, car il se tourmentait à ce sujet. Je lui ai dit que je préviendrais son patron qu'il avait un empêchement. C'était facile parce que le frère de ce patron habitait notre immeuble. »

Christian a déjà été interrogé. Sa déposition, enregistrée par un lieutenant de gendarmerie, concerne le seul délit de fuite :

« Il est exact que j'ai eu un accident matériel de la circulation le 3 juin 1974, je pense vers seize heures, alors que je venais d'Aix-en-Provence et que je me rendais à Nice, mais je ne puis préciser le lieu exact. Je venais de démarrer en deuxième vitesse d'un « stop » lorsqu'une voiture m'a percuté sur le côté gauche. J'ignore le genre de voiture avec laquelle j'ai eu l'accident. Je me suis affolé et je suis parti droit devant moi. Payant très cher l'assurance, j'avais peur de l'augmentation de celle-ci et de la suppression du permis.

« Je ne me souviens pas d'avoir été poursuivi par un témoin.

« Après avoir roulé environ un kilomètre, ayant un pneu qui touchait la carrosserie, je me suis arrêté sur le bord de la route pour réparer. A cet endroit, un chemin se trouvait sur ma droite, fermé par une barrière (tube en fer de couleur blanche et rouge). Je suis descendu de voiture pour ouvrir cette barrière et, après être remonté en voiture, j'ai dirigé celle-ci dans le chemin. Après avoir parcouru quelques centaines de mètres, je me suis arrêté pour effectuer la réparation que je n'avais pu faire au bord de la route.

« La réparation effectuée, j'ai voulu repartir mais j'ai constaté que j'étais embourbé. Je me trouvais dans une sorte de trou ou bas-fond de terrain. Ayant aperçu des personnes, j'ai demandé de l'aide et ces personnes m'ont aidé à sortir la voiture. Elles m'ont même invité à boire une boisson chaude avec du citron. Je précise que ces personnes m'ont semblé être des Nord-Africains. Je précise aussi que ces personnes qui étaient employées dans une champignonnière ne m'ont aidé qu'à l'arrivée de leur patron.

« J'ai quitté cet endroit vers dix-huit heures. Je tiens à préciser que je ne puis être affirmatif sur les heures, n'ayant pas de montre en ma possession ce jour-là. Je suis rentré directement à Nice, où je suis arrivé vers vingt-deux heures.

« Je n'ai rien d'autre à dire sur cette affaire, ma déclaration reflétant la vérité. »

Les gendarmes placent Christian Ranucci en garde à vue à compter de six heures un quart et le conduisent dans les locaux de la police de Nice, rue Gioffredo.

Sa mère, sortant de la gendarmerie, a été accostée par un homme en civil qui lui a dit : « Il est tard, je ne vais pas vous laisser remonter toute seule. » Désemparée, elle a accepté l'offre, croyant que l'inconnu était le père ou le frère d'un gendarme. La caserne Vasseur, où a été conduit Christian, est un vaste complexe de locaux administratifs et de bâtiments d'habitation situé à quelques centaines de mètres au-dessous de la résidence des Terrasses de la Corniche fleurie. Un raccourci, simple sentier de terre battue, réduit encore le trajet.

Accompagnée de l'inconnu, elle passe au garage de la résidence pour jeter un coup d'œil au coupé Peugeot qu'elle n'a pas revu depuis le retour de Christian, quarante-huit heures plus tôt. Les dégâts sont sérieux — la carrosserie est froissée sur le côté gauche — mais n'imposent pas l'idée d'une collision dramatique. Elle s'en trouve rassurée. L'inconnu exhibe alors un appareil photographique et prend plusieurs clichés. C'est un reporter photographe de *Nice-Matin*, Gilbert Castiès. Elle est étonnée qu'un accident de la circulation suscite tant d'intérêt.

Le journaliste Paul-François Léonetti arrive un peu plus tard; il avait envoyé son photographe en éclaireur. Mme Mathon est assise devant sa télévision, en train de regarder le film de la deuxième chaîne, « La charge de la huitième brigade ». Elle éteint le poste et lui demande de but en blanc : « Vous pensez que cet accident va lui faire perdre sa place? » Paul-François Léonetti comprend qu'elle ignore les terribles soupçons pesant sur son fils, ce qui n'est pas surprenant à la réflexion car elle se trouvait à la caserne Vasseur au moment des informations télévisées qui en ont fait mention.

Héloïse Mathon trace de Christian un portrait qui, en d'autres circonstances, serait reçu comme l'expression banale de l'amour d'une mère pour son fils unique, mais dont le décalage avec la réalité ambiante crée chez l'interlocuteur un malaise redoutable. Christian est un bon petit, serviable, aimé de tous, adorant les enfants. Et bricoleur : il a tapissé lui-même la cuisine. « Il est très gentil, explique-t-elle, mais vous savez, lorsqu'il fait des petites bêtises, il essaie de me le cacher, de peur que je le gronde. C'est encore un enfant. » Elle espère qu'il ne va pas perdre sa place pour un banal accrochage : « L'accident n'a pas dû être si grave que cela. La carrosserie est à peine enfoncée sur la portière gauche... Venez voir... » Elle conduit le journaliste jusqu'au garage et remarque : « C'est drôle, les gendarmes n'ont même pas eu la curiosité de regarder la voiture... » Paul-François Léonetti note qu'un paquet de biscuits est posé sur le siège arrière et qu'une carabine à plombs repose sur le plancher, enveloppée dans une serviette-éponge. Mme Mathon explique : « C'est une carabine d'enfant. Il l'avait déjà à l'âge de onze ans, pour s'amuser à tirer sur les oiseaux. » Elle constate que la portière gauche de la voiture (qui, comme tous les coupés, n'a que deux portes) est complètement bloquée : la serrure a été enfoncée lors de la collision et ne fonctionne plus.

Le journaliste se retire sans avoir trouvé le courage de révéler à la pauvre femme que son fils est soupçonné d'un crime effroyable. Les voisins et les amis d'Héloïse Mathon qui arrivent pour la réconforter éprouvent sans doute la même incapacité. S'ils savent, ils ne disent rien. On se borne à épiloguer sur ce mystérieux accident pour lequel la police juge nécessaire de retenir Christian une nuit entière.

*
* *****

Jean-François Le Forsonney, jeune avocat stagiaire du barreau de Marseille, dîne chez ses parents. Il a appris en voiture, par son autoradio, la découverte du cadavre de Marie-Dolorès. La nouvelle l'a d'autant plus frappé qu'il connaît parfaitement les lieux pour pratiquer l'équitation chaque semaine dans un manège tout proche. L'un des palefreniers est même apparenté aux Rahou, qui ont offert une tasse de thé à l'automobiliste embourbé. A l'annonce de l'arrestation du meurtrier présumé, il pense : « Dieu merci, il est hors de question que je sois choisi pour le défendre! » A table, on parle de l'affaire, comme font tous les Marseillais ce soir-là. Sa mère, particulièrement bouleversée, stigmatise le criminel et s'exclame : « Je ne vois vraiment pas ce qu'un avocat pourra trouver à dire pour le défendre! » Jean-François Le Forsonney acquiesce : « Franchement, moi non plus... »

A la cité Sainte-Agnès, une passion vengeresse a succédé à l'angoisse de l'attente. Ses habitants éprouvent pour la première fois un sentiment communautaire. Les groupes n'ont cessé de se faire et de se défaire depuis le matin, et la tension montait à mesure que s'amenuisait l'espoir. Chacun était à l'écoute des transistors. A cinq heures trente-cinq, un flash de Radio Monte-Carlo annonçait la découverte du cadavre d'une petite fille non loin de Marseille. Puis c'était l'arrivée des policiers venus chercher le père pour l'identification. Sourde aux pauvres mots qui voulaient entretenir une espérance devenue chimérique, Mme Rambla hurlait sa douleur dans l'escalier et s'effondrait, terrassée, devant cinquante témoins révulsés d'horreur. On lui a fait absorber une dose massive de tranquillisants et elle est veillée par des voisines.

Dehors, les groupes ne se sont pas disloqués. La colère

flambe. Des femmes accusent : les cours d'immeubles sont insuffisantes pour les enfants, qui doivent aller dans la rue où ils sont exposés à tous les dangers. L'une d'elles lance à un journaliste : « Si un jardin d'enfants avait été aménagé devant les bâtiments, comme nous l'avions demandé, un tel drame aurait eu peu de chances de survenir. Les gosses, ici, n'ont que la possibilité d'aller jouer sur la route. Déjà en septembre dernier, un drame avait failli se produire lorsqu'un homme avait tenté d'entraîner deux enfants dans sa voiture. » On rappelle l'insécurité générale, les agressions, les vols, les viols. Ceux qui ont connu Marie-Dolorès évoquent sa gentillesse, sa gaieté, son sourire que tous les Marseillais ont découvert après qu'il se fut effacé pour toujours. L'annonce de l'arrestation d'un jeune Niçois soupçonné du crime déclenche une sombre allégresse et le souhait unanime d'une justice prompte. Mais quelle justice? Un homme lance, aussitôt approuvé : « Nous devrions tous nous entendre pour être sur place le jour de la reconstitution. C'est à nous de rendre justice. »

***

Christian Ranucci a été incarcéré dans la salle des gardés à vue du commissariat central de Nice. On lui a ôté sa ceinture et passé les menottes. A dix heures et demie, des policiers venus de Marseille le prennent en charge. Ils sont conduits par le commissaire Gérard Alessandra, à qui l'enquête a été confiée. C'est un Pied-Noir de quarante et un ans, originaire de Constantine. Le teint mat, le cheveu noir mais rare, le regard extrêmement attentif, calme et courtois, il peut donner une impression de bonhomie anodine. Ainsi le gardé à vue lui trouve-t-il au premier abord « l'air d'un Français moyen ». C'est probablement une erreur de jugement.

Ranucci s'admet toujours coupable d'un délit de fuite mais nie absolument le rapt d'une fillette et son assassinat. Gérard

Alessandra n'insiste pas : c'est à l'Evêché que commenceront les choses sérieuses.

Menottes aux mains, Christian Ranucci est embarqué dans une Mercedes; le commissaire Alessandra s'assied à sa gauche. Il est onze heures. La voiture prend la direction de la Corniche fleurie et s'arrête devant le garage collectif de l'immeuble qu'habitent Christian et sa mère. Les policiers font descendre leur prisonnier. En sa présence, ils fouillent minutieusement le coupé Peugeot. Cette fouille permet de saisir les objets suivants : « Un couteau de marque Opinel; quatre lanières de cuir longues d'environ un mètre, entrelacées à une extrémité et portant un élastique; une paire de jumelles; un trousseau de quatre clés; un pantalon d'homme de couleur sombre; un tuyau en plastique long d'un mètre soixante; une paire de lunettes de soleil; un parapluie; une carabine à air comprimé enveloppée dans un peignoir de bain de couleur bleue à bandes blanches; une seringue hypodermique en plastique usagée; une boîte de plombs à air comprimé; une bouteille d'alcool dans un étui portant l'inscription « My Drink »; deux cheveux. »

Le pantalon a été trouvé dans le coffre arrière. Il présente des taches sombres, notamment à la hauteur de la poche droite. L'un des cheveux est foncé et raide; l'autre, de teinte claire, est bouclé et fin comme un cheveu d'enfant.

Un policier se met au volant du coupé Peugeot et prend le sillage de la Mercedes. Les deux voitures roulent vers Marseille quand s'achève ce mercredi 5 juin 1974.

Lorsqu'on l'a mis en présence de Ranucci, le commissaire Alessandra a été frappé par l'aspect de ses mains. Elles sont égratignées et couvertes de piqûres semblables à celles que pourrait causer une végétation épineuse.

L'hôtel de police de Marseille est situé sur le port, à proximité immédiate de la gare maritime. Il se compose d'un vieil hôtel particulier dépourvu de charme auquel s'accotent des bâtiments fonctionnels prématurément vétustes; l'ensemble est d'une laideur remarquable. En face se dressent les coupoles d'une cathédrale drôlement byzantine à laquelle tourne judicieusement le dos la statue de l'évêque de Belsunce, célèbre pour son courage lors de la grande peste de 1720 qui tua cinquante mille Marseillais. Coincée entre ces deux laideurs, une très belle église romane, la Major.

Le commissaire Alessandra et son adjoint, l'inspecteur divisionnaire Porte, entament l'interrogatoire du suspect à une heure trente du matin. Jules Porte, vétéran de la police, est un colosse renommé pour sa capacité à briser les criminels les plus récalcitrants. Une demi-douzaine de jeunes inspecteurs sont présents dans le bureau tout en longueur, sommairement meublé. Les journalistes piétinent de l'autre côté de la porte. Le commissaire Cubaynes, chef de la Sûreté urbaine, leur a dit sa certitude de tenir le meurtrier. Ranucci nie l'enlèvement avec vigueur mais il reconnaît l'accident et son délit de fuite. Et pour le commissaire Cubaynes : « A partir du moment où il reconnaît avoir pris la fuite, le reste coule de source... »

Ranucci continue cependant de nier : « Je vous affirme que je suis totalement étranger à l'enlèvement de la fillette, laquelle, me dites-vous, a été enlevée à Marseille le lundi 3 juin 1974. Je suis donc encore plus innocent de la mort de celle-ci, qui a été découverte dans les bois. Je n'ai rien à me reprocher, sauf le délit de fuite pour lequel, ainsi que je vous l'ai précisé, je me suis expliqué devant les gendarmes. Ainsi que je l'ai précisé à ceux-ci, bien que je sois parfaitement en règle tant au point de vue des pièces afférentes à ce véhicule qu'à sa conduite, j'ai pris la fuite car j'ai eu peur. C'est la seule raison. Je maintiens qu'il n'y avait personne dans mon véhicule. »

Les policiers lui opposent en vain le témoignage de ses poursuivants : « Vous me précisez que deux témoins ont affirmé m'avoir vu par la suite sortir de mon véhicule avec une enfant. Je vous affirme que j'étais seul à bord de mon véhicule. Je n'ai même pas remarqué que j'étais poursuivi par une voiture. »

Questionné sur son emploi du temps, il déclare : « Dimanche 2 juin 1974, jour de la Pentecôte, j'ai quitté mon domicile vers quatorze heures avec ma voiture. Je me suis rendu dans la région de Draguignan. Je suis arrivé en fin d'après-midi à Salernes. Je me suis promené dans cette ville jusqu'à la tombée de la nuit. A ce moment, j'ai décidé de passer la nuit dans ma voiture. » Mais le lendemain, jour de l'enlèvement et du meurtre? « Le lundi 3 juin 1974, je me suis réveillé vers neuf heures. J'ai aussitôt pris la direction d'Aix-en-Provence. Avant d'arriver dans cette localité, j'ai changé d'avis et j'ai fait demi-tour. Je voulais en effet rentrer à Nice par des voies secondaires. C'est ainsi que, me trouvant à Peypin, j'ai eu l'accident de la circulation dont j'ai déjà parlé. » Les policiers insistent. Il persiste : « Je suis bien formel, je n'ai passé qu'une seule nuit dans ma voiture. Je ne me suis jamais rendu à Marseille. »

Le commissaire Alessandra l'interroge alors sur le pantalon qu'on a trouvé dans le coupé et que les policiers ont examiné dès leur arrivée à Marseille. « Le pantalon de couleur bleue qui se trouvait dans ma voiture est bien celui que je portais au moment de l'accident. Les taches (que vous me dites être des taches de sang) qui se trouvent sur la poche sont inexplicables en ce qui me concerne. Je pense que ce sont des taches de terre. » Possède-t-il un pull-over rouge? « Je n'ai jamais porté de pull-over de couleur rouge. Je suis bien certain de ce fait. »

Il signe sa première déposition à deux heures trente du matin. L'interrogatoire se poursuit sans désemparer mais Christian Ranucci maintient les termes de ses premières déclarations. Oui à l'accident et au délit de fuite, non à tout le reste. Il était seul dans la Peugeot. Si des témoins affirment l'avoir vu sortir avec une fillette, ils se trompent.

A cinq heures du matin, les journalistes voient sortir un commissaire Alessandra aux traits marqués par la fatigue. « Christian Ranucci n'a pas avoué, déclare-t-il, mais de très fortes charges pèsent sur lui. » Et le policier de rentrer à son domicile pour prendre quelque repos avant les confrontations prévues pour la matinée et dont il a annoncé qu'elles seraient décisives. Deux témoins ont vu le ravisseur de Marie-Dolorès : Jean Rambla et le garagiste Eugène Spinelli.

**

Trois quotidiens régionaux paraissent chaque matin à Marseille. Deux d'entre eux, *Le Provençal* et *Le Méridional,* font partie du groupe de presse de Gaston Defferre, député-maire de la ville. Le troisième, *La Marseillaise,* est l'organe régional du parti communiste.

Ce 6 juin à l'aube, les trois journaux annoncent en titres énormes la découverte du cadavre de Marie-Dolorès et l'arrestation de son meurtrier. Dans un pays ayant accédé à la civilisation judiciaire, comme l'Angleterre, ces manchettes mèneraient en prison les trois directeurs et ponctionneraient les sociétés propriétaires de très fortes amendes. Car non seulement Christian Ranucci n'est pas jugé, mais il est en position de simple garde à vue, ce qui n'a rien à voir avec l'état d'inculpé, et il continue de nier fermement toute responsabilité dans l'enlèvement et dans le meurtre. Mais on sait que les mœurs françaises ne s'embarrassent point de futilités telles que la présomption d'innocence envers qui n'a pas encore été jugé.

Le problème de la culpabilité ne se pose donc plus pour les journalistes du *Méridional,* qui en viennent directement à celui du châtiment. « L'assassin est pris, constate l'éditorialiste Alex Mattalia. Ce que réclame [l'opinion publique], c'est qu'on le juge sans délai, qu'on n'essaie pas, par des expertises savantes, par des artifices de procédure, de retarder l'heure du châtiment... L'impardonnable n'a pas à être pardonné. » Marc Ciomei écrit dans le même journal : « L'assassin de la petite Marie-Dolorès ne peut pas être normal. Il est malfaisant. A la manière des bêtes voraces et sans contrôle. Cet être a tué. Froidement. A quelques mètres de voix qui l'interpellaient presque familièrement. » Dans *Le Soir,* seul quotidien vespéral paraissant à Marseille et qui fait également partie du groupe de presse de Gaston Defferre, Jean-René Laplayne écrira dans quelques heures : « Il ne faut pas avoir la tête sur ses épaules pour en arriver à une telle monstruosité » — image qui prendra tout son sens deux ans plus tard —, et il conclura : « Celui qui a pris odieusement la vie de Marie-Dolorès est un coupable sans excuse. Il doit être à jamais retranché de la communauté. » *La Marseillaise* publie un éditorial intitulé « Que dire? ». Il n'est pas consacré au meurtrier mais aux malheureux parents de la fillette assassinée : « Leur immense douleur est la nôtre, totalement et à tous les instants. Au-delà de la colère, de la révolte, il y a ce soir, aujourd'hui, demain, la douleur sans fin d'une mère, d'un père, d'une famille, cette poignante douleur que nous partageons tous. »

La presse audio-visuelle, et notamment les stations de radio périphériques, avaient annoncé dès la veille la découverte du cadavre. Aux mots qui avaient donné de la tragédie une description abstraite succèdent ce matin d'impressionnantes images : les photos de Pierre Rambla penché sur le petit corps, puis terrassé par l'émotion et emporté à bras d'hommes; celles de sa femme hurlant sa douleur dans une cage d'escalier envahie par les voisins atterrés... Et toujours, en rappel, le visage au sourire lumineux de la fillette dont on sait à présent la mort effroyable.

« La France a peur » proclamera-t-on dans dix-huit mois, après l'arrestation de Patrick Henry, meurtrier d'un enfant de huit ans. Ce matin, Marseille fait peur. Tous les témoignages disent la rage folle qui a empoigné la ville au ventre. Ville dure et violente, cité multiraciale parcourue de tensions subites, creuset où se mêlent dix nations méditerranéennes qui ont en commun le culte de l'enfant, l'exigence de la vendetta, une confiance limitée dans les institutions judiciaires chargées de faire acquitter sa dette au criminel. Le meurtre de Marie-Dolorès Rambla ne sera pas un événement national, contrairement à celui du petit Philippe Bertrand à Troyes. Régionalement, il suscite une émotion aussi profonde, une volonté de vengeance aussi implacable. Chez beaucoup, il y a aussi un sentiment de frustration anticipée. Ceux-là ont encore dans l'oreille la phrase du candidat Valéry Giscard d'Estaing, dont l'élection à la présidence de la République ne date que d'un mois : « J'ai naturellement, comme chacun, une aversion profonde pour la peine de mort; il suffit d'entendre les termes " la peine de mort " pour comprendre l'horreur de cette chose. » Ainsi la haine pour le meurtrier se nourrit-elle d'une rage impuissante devant la perspective qu'il échappera de toute façon au châtiment suprême.

Avec les parents de Marie-Dolorès, c'est un million de Marseillais qui vont se constituer partie civile.

***

L'interrogatoire est interrompu à dix heures du matin. Les policiers n'ont pas avancé d'un pouce. Ranucci continue d'affirmer qu'il était seul dans sa voiture. Il est inébranlable. Les journalistes, de plus en plus nombreux, ont été informés des trouvailles faites dans le coffre de la Peugeot. Les plus troublantes sont évidemment le cheveu blond et fin, et le pantalon taché de sang à propos duquel Ranucci ne peut fournir la moindre explication. Mais la découverte qui fait sensation est celle des « quatre lanières de cuir entrelacées à une extrémité et portant un élastique ». En somme, il s'agirait d'un fouet, et comme l'écrira un reporter : « On devine dès lors que sous les apparences douces et angéliques du jeune homme sommeillent les monstrueux instincts d'un être capable de tout, d'un détraqué sexuel. »

Sans aller jusqu'à lui trouver l'air d'un ange, il est bien vrai que la foule des journalistes et des photographes est déconcertée par Christian Ranucci lorsqu'il apparaît soudain dans le couloir, encadré par des inspecteurs qui le conduisent dans une autre pièce pour les confrontations. Vêtu de la chemise à rayures blanches et bleues et du pantalon grège qu'il portait lors de son interpellation, grand et mince, l'expression ouverte, il ne coïncide pas avec l'image qu'on s'était formée de lui. Marc Ciomei, du *Méridional,* qui vient de le comparer à une bête féroce et sans contrôle, lui trouve un air distingué et l'apparence d'un être parfaitement équilibré. « Il n'y avait pas que les journalistes à l'observer, note le reporter du *Soir.* Les différents bureaux se sont brusquement vidés de leurs personnes. Des hommes curieux, mais aussi des femmes, des sténodactylos qui travaillent à l'Evêché. Plusieurs le trouvent beau garçon, l'air honnête et inoffensif. L'une d'elles, stupéfaite, laisse échapper : « Ce n'est pas possible que ce soit lui! »

Jean Rambla et le garagiste Eugène Spinelli sont en route pour l'Evêché.

*
* *

A deux cents kilomètres de là, trois inspecteurs de police niçois sonnent à la porte d'Héloïse Mathon. Ils viennent, sur commission rogatoire de Mlle Di Marino, procéder à une perquisition.

Mme Mathon, qui n'a pas fermé l'œil de la nuit, tombe des nues en apprenant que son fils est à Marseille. Tout en fouillant. les policiers lui révèlent qu'on a découvert le cadavre d'une fillette assassinée à proximité du croisement où Christian a eu son accident ; il est soupçonné du crime. « J'ai eu un choc terrible, raconte Mme Mathon, mais en même temps, je savais qu'il ne pouvait pas être coupable. J'en étais absolument certaine. » Elle dit aussitôt : « Ce n'est pas possible que ce soit lui. Il faut être malade pour faire des choses comme ça ! » L'un des policiers répond : « On ne vous dit pas que c'est lui, mais qu'il est interrogé à ce propos. » Un autre ajoute : « Si c'était lui, il est probable qu'il se serait enfui au lieu d'attendre tranquillement pendant deux jours qu'on vienne le chercher. »

Elle leur remet spontanément les vêtements qu'avait pris Christian pour sa sortie de la Pentecôte et conduit même les policiers sur la terrasse pour leur montrer une chemisette à manches courtes et à rayures bleu clair pendue à un étendoir. Christian la portait au départ comme au retour et elle l'a lavée la veille. Les policiers lui demandent dans quel état était le vêtement. Elle répond que le col était un peu sale mais qu'elle n'a pas eu à utiliser d'eau de Javel.

La fouille, commencée à dix heures et demie, se poursuit jusqu'à midi et demi. Elle n'amène la découverte d'aucun indice susceptible de faire progresser l'enquête. Sans doute les policiers s'émeuvent-ils de trouver dans un meuble de la salle de séjour des vêtements d'enfant et des jouets, mais Mme Mathon leur explique que tout cela appartient aux petits qu'on lui confie : elle est gardienne d'enfants. Autre découverte qui éveille l'intérêt des policiers : des lettres et des photos d'hommes et de femmes dans des enveloppes adressées à « Horizon nouveau », B.P. 609, Nice. Héloïse Mathon explique qu'elle a créé avec une amie niçoise une agence matrimoniale, qui est d'ailleurs en sommeil depuis quelque temps. et que cette correspondance émane de ses clients.

La perquisition terminée, les policiers niçois annoncent à la mère de Christian que sa présence à Marseille est nécessaire et qu'ils se proposent de l'y conduire. Elle accepte d'emblée cette occasion inespérée de se rapprocher de son fils. Au moment de partir, elle se souvient des enfants qu'on devait lui confier pour l'après-midi. Un mot rédigé à la hâte et fixé sur la porte avertira les parents de son absence temporaire.

Durant le trajet, on lui pose quelques questions sur les fréquentations féminines de Christian. Elle répond brièvement, torturée par l'angoisse et surtout par un lancinant remords. Christian avait beaucoup insisté pour qu'elle parte avec lui le dimanche de Pentecôte. Il avait esquissé un programme séduisant : visite d'un atelier de maître-verrier et long arrêt à Saint-Paul-de-Vence pour flâner dans les vieilles rues, ou bien encore une balade le long de la côte jusqu'à Gênes. Elle avait refusé : « Tu conduis trop vite, je préfère rester. » Si elle avait accepté de partir, elle l'aurait forcé à rouler lentement, l'accrochage ne se serait pas produit et Christian ne serait pas aujourd'hui soupçonné d'un crime effrayant qu'il ne peut pas avoir commis.

***

Pour être probante, une présentation à témoin ne saurait consister à mettre en présence, seul à seul, le témoin et le suspect à identifier. Ce dernier doit être placé parmi plusieurs personnes dont l'aspect physique se rapproche du sien. Le commissaire Alessandra demande donc à quatre inspecteurs de s'aligner côte à côte avec Ranucci. Une photo du groupe est prise pour être versée au dossier de l'instruction.

Le choix opéré par le commissaire témoigne d'une parfaite honnêteté, ce qui, sans être rare, n'est pas absolument constant. Trop souvent, un suspect hagard, le menton bleu, hirsute et sans cravate, est placé entre des policiers dispos, rasés de frais et bien pris dans leur complet dûment repassé.

En l'occurrence, rien de tel. Les inspecteurs sélectionnés sont des hommes très jeunes (apparemment, aucun n'a atteint la trentaine), vêtus de pantalons clairs et de chemises estivales tout à fait comparables aux vêtements portés par Ranucci. A les voir tous les cinq alignés contre un mur, on pourrait croire à une bande d'amis raflée au sortir d'un dancing chahuté.

Jean Rambla est arrivé avec l'un de ses cousins : ses parents sont physiquement incapables de la moindre démarche. L'enfant est mis en présence des cinq garçons alignés et dont chacun porte sur la poitrine un gros numéro d'identification. Il les observe, puis secoue la tête. Un inspecteur enregistre sa déposition : « Parmi tous les messieurs que vous me présentez, je ne reconnais pas le monsieur qui m'avait demandé de chercher un chien noir. Il n'était pas habillé pareil. »

La déception est rude. Mais les policiers savent la passion de Jean pour les voitures. Ils le font descendre dans la cour de l'Evêché, où le coupé Peugeot est garé parmi les véhicules du personnel, et demandent à l'enfant s'il voit l'auto du ravisseur. Réponse négative : « Parmi les voitures que vous me présentez, je ne reconnais pas celle du monsieur qui m'a demandé de chercher le chien noir. »

Ramené dans les bureaux, Jean Rambla est de nouveau mis en présence de Ranucci et des quatre figurants. Il ne reconnaît toujours pas l'homme au chien noir. Les policiers abandonnent. Il leur reste Eugène Spinelli.

Le garagiste ne reconnaît pas le ravisseur.

L'inspecteur divisionnaire Porte, adjoint du commissaire Alessandra, enregistre immédiatement sa déposition : « Dans votre service, il vient de m'être présenté cinq individus assez semblables par la taille et l'âge. Je n'ai pas reconnu l'individu qui s'était mis au volant de la voiture le jour de la Pentecôte. Je dois vous préciser que j'avais vu cet homme à une distance de quarante mètres environ et que je n'y avais pas spécialement porté attention.

« En ce qui concerne la voiture, j'ai déclaré qu'il s'agissait d'une Simca 1100. Je dois vous dire que j'avais également vu ce véhicule à quarante mètres et que je n'y avais pas porté

72

attention. Il est donc possible que j'aie confondu une Simca 1100 avec un coupé 304 car, je le redis, je n'avais pas fait très attention à cela. Les deux voitures se ressemblent. »

L'inspecteur Porte invite M. Spinelli à signer sa déposition. Un événement exceptionnel se produit alors : le garagiste relit le texte avant d'apposer sa signature.

Contrairement à ce que donnent à croire maints films et feuilletons télévisés, la déposition d'un suspect ou d'un témoin n'est jamais dactylographiée au fur et à mesure qu'elle est exprimée : la dactylo la plus rapide du monde serait bien incapable de suivre un individu parlant à un débit normal. C'est donc à la fin de l'entretien que le policier condense questions et réponses et tape à la machine un texte qui est censé refléter avec une exactitude raisonnable ce qu'a exprimé le témoin. Si la déposition est longue, le texte est dactylographié paragraphe par paragraphe.

Or, il se trouve qu'Eugène Spinelli, lisant le texte de l'inspecteur Porte, ne le trouve pas conforme à ce qu'a été sa déposition. Sous la mention déjà dactylographiée « Lecture faite par lui-même, persiste et signe avec nous », Jules Porte doit donc taper l'additif suivant : « Je tiens à préciser que je suis mécanicien de métier et que je connais donc parfaitement tous les types de voitures. » L'inspecteur Porte, après un nouvel échange verbal avec le témoin, ajoute encore : « Le jour de la Pentecôte, je n'ai vu que l'arrière du véhicule, très précisément j'ai vu cette voiture par trois quarts arrière. »

Cette fois, M. Spinelli, ayant lu, persiste et signe.

Il est midi. Christian Ranucci continue de nier. Les deux témoins de l'enlèvement ne l'ont pas reconnu. Suprême espoir : les Aubert, qui arrivent de Toulon.

**
**

Ils ne reconnaissent pas Christian Ranucci.

La nouvelle fait sensation parmi la foule des journalistes

qui piétinent dans les couloirs et à qui les policiers répètent depuis la veille leur certitude de tenir le meurtrier. Si M. et Mme Aubert ne reconnaissent pas en Ranucci le chauffard qu'ils ont poursuivi le 3 juin et qu'ils ont vu s'enfuir dans la garrigue en portant ce qu'Alain Aubert appelait les 4 et 5 juin « un paquet assez volumineux », que reste-t-il pour étayer l'accusation? En l'état actuel de la criminologie scientifique — que les policiers connaissent mieux que personne — l'analyse des taches de sang relevées sur le pantalon bleu ne peut aboutir qu'au classement dans l'un des groupes A, B, C et O. Les experts seront donc en mesure de dire si le sang appartient au même groupe que celui de Marie-Dolorès, ils ne pourront en aucun cas affirmer qu'il s'agit de son sang puisque chaque groupe rassemble une multitude d'individus. Quant à l'étude analytique du cheveu trouvé dans le coupé Peugeot, elle ne peut laisser espérer, toujours en l'état actuel des connaissances scientifiques, qu'une présomption d'appartenance à la chevelure de la petite victime. Un jury d'assises risque de trouver peu de poids à des présomptions auxquelles s'opposerait le fait massif qu'après Jean Rambla et Eugène Spinelli, Alain et Aline Aubert n'ont pas identifié l'accusé. Si Christian Ranucci n'est pas l'homme qui a enlevé Marie-Dolorès et s'il n'est pas davantage celui qui a pris la fuite en portant « un paquet assez volumineux », que reste-t-il des certitudes policières proclamées depuis la veille et diffusées dans tout le pays par la presse écrite et audio-visuelle?

Les Aubert ne reconnaissent pas Ranucci. *Le Soir* et *France-Soir* l'annoncent ce 6 juin, quelques heures après la vaine confrontation. Si la presse du lendemain va cependant négliger, à l'exception de *Nice-Matin,* de mentionner ce fait non dépourvu d'intérêt, c'est qu'un complet retournement de situation sera intervenu entre-temps puisque les Aubert auront finalement reconnu Ranucci.

En fait, et tout le monde en est bien d'accord, le rôle d'Aline Aubert a été déterminant. « Il faut absolument que vous la rencontriez, nous dira quatre ans plus tard le commissaire Alessandra. C'est une personnalité exceptionnelle. » Et il nous vantera la vigueur de son caractère. Mais les deux époux se déroberont à tout entretien, de sorte que nous ne pourrons pas demander à Mme Aubert comment il se fait qu'elle ait, dans la même heure, échoué à reconnaître son fuyard, puis réussi à l'identifier. C'était pourtant le seul moyen de découvrir les ressorts du coup de théâtre puisque les policiers ont omis de dresser procès-verbal de la présentation positive (tout comme de celle qui n'avait point abouti), ce qui constitue une carence véritablement singulière. Ils avaient scrupuleusement enregistré les déclarations de Jean Rambla et d'Eugène Spinelli, mentionné qu'une brochette de jeunes gens était soumise à leur perspicacité, dressé constat du résultat négatif, mais voici qu'ils jugent superflu de procéder de même manière quand un témoin capital leur apporte enfin l'identification salvatrice...

La déposition d'Alain Aubert permet sans doute de comprendre la timidité policière. Enregistrée à une heure de l'après-midi, après que sa femme eut reconnu Ranucci, elle commence en effet par ces phrases dignes d'attention : « La personne que vous me présentez et que vous me dites se nommer Ranucci Christian est bien celle qui était à bord du coupé Peugeot 304, de couleur gris métallisé, au moment où l'accident s'est produit à proximité de Peypin le 3 juin 1974 vers douze heures quinze. Il n'y a aucun doute possible à ce sujet. » C'est-à-dire que le commissaire Alessandra, lassé et sans doute déçu par un vain formalisme, a décidé d'alléger sensiblement son dispositif, renvoyé ses jeunes inspecteurs à des tâches jugées soudain plus urgentes, et qu'avec une belle simplicité, il a tout carrément mis face à face Christian Ranucci et Alain Aubert, et fait les présentations à la bonne franquette. On a les identifications qu'on peut.

Est-ce le choc salutaire de la confrontation qui donne le branle à la mémoire de M. Aubert? Sa déposition est en tout cas beaucoup plus fournie et précise que ne l'avaient été ses déclarations à la gendarmerie :

« J'ai constaté qu'aussitôt après l'accident, la Peugeot 304 prenait la fuite au lieu de s'arrêter. Ma femme et moi avons été outrés de ce comportement et avons aussitôt décidé de prendre en chasse le véhicule qui s'enfuyait. La poursuite a été assez mouvementée car le conducteur s'est certainement aperçu qu'il était poursuivi; il roulait donc très vite dans cette route tortueuse. Après avoir parcouru une distance de un à deux kilomètres, la 304 Peugeot s'est immobilisée au bord de la route. A ce moment, je me trouvais à environ deux ou trois cents mètres de lui. Je l'ai rejoint quelques secondes plus tard. Au moment où je suis arrivé à la hauteur de la voiture, j'ai assisté à la scène suivante. J'ai vu cet individu tirer par le bras un enfant qui se trouvait à l'intérieur du véhicule. Je me souviens notamment que cet enfant portait un short ou une culotte de couleur blanche. En revanche, je dois vous dire que les faits se sont déroulés si rapidement que je n'ai pas réalisé dans ce mouvement s'il s'agissait d'un garçon ou d'une fille. L'individu a tiré l'enfant par le bras, l'a tiré dans les broussailles qui bordaient la route. A partir de ce moment, je n'ai plus vu l'individu ni l'enfant qui avaient disparu dans les broussailles.

« En ce qui me concerne, j'ai effectué une cinquantaine de mètres à bord de ma voiture, j'ai fait demi-tour, et je me suis arrêté à nouveau à la hauteur de la 304 Peugeot. Je suis descendu de voiture et j'ai entendu des bruits de branchages provenant de la direction où l'individu s'était enfui. Bien que je ne le voyais pas à cet instant, car il m'était caché, j'ai crié à haute voix à son intention : " Monsieur, revenez, vous n'avez qu'un accident matériel, n'aggravez pas votre cas en prenant la fuite. " Cet individu m'a alors répondu les paroles suivantes : " D'accord, partez, je reviendrai. " Comprenant bien que cet individu n'avait aucunement l'intention de revenir, j'ai relevé le numéro d'immatriculation de sa voiture et je suis remonté à bord de mon propre véhicule afin de communiquer ce numéro minéralogique à la personne qui avait eu l'accident de la circulation et qui était restée sur les lieux (du moins, je le supposais).

« J'ai effectivement retrouvé le couple qui se trouvait à

bord du véhicule accidenté et je leur ai communiqué le numéro d'immatriculation de la Peugeot 304.

« Ma femme n'est descendue de voiture à aucun moment. »

Le commissaire Alessandra juge bon de faire confirmer par le témoin la phase cruciale de l'action, aussi M. Aubert répète-t-il : « Je suis absolument catégorique et formel : l'individu qui s'est enfui dans les collines a bien entraîné avec lui un enfant. Je ne puis vous préciser quel pouvait être l'âge de cet enfant ; je puis cependant préciser qu'il s'agissait d'un enfant qui marchait. S'il fallait vraiment donner un âge à cet enfant, j'évaluerais celui-ci entre sept et dix ans. »

Tandis que le commissaire Alessandra enregistre cette déposition, son adjoint Jules Porte recueille celle de Mme Aubert :

« Lorsque nous sommes arrivés à hauteur de l'un des véhicules accidentés, son chauffeur a immédiatement demandé à mon mari de prendre en chasse le second véhicule, en fuite. Mon époux s'est exécuté et nous avions en point de mire un véhicule de couleur grise qui roulait à grande vitesse et nous précédait de deux ou trois virages. Nous avons parcouru environ un kilomètre et, à la sortie d'un virage, nous nous sommes aperçus que la voiture s'était arrêtée et, arrivés à sa hauteur, sans descendre de notre véhicule, j'ai constaté qu'un homme avait ouvert la portière droite et tirait un enfant par le bras. J'avais la vitre baissée. L'enfant était plaquée contre l'homme et je n'ai pu voir s'il s'agissait d'une fille ou d'un garçon. J'ai seulement entendu l'enfant déclarer : " Qu'est-ce qu'on fait ? " D'après l'intonation de la voix, je ne pense pas que l'enfant avait peur. A ce moment-là et très rapidement, l'homme a disparu dans les buissons avec l'enfant. Puis mon mari a fait demi-tour, il s'est arrêté à nouveau devant le véhicule, a relevé le numéro et a crié par la portière à l'adresse du chauffeur qui avait disparu : " Reviens, ne fais pas l'imbécile, il ne s'agit que d'un dégât matériel. " Je n'ai pas entendu ce que l'homme a répondu, mais mon mari m'a fait savoir que l'individu lui avait dit : " Filez, je viens. "

« Nous sommes retournés sur les lieux de l'accident et nous avons aidé l'autre partie en cause à remettre le véhicule accidenté sur le bas-côté de la route.

« Je précise que le véhicule que nous avons pris en chasse était une 304 Peugeot, gris métal, type coupé, dont le numéro est le suivant : 1369 SG 06.

« Mon mari a laissé son identité et son adresse à M. Martinez pour un éventuel témoignage. Je précise qu'au cours de l'échange d'identité, j'ai appris que la personne accidentée s'appelait Martinez.

« Nous sommes partis en direction de Roquevaire et avons tenté en vain d'alerter la brigade de gendarmerie locale. »

Mme Aubert, à la demande de l'inspecteur Porte, précise en fin de déposition : « La voix de l'enfant, que j'ai pu entendre à travers la portière, vitre baissée, est celle d'un gosse de six à huit ans. Cette voix m'a paru très fluette. » Puis, toujours à la suite d'une question du policier, elle modifie légèrement son témoignage : « En fait, après réflexion, je pense que mon mari est descendu du véhicule, très peu de temps, pour demander à l'individu de revenir. »

M. et Mme Aubert en ont terminé et peuvent regagner leur domicile toulonnais, une belle maison enfouie sous les fleurs au pied du mont Faron. Alain Aubert, âgé de trente-cinq ans, est directeur de société. Les photos que publiera la presse montrent un homme vêtu avec une certaine recherche, l'air calme et ouvert, sympathique pour tout dire. Aline Aubert, de trois ans sa cadette, est remarquable par la chevelure opulente qui tombe sur ses épaules, un visage allongé, une expression énergique, un regard résolu. Elle est venue à Marseille dans un ensemble rose.

La nouvelle fait le tour de l'Evêché, surexcite tous les bureaux, jette les journalistes sur les téléphones : Christian Ranucci a craqué.

« Je préfère libérer ma conscience et vous dire tout ce que je sais sur cette affaire. C'est bien moi effectivement qui ai invité la jeune fille à venir avec moi dans ma voiture. Par la suite, je vais vous expliquer que je ne comptais pas lui faire de mal, et pourtant j'ai perdu la tête. »

L'inspecteur divisionnaire Porte, qui reçoit l'aveu, signale à Ranucci que l'article 105 du code de procédure pénale l'autorise à ne pas aller plus loin dans ses déclarations et qu'il peut exiger d'être immédiatement conduit devant le juge d'instruction. Christian Ranucci répond :

« Je préfère libérer ma conscience et vous dire tout ce qui s'est passé. En effet, je ne suis pas " un salaud " et je réalise à peine comment j'ai pu agir de la manière qui est la suivante.

« J'ai passé la nuit du dimanche à lundi dans mon véhicule. J'avais garé la voiture dans un chemin de campagne situé non loin de Salernes dans le Var. Je me suis réveillé assez tard ; je me suis mis au volant de ma voiture et j'ai pris la route d'Aix-en-Provence par de petites routes.

« Je ne peux vous donner de précisions sur les horaires car ma montre est en réparation et celle du tableau de bord de ma voiture ne fonctionne plus.

« Je suis arrivé à Marseille et j'ai pensé retrouver un camarade de l'armée qui se nomme Benvenutti et qui demeure avenue Alphonse Daudet, nº 51. Sans trop connaître Marseille, j'ai donc garé mon véhicule et je pensais aller me promener à pied. A un moment, j'ai remarqué deux enfants jeunes qui jouaient devant une cité. Je ne me souviens pas exactement de l'endroit. Je peux cependant vous dire que cette rue était assez étroite et qu'elle n'était pas bordée d'arbres. Après avoir regardé ces enfants pendant quelques minutes, je les ai abordés. J'avais garé mon véhicule à dix mètres de l'endroit où jouaient les enfants. Il y avait un petit garçon auquel j'ai donné cinq ou six ans, qui avait les cheveux courts. Il y avait également une petite fille qui semblait un peu plus âgée, peut-être sept ou huit ans. Elle était vêtue de clair : un pull-over et un " pantalon court ".

« Je me suis approché de ces enfants et je leur ai demandé s'ils avaient vu une bête. Je ne me souviens pas très bien des termes que j'ai employés et je pense qu'il s'agissait de chien ou de chat. Le petit garçon est reparti de son côté pour rechercher la bête. Je suis resté sur les lieux en compagnie de la fille.

« Les souvenirs me reviennent et je suis en mesure de vous dessiner le plan des lieux. Je m'exécute.

« Comme vous pouvez le constater sur ce plan que je viens de vous dessiner de ma main, les enfants jouaient sur un trottoir qui longeait une rue en pente. J'avais garé ma voiture en bas de cette pente, devant un immeuble situé à gauche, en bas de la rue. Les enfants étaient sur le trottoir en face de l'immeuble. A cet endroit, la rue forme un léger virage. Le petit garçon est parti en direction du haut de la rue pour rechercher un animal. J'ai alors discuté quelques instants avec la petite fille et elle est montée sans difficultés dans la voiture.

« Je vous précise que lorsque le petit garçon est parti rechercher l'animal, nous nous trouvions tous les trois à hauteur de ma voiture et sur le même trottoir. Quand nous fûmes seuls, la petite et moi, je lui ai proposé de monter en voiture pour aller nous promener. J'ai formulé cette offre à deux reprises car, la première fois, elle a hésité. Finalement, elle a accepté. Je suis monté le premier dans la voiture, je lui ai rabattu le siège avant et la petite a pris place à l'arrière. Je précise que la porte côté conducteur de ma voiture est bloquée, ce qui m'a obligé à monter moi-même par le côté passager. Je me trompe, la porte n'était pas bloquée à ce moment-là, je suis monté par le côté gauche. C'est seulement après l'accident que la portière gauche a été bloquée.

« J'avais garé mon véhicule l'arrière face à l'immeuble. Je suis parti devant moi et je me suis éloigné du centre ville. Après avoir traversé la banlieue, j'ai emprunté une petite route en virages, elle montait. Après avoir roulé une dizaine de kilomètres au plus sur cette route, j'ai arrêté la voiture sur un espace situé à droite de la route. L'endroit ne m'a pas paru très vaste. Je me souviens également avoir traversé une petite agglomération. Quand nous nous sommes arrêtés, la petite est descendue de la voiture et s'est assise au bord de la route. J'ai allumé une cigarette et nous avons parlé. Pendant le voyage, nous avons parlé; je lui ai posé diverses questions sur ses conditions de vie. Quand elle a vu que nous nous éloignions de la maison, la petite a dit : " qu'il était l'heure du repas ". Je l'ai rassurée en lui disant que j'allais la ramener chez elle. Nous ne nous sommes arrêtés que quelques minutes à l'endroit indiqué. Quand nous sommes repartis, la petite est montée à l'avant. C'est elle-même qui l'avait demandé. A partir de ce moment, nous avons dû rouler encore une dizaine de kilomètres.

« A un moment, je suis arrivé à un « stop » et la route débouchait sur une autre, plus importante. C'est à cet endroit qu'a eu lieu l'accident. J'ai démarré en seconde vitesse sans voir arriver un véhicule sur ma gauche. J'ai été atteint à la portière gauche, j'ai senti que mon véhicule était déporté. Je ne sais pas trop bien dans quelle direction je suis reparti. J'ai senti une forte odeur de brûlé et j'ai compris que je ne pourrais rouler très longtemps dans ces conditions; le pneu qui frottait contre l'aile faisait " un bruit d'enfer ".

« J'étais affolé et je ne me rendais pas compte que quelqu'un me suivait. Je me suis enfui pour deux raisons : d'abord parce que l'on pouvait penser que j'avais brûlé le « stop » et ensuite à cause de la présence de la petite fille dans ma voiture. J'ai roulé quelques centaines de mètres environ, puis je me suis arrêté. J'ai garé la voiture sur le bord de la route. Ma portière s'étant bloquée à la suite de l'accident, j'ai ouvert la portière côté passager. J'ai laissé descendre la petite fille et je l'ai suivie. Je ne me souviens pas que la petite ait eu peur des suites de l'accident et elle n'a pas manifesté le désir de retourner chez elle.

« La petite fille a sauté un caniveau ; j'ai également sauté ce caniveau ; j'ai pris la main de la petite fille et nous avons parcouru ensemble une courte distance et nous nous sommes retrouvés en haut du talus. Je vous précise que j'ai dû aider la petite à grimper le talus. J'ai dû la tirer par la main. »

L'inspecteur Porte intervient et demande : « Pourquoi l'avoir tirée par la main ? »

« Pour l'aider à monter le talus. La petite n'a pas manifesté de signes d'inquiétude, je l'affirme. Arrivés sur le talus, l'enfant s'est mise à crier, elle ne voulait plus me suivre, elle devait être effrayée suite à l'accident. Je l'ai empêchée de crier en lui serrant le cou avec ma main gauche. L'enfant se débattait. Je vous précise que tout est confus dans ma mémoire parce que les choses se sont passées très vite. J'ai pris un couteau automatique qui se trouvait dans la poche de mon pantalon, j'ai ouvert ce couteau en appuyant sur le bouton et j'ai frappé la petite à plusieurs reprises. A partir de cet instant, je n'ai plus rien vu et je ne savais plus ce que je faisais. Je ne me souviens pas de ce que j'ai fait du corps, je ne sais pas si je l'ai traîné par terre. Je me souviens cependant que j'ai arraché des branches, plus précisément des épineux, avec lesquelles j'ai recouvert le corps. Je garde encore sur mes mains les traces de piqûres et de coupures des épines et je vous les montre.

« Je suis retourné sur la route après avoir remis le couteau dans ma poche si mes souvenirs sont exacts. Je me suis remis au volant de ma voiture et, après un parcours, je me suis engagé dans la piste qui donne accès à la galerie. Le long de cette piste se trouve une espèce de place où est étalée de la tourbe. C'est à cet endroit que je me suis débarrassé du couteau. Je l'ai jeté à terre et j'ai donné un coup de pied dedans.

« J'ai déjà expliqué dans ma précédente déclaration la façon dont je suis sorti de la champignonnière.

« Je vous affirme que je n'ai pas violé cette enfant ni procédé à des attouchements impudiques. »

A la question : « Pourquoi l'avoir enlevée? », Ranucci répond : « Je ne sais pas. Je voulais l'emmener promener. — Pourquoi ne pas l'avoir ramenée avant, quand elle l'a demandé? — Je comptais le faire. Tout s'est troublé dans mon esprit à partir de l'accident. Je suis incapable de vous en dire davantage. »

L'inspecteur Porte présente alors le pull-over rouge trouvé dans la galerie de la champignonnière. « Ce vêtement n'est pas ma propriété, déclare Christian Ranucci. Je ne l'ai jamais vu. »

Il signe ses aveux. La déposition, commencée à deux heures de l'après-midi, se termine à cinq heures.

**

Un autre inspecteur de la Sûreté urbaine a enregistré les déclarations de Vincent Martinez et de sa fiancée, arrivés à l'Evêché au début de l'après-midi. M. Martinez reprend à peu près les termes de sa plainte du 3 juin à la gendarmerie de Gréasque, mais précise que son chauffard portait des lunettes. Lorsque Ranucci lui est présenté, il le reconnaît formellement. Il ajoute que M. Aubert lui a dit à son retour que le conducteur du coupé Peugeot « avait pris la fuite à pied dans la colline, à travers les broussailles, en compagnie d'un gosse ». Or, M. Martinez avait déclaré aux gendarmes de Gréasque que son chauffard « paraissait seul à bord ». Il confirme d'ailleurs à l'Evêché qu'il n'a pas remarqué la présence d'un enfant dans l'autre voiture. Sa fiancée n'a pas davantage constaté qu'il y ait eu un passager dans cette voiture. Elle peut simplement confirmer que le conducteur portait des lunettes. On ne juge pas nécessaire de lui présenter Ranucci.

L'arrivée d'Héloïse Mathon fait évidemment sensation. Les flashes des photographes crépitent mais les journalistes devront attendre pour l'interviewer qu'elle ait été entendue par le commissaire Alessandra. Elle est introduite dans son bureau. Trois ou quatre policiers la regardent entrer d'un œil harassé. Gérard Alessandra, sensible à la tragédie que vit la malheureuse mère, dont il dira tout à l'heure à la presse la grande dignité, lui annonce avec ménagement que Christian va être inculpé du meurtre d'une fillette enlevée à Marseille. Elle s'écrie : « Ce n'est pas possible ! Il ne peut pas avoir fait ça ! » Le policier se fait confirmer l'emploi du temps de Christian : départ de Nice le dimanche 2 juin après le déjeuner, retour le lundi 3 vers neuf heures du soir. Mme Mathon lui confie avec désolation qu'elle a refusé de partir avec son fils pour ce petit périple. Quant au caractère et au style de vie de Christian, elle affirme leur parfaite normalité. Il mène la vie banale d'un garçon de son âge, fréquente des jeunes gens et des jeunes filles, aime sortir le soir mais ne découche jamais. Le commissaire n'insiste pas. Elle s'étonne sans le dire d'être alors questionnée de manière très minutieuse sur les horaires de travail de Christian avant la Pentecôte.

A la fin de ce bref entretien, la mère supplie qu'on lui permette de voir son enfant. « Je ne vous refuserai pas cela, répond Gérard Alessandra. Mais seulement une minute. » Il la fait entrer dans le bureau voisin. Elle est bouleversée par l'aspect de Christian. « Il n'était plus le même, écrira-t-elle plus tard, il n'était plus lui-même », et elle admet volontiers que pour quiconque ne l'aurait pas connu, il pouvait avoir le visage d'un coupable, avec cette expression de peur, de dégoût, d'infinie lassitude. Elle lui dit : « Ce n'est pas possible, ce n'est pas toi ! » Un policier présent dans le bureau lance à Christian : « Dis-le à ta mère, puisque tu nous l'as dit à nous... » Christian murmure « Oui, c'est moi. » Elle le regarde, lui trouve un air absent, figé, et s'écrie « Mais ce n'est pas possible ! » On la fait sortir du bureau.

Les cheveux blonds pris dans un foulard, vêtue d'une robe bariolée, elle surprend les journalistes par sa voix douce, toujours égale, monocorde, et par un calme stupéfiant que certains attribueront à un contrôle de soi presque monstrueux tandis que d'autres y verront la preuve d'une absence quasi pathologique du sens des réalités. Chez ses futurs interlocuteurs, l'étonnement ira parfois jusqu'au malaise.

C'est d'abord qu'Héloïse Mathon est d'un pays — l'Auvergne — où l'on ne juge pas convenable de donner de ses sentiments une représentation spectaculaire, ce qui ne veut pas dire qu'on n'en éprouve pas, et qu'elle se trouve projetée dans un drame dont les autres protagonistes obéissent à une tradition inverse, ce qui ne doit pas les faire suspecter d'insincérité. Face au juge d'instruction Di Marino, dont le père est napolitain, au commissaire Alessandra, de Constantine, aux Rambla, arrivés dix ans plus tôt d'Andalousie, et à la plupart des personnages de cette histoire, il est évident qu'Héloïse Mathon n'est pas au diapason, qu'elle ne « joue » pas dans le même registre.

A cette disparité pour ainsi dire culturelle s'ajoute une singularité psycho-physiologique : l'extrême émotion la plonge dans une sorte d'engourdissement. Elle ne réagit pas à l'agression par la surexcitation mais par la torpeur. Nous avons passé avec elle des dizaines d'heures et nous l'avons vue cent fois se bloquer dans cette paralysie nerveuse. Lorsqu'elle nous a tendu, un soir, les horribles reliques qu'elle garde à son chevet — ces fragments de cercueil imprégnés d'un liquide sans nom —, un étranger l'eût dit d'un calme absolu : nous la savions à bout de souffrance.

Il demeure que quand les journalistes lui demandent : « Qu'a fait votre fils lorsqu'il est rentré à Nice après le crime? », ils s'étonnent de l'entendre répondre placidement : « Il avait très faim et il a mangé du jambon, un steak, des tomates à la provençale, du fromage et un dessert. Ensuite, nous avons regardé ensemble le film à la télévision. »

Elle répond aux questions, puis reste là, désemparée, ne sachant que faire. Roger Arduin, d'Europe 1, Paul-Claude

Innocenzi, du *Provençal* et Christian Chardon, de *Détective* lui conseillent de ne pas quitter Marseille, où sa présence peut être utile à Christian. Et d'abord, il faut lui trouver un avocat. Comme elle n'en connaît pas et que l'affaire est d'évidence d'une gravité extrême, les deux journalistes lui disent ce qu'on dit toujours à Marseille en pareil cas : « Allons chez Pollak. »

*
* *

Le capitaine de gendarmerie Maurice Gras reste en liaison avec l'Evêché; l'un de ses gradés est sur place et le tient au courant de la progression de l'enquête. Il est donc informé des aveux dès le début de l'après-midi et sait qu'il lui reviendra de retrouver l'arme du crime, dont Ranucci vient de révéler qu'il s'en était débarrassé dans la champignonnière.

La compagnie d'Aubagne est équipée d'un appareil de détection électromagnétique, vulgairement appelé « poêle à frire », auquel le capitaine Gras n'aime guère devoir recourir. L'engin, d'un maniement délicat, exige d'être réglé en fonction de l'objet recherché et se détraque facilement. Mais un heureux concours de circonstance fait que le détecteur d'Aubagne est en parfait état de marche. Quelques jours plus tôt, deux policiers marseillais étaient allés à Nice pour y prendre du bon temps et, rentrant sur Marseille après une soirée distrayante, ils avaient été doublés par une voiture dont l'un des occupants était un « client » habituel, truand notoire. Curieux et gais, ils avaient pris la voiture en chasse et étaient sur le point de la rattraper quand elle avait bifurqué soudain dans un chemin départemental, puis s'était arrêtée. Les policiers avaient stoppé à leur tour, mis pied à terre et s'étaient avancés, mais un tir nourri les avait immédiatement convaincus de décamper : ils n'étaient pas armés. Le lendemain, ils avaient pris contact avec le capitaine Gras pour lui demander de s'employer à retrouver les douilles des balles tirées par les truands. La tâche n'était pas simple car ils n'étaient pas en mesure de dire exactement où s'était déroulé l'incident. Le capitaine Gras avait donc fait vérifier le détecteur électromagnétique, qui était parfaitement opérationnel ce 6 juin 1974.

Lorsque son gradé détaché à l'hôtel de police de Marseille l'eut averti qu'il allait devoir rechercher l'arme du crime, le capitaine envoya un gendarme chez un coutelier d'Aubagne pour lui emprunter quelques spécimens de couteaux à cran d'arrêt; puis il fit régler sur eux le détecteur. Ainsi était-il tout à fait paré quand il reçut de l'Evêché les indications topographiques fournies par Ranucci et l'ordre de procéder aux recherches.

Le tas de tourbe où Ranucci a déclaré avoir enfoncé l'arme d'un coup de pied est en vérité un terre-plein recouvert de fumier durci au centre duquel stagne une petite mare de purin. Il se situe en bordure du chemin d'accès et à cent mètres de la galerie où s'est embourbé le coupé Peugeot.

Les recherches commencent à cinq heures et demie.

A six heures moins le quart, le docteur Vuillet, médecin expert près les tribunaux, examine Christian Ranucci, qui va être extrait de la garde à vue pour être présenté au juge d'instruction. Il note une ecchymose récente au coin de l'œil gauche, « lésion banale dépourvue de caractères spécifiques quant à son mode de production », et une plaie chronique de la face antérieure de la jambe droite, mesurant environ quinze millimètres de diamètre. Il constate d'autre part la présence sur les mains et sur les avant-bras de multiples piqûres et égratignures conformes aux traces que pourrait laisser une végétation épineuse. Le docteur Vuillet conclut que son examen du sujet entièrement dévêtu n'a pas fait apparaître qu'il y ait eu scènes de lutte ou sévices au cours de la garde à vue.

Le palais de justice de Marseille, où l'on conduit à présent Ranucci, ne figure pas au nombre des édifices notables de cette ville. On l'a judicieusement bâti dans le quartier de l'Opéra, c'est-à-dire à proximité immédiate des rues chaudes qui lui fournissent une importante partie de sa clientèle. Mlle Di Marino, assistée d'Annie Tchorakdjian, son greffier assermenté, est pour la première fois face à face avec Christian Ranucci. Elle lui fait décliner son identité, l'inculpe d'enlèvement de mineur de moins de quinze ans et d'homicide volontaire — crimes punis de mort — et ajoute que le code de procédure pénale l'autorise à ne faire aucune déclaration tant qu'il n'est pas assisté d'un avocat. L'inculpé renonce à ce droit et consent à être interrogé au fond.

Il confirme les aveux passés devant l'inspecteur Porte mais répète qu'il n'avait au départ aucune mauvaise intention. C'est par sympathie qu'il a emmené l'enfant faire un petit tour : elle était heureuse d'aller en voiture. Il n'a eu aucun geste de caractère sexuel et n'avait nullement l'intention de procéder à des attouchements sur sa personne. Sans l'accident du croisement de La Pomme, il l'aurait ramenée chez elle sans lui faire le moindre mal. Mais l'accident a tout changé. Il a eu peur d'être poursuivi et a pris la fuite dans la colline. La petite, soudain, a refusé d'avancer et s'est mise à crier. Il l'a serrée au cou et l'a frappée avec son couteau. « Tout s'est passé très vite, je ne me contrôlais plus, j'étais affolé — pire que ça : je n'étais plus moi. Je sais que ce que j'ai fait est affreux mais je ne peux absolument pas expliquer mon geste. »

Curieusement, il continue d'expliquer la présence ultérieure de sa voiture à trente mètres au fond d'une galerie souterraine par des circonstances fortuites, indépendantes de sa volonté : « J'ai dérapé, je me suis retrouvé au fond de la galerie. »

Sur le pantalon bleu trouvé dans sa voiture, Ranucci est formel : le vêtement était propre avant le meurtre et lui-même n'a pas saigné. Si taches de sang il y a, elles doivent par conséquent résulter du crime.

La dernière question du juge concerne le pull-over. L'inculpé répond : « On m'a dit qu'un pull-over rouge avait été découvert à proximité du lieu où mon véhicule s'est arrêté après avoir dérapé. J'affirme que ce pull-over ne m'appartient pas. »

Me Emile Pollak est absent. Paul-Claude Innocenzi s'en trouve désolé. « Tant pis, décide Roger Arduin, on va aller chez Lombard. »

Paul Lombard a son cabinet cours Pierre-Puget, tout près de chez Me Pollak et plus près encore du palais de justice où Mlle Di Marino est en train d'interroger Christian. Le cours Pierre-Puget, dont le terre-plein médian sert de parking, est bordé d'immeubles bourgeois assez vétustes dont beaucoup sont occupés par des bureaux. Il a été en 1935 le théâtre de la première grande affaire de rapt d'enfant en France. L'enlèvement d'un bébé de quelques mois avait soulevé une émotion d'autant plus intense que l'affaire Lindbergh venait de consterner le monde entier. Les ravisseurs manquaient heureusement d'intelligence et la police marseillaise n'avait eu aucun mal à les arrêter, retrouvant du même coup le bébé sain et sauf.

Contrairement au cabinet artisanal d'Emile Pollak, celui de Paul Lombard rassemble plusieurs avocats associés, leurs collaborateurs et leurs secrétaires; c'est une ruche en perpétuelle effervescence. Les journalistes, introduits auprès de Me Lombard expliquent qu'ils ont avec eux la mère de l'assassin de Marie-Dolorès Rambla et qu'elle est en quête d'un avocat : veut-il bien se charger de l'affaire? L'avocat fait la grimace et répond : « Je vous avoue que je préférerais plaider pour la partie civile... » Il consent cependant à recevoir Mme Mathon, l'écoute attentivement, puis lui demande un court délai de réflexion avant de prendre sa décision. Elle repasse dans la salle d'attente. Une demi-heure plus tard, Me Lombard la fait rentrer et lui annonce : « C'est d'accord, je défendrai votre fils. Mais c'est mon collaborateur, M^e Le Forsonney, qui assurera le quotidien. Moi, j'interviendrai quand le moment sera venu. »

Paul Lombard est un homme d'une beauté remarquable. Le teint très pâle, les traits d'une grande mobilité, il a un visage fin encadré d'une longue chevelure romantique. A cinquante ans, il conserve une sveltesse et une vivacité de jeune homme. Vestimentairement, il est irréprochable. Gai et enjoué conformément à l'image que la plupart des Méridionaux aiment à donner d'eux-mêmes, il laisse pourtant entrevoir, par éclairs, une tristesse insondable. Il tire admirablement à la pétanque et possède une culture littéraire exceptionnelle. On le pressent capable de toutes les générosités et d'une dureté sans merci. Il est à Marseille jalousé, décrié, honni comme l'est dans sa province tout homme qui a réussi à acquérir une stature nationale. Ceux-là même qui le jugent peu intéressant en parlent sans cesse, et passionnément. « La réussite est un luxe que les autres ne pardonnent pas », constatera-t-il dans un beau livre consacré à son métier. Mais sans doute reste-t-il largement inconscient des sentiments qu'il inspire car son extrême séduction désarme l'interlocuteur le plus mal disposé et l'attache à son char; à peine a-t-il le dos tourné qu'on s'irrite de son charme et qu'on le trouve léger. Il n'est plus là pour s'en affliger, toujours par monts et par vaux, quelque part dans le ciel entre Marseille et Paris : l'avion d'Air Inter est son métro; un feu follet. Il fait profession de cynisme et déclare volontiers qu'il n'est qu'un « marchand de résultats », ce qui impressionne peut-être ceux qui n'ont pas connu Floriot. On dit que ses ambitions sont immenses mais elles restent nébuleuses. On l'a vingt ans durant comparé à Emile Pollak alors que tout les oppose. L'autre — lourd, charnu, sanguin, pétri de passions — venait de chez Balzac. Lui est un personnage stendhalien : dur et fragile.

Tout cela pour dire que nous ne connaissons pas Paul Lombard. Il ne se refusa certes pas au dialogue et témoigna au contraire d'une généreuse disponibilité, mais nous nous rencontrions pour parler de l'affaire Ranucci et de rien d'autre. Et nous ne sommes jamais parvenus à parler de l'affaire Ranucci. Ce ne fut pourtant pas faute d'essayer. Tout fut vain. Il ne nous a jamais été possible d'avoir un entretien respectant l'ordre chronologique des faits ou, plus simplement, l'enchaînement rationnel des éléments de la cause : de même qu'une voiture à la direction cassée s'écrase inévitablement contre un arbre, notre conversation venait toujours se briser prématurément au pied de l'échafaud. Ses amis et ses intimes le disent : Paul Lombard n'est plus le même depuis l'aube du 28 juillet 1976. Il est, avec les parents de Marie-Dolorès et la mère de Christian Ranucci, le quatrième et dernier personnage de cette histoire dont l'existence se déroulera désormais dans l'ombre portée de la mort.

Il faut donc que le lecteur sache qu'il n'entendra pas dans ce récit, sinon exceptionnellement ou indirectement, la voix de Paul Lombard; qu'il sache aussi que dans la mesure où l'autopsie d'un échec judiciaire risque d'apparaître, même à tort, comme le procès de l'avocat, nous n'avons pas pu donner la parole à la défense.

* * *

Le détecteur ne détecte rien. Plus exactement, il repère un bric-à-brac de ferrailles rouillées et de détritus métalliques où abondent les boîtes de conserve, mais point de couteau à cran d'arrêt. Le contremaître de la champignonnière, Henri Guazzone, assiste à l'opération et admire son organisation : le capitaine Gras est en liaison radiotéléphonique permanente avec le bureau du commissaire Alessandra à l'Evêché. « Les gendarmes demandaient tout le temps des précisions, nous dira M. Guazzone : '' Où il est, ce couteau? '' Là-bas, à Marseille, ça répondait : '' Cherchez par ici '', '' Cherchez par là ''. Je finissais par croire qu'ils ne le trouveraient jamais... »

Les abords broussailleux du chemin de terre ont été ratissés en vain. Il y a déjà plus d'une heure que le capitaine Gras et ses hommes ont commencé leurs recherches.

Comme chaque jeudi, Jean-François Le Forsonney a quitté vers six heures le cabinet de son patron, Paul Lombard, pour aller monter à cheval au Centre équestre de Provence, à quelques centaines de mètres de la champignonnière. On lui annonce dès son arrivée qu'il doit rappeler d'urgence Mᵉ Lombard. Jean-François Le Forsonney téléphone au bureau. « J'ai besoin de vous voir pour une affaire importante, lui dit Paul Lombard. Pouvons-nous dîner ensemble ce soir? » Ils conviennent de se retrouver au restaurant du London Club.

A sept heures vingt-cinq, c'est-à-dire une heure cinquante-cinq minutes après le déclenchement des recherches, le détecteur électromagnétique repère un nouvel objet métallique enfoui dans le tas de fumier. Le capitaine Gras brise la croûte dure qui s'est formée en surface et creuse avec précaution jusqu'à une vingtaine de centimètres. Il dégage ainsi l'extrémité d'un manche de couteau. Armé d'une pince, il extrait l'objet du fumier, non sans difficulté, et constate que la lame est rentrée. Il examine le manche à la loupe mais échoue à repérer la moindre empreinte, ce qui n'est pas surprenant car les empreintes éventuelles ont dû être effacées par simple frottement lors de la pénétration de l'arme dans le fumier; l'humidité a pu également jouer son rôle. Le capitaine Gras actionne alors le mécanisme d'ouverture du cran d'arrêt. La lame jaillit. Elle est tachée de sang.

La Sûreté urbaine donne une conférence de presse a l'Evêché. Pour son chef, le commissaire Cubaynes, qu'entourent le commissaire Alessandra et l'inspecteur divisionnaire Porte, l'affaire Ranucci vient à point pour redorer le blason de la police marseillaise, qu'avaient singulièrement terni les péripéties malheureuses de l'affaire Cartland. Elle avait éclaté un an plus tôt et rameuté sur Marseille toute la presse internationale. Deux sujets britanniques distingués, John Cartland et son fils Jeremy, de retour de vacances en Espagne, avaient décidé de s'arrêter près de Pélissane pour y passer la nuit dans leur caravane. Quelques heures plus tard, un automobiliste stoppe net, croyant à un feu de broussailles.

Le caravane est en flammes; le père, tué; le fils, blessé. Jeremy Cartland, rapidement guéri, expliquera la mort de son père par une agression perpétrée par des inconnus. La police marseillaise, à qui est confiée l'enquête, ne dissimule pas sa certitude d'avoir affaire à un parricide; le juge d'instruction en est lui-même convaincu. Mais Jeremy Cartland tient bon. Son avocat, Paul Lombard, démontrant un incroyable culot, le fait se constituer partie civile (dame! il est orphelin de la malheureuse victime), ce qui lui donne accès au dossier et met sous ses yeux l'arsenal adverse. Jeremy Cartland ayant finalement choisi de retourner dans sa patrie et de ne plus répondre aux convocations françaises, le dossier avait été transmis à la justice britannique, qui avait fait effectuer une longue et minutieuse enquête au terme de laquelle celui qu'on tenait à Marseille pour un coupable certain avait été totalement blanchi. Il en était résulté des appréciations extrêmement désobligeantes sur les méthodes de travail de la police marseillaise et sur la démarche inquisitoriale de l'instruction judiciaire à la française.

Le commissaire Alessandra fait le bilan de cette longue journée riche en rebondissements : dénégations farouches de Ranucci, confrontation avec Aline Aubert, effondrement du « mis en cause », aveux complets. Il signale qu'une certaine obscurité continue d'entourer les mobiles du meurtrier puisque celui-ci affirme n'avoir pas eu de mauvaises intentions à l'égard de l'enfant, mais Gérard Alessandra estime que cette affirmation « fantaisiste » lui est dictée par « un sentiment de pudeur ».

Le commissaire Cubaynes conclut par une déclaration qu'on ne peut apprécier à sa juste valeur que si l'on se souvient du climat d'exaltation vengeresse régnant à Marseille : « Je ne voudrais pas que vous vous dirigiez vers une interprétation du comportement de cet homme avec les paramètres normaux en usage pour les êtres humains ordinaires. Je n'ai pas à l'expliquer, je n'ai pas à l'excuser, je n'ai même pas à le comprendre : c'est le rôle des psychiatres et des spécialistes. Ce que je peux dire, c'est que le caractère particulièrement odieux et anormal du comportement de cet homme pose un problème. Et que ce problème doit être résolu à l'aide de données particulières concernant son état physique général, etc. Je vois que les questions que vous posez tendent à comparer ce comportement avec celui d'un homme normal. Ce n'est quand même pas le cas, manifestement. Je ne parle surtout pas d'irresponsabilité — ça ne me regarde pas — mais je vous mets en garde contre la tendance qu'on peut avoir, d'entrée, à le juger comme on jugerait quelqu'un d'un comportement tout à fait classique. »

* * *

Jean-François Le Forsonney voulait être médecin. Une fantaisie administrative en décida autrement : il venait de passer son baccalauréat de philosophie quand l'Education nationale décréta que ce diplôme n'ouvrirait plus les portes de la faculté de médecine. Il choisit alors de faire son droit et, après sa licence, prépara le certificat d'aptitude à la profession d'avocat.

La conférence Portalis est à Aix-en-Provence l'équivalent approximatif de ce qu'est à Paris la conférence du stage : un banc d'essai oratoire. Mais tandis que les stagiaires parisiens rodent leur éloquence sur des sujets d'une inspiration souvent fantaisiste, les futurs avocats d'Aix-en-Provence sont mis à l'épreuve à partir de grands procès qu'ils doivent reconstituer en tenant le rôle de leurs prestigieux aînés. Ainsi le groupe auquel appartenait Jean-François Le Forsonney fut-il désigné, après épreuves de sélection, pour animer la séance solennelle de la conférence Portalis. Le thème était le procès de Bernardi de Sigoyer, assassin de sa femme. Me Isorni, défenseur de Bernardi, avait fait aux jeunes gens l'honneur de venir assister à la séance. Mais un autre auditeur devait avoir pour Jean-François Le Forsonney une importance décisive : à la fin de sa plaidoirie, Paul Lombard, qu'il ne connaissait que de réputation, s'approcha pour lui proposer d'entrer dans son cabinet.

C'était une chance inespérée. Fils d'opticiens installés dans un centre commercial de Marseille, le jeune homme n'avait aucune relation dans les milieux judiciaires et l'encombrement de la profession d'avocat rendait très aléatoire la chasse à l'indispensable patron. C'est dire que l'avenir ne se présentait pas sous les meilleurs auspices. Et voici que l'avocat marseillais le plus célèbre après Pollak venait lui proposer de le prendre avec lui : il avait besoin d'un collaborateur pour les affaires pénales. Le pénal!

Deux années durant, Mᵉ Le Forsonney a mené la vie exténuante et ingrate d'un avocat stagiaire : courses au palais pour le patron, demandes de remises, séances d'instruction de routine, commissions d'office le plus souvent dénuées d'intérêt. Mais il apprend le métier à l'ombre de son maître, auquel il voue une admiration sans borne. Ce 6 juin 1974, il n'a encore que vingt-quatre ans. C'est un garçon de taille moyenne, très mince, qui paraît plus jeune que son âge. Derrière les lunettes, le regard est à la fois vif et attentif.

Au restaurant du London Club, Paul Lombard lui dit : « Ranucci a demandé un avocat d'office. Le bâtonnier Chiappe a passé en revue la liste; il pense vous désigner mais il m'a demandé de vous en parler avant. » L'avocat ajoute qu'il a reçu en fin d'après-midi la mère de Christian Ranucci. Elle lui a demandé de défendre son fils. Il entrera dans l'affaire le moment venu mais il ne veut pas apparaître pour l'instant.

Héloïse Mathon dîne non loin de là, dans un restaurant du Vieux-Port, en compagnie de Christian Chardon, journaliste à *Détective*. Elle lui parle longuement de l'enfance et de la jeunesse de son fils (il en résultera un article intitulé « Marie-Dolorès dans les griffes d'un monstre », mais le contenu vaut mieux que le titre). A la fin du repas, Mᵐᵉ Mathon se désole d'avoir laissé ses somnifères à Nice : encore une nuit blanche en perspective, et elle n'en peut plus. Christian Chardon l'emmène dans une pharmacie et, comme on leur refuse des somnifères sans ordonnance, le journaliste paie une boîte entière, de laquelle le pharmacien extrait trois comprimés qu'il donne à Mme Mathon.

Elle a pris une chambre dans un hôtel de la place de la Bourse. Les policiers lui ont demandé de se présenter le lendemain à onze heures; ils lui restitueront certaines affaires de son fils. Christian Chardon lui propose de la retrouver à sa sortie de l'Evêché.

Christian Ranucci a été écroué aux Baumettes et entame la première de ses sept cent quatre-vingt-quatre nuits en prison. Après la fouille et les formalités d'écrou, les gardiens l'ont enfermé dans une cellule du quartier de haute surveillance. Il y sera seul. Cette solitude, habituellement redoutée des prisonniers, est pour lui bienheureuse, même s'il ne le sait pas encore. Les hommes du milieu, population majoritaire dans les prisons, et qui y fait la loi, manifestent en effet une haine militante pour les délits et crimes d'ordre sexuel, et assurent leur propre répression. Le détenu coiffeur, qui officie sur chaque entrant, est traditionnellement renseigné sur la nature des inculpations; si le mobile est d'ordre sexuel, il feint la maladresse et entaille le lobe de l'oreille du nouveau détenu. Celui-ci, identifié grâce à cette marque, devient aussitôt le souffre-douleur de ses compagnons de cellule et doit endurer brimades et sévices sous l'œil complaisant des gardiens.

S'agissant de Ranucci, on craint le pire. Son arrivée a été saluée par des insultes et des menaces de mort. La direction a prescrit des mesures de sécurité rigoureuses; aucun détenu ne doit pouvoir l'approcher.

Mais la haine est aussi un climat.

Le vendredi 7 juin, les quotidiens régionaux consacrent plusieurs pages à l'affaire. Les reportages sont centrés sur la dramatique confrontation entre Christian Ranucci et Aline Aubert, au terme de laquelle « le meurtrier a craqué ».

Comme la veille, *Le Méridional* en appelle à un châtiment expéditif : « Pourquoi laisser se dérouler une pantomime de prétoire ? demande Yves Gaveriaux. Qui pourra défendre un tel homme, un sadique de vingt ans ? Qui pourra tenter de plaider la pitié ? Qui pourra être assez fou pour dire : " Il n'était pas dans un état normal " ? Acte exceptionnel, justice exceptionnelle... Qu'on ne traîne pas ! »

La Marseillaise cite le commissaire Cubaynes, souligne que l'affaire soulève un grave problème, et conclut : « Maintenant, la parole est à la justice. Elle devra déterminer, avec l'aide des psychiatres, le degré de responsabilité de Ranucci, ce garçon de vingt ans qui a plongé la famille de Marie-Dolorès et sa propre mère dans la douleur. »

Le Soir, qui avait estimé la veille que le meurtrier « sans excuse » devait être « retranché à jamais de la communauté », publiera dans quelques heures un article rappelant que seul Pierre Rambla aurait eu le droit moral d'exécuter sommairement Ranucci, que les monstres sont fabriqués par la société et que la solution consistant à couper des têtes est peut-être un peu simple.

La presse, qu'elle soit régionale ou nationale, traduit un

flottement certain dans sa présentation du monstre Ranucci car les premiers renseignements recueillis sur sa personnalité sont à l'envers de ce qu'on pouvait attendre. *Nice-Matin* note qu'il est considéré « comme un garçon très gentil, très doux, un peu réservé et timide ». Pour *La Marseillaise,* c'est « un jeune homme poli, sérieux et courtois ». L'envoyé spécial de *France-Soir* à Nice constate que les voisins « portent l'éloge jusqu'à la démesure ». Il questionne également des parents qui confiaient leurs jeunes enfants à la garde de Mme Mathon, mais au lieu de l'effroi rétrospectif qu'il s'attendait probablement à enregistrer, c'est encore une fois un concert élogieux : les petits adoraient Christian, qui était avec eux d'une gentillesse et d'une patience à toute épreuve. « Christian, c'est la franchise, la poignée de main ferme et le regard droit. » Un couple de voisins, dont le fils a été tué en Algérie et qui n'a jamais pu surmonter ce deuil, insiste sur le réconfort qu'il trouvait dans les fréquentes et affectueuses visites de Christian.

Ces témoignages apportant une piètre contribution à la description d'un monstre sadique, un glissement commence de s'opérer, qui consiste à pousser à l'extrême, c'est-à-dire jusqu'à l'anormal, la gentillesse de Christian Ranucci. *France-Soir* titre son article : « Je l'ai élevé comme une fille. dit la mère du meurtrier ».

*
* *

A onze heures du matin, Héloïse Mathon est reçue à l'Evêché par l'inspecteur divisionnaire Porte. Il lui restitue la plupart des divers objets et vêtements saisis le 5 juin au soir par le commissaire Alessandra dans le coupé Peugeot, les exceptions les plus notables étant évidemment les lanières de cuir et le pantalon bleu placés sous scellés. Puis il lui rend la veste en daim que Christian avait prise sur son bras lorsqu'il était parti l'avant-veille avec les gendarmes de Nice. Toujours silencieux, et du même geste machinal, Jules Porte tend enfin à Mme Mathon un pull-over rouge. Elle secoue la tête : « Non, ce n'est pas à lui. » Le policier, qui tient le vêtement par les épaules, l'approche à vingt centimètres du visage de Mme Mathon et le lui présente de dos et de face. « Inutile de me le montrer, dit-elle, il n'est pas à lui. » C'est un pull-over d'homme à encolure ras du cou avec, sur l'épaule gauche, de gros boutons dorés. Il est d'un rouge plus que vif : criard. Héloïse Mathon, qui ignore tout des tenants et aboutissants du pull-over et croit à une simple méprise, juge superflu d'expliquer au policier que la seule couleur du vêtement suffit à exclure qu'il soit à son fils : Christian déteste le rouge. Plusieurs années auparavant, il s'était même refusé à porter, fût-ce en présence de la donatrice, la chemise rouge qu'une de leurs amies lui avait malencontreusement offerte ; cela avait fait un petit drame avec sa mère.

Le coupé Peugeot, ramené dans la cour de l'Evêché, est officiellement restitué à Mme Mathon après avoir été examiné par des spécialistes. Elle trouve dans le coffre le paquet de biscuits non entamé dont le journaliste de *Nice-Matin* a noté l'avant-veille la présence sur la banquette arrière. « Ça non plus, dit-elle, ce n'est pas à lui. » Elle déchire l'emballage et donne les biscuits aux policiers qui l'entourent en leur suggérant de les offrir à quelque chien errant ; puis elle jette l'emballage vide dans le coffre. Aucune question ne lui est posée et, pas plus que pour le pull-over rouge, elle ne voit l'intérêt d'une explication. Les biscuits sont de marque Brun et Christian en a une sainte horreur. Du temps qu'ils habitaient à Grenoble — son fils avait six ans — le chemin de l'école communale passait devant une usine Brun installée sur la route de Chamrousse. Les biscuits à la cuisson dégageaient une odeur si écœurante que Christian ne manquait jamais de changer de trottoir avant d'arriver à l'usine. Depuis cette époque, il avait été impossible de lui faire manger le moindre biscuit Brun.

Christian Chardon se met au volant de la voiture et reconduit Mme Mathon à son hôtel. Il gare la Peugeot rue

Saint-Saëns. Héloïse Mathon ne veut pas quitter Marseille avant d'avoir vu le jeune avocat de son fils.

*
* *

Christian Ranucci a été extrait des Baumettes dans la matinée et conduit au cabinet d'instruction de Mlle Di Marino.

La première partie de l'interrogatoire est consacrée au curriculum vitae de l'inculpé. Ce dernier raconte en quelques phrases la vie errante qu'il a menée avec sa mère jusqu'à leur installation à Nice. A propos du conflit conjugal qui a opposé ses parents, il se borne à déclarer : « Je sais seulement qu'ils étaient très fâchés, et que mon père a tort d'après ma mère. Je connais ma mère et je suis persuadé qu'elle dit vrai à ce sujet. »

Mlle Di Marino lui montre ensuite le couteau à cran d'arrêt transmis par le capitaine Gras. « Ce couteau m'appartient, je le reconnais, c'est le couteau dont je me suis servi pour frapper la fillette. » Quant au couteau Opinel trouvé dans le coffre de la Peugeot, Ranucci répond qu'il faisait partie de la trousse à outils livrée avec la voiture. Les lanières tressées comme un fouet ? Il les a achetées en Allemagne lors de son tout récent service militaire pour en faire un scoubidou. « Je ne peux expliquer pour quelle raison ces lanières se trouvaient dans ma voiture. Elles se trouvaient là comme un parapluie aurait pu s'y trouver. » Les supputations du juge sur leur éventuelle destination le laissent étonné et perplexe : « Vous me dites que ces lanières peuvent constituer un objet à caractère sexuel. Je me demande bien comment pareil objet pourrait avoir un tel caractère. »

Sa vie privée ? « J'ai déjà eu des relations sexuelles normales avec des filles de mon âge, parfois avec des filles plus vieilles. Je ne suis pas fiancé. Je pourrais vous citer des noms et des adresses concernant les filles en question mais pour le moment, je me refuse à le faire. Indépendamment des filles avec lesquelles j'affirme avoir couché, je n'avais pas de relations féminines. » Et il ajoute : « Je ne pense pas que ce soit dans des mobiles d'ordre sexuel que l'explication des faits qui me sont actuellement reprochés puisse être recherchée. Je ne sais toujours pas, je ne peux toujours pas expliquer pourquoi j'ai agi comme je l'ai fait. Je pense que j'ai tué l'enfant parce qu'elle a crié et que j'ai eu peur; c'était probablement de l'affolement. Je crois que le fait de la réalisation de l'accident, le fait que l'enfant a crié et le fait que je pensais qu'elle allait être découverte avec moi a formé un tout. J'ai peut-être eu peur qu'on pense à mal. »

Comme celui de la veille, ce second interrogatoire s'est déroulé sans l'assistance d'un avocat.

Jean-François Le Forsonney a rendu visite à Mᵉ Chiappe, bâtonnier du barreau de Marseille. Le vieil homme, qui est au bord de la retraite, n'a pas atteint à la grande célébrité d'un Pollak ou d'un Lombard mais ses pairs savent son talent, sa finesse, son humour dévastateur. De sa voix rauque barbelée d'accent corse, il explique sans fard à son jeune confrère pourquoi il se propose de le désigner comme défenseur de Ranucci : « Votre nom est inconnu, vous n'êtes pas marqué dans le pénal : voilà qui apaisera les esprits. » Il est bien vrai que la jeunesse et l'inexpérience de Mᵉ Le Forsonney paraîtront à une opinion publique survoltée peu susceptibles d'épargner au criminel la sanction qu'on lui souhaite. Sa qualité de collaborateur de Paul Lombard, qui se propose d'intervenir le moment venu, n'est pas mentionnée dans l'entretien. Mᵉ Le Forsonney réfléchit quelques secondes, puis se décide : « Bon, d'accord, j'accepte. On verra bien ce qui se passera. » Le bâtonnier, pour calmer son anxiété, ajoute qu'il se désignera lui-même comme second défenseur; il n'entend pas plaider l'affaire mais suivra l'instruction et veillera au grain.

Muni de sa commission d'office, l'avocat se rend au cabinet de Mˡˡᵉ Di Marino, qui lui délivre sans commentaire un permis de communiquer. Christian Ranucci est redescendu sous escorte dans ce qu'on appelle à Marseille « les geôles du palais de justice ». C'est l'équivalent de la Souricière à Paris : une série de cellules où les détenus sont enfermés après l'instruction en attendant les fourgons cellulaires qui les ramèneront aux Baumettes.

« J'étais très angoissé, avoue Me Le Forsonney. J'avais peur d'annoncer que j'étais l'avocat de Ranucci. En me présentant chez le juge, j'ai cherché à lire dans son regard et dans celui de son greffier. Et il en a été de même avec les policiers, avec les gardiens des Baumettes... Je ne comptais pas sur des encouragements mais j'espérais ne pas rencontrer trop de désapprobation. J'avais peur qu'on m'engueule.

« Dans la grande salle des geôles, les policiers de garde jouaient aux cartes. Je me suis approché et j'ai dit : " Je viens voir Ranucci. Je suis commis d'office par le bâtonnier pour le défendre. " Ils m'ont regardé et l'un d'eux m'a répondu : " C'est pas un cadeau qu'on vous a fait. "

« Ils avaient isolé Ranucci car les autres détenus voulaient le lyncher. Le gardien a ouvert la porte et j'ai vu un grand type au visage tuméfié, pas rasé, les cheveux en bataille. Ses mains étaient affreuses, rouges, avec des ongles cassés. Les yeux exorbités — mais ça, c'est parce qu'il n'avait pas ses lunettes. La sale gueule, vraiment. Une expression d'halluciné et, en même temps, l'air abattu, prostré. Ranucci, pour moi, c'était le monstre. Et je l'ai vraiment trouvé monstrueux. Je lui ai dit : " Je m'appelle Jean-François Le Forsonney et j'ai été commis pour vous défendre. On n'a pas le temps de parler : on le fera plus tard. Mais il y a quelque chose que je veux vous dire dès maintenant. Vous avez passé des aveux devant la police. Ils n'ont pas de valeur juridique réelle. Devant le juge d'instruction, ce sera une autre affaire. " J'ignorais évidemment que Di Marino l'avait déjà interrogé au fond. Il m'a répondu d'un ton excédé : " Mais c'est obligatoirement moi! " En détachant les syllabes : " O-bli-ga-toi-re-ment ". Et il a continué : " C'est sûr : il y a toutes les preuves, tous les témoins. " J'étais interloqué. " Les preuves, les témoins, c'est une chose, mais vous, qu'est-ce que vous

dites? " Il s'est mis à pleurer et m'a répondu en sanglotant :
" Moi, je ne me souviens de rien. " Il m'a répété plusieurs
fois : " Dites aux gens que je ne suis pas un salaud. Ils disent
tous que je suis un salaud, mais ce n'est pas vrai. "

« J'étais jeune. Et jeune dans le métier. Honnêtement,
j'étais terrorisé par ce qui me tombait sur la tête. J'ai eu peur
de sortir des geôles par la porte habituelle, à cause des
journalistes qui attendaient. Je me suis sauvé par une porte
dérobée. »

*
**

Les obsèques de Marie-Dolorès se déroulent à trois heures
au cimetière Saint-Pierre, sous un soleil écrasant. Le petit
cercueil, recouvert d'un simple drap blanc sur lequel est placé
un crucifix, a été déposé dans la chapelle du cimetière pour le
service religieux. A l'entrée s'amoncellent les gerbes et les
couronnes de fleurs blanches dont les rubans expriment à quel
point l'émotion unanime de la population a renversé les
cloisons habituelles ; la couronne de la cellule communiste du
quartier voisine avec celle du préfet ; la gerbe du maire avec
celle des « amis du bar Saint-Jacques ». Plus émouvants
encore : les dizaines de petits bouquets déposés par des mains
anonymes.

L'assistance, essentiellement composée de femmes, s'agglutine autour de l'édifice ; il y a là plus d'un millier de
personnes. Le conseil général, la mairie, l'évêché et le rectorat
sont représentés. La classe de Marie-Dolorès est venue au
grand complet sous la direction de l'institutrice, Mme Samuel.
Alignées devant le petit cercueil, les fillettes vêtues de robes
d'été accentuent encore le caractère tragique de ce service
funèbre pour une enfant de huit ans. Leur présence multiplie
l'absente. Leur grâce et leur fraîcheur font se lever les
violentes images du saccage décrit par la presse.

Pierre Rambla est entouré de quelques parents venus d'Espagne. Sa malheureuse femme est restée à la cité Sainte-Agnès avec les enfants; elle est toujours sous tranquillisants, incapable d'affronter cette ultime épreuve.

Le service religieux est célébré par les prêtres de l'église des Chartreux. Un officiant lit un message de Mgr Etchegaray, archevêque de Marseille, qui exprime sa compassion aux parents mais lance aussi un appel : « Puisse la douleur ne pas faire entrer la haine dans les cœurs... »

Le service terminé, on se met en route vers le dépositoire du cimetière, où reposera le cercueil en attendant qu'un caveau soit aménagé. Le cortège avance dans une chaleur de plomb fondu. Soudain, Pierre Rambla s'effondre, terrassé par la même défaillance que lors de l'identification du corps. Cris et sanglots montent de la foule tandis qu'on porte le père jusqu'à une voiture qui le conduira à l'hôpital. Un homme crie : « A mort l'assassin! Qu'on nous le donne seulement une minute! » Un oncle de Marie-Dolorès répète en pleurant : « Il faut le tuer... » Des femmes hurlent : « A mort le monstre! A mort la bête humaine! » La cérémonie se termine à la hâte et la foule se disperse enfin, mais un groupe de femmes déchaînées traverse le cimetière en scandant : « A mort! Qu'on lui coupe la tête! »

Me Le Forsonney, recevant Héloïse Mathon, éprouve un sentiment de surprise. « Je l'ai trouvée... comment dire? D'une banalité frappante. C'était idiot de ma part mais je m'attendais sans doute à ce qu'on lise sur son visage qu'elle était la mère d'un assassin. J'avais devant moi une femme très douce, parlant très calmement. Elle m'a dit que son fils n'avait pas pu faire une chose pareille, que c'était absolument exclu. Ma foi, j'ai pensé qu'on ne pouvait pas l'empêcher de le croire mais que ça n'avançait guère nos affaires. »

Héloïse Mathon rejoint ensuite Christian Chardon. Le journaliste lui présente un jeune confrère qui accepte de la reconduire à Nice. Ils retrouvent la Peugeot avec, sur le pare-brise, une contravention pour dépassement du temps de stationnement autorisé. Quelque part entre Marseille et Nice, le chauffeur constate que le niveau d'essence est très bas; il suggère à Mme Mathon un arrêt dans une station-service. Elle lui répond qu'il y a dans le coffre une grosse nourrice pleine d'essence. Il stoppe sur le bas-côté. La nourrice gris clair contient une trentaine de litres. Le garçon verse l'essence dans le réservoir. Ils repartent et atteignent Nice sans problème.

De retour chez ses parents pour le dîner, Jean-François Le Forsonney leur annonce sa commission à la défense de Ranucci. Cette nouvelle suscite émotion et consternation. « Je ne peux pas dire qu'ils se soient montrés agressifs à mon égard, mais ils étaient réellement très inquiets. Ils se demandaient comment les autres commerçants du centre allaient prendre la chose, et aussi nos voisins, nos amis. Moi-même, je me suis endormi en me posant bien des questions. L'attitude de mes parents m'avait secoué : s'ils réagissaient de cette manière, que serait-ce pour les autres! Je me disais que les flics des geôles avaient bien raison : on ne m'avait pas fait un cadeau... »

Ces alarmes ne sont point vaines. On imagine mal quelle complète identification s'opère dans l'esprit d'un large public entre le criminel et son défenseur. Les rapts d'enfants suivis d'assassinat libèrent un flot de haine qui roule dans la même vague le meurtrier et l'avocat. Quand Emile Pollak déclarera que tout criminel a le droit d'être défendu et qu'il accepterait de plaider pour Patrick Henry si celui-ci le lui demandait, il sera l'objet de menaces si violentes et si précises qu'on songera à organiser une surveillance spéciale autour de son petit-fils. Coups de téléphone nocturnes et lettres anonymes se multiplient; des amis anciens se détournent; les familles même se déchirent. Si l'avocat est également civiliste, comme c'est le cas pour un Badinter ou pour un Lombard, il court le risque de perdre la clientèle de firmes importantes dont les responsables s'offusquent de voir leur avocat se compromettre dans des causes scandaleuses et à leurs yeux indéfendables.

Jean-François Le Forsonney ne risque pas de perdre une

clientèle encore inexistante. Simplement, quelques amis intimes lui fermeront leur porte.

∗

Les journaux du samedi 8 juin sont illustrés de photos bouleversantes. Le père de Marie-Dolorès évanoui et porté à bras d'hommes ; le petit cercueil surchargé de fleurs ; la foule aux mille visages crispés par la colère. Tous les articles mentionnent que l'arme du crime a été retrouvée dans la champignonnière grâce aux indications précises fournies par le meurtrier. On annonce que ce dernier est aux Baumettes l'objet de mesures de sécurité exceptionnelles ; la haine des autres détenus fait craindre pour sa vie.

Mᵉ Le Forsonney lit partout son propre nom et constate que cela ne lui fait aucun plaisir. *Le Provençal,* trompé de symptomatique manière par la phonétique, annoncera d'ailleurs que Ranucci est défendu par Mᵉ Leforcené.

L'avocat se rend aux Baumettes. Ce formidable ensemble carcéral est construit dans la banlieue est de Marseille. Son enceinte monumentale évoque un fort de la Légion étrangère tel que les conçoivent les décorateurs d'Hollywood, mais il paraît que la prison des Baumettes fut construite pendant l'occupation sur décision allemande. L'inspiration teutonne explique peut-être certaine naïveté architecturale : le long de l'enceinte frontale, les statues de forts gaillards ployés sous des dalles énormes symbolisent la paresse, la colère, l'avarice et la gourmandise — péchés certes capitaux, mais qui relèvent davantage de l'œuvre de la comtesse de Ségur que du code pénal.

« J'ai été surpris et soulagé par l'accueil des gardiens. Ils m'ont plaint. Je ne m'y attendais vraiment pas. Avec le temps, d'ailleurs, j'ai fini par être agacé par leur commisération. Ranucci est arrivé au parloir entre deux gardiens, dont l'un est resté devant la porte. J'avais du mal à me défendre d'une réaction de crainte devant Ranucci. Elle n'a duré que le temps de cet entretien, mais je ne peux pas la nier. Il s'est assis en face de moi. Nous ne pouvions pas parler de l'affaire puisque je n'avais pas encore vu le dossier. Mon but était seulement de créer un contact. Je lui ai dit que je viendrais le voir deux fois par semaine — et je l'ai fait pendant deux ans —, je lui ai promis de faire obtenir rapidement un permis de visite à sa mère, et je me suis enquis des problèmes matériels habituels : le linge, l'argent pour la cantine, etc.

« Après, je l'ai branché sur sa vie, sur son enfance. Il m'en a parlé très simplement, sans faire de phrases, sans se donner un rôle. Pour lui, du reste, c'était une vie banale, une enfance sans histoires. Il m'est apparu plutôt sympathique. Je crois que nous nous comprenions bien parce que nous étions après tout deux garçons du même âge, ou presque.

« J'ai été très rapidement sûr, non pas de son innocence — l'éventualité de son innocence ne me venait même pas à l'idée — mais que l'affaire n'était pas si simple. Pour parler vulgairement, j'avais l'impression que quelque chose ne gazait pas.

« De toute façon, j'avais pris la décision de le défendre. Et de le défendre de toutes mes forces. »

Deuxième partie

L'INSTRUCTION

Le lundi 10 juin, une semaine après l'enlèvement de Marie-Dolorès et trois jours après ses obsèques, le maire de Marseille écrivit à Pierre Rambla une lettre lui exprimant les condoléances de la municipalité marseillaise; les termes, bien éloignés des banalités officielles classiques, traduisaient une vraie compassion. Gaston Defferre confirmait au passage que la municipalité prendrait les frais d'inhumation à sa charge, ce que la presse avait déjà annoncé. M. Rambla trouva également dans son courrier une lettre émanant de l' « Association pour la défense de la vie des enfants et la stricte application de la peine de mort à leurs assassins ». Son président, M. Taron, écrivait : « Pour défendre la cause de votre enfant, pour contribuer à en sauver d'autres, venez avec nous, avec nos trente mille sympathisants, réclamer le châtiment total des assassins d'enfants, ces lâches qui usent de leur force pour tuer ceux qui n'ont pas celle de se défendre. » Pierre Rambla donna son adhésion. Il se rendit enfin au cabinet d'Emile Pollak car il entendait bien se constituer partie civile contre le meurtrier de sa fille. L'avis d'absence avait disparu de la porte, de sorte que l'avocat qui aurait dû plaider pour la défense devint celui de la partie civile. La justice des hommes est aussi un jeu de hasard.

Héloïse Mathon reçut à dix heures la visite de deux policiers niçois. « Ils m'ont dit, raconte-t-elle, qu'ils avaient reçu l'ordre de reprendre la voiture et de la ramener à Marseille. J'ai été surprise. Je ne comprenais pas pourquoi on me l'avait rendue le vendredi pour la reprendre le lundi. Enfin, c'était comme ça. Je leur ai donné les clés de la voiture en leur signalant que la police marseillaise avait conservé la carte grise, j'ai pris la clé du garage et je les y ai conduits. Là, grande surprise : le garage était vide. Plus de voiture! Il n'y avait que le vélomoteur abîmé de Christian avec lequel il avait eu un accident juste au moment où je lui avais offert la voiture. J'étais bien sûr ébahie mais les deux policiers n'ont pas eu l'air trop surpris. Ils m'ont dit : '' Ce n'est pas grave : les autres sont sûrement venus la prendre. '' »

Ce témoignage est déconcertant car Héloïse Mathon a signé ce même jour à dix heures un procès-verbal dressé par l'inspecteur divisionnaire Poli constatant qu'elle remettait les clés de la voiture et poursuivant : « ... constatons que la dame Mathon Héloïse nous conduit dans un box sis dans l'immeuble et où se trouve garé le véhicule 1369 SG 06. Avec le consentement de la dame Mathon, l'inspecteur Ferrer dégage la voiture de son box et, en compagnie de la sus-nommée, se rend au siège de la Sûreté urbaine, 45 rue Gioffredo [Nice], où la voiture est garée dans la cour intérieure. Disons que ce transport s'est effectué sans incident. »

Il n'est évidemment pas question de mettre en balance le témoignage de Mme Mathon et celui d'un inspecteur division-naire, officier de police judiciaire, conforté par son adjoint, l'inspecteur Ferrer. La proposition serait tout bonnement grotesque et nous devrions donc conclure, soit à une hallucination de Mme Mathon, soit à sa mauvaise foi.

Nous hésitons pourtant à le faire car, le même matin et à huit heures et demie, c'est-à-dire une heure et demie avant l'opération décrite plus haut, le sous-brigadier Ott, de la Sûreté urbaine de Marseille, fait à son chef, l'inspecteur principal Canonge, la déclaration suivante : « Conformément aux instructions reçues, je me suis rendu le neuf juin mil neuf cent soixante-quatorze en la ville de Nice. Je me suis présenté au siège de la Sûreté urbaine de cette ville où, y étant, j'ai reçu des mains des fonctionnaires de ce service, afin de le conduire à Marseille, le véhicule de marque Peugeot immatriculé sous le numéro 1369 SG 06. Le voyage Nice-Marseille s'est effectué sans incident. A mon arrivée à Marseille, j'ai garé ce véhicule devant l'Hôtel de police de l'Evêché suivant les ordres reçus. Je vous remets les clés de ce véhicule. »

Ainsi le sous-brigadier a-t-il garé le 9 juin dans la cour de la Sûreté urbaine de Marseille une voiture que l'inspecteur divisionnaire Poli et l'inspecteur Ferrer vont trouver le lendemain dans le garage de Mme Mathon et conduire dans la cour de la Sûreté urbaine de Nice. Ainsi le sous-brigadier remet-il à son supérieur marseillais, le 10 juin à huit heures et demie, des clés dont ses collègues niçois vont enregistrer par procès-verbal à dix heures le même jour la remise par Mme Mathon. Une erreur dactylographique serait difficilement défendable car chaque date est répétée deux fois sur chaque procès-verbal, dont une fois en toutes lettres. Les policiers niçois déclarent d'ailleurs agir en exécution d'instructions télégraphiques envoyées ce 10 juin par Mlle Di Marino. De sorte que le choix n'est plus entre la parole d'Héloïse Mathon et celle des policiers niçois, mais entre la déclaration du sous-brigadier Ott, faite après serment de dire « la vérité, toute la vérité, rien que la vérité », et celle de ses collègues de Nice, dont l'un est officier de police judiciaire. Force est de constater que quelqu'un a quelque part menti. Si l'on ne peut pas accorder foi aux procès-verbaux établis par la police, il n'est plus de justice possible.

L'incident ne sera évoqué ni à l'instruction ni au procès. Il demeure que dans une affaire remarquable tant par la gravité du crime que par celle du châtiment encouru, on a, selon toute vraisemblance, saisi une voiture par effraction et de la manière la plus illégale, et prêté à un témoin — Mme Mathon — des déclarations et un comportement inventés de toutes pièces.

Ilda Di Marino mène son instruction tambour battant. Après avoir inculpé et interrogé le vendredi, interrogé derechef le samedi, elle va occuper ce lundi à une confrontation générale. Pour la première fois, l'inculpé est assisté de ses avocats, le bâtonnier Chiappe et Me Le Forsonney.

La mémoire de Vincent Martinez connaît une évolution positive. Alors qu'il avait dit à la gendarmerie, le jour de l'accident, son incapacité à donner le signalement du chauffard (« Il me semble qu'il était jeune mais je n'ai aucune idée du reste ») ; alors qu'il avait simplement signalé à la police, trois jours plus tard, que l'homme portait des lunettes, le voici en mesure de confier au juge combien il a été « frappé » par « l'expression de crainte » qu'il a pu lire dans ses yeux. Le coupé Peugeot a selon lui brûlé le « stop » à très vive allure, comme si le conducteur voulait « se lever de l'avant » — expression méridionale que M. Martinez traduit aussitôt : « Je veux dire comme quelqu'un qui a intérêt à prendre la fuite. » Mais ce conducteur a réagi ensuite avec « un sang-froid extraordinaire » pour redresser sa voiture et repartir en direction de Marseille. Il a roulé sur cinquante mètres en se retournant « pour voir ce qui s'était passé derrière lui » et a brusquement accéléré quand il s'est aperçu que M. Martinez alertait M. Aubert.

M. Martinez confirme cependant qu'il n'a pas vu d'enfant dans le coupé Peugeot. Sa fiancée, qui avait fait à la police la même déclaration négative, n'a pas été convoquée par Mlle Di Marino.

M. Aubert maintient les termes de sa déposition à l'Evêché. Il précise qu'après l'arrêt du coupé Peugeot au bord de la route, il a vu « le conducteur près de la portière, côté passager, ouvrir cette portière de l'extérieur » et tirer par le bras un enfant. M. Aubert déclare enfin ne s'être fait aucune illusion après la réponse de l'homme à son exhortation : « J'ai compris qu'il ne reviendrait pas mais, sur les conseils de ma femme, j'ai jugé imprudent de suivre l'homme dans les fourrés car, sur le moment, j'ai pensé qu'il avait volé le véhicule et que, par conséquent, l'individu n'était pas intéressant. »

Mme Aubert confirme la déposition de son mari : « J'ai vu l'homme tirer un enfant après avoir ouvert la portière côté passager de la 304. » Elle ajoute : « Je suis sûre d'avoir entendu l'enfant dire : " Qu'est-ce qu'on fait ? " d'une voix fluette, interrogative, mais pas du tout effrayée. Sur le moment, j'ai pensé que l'homme s'enfuyait dans la colline parce que le véhicule avec lequel il avait pris la fuite était un véhicule volé. Voyant qu'il se trouvait avec une enfant, je n'ai pas voulu que mon mari le poursuive dans la colline. » Mme Aubert précise enfin qu'elle n'a appris l'enlèvement que le lendemain. « J'ai immédiatement fait le rapprochement entre l'enlèvement et l'homme et l'enfant que j'avais vus, car vraiment le comportement de l'homme m'avait paru vraiment bizarre. »

Au cours de la confrontation, Ranucci nie formellement avoir brûlé le « stop » : il a marqué le temps d'arrêt réglementaire et redémarré en seconde. Quand le juge d'instruction lui fait observer qu'il venait de Marseille et s'apprêtait à tourner en direction d'Aix, ce qui semble contredire la thèse selon laquelle il avait décidé de ramener chez elle Marie-Dolorès, l'inculpé répond qu'il ne savait plus où il se trouvait et qu'il roulait en attendant de voir un panneau indiquant la direction de Marseille. Il ne se rappelle pas avoir été poursuivi, ni que la petite ait dit quoi que ce soit, ni qu'il ait dialogué avec Alain Aubert. M. Martinez tient à intervenir pour protester que Ranucci a bel et bien brûlé le « stop ». Il se souvient même d'avoir dit à sa fiancée : « Ce con-là ne s'arrête pas ! »

M. Guazzone et M. Rahou sont introduits ensuite dans le cabinet du juge d'instruction. Le contremaître de la champignonnière insiste sur le sang-froid dont a fait preuve Ranucci lorsqu'il l'a menacé d'alerter la gendarmerie. M. Rahou signale de son côté que les vêtements du jeune homme ne présentaient aucune tache de sang. Les deux témoins redisent qu'ils n'ont pas cru un seul instant à l'explication selon laquelle le coupé Peugeot avait parcouru une quarantaine de mètres dans la galerie à la suite d'une défaillance du frein à main : c'était matériellement impossible. Il avait fallu le mener là au moteur en suivant les courbes de la galerie.

Lors de la confrontation, Ranucci s'insurge avec vigueur contre ces témoignages : « Je maintiens que je voulais réparer mon véhicule à l'entrée de cette galerie mais que mon véhicule a glissé. » Une vive discussion s'engage autour des plans très précis dressés par le capitaine Gras. Ranucci prétend que les témoins l'ont trouvé à dix-sept mètres de l'entrée de la galerie. MM. Guazzone et Rahou maintiennent qu'ils ont repéré des traces de pneus en un point situé à trente-deux mètres de cette entrée. Le juge fait observer à l'inculpé que les croquis des gendarmes donnent raison aux témoins. Ah! tout s'explique pour Ranucci : sa voiture s'est arrêtée d'elle-même à dix-sept mètres de l'entrée, mais il a pu reculer bien au-delà pour prendre de l'élan, lors de ses multiples tentatives pour se désembourber.

Le juge, après cette rude empoignade, rend leur liberté aux témoins et dit à l'inculpé : « Le 3 juin, vous avez enlevé un enfant, vous lui avez donné la mort en lui portant des coups de couteau. A aucun moment après les faits vous n'avez eu l'idée de vous constituer prisonnier, vous êtes rentré chez vous à Nice et votre comportement n'a rien laissé apparaître de tout ce qui s'était passé, mangeant même dans la soirée de bon appétit. Comment pouvez-vous expliquer pareille attitude? » Christian Ranucci répond : « Je ne peux expliquer mon comportement, je ne peux répondre à vos questions. Actuellement, lorsque je pense à la petite et à ma mère, je pleure. »

Ilda Di Marino le fait reconduire aux Baumettes.

*
* *

Jean-François Le Forsonney est plus que perplexe.

« Je n'y comprenais rien, nous dira-t-il. Quand le juge

relisait les aveux passés devant la police et confirmés dans son cabinet, Christian Ranucci restait absent, comme si tout ça ne le concernait absolument pas. Il ne niait pas, remarquez bien — je dirais qu'il ne niait même pas. Les détails les plus horribles, " je l'ai frappée à coups de couteau " etc., il les écoutait sans protester, sans broncher, comme si on parlait d'un crime commis par un autre. Je dirais que tout ce qui relevait du domaine de l'affectif, du subjectif, il l'acceptait " J'ai tué, je suis un assassin, je suis un monstre " etc. Par contre, il discutait avec une énergie incroyable tout ce qui relevait du rationnel, de l'objectif. Il nous a fait une démonstration en règle pour expliquer qu'il n'avait pas pu brûler le « stop » à grande vitesse. Ça se tenait, remarquez bien, car la route de Marseille se termine à La Pomme, qui n'est pas un vrai carrefour à quatre voies. En arrivant de Marseille, vous avez en face le mur d'une propriété et vous devez donc tourner à droite ou à gauche, ce qui implique un ralentissement pour ne pas aller se flanquer dans le mur. Mais on est resté là-dessus un temps fou, il était passionné, et moi, je me disais : " Ce type est complètement à côté de ses pompes. " Il me semble qu'à sa place, et compte tenu de ce qu'il m'avait dit dans les geôles, j'aurais eu une attitude exactement inverse. J'aurais nié ou discuté ce qui était fondamental, et laissé tomber ce qui n'offrait strictement aucun intérêt. J'aurais dit : " Ecoutez, je ne sais pas à quelle vitesse j'ai abordé le « stop » mais ce qui compte, c'est que je n'ai aucun souvenir d'avoir assassiné une enfant. " En tout cas, et même dans l'hypothèse où il se savait coupable il aurait dû comprendre que tout le monde se foutait de savoir s'il avait ou non commis une infraction au code de la route. Même chose pour la galerie de la champignonnière. S'il avait tué la petite — et il ne le niait pas — quel intérêt de se battre comme un acharné pour établir que sa voiture s'était arrêtée à dix-sept mètres de l'entrée, et non à trente-deux?... On avait l'impression que le meurtre d'une enfant ne l'atteignait pas mais qu'il se jugeait déshonoré si on le croyait capable de brûler un « stop ». Remarquez que le juge, de son côté, s'excitait considérablement sur ces points dont l'intérêt ne m'apparaissait pas évident. On avait l'impression que pour Mlle Di Marino, il était essentiel de démontrer que Ranucci n'était pas sur le chemin de Marseille, et aussi que c'était tout à fait volontairement qu'il était allé se fourrer dans la galerie. On a beaucoup plus parlé de cette histoire de galerie et de frein à main que du crime lui-même.

« C'était hallucinant, véritablement hallucinant... Même les aveux, vous savez, je n'ai jamais entendu d'aveux dans le sens d'un récit cohérent, avec un début et une fin. Car il ne parle pas, Ranucci, dès qu'on sort des détails accessoires ; il se contente de dire : " Oui... oui... oui... " Le juge lui posait des questions et il répondait — quand il répondait — par des monosyllabes ou des hochements de tête. Ensuite, le juge dictait à son greffier des phrases bien construites dont l'ensemble formait évidemment un récit cohérent. Attention! Je ne suis pas en train d'insinuer qu'on lui a fabriqué des déclarations! Je dis simplement qu'on a toujours suivi le canevas des premiers aveux, que le juge demandait : " Vous avez bien fait ceci, cela? " et qu'un inculpé prostré se bornait à répondre : " Oui, oui. " Mais je vous assure que le texte dicté par le juge au greffier prend, du simple fait qu'il est construit, une force de conviction qu'on n'éprouvait pas du tout en écoutant Ranucci lâcher ses acquiescements avec l'air de quelqu'un que tout ça ne concerne absolument pas. »

M^e Le Forsonney soulève ici un problème bien connu de tous les praticiens et auquel il n'est pas, en vérité, de solution satisfaisante. On pourrait bien sûr enregistrer sur bande magnétique la totalité des déclarations de l'inculpé, puis les faire dactylographier et signer pour authentification. Ce serait la certitude d'avoir un compte rendu rigoureusement fidèle, jusque dans les hésitations et approximations, des propos tenus devant le juge d'instruction. Pratiquement, on aboutirait ainsi à des dossiers fleuves, inassimilables par les juges et les jurés, avec le risque de noyer l'essentiel dans le superflu. Aussi bien la formule adoptée au stade de l'instruction comme à celui de l'enquête policière consiste-t-elle à faire résumer par celui qui interroge les propos de celui qui est interrogé, quitte à citer mot pour mot les phrases vraiment cruciales.

Sans parler des cas de distorsion patente, tel M. Spinelli, carrossier-garagiste à qui l'on fait dire en somme qu'il ne s'y connaît pas trop en matière de carrosserie, il faut bien voir que ce système n'est pas satisfaisant puisqu'il consiste à faire parler un homme avec les mots d'un autre. Nous avons ainsi connu un juge d'instruction amoureux du beau langage qui faisait user de l'imparfait du subjonctif tous ses inculpés, fussent-ils gitans analphabètes ou immigrés illettrés, de sorte que ceux-ci, interrogés à l'audience, ne comprenaient même pas le sens des propos qu'ils étaient censés avoir tenus devant lui : le président devait les leur traduire en français familier. De même encore, lorsque l'inspecteur divisionnaire Porte fait commencer les aveux de Christian Ranucci par la formule : « Je préfère libérer ma conscience » etc., il a recours à une figure de style très classique dans la circonstance, et qui n'est d'ailleurs pas inoffensive car les jurés ont naturellement tendance à penser qu'une formule aussi solennelle ne peut pas préluder à des fariboles. Chacun sait d'autre part qu'un garçon de vingt ans ne dira pas « la jeune fille » pour désigner une fillette de huit ans, qu'il n'emploiera jamais l'expression « attouchements impudiques » et qu'il ne jugera pas nécessaire de préciser de lui-même : « Vous me présentez un pull-over couleur rouge qui a été saisi par les gendarmes de Gréasque ». C'est Ranucci qui avoue mais c'est Porte qui dicte.

Le problème vient souvent de ce qu'il est impossible de transcrire sans rien y changer le langage parlé. Pierre Rambla nous a confié à propos de Ranucci : « Ce mec, s'il avait dit seulement : " J'ai fait la connerie ", bon, qu'est-ce que vous voulez, on ne sait pas ce qui peut leur passer dans la tronche, d'accord, j'aurais pardonné. » Micheline Deville, du *Soir,* a très certainement entendu la même phrase, mais elle l'a ainsi restituée à ses lecteurs : « Je jure que si l'assassin de mon enfant avait manifesté un repentir sincère, malgré ma douleur, je lui aurais pardonné. » Et Micheline Deville a eu évidemment raison : c'eût été trahir le malheureux père que de lui être mot pour mot fidèle. D'un homme qui avoue un crime effroyable, d'un père interrogé le jour de l'exécution du meurtrier de sa fille, on attend un certain langage qui ne saurait être celui des jours ordinaires.

La plupart des policiers et des juges d'instruction s'efforcent au moindre mal en faisant tenir au suspect ou à l'inculpé le langage le plus terne possible. Ils ébarbent son vocabulaire de ses originalités, excentricités, incongruités, et lui ôtent jusqu'à son naturel. Le résultat est une pâte incolore faite de mots passe-partout qui confond dans une même neutralité l'assassin et le voleur à la tire. Dans la vie courante, tout le monde dit « mon auto » ou « ma voiture », mais le lecteur aura déjà remarqué qu'un homme interrogé ne saurait parler que de son « véhicule », de même qu'il ne dira pas avoir vu « quelqu'un » mais « un individu ». Mlle Di Marino porte le procédé à une sorte de perfection : enchaînant avec brio les clichés et le jargon juridico-administratif, elle fait tant et si bien qu'un lecteur non averti ne pourrait en aucun cas deviner que c'est un jeune niçois de vingt ans qui est censé parler. Mais ce vocabulaire emprunté au double sens du terme n'est certes pas innocent. Mlle Di Marino fait ainsi dire à la suite par Christian : « ... c'est avec cette voiture que j'ai causé un accident qui a immédiatement précédé le moment où j'ai égorgé la fillette. Je viens de résumer l'essentiel des faits, je consens maintenant à donner des détails supplémentaires. » On ne peut, à la lecture, se défendre d'un sentiment d'exaspération indignée envers celui qui, après avoir « résumé l'essentiel des faits », dont l'égorgement d'une fillette, « consent » à donner des détails supplémentaires. La froideur des mots induit la froideur de celui qui est censé les avoir prononcés, et à l'heure de la délibération du jury, la relecture de certaines phrases peut déclencher des réactions décisives. Mais le juré persuadé à juste titre que « le style, c'est l'homme » ne sait pas qu'en matière judiciaire, le style, c'est le policier ou le juge d'instruction.

Ces questions de vocabulaire ne sont encore rien auprès du problème fondamental évoqué par M^e Le Forsonney : la reconstruction logique du discours tenu par l'inculpé. Ce discours peut être hésitant, incohérent, répétitif, allusif, contradictoire, réticent : il en sortira presque toujours un résumé affirmé, logique et bien armé, comme on dit du béton. Ce n'est pas affaire de malignité ou de mauvaise foi de la part du policier et du juge : ils exercent leur fonction, qui consiste à extraire de leur interlocuteur des déclarations utilisables par les juridictions compétentes. Mais c'est courir le risque de s'écarter du vrai sans pour autant tomber dans le faux. Les silences, par exemple, disparaissent, et chacun sait que le silence précédant une réponse peut être plus éloquent et plus sincère que la réponse elle-même. Les hésitations et les rectifications sont presque toujours annulées. On admettra qu'un inculpé qui se borne à répondre « oui » aux questions, ce n'est pas la même chose qu'un inculpé détaillant avec volubilité ses faits et gestes : par la vertu de la dictée du juge, on ne pourra pas les différencier à la lecture. Ainsi le tableau n'est-il pas à proprement parler inexact, mais il est sans perspective ni relief, sans demi-teintes ni zones d'ombre, de sorte qu'on admet la véracité de chaque élément sans être tout à fait convaincu de la vérité de l'ensemble. C'est en tout cas ce qu'éprouve M^e Le Forsonney au sortir de cette première séance d'instruction.

Bien entendu, nul n'empêchait Ranucci de répondre « non ».

*
* *

Lieu privilégié de l'instruction, le cabinet du juge est aussi un quartier général d'où partent commissions rogatoires et ordonnances mettant en branle la machine judiciaire. Désignés par Mlle Di Marino, maints experts et policiers travaillent sur l'affaire Ranucci. Le professeur Ollivier et le docteur Vuillet, médecin légiste, rédigent leur rapport d'autopsie et s'apprêtent à examiner en laboratoire le pantalon taché de sang, le couteau à cran d'arret, les pierres et la branche sanglante ramassées à côté du petit cadavre, les deux cheveux trouvés dans le coupé Peugeot.

Le même docteur Vuillet, associé à une psychologue, Myriam Colder, est chargé d'un examen médico-psychologique de l'inculpé. Tous deux se rendent aux Baumettes le lendemain de la confrontation générale, c'est-à-dire le 11 juin. Le docteur Vuillet juge le détenu de bonne constitution et estime très satisfaisant son état général. Il ne trouve que sa myopie à inscrire au passif de ce bilan de santé. Mme Colder note après son entrevue : « Christian Ranucci est un jeune homme de vingt ans, inquiet, courtois dans ses rapports avec autrui, très soucieux de coopération et désireux, dit-il, d'être compris. Son vocabulaire est assez riche et précis; le débit verbal saccadé, irrégulier, témoigne d'une angoisse latente. S'exprimant d'abondance, le sujet se livre pourtant très peu. Principalement en ce qui concerne les faits qui lui sont reprochés et dont il dit ne plus garder de souvenir : il se considère comme physiquement responsable mais pas moralement car, dit-il, il n'a à aucun moment prémédité son acte. Il semble, à l'heure actuelle, refouler au maximum les souvenirs trop traumatisants pour l'équilibre de sa personnalité. Cet oubli paraît être le fait d'un réflexe auto-défensif inconscient et pas seulement un système de défense bien qu'il semble au premier abord suspect eu égard à des aptitudes intellectuelles homogènes, situées dans une bonne moyenne, et eu égard à des qualités de mémoire, de vigilance et de concentration de pensée. »

Deux psychiatres, experts près les tribunaux, ont été également chargés par Mlle Di Marino d'examiner l'inculpé avec mission de répondre aux questions habituelles, notamment sur l'éventualité d'anomalies mentales. Le juge, conscient de l'importance de cette expertise, va d'ailleurs leur adjoindre le professeur Sutter, titulaire de la chaire de psychiatrie à la faculté de médecine de Marseille.

Autre expert, quoique officieux : la gérante du magasin

niçois « Sexa-shop », à qui un policier va présenter la photographie des lanières saisies dans le coffre de la Peugeot. La dame de l'art conclut que « l'objet, composé de quatre lacets de cuir tressés, est de fabrication artisanale et que les fouets vendus par le magasin " Sexa-shop " sont plus perfectionnés et ne ressemblent en rien à celui-ci ». A tout hasard, le policier exhibe une photo de Christian Ranucci. Elle ne reconnaît pas en lui un client, même occasionnel.

L'inculpé est au centre de cette vaste offensive juridico-policière. Il s'agit de dévoiler son passé, de mettre à jour les événements majeurs ou d'apparence minuscule qui l'ont déterminé, de rassembler enfin le maximum d'indications sur sa personnalité. Le système judiciaire français veut en effet qu'on juge un homme et non pas un crime. C'est une singularité par rapport à la plupart des pays étrangers, notamment anglo-saxons, dont les jurys se bornent à juger de l'innocence ou de la culpabilité sans tenir compte des éléments biographiques et psychologiques. Ainsi, devant les cours britanniques, il n'est même pas permis à l'accusation de faire état du casier judiciaire. Le jury n'a pas à savoir qu'un homme poursuivi par exemple pour agression à main armée a déjà été condamné trois ou quatre fois pour la même infraction : c'est à l'accusation d'apporter les preuves de sa culpabilité dans le cas précis qui est soumis aux jurés.

La vie de Christian Ranucci doit donc faire en principe l'objet de minutieuses investigations. Ses maîtres d'école et ses professeurs successifs seront recherchés et interrogés, et aussi ses amis d'enfance, ses camarades de régiment, ses éventuelles maîtresses, les voisins des logements qu'il a habités — objectif en l'occurrence trop vaste pour être totalement atteint —, ses employeurs et ses compagnons de travail. Un auxiliaire de justice portant le titre d' « enquêteur de personnalité » a été désigné par le juge pour établir une synthèse de tous les renseignements recueillis.

De ces vingt ans d'existence, la mère est naturellement le témoin privilégié ; aussi sera-t-elle mise largement à contribution au cours des semaines à venir, recevant tour à tour policiers et gendarmes. Cela commence le 13 juin avec la visite de policiers niçois. Mme Mathon insiste sur le bon équilibre de Christian et sur la normalité de son comportement. Elle ajoute : « Mon fils aimait beaucoup les enfants sans distinction d'âge ni de sexe. Je ne l'ai jamais vu toutefois parler dans la rue à un enfant qu'il ne connaissait pas. Cependant, il était très gentil avec les enfants dont j'ai la garde et dont les âges varient de dix-huit mois à huit ans. Il était très attentionné avec ces derniers qu'il considérait un peu comme des membres de la famille. A table, il les servait et les aidait même à découper leur nourriture. Il avait des attentions tout à fait normales à leur égard. Je puis certifier qu'aucun des enfants dont j'ai la garde ne s'est plaint du comportement de mon fils ni à moi, ni à leurs parents. Bien au contraire, ils le réclamaient quand il n'était pas là. »

Héloïse Mathon pourrait ici — mais l'idée ne lui en vient pas — faire état de l'extraordinaire attitude des parents dont elle garde les enfants. Alors que la presse régionale et nationale leur répète depuis huit jours que les petits ont vécu durant des semaines au contact direct d'un pervers, d'un détraqué, d'un bourreau sadique, d'une bête humaine, ils continuent tous, sans aucune exception, de confier leurs enfants à Héloïse Mathon. C'est que les petits, interrogés comme bien l'on pense, n'ont pas imputé à Christian le moindre geste déplacé, la moindre attitude équivoque, dont la révélation eût naturellement conduit les parents à les retirer d'une maison où ils auraient eu de semblables souvenirs.

Interrogée sur les relations féminines de son fils, Mme Mathon répond que Christian avait cessé, avec le temps, de lui faire confidence de sa vie intime. « Je ne lui connais aucune relation féminine sérieuse », déclare-t-elle, ajoutant cependant qu'il sortait avec deux jeunes filles, Monique et Patricia.

Enfin, elle remet spontanément aux policiers une caissette qui a échappé à la perquisition du 6 juin et dont elle croit devoir signaler l'existence. Elle contient des aiguilles pour piqûres intraveineuses et diverses ampoules aux étiquettes inquiétantes (sulfate de strychnine et d'atropine, adrenoxyl, amide nicotinique, acide formique etc.). La caissette appartient à Christian, qui ne suivait pourtant aucun traitement médical et que sa mère n'a jamais vu prendre un remède quelconque depuis très longtemps. Elle ignore l'origine des médicaments et l'usage que comptait en faire son fils. Les policiers saisissent la caissette.

Le lendemain, 14 juin, *Le Méridional* annonce en première page une nouvelle sensationnelle qui fait reflamber d'un seul coup l'émotion populaire. Le meurtrier de Marie-Dolorès va-t-il rejoindre les Landru et les Petiot dans la lugubre galerie des géants du crime? Toujours est-il que le journal révèle que l'enquête rebondit en Allemagne, où Ranucci a fait son service militaire. Mlle Di Marino a délivré une commission rogatoire internationale; l'inspecteur divisionnaire Porte est parti avec un adjoint pour la ville de Trèves, où des disparitions de fillettes ont été signalées à l'époque où Ranucci était soldat dans une caserne proche. Le rédacteur conclut : « L'opération menée à Trèves par la police de Marseille montre bien qu'elle ne croit ni à la crise subite de démence, ni à l'acte d'un criminel sous le coup de la peur. »

Le Provençal du même jour donne lui aussi la nouvelle et précise que ce sont quatre enfants qui ont disparu dans la ville allemande où Christian Ranucci faisait son service.

Le lendemain, *La Marseillaise* publie un démenti formel du commissaire Alessandra et de l'inspecteur Porte. Ce dernier déclare : « Ces informations sont sans fondement. Je ne me suis jamais rendu en Allemagne. De plus, il n'y a pas eu à ma connaissance de commission rogatoire internationale. Enfin, j'entends parler pour la première fois de ces événements de Trèves. » Le journal ajoute : « On peut se demander avec inquiétude quel est le but recherché dans la diffusion de ces informations sans fondement et les commentaires qui les accompagnent — une chose est certaine : la justice ne saurait y trouver son compte. »

Ni *Le Méridional* ni *Le Provençal* ne publieront de rectificatif.

Le 17 juin, Héloïse Mathon pénètre dans le cabinet du juge d'instruction. Contrairement à tous les autres témoins passés et à venir, elle a été convoquée à neuf heures du matin, ce qui ne laisse pas d'être un peu incommode lorsqu'on habite à deux cents kilomètres et qu'on est dépourvu de tout moyen de locomotion personnel. L'accueil de Mlle Di Marino la glace. Elle lui trouve, à tort ou à raison, un visage fermé, un regard d'une hostilité absolue. Le juge met durement en cause l'éducation qu'elle a donnée à Christian : « Il faut être très sévère avec les jeunes, sinon, ils ne valent rien. »

Elle répète ce qu'elle a déjà dit maintes fois : le départ de Christian le dimanche 2 juin après le déjeuner ; son refus de l'accompagner à cause de sa peur de la vitesse ; le fait que c'était la première fois qu'il passait une nuit hors de la maison ; son comportement normal sur tous les plans. « Je ne comprends absolument pas ce qui s'est passé, dit-elle, je ne peux expliquer son geste. Peut-être que l'accident, le fait qu'il a été poursuivi, ont créé dans son esprit une telle peur qu'il s'est affolé au point de ne plus savoir ce qu'il faisait. » Elle dépose sur le bureau du juge le brouillon de la composition française rédigée par son fils pour l'examen du B.E.P.C., trois ans plus tôt. Le sujet en était la violence et Christian y affirmait une répulsion profonde pour toutes les formes de violence, notamment la guerre.

L'audition dure moins d'une heure et se termine aussi froidement qu'elle avait commencé. Mais Héloïse Mathon n'en a cure. Elle a obtenu un permis de visite et va enfin revoir son enfant.

*
* *

Mardi 18 juin 1974

« Maman chérie,

J'ai reçu hier après-midi tes deux lettres du 12 et du 14. Je les ai lues avec émotion. Par moments, j'ai senti que tu avais un sentiment de culpabilité concernant ce drame — je pense aux changements de domicile nombreux. Tu n'a aucune raison de penser à cela. Toute cette affaire était comme écrite, tout s'est déroulé sans que ni toi ni moi n'y puisse rien. Il aurait suffi d'un clou sur la route, j'aurais crevé un pneu et le « stop », l'accident et ses conséquences n'auraient pas existé. Ne cherche pas à te reprocher quoi que ce soit. Où que je cherche, notre vie, mon éducation, tout, absolument tout était parfait. C'est vrai et je le pense. Il y a quelque chose qui importe beaucoup pour moi, c'est que tu gardes la santé et le moral; de mon côté, je te rassure : ma santé est normale et je garde le moral pour passer les épreuves. Sois tranquillisée sur mon état. Il doit être maintenant quatre ou cinq heures et avant de me décider à t'écrire cette lettre, j'attendais ta visite. Tu n'as pu venir à cause des difficultés pour avoir le permis de visite. Ce n'est pas grave. Je pense beaucoup à toi et tes deux dernières lettres me permettent d'attendre. Sur tes deux lettres, tu me poses diverses questions. Je vais tâcher d'y répondre. Pour les papiers de la voiture, comme je te l'ai écrit déjà, il faut que tu t'adresses au juge d'instruction au Palais, Mlle Di Marino. Je t'adresse ci-joint l'autorisation de vente de la voiture.

« ... C'est sur cette phrase que l'on est venu me chercher pour le parloir. De t'avoir vue, de t'avoir parlé, toi seule peut imaginer ce que ça m'a fait. C'est pour moi le meilleur remontant qui soit, une bouffée d'air frais; même ma cellule me semble être moins morne.

« Si à l'occasion tu revois la famille M., rappelle-les à nos meilleurs souvenirs et à ma sincère sympathie. Fais savoir aux amis et aux voisins, qui ont manifesté tant de gentillesse à ton égard, que mes meilleures pensées amicales et ma reconnaissance leur sont acquises.

« J'ai en tête un poème qui surgit parfois de ma mémoire depuis que je l'ai lu quelque part voici quelques années. Je ne sais plus l'auteur, mais le voici à peu près :
« Amour d'une mère
« Amour que nul n'oublie

« Pain merveilleux qu'un dieu partage et multiplie
« Chacun en a sa part et tous l'ont tout entier. »
« Ton fils qui t'aime et qui t'embrasse bien fort.

Christian »

Mlle Di Marino saisit cette lettre « pour être jointe au dossier parce que faisant allusion aux faits ». Le poème est de Victor Hugo.

Etreinte par le malaise qui saisit quiconque pénètre pour la première fois dans une prison, ahurie de se retrouver parmi une foule de visiteurs dont la majeure partie a depuis longtemps ses habitudes, suffoquée par la promiscuité du parloir où il faut hurler pour se faire entendre tant les conversations simultanées sont assourdissantes, déçue par la cloison transparente qui isole plus qu'elle n'aurait pensé le visiteur du détenu, Héloïse Mathon trouve son fils abattu, prostré, laconique. Il la rassure brièvement sur sa santé et lui pose des questions sur sa vie à Nice, sur l'attitude des voisins et des amis. « Il m'a fait surtout parler de moi mais à la fin, je l'ai interrogé à mon tour, je lui ai demandé ce qui s'était passé. Il m'a dit qu'à la police, on lui avait démontré qu'il était bien le coupable, qu'ils avaient toutes les preuves, tous les témoins, que six personnes l'avaient vu. Christian avait fini par le croire tellement ça paraissait évident. Même le juge d'instruction lui avait dit : " Votre cas, il est clair comme de l'eau de roche. " Mais il ne se souvenait d'absolument rien et il ne pouvait pas croire qu'il avait fait une chose pareille. Il m'a dit en secouant la tête d'un air malheureux : " Je n'ai pas de chance. Dire qu'il a fallu que je sois là!... Mais on s'en sortira. Ce n'est pas possible autrement. " »

Elle le quitte en lui promettant de revenir le voir à la fin de la semaine. D'ailleurs, sa décision est prise : elle va mettre en vente l'appartement de Nice et chercher une location quelque part près de Marseille — peut-être à Toulon, où ils ont déjà habité. L'argent qu'elle tirera de l'appartement, et aussi de la voiture, lui permettra de pourvoir aux frais de la défense de

Christian. Surtout, elle se rapprochera de son fils et ses visites en seront facilitées.

Pour elle qui croyait avoir atteint le port, c'est le recommencement des errances.

Deux mois après qu'Héloïse Mathon eut conduit le petit Gilbert à l'Assistance publique du Var afin qu'il fût rendu à sa mère naturelle, les deux familles étaient réunies chez la mère adoptive pour fêter l'anniversaire du garçon. Ces étonnantes retrouvailles, cet épilogue touchant d'un drame qui aurait pu être mutilant pour tous, et d'abord pour l'enfant, c'était le chef-d'œuvre d'une femme témoignant de la plus belle intelligence qui soit — celle du cœur — et d'un amour porté jusqu'à l'abnégation.

La vraie mère de Gilbert avait de son côté su trouver les mots propres à adoucir la peine de celle qui l'avait remplacée durant neuf années. Elle lui avait écrit une lettre expliquant qu'elle avait été abandonnée avec ses enfants, puis qu'une très grave maladie l'avait fait hospitaliser pendant quatre ans à Berck et qu'une longue rééducation avait été ensuite nécessaire. L'Administration lui envoyait chaque mois ce bref bulletin : « Gilbert va bien. » Elle remerciait Héloïse Mathon pour ce qu'elle avait fait et lui promettait de la laisser revoir l'enfant autant qu'elle le voudrait.

Ce fut une belle fête. Gilbert souffla ses bougies entre ses deux mères et Héloïse lui offrit le circuit de voitures de course qu'il désirait depuis longtemps. Christian était aux anges, ravi de retrouver ce frère aîné dont la soudaine disparition l'avait troublé et inquiété. Gilbert resterait de toute façon son parrain. Puis, tandis que les enfants jouaient, Héloïse ouvrit ses albums et montra les photographies de Gilbert accumulées depuis neuf ans. Elle en détacha une dizaine et les offrit à la mère pour qu'elle gardât ces témoignages sensibles de la petite enfance de son fils. On se sépara fort tard avec attendrissement et en se promettant une nouvelle réunion à Noël.

Vingt ans après, les deux familles sont toujours unies par la même affection.

L'installation près de Toulon fut sans doute un dérivatif à ces grandes émotions. Héloïse et son mari avaient fait construire une villa sur un terrain situé à trois cents mètres de la mer. Un bassin avait été creusé dans le jardin planté d'amandiers : les deux garçons pourraient s'y baigner — car il était déjà entendu que Gilbert viendrait pour les vacances. Héloïse avait trouvé une place de serveuse dans un café de Toulon. Elle engagea pour s'occuper de Christian une jeune mère célibataire qui vint s'installer avec son fils, un bébé de quatre mois; tous deux firent bientôt partie de la famille.

Mais le ménage n'allait pas. Jean Ranucci, solitaire et taciturne, traînait sa nostalgie de la vie de marin. Héloïse reportait toute son affection sur Christian. Etait-ce la conséquence de l'échec conjugal ou bien celui-ci résultait-il au contraire d'un attachement trop exclusif à l'enfant? Les mères admirables ne font pas toujours les meilleures épouses.

Le couple se disloque. Ranucci trouve un emploi de chauffeur-routier international. L'asphalte n'est pas la mer mais on voit du pays. Il revient une fois par mois. La vie s'organise à merveille sans lui. Il revient de moins en moins. On décide de divorcer. Cela ne se passe pas dans la compréhension réciproque, comme avec le petit mari belge. Le père menace de prendre Christian et de l'emmener en Algérie, où les combats font rage. Des discussions aigres éclatent à propos du partage des biens. On décide de mettre la maison en vente; Héloïse fait ses bagages et s'installe avec la jeune mère célibataire et les deux enfants dans une villa louée. L'angoisse de perdre son fils commence de la tenailler. Elle qualifie d' « enlèvement » un épisode apparemment bénin :

un jour. Ranucci débarque à la villa, fait habiller Christian et l'emmène en voiture attendre sa mère à la sortie du travail. Héloïse y voit un avertissement non déguisé : son mari a voulu démontrer qu'il lui était facile de prendre l'enfant. Il demande d'ailleurs que la garde en soit confiée à sa sœur. Le tribunal le déboute, tout en lui accordant le classique droit de visite.

Un acquéreur se présente pour la maison. On se retrouve chez le notaire pour signer l'acte de vente. Climat tendu. Héloïse voit à son mari son visage des mauvais jours. Après la signature, il lui demande un entretien pour régler quelques détails d'ordre financier. Héloïse propose d'aller rejoindre dans un café proche le voisin et ami qui l'a conduite en voiture jusqu'à l'étude du notaire. Ils boivent tous les trois un jus de fruit. Puis Ranucci demande si l'ami pourrait aller chercher Christian, qu'il n'a pas vu depuis longtemps. Héloïse accepte ; l'ami part. L'attente se prolonge. Jean Ranucci se lève pour faire quelques pas. Elle l'accompagne dans une papeterie où il achète une enveloppe pour ranger l'argent liquide qu'il vient de toucher. Ils sortent de la boutique. Et soudain, alors qu'ils passent devant une porte cochère, Ranucci pousse son ex-femme sous le porche, saisit un couteau à cran d'arrêt et lui porte sept à huit coups au visage. Elle est touchée à la tempe droite, aux joues, aux lèvres. Le sang gicle et l'aveugle. Pour parer les coups, elle empoigne la lame de la main gauche et se coupe net deux tendons. Ranucci se blesse lui-même à la main. Elle parvient à se dégager et appelle au secours. Les passants pétrifiés n'interviennent pas. Ranucci s'enfuit, pénètre dans le café où ils ont consommé et va cacher dans les toilettes une bouteille remplie de vitriol. Des policiers le cueillent à la sortie, brandissant toujours son couteau. Il est maîtrisé et emmené à l'hôpital. Une ambulance vient chercher Héloïse. Mais avant qu'elle n'arrive, l'ami est de retour et Christian, son ours dans les bras, descend de la voiture et contemple cette femme hagarde au visage percé de coups et ruisselant de sang — sa mère. Il a quatre ans.

Héloïse, transportée dans une clinique, doit être opérée le lendemain matin. Malgré les calmants, elle ne parvient pas à trouver le sommeil et se ronge d'anxiété pour Christian, qu'elle imagine livré à tous les périls. N'y tenant plus, elle se rhabille, saute dans un taxi et rentre chez elle. C'est pour l'enfant une nouvelle vision de cauchemar : elle a la tête enveloppée de pansements, tel l'homme invisible dans les films d'épouvante. Elle le rassure comme elle peut, parle d'un accident d'auto, le couvre de baisers. L'enfant s'apaise. Mais elle dira de son mari : « Il n'avait laissé dans sa jeune mémoire, comme souvenir de père, que l'horreur et la peur. »

Grâce à son glorieux passé militaire, Jean Ranucci n'écope que d'une condamnation légère.

*
* *

Pendant quatorze ans, la fuite.

Elle se réfugie avec Christian en Belgique, dans sa première belle-famille, qui lui fait le plus tendre accueil et lui propose même une installation définitive. Mais quand ses blessures sont cicatrisées et qu'elle a retrouvé l'usage de sa main blessée, elle part pour Grenoble, où elle trouve un emploi de réceptionniste dans un hôtel. Christian va à l'école communale. Elle le sermonne chaque semaine : ne jamais accepter de partir avec quelqu'un qui lui offrirait un jouet ou un bonbon, ou qui prétendrait être envoyé par elle; se méfier de tout inconnu; se méfier surtout de son père, dont elle lui a montré des photos en lui demandant d'examiner attentivement ses traits pour être en mesure de le reconnaître : si cet homme vient le prendre, il ne reverra plus jamais sa maman. Les maîtres d'école sont eux aussi alertés. Elle-même a brouillé ses traces et ne se fait plus écrire qu'en poste restante. Six mois passent. Elle commence de retrouver une relative quiétude mais reçoit soudain une lettre de l'avocat du père; il demande Christian pour les vacances. Elle file dans la nuit, abandonnant logement et emploi, et fuit à Perpignan. Elle travaille dans un café. Christian ira dans un cours privé car elle suppose que le père a retrouvé sa trace en remontant les filières scolaires officielles. Après Perpignan et quelques étapes, Chambéry. Elle prend la gérance d'un bar. Mais voici que Christian approche de ses huit ans et sa mère, partageant une croyance assez répandue mais inexacte, est persuadée qu'un père peut récupérer son fils quasi-automatiquement quand l'enfant atteint sa huitième année.

Où se perdre mieux qu'à Paris?

Ils s'installent dans le quinzième arrondissement. Ici, une petite scène qui n'a d'autre intérêt que le coup de projecteur qu'elle donne sur Christian à cet âge. Héloïse a loué un logement proche d'un square car elle ne veut pas que son fils, habitué aux espaces provinciaux, se retrouve confiné entre quatre murs. Le lendemain de leur arrivée, elle lui fait visiter le square. Des garçons sont en train de jouer au ballon. Christian s'intègre immédiatement dans la partie et se fait accepter sans problème. Il y a dans la bande deux petits Algériens qui deviendront des amis, au point qu'il ira avec sa mère passer des vacances dans leur famille, près d'Alger.

Un jeudi, alors qu'il va retrouver ses compagnons au jardin public, il s'aperçoit qu'il est suivi par un homme. Il traverse la rue, accélère le pas. L'autre reste dans son sillage, puis le rattrape. Le commissariat de police de Saint-Lambert est là, tout proche. Christian s'y engouffre. L'homme s'enfuit à toutes jambes. Les gardiens de la paix ne remarquent même pas l'enfant, qui rentre chez lui et raconte l'aventure à sa mère sans effroi particulier.

Péripéties sentimentalo-commerciales. Héloïse travaille d'abord comme réceptionniste dans un hôtel voisin de son logement, puis elle gère un bar à Charenton et achète enfin à Vincennes, grâce à la part qui lui revient sur la vente de la villa de Toulon, un bar qu'elle envisage d'exploiter en association avec un ami — celui-là même qui était allé chercher Christian pendant la sanglante altercation avec Ranucci. Il voudrait bien l'épouser mais elle refuse pour plusieurs raisons, dont la principale est son manque de patience envers Christian, qu'il juge beaucoup trop gâté par sa mère. Faute de devenir son troisième mari, il restera son amant pendant plus de quinze ans. Comme Ranucci, il est d'origine italienne.

Gâté, Christian l'est assurément. C'est même, à considérer ce garçon qui a maintenant dix ans, la seule conséquence apparente d'une histoire familiale particulièrement tourmentée. Certes, il n'est pas un élève de premier ordre, et les maîtres incriminent les incessants changements d'école, mais ses résultats scolaires n'ont rien de catastrophique. Sans doute souffre-t-il aussi d'une énurésie dont les médecins ont dit à sa mère qu'elle était en général le fait d'enfants perturbés mais ils assurent qu'elle ne tardera pas à disparaître — et Christian cessera en effet bientôt de mouiller son lit. A part ces deux inconvénients, non négligeables mais point dramatiques et d'ailleurs assez communs, Christian ne présente aucune singularité propre à inquiéter sa mère, ses proches ou ses maîtres. Ouvert sans être expansif, il se fait des amis à chaque halte de la longue errance. Vigoureux, très développé pour son âge, il pratique le sport avec succès. Son goût pour l'activité physique l'entraîne même à l'un de ses rares caprices (le caprice lui est difficile puisque sa mère prévient ses moindres désirs). Au beau milieu d'une année scolaire, il s'engoue d'une de ces institutions installées dans de séduisantes demeures provinciales où l'on dispense une éducation à l'anglaise avec force activités de plein air. Le directeur passe sur l'énurésie. Héloïse, le cœur serré, voit partir son fils avec son baluchon de pensionnaire. Une heure après son arrivée dans l'Yonne, elle téléphone pour demander des nouvelles. Le directeur la rassure : Christian s'est déjà fait des camarades et tape dans un ballon. Mais il se lasse assez vite et sa mère doit le reprendre alors qu'il lui reste un mois de scolarité à accomplir. Cet été-là, elle l'emmène en vacances en Italie : Rome et Naples par avion. Il a déjà eu son baptême de l'air à l'occasion du voyage en Algérie. Plus tard, ils iront aussi en Espagne ; Christian détestera la corrida.

L'affaire de Vincennes capote L'ami n'est pas habile à tenir un bar ; Héloïse souffre des vertèbres et ne peut l'aider comme il faudrait. Elle revend le bar. L'Isère la tente ; les médecins lui disent que le climat montagnard calmerait ses rhumatismes. Elle se lance alors dans la grande entreprise de sa vie en décidant de créer un café-restaurant dans un local à vendre sur la route nationale 92, à Saint-Jean-de-Moirans, bourgade située à quelques kilomètres de Voiron. Son projet à long terme est de développer le fonds de commerce jusqu'à lui donner une valeur appréciable, puis de le mettre en gérance ou de le vendre, et d'aller s'installer sur la côte d'Azur, terre d'élection de Christian.

Les travaux sont menés à bien ; un personnel qualifié est engagé ; le café-restaurant, baptisé « Rio Bravo », ouvre ses portes. Christian est demi-pensionnaire à l'école des frères de Saint-Joseph à Voiron. Il fait sa première communion. Les photos, très édifiantes, montrent un beau garçon aux grands yeux marrons, à la bouche bien dessinée. Il porte une grande croix sur son aube blanche.

Ce premier été marque le vrai démarrage du « Rio Bravo » ; les touristes affluent sur la nationale 92. A la fin de la saison, Héloïse et son fils peuvent passer quelques jours de vacances en Corse. Sa prospérité nouvelle permet aussi à la mère de Christian de satisfaire à ses penchants altruistes. Elle envoie des dons à la Société protectrice des animaux, à l'Association de soutien aux orphelins du Vietnam, puis elle parraine un enfant de cinq ans atteint de polyomyélite et soigné à Valence. Et, comme jadis à Toulon, c'est soudain l'impulsion surgie d'on ne sait quel tréfonds inconscient : pourquoi ne pas adopter un enfant ?

L'adoption est presque toujours le moyen de compléter une structure familiale où manque un élément essentiel ; c'est l'acte qui permet de refermer le cercle. Mais il ne semble pas que la famille ait jamais été ressentie par Héloïse Mathon comme une structure ; ses élans du cœur n'ont du reste pas cessé de lui faire franchir le cercle invisible que les mœurs et les coutumes tracent autour de chaque cellule familiale. Elle

136

reste infiniment proche de cette Andréa qui, orpheline, avait été élevée avec sa mère. Gilbert et les siens font partie de la famille : on se visite sans cesse. La jeune mère célibataire qu'elle avait employée à Toulon est devenue une amie aussi chère qu'une jeune sœur. Ainsi serait-il absolument trompeur d'imaginer la vie de cette femme et de Christian comme recluse, séparée, confinée, et de la résumer à un étouffant face à face entre la mère et le fils. Ils sont au contraire ouverts à tous vents, à tous êtres, à tout va.

L'organisation catholique Caritas cherche des familles françaises disposées à accueillir jusqu'à leur majorité des orphelins vietnamiens. Héloïse Mathon pose sa candidature, subit avec succès l'enquête habituelle, reçoit de Saïgon plusieurs photographies d'enfants. Elle est émue par le visage mince et triste, à peine éclairé par un pauvre sourire, d'une fillette de onze ans dont toute la famille a été exterminée. Christian, consulté, voit bien l'intérêt humain du projet, mais aussi ses difficultés : une petite fille venant de si loin et parlant à peine le français s'adaptera-t-elle à une nouvelle existence si différente de la sienne? Mais il reconnaît qu'avec de la patience et beaucoup d'amour, on arrivera sans doute à rendre heureuse cette petite sœur inconnue. Une rude déception attend la mère et le fils. La fillette leur écrit une bien belle lettre de remerciement mais annonce qu'elle préfère rester dans son pays, où elle soigne elle-même des bébés sans famille recueillis par les religieuses françaises. Elle s'appelait Marie-Ange.

Caritas propose bien des enfants en bas âge : Héloïse, dont la santé est chancelante, ne se sent pas la force d'assumer les soins permanents qu'impliquerait pareille adoption. Elle renonce à son projet et se contentera désormais de parrainer des enfants malades et délaissés.

**

Le 21 mars 1970, Christian est renversé par une voiture. Il roulait sur son vélomoteur caréné quand la conductrice d'une

Dauphine, qui avait selon lui mis son clignotant droit, s'était soudain ravisée et rabattue sur la gauche. Christian, éjecté, est blessé à la tête et au dos. Une ambulance le transporte à l'hôpital. Les radios sont rassurantes : pas de fracture du crâne et léger déplacement de l'omoplate. Le garçon est ramené chez lui après avoir été pansé. Le médecin prescrit une semaine de repos. Il se plaint de maux de tête et de vertiges.

La vitesse est sa passion. Avec quelques amis, il sillonne les routes de l'Isère, pousse son engin à son maximum, participe à des moto-cross improvisés au hasard des collines. Témérité excessive ou maladresse : ses chutes ne se comptent plus. C'est désormais la hantise de sa mère, dont la fixation sur l'enlèvement tant redouté est ainsi relayée par une nouvelle angoisse. De ce fils aimé, elle nous dira que ses deux seuls défauts étaient son excessive passion pour la vitesse et une gourmandise effrénée axée surtout sur les desserts.

Ils sont une petite bande à courir ainsi les routes de campagne. On va pique-niquer à Tullins, se baigner à Charovines, pêcher les écrevisses dans les torrents de montagne. Christian fait partie de l'équipe de football de son collège. Il joue au billard, pratique le judo et le tennis de table, passe à la piscine son brevet de sauveteur. On commence de se risquer en groupe dans les bals du samedi soir et l'on pousse parfois des pointes hardies dans les bars de Grenoble. Six mois par an, c'est la province; le printemps venu, les touristes en transit vers le sud font une Babel du « Rio-Bravo ». Christian donne un coup de main au bar et questionne sans relâche les étrangers. Il rêve de lointains voyages.

Sa mère est lasse. La station debout à laquelle l'oblige du matin au soir son métier aggrave ses ennuis de vertèbres. Deux années de suite, elle est allée avec Christian passer à Nice la semaine du carnaval. Ils aiment cette ville, son soleil, sa mer tiède. Christian surtout rêve de s'y installer. A la fin de leur deuxième séjour, Héloïse lui fait la surprise de l'emmener visiter l'appartement témoin d'une résidence en construction sur le chemin de la Lanterne. Christian est ébloui. Sa mère glisse dans une enveloppe, pour son anniversaire, le chèque représentant les arrhes sur l'achat à crédit d'un logement de trois pièces. Il est fou de joie. En juin 1970, trois mois après l'accident de vélomoteur, Héloïse Mathon met son commerce en gérance et loue un modeste meublé à Nice, rue Andrioli. Ils y attendront l'achèvement de la construction de leur nouveau logis. Le meublé est tout proche du cours privé Albert-Camus où Christian préparera son B.E.P.C. Il a seize ans.

La reconstitution eut lieu le 24 juin, trois semaines après les faits. Un vent léger poussait de lourds nuages gris; la température était caniculaire. On s'était efforcé de préserver le secret mais la presse régionale, alertée, avait mis reporters et photographes aux trousses du cortège officiel composé de plusieurs voitures et fourgons escortés de motards.

D'un strict point de vue juridique, l'opération fut pittoresque.

Les officiels étaient tenaillés par l'inquiétude. Ils se souvenaient des menaces proférées à la cité Sainte-Agnès et dans le quartier des Chartreux : « Nous devrions nous entendre pour être là le jour de la reconstitution : c'est à nous de rendre justice! » On craignait une émotion populaire et plus encore l'acte d'un justicier solitaire armé d'un fusil. L'opération fut donc organisée comme une opération militaire et d'importantes forces de police et de gendarmerie avaient été mobilisées pour assurer la sécurité du cortège.

Au palais de justice, M\u1lle Di Marino embarqua dans un fourgon de police Christian Ranucci, ses gardes, le bâtonnier Chiappe, Jean-François Le Forsonney, un substitut du procureur de la République et M\e Arnoux, gendre et collaborateur de M\e Pollak, avocat de la partie civile — ce dernier n'avait pu se déplacer. Elle prit place dans le même fourgon avec son greffier, Annie Tchorakdjian, et donna au chauffeur l'ordre de les conduire à la cité Sainte-Agnès. Il était onze heures moins le quart.

Christian Ranucci était méconnaissable. On avait arrêté trois semaines plus tôt un jeune homme élégant à la chevelure bouclée : on retrouvait, non pas tout à fait un bagnard, mais un garçon qui ressemblait à un soldat puni. Le menton noir de barbe, les cheveux coupés très court, à la limite de la « boule à zéro », vêtu d'une chemise rayée noir et blanc et d'un pantalon kaki, chaussé de grosses godasses, le « bourreau du bois de Valdonne », comme devait l'appeler *Le Méridional,* avait perdu toute sa prestance.

Une chaleur d'étuve régnait dans le fourgon brinqueballant dont les passagers se retenaient tant bien que mal aux poignées fixées au plafond. Homme d'âge jouissant d'une grande réputation de dignité, le bâtonnier Chiappe montrait de l'humeur, sans doute parce qu'il n'avait point accoutumé de se déplacer en panier à salade : il émit sans ambages une remarque sur certain excès de transpiration qui contribua à tendre encore davantage l'atmosphère. Mais on comprit pourquoi Mlle Di Marino avait décidé d'entasser ainsi son monde lorsqu'elle ordonna au chauffeur, après que le fourgon eut atteint la cité Sainte-Agnès, de longer sans s'arrêter la rue où Marie-Dolorès avait pris place dans la voiture de son ravisseur. Ranucci fut invité au passage à reconnaître l'endroit et le greffier nota comme il put la déclaration du juge, tandis que le fourgon poursuivait sans désemparer en direction du croisement de La Pomme. De même que les stations de radio ont parfois leur « studio volant » opérant en plein ciel, Mlle Di Marino venait d'inventer le « cabinet d'instruction roulant ».

Telle fut la reconstitution de l'enlèvement, crime dont était inculpé Christian Ranucci. C'était probablement la reconstitution la plus rapide de l'histoire judiciaire française. Le juge et l'inculpé n'étaient pas descendus de leur fourgon ; la présence du petit Jean Rambla n'avait pas été jugée nécessaire ; le garagiste Eugène Spinelli, témoin du rapt, n'avait même pas été convoqué.

En cours de route, Ilda Di Marino demanda à Ranucci de désigner l'endroit où il s'était arrêté avec Marie-Dolorès pour fumer une cigarette, assis sur le talus à côté de l'enfant. L'inculpé en fut incapable. « C'est en tout cas ce qu'il a affirmé » fit judicieusement noter Mlle Di Marino.

On arriva enfin au croisement de La Pomme, autour duquel le capitaine Gras avait disposé ses brigades en rideau protecteur imperméable aux curieux et aux éventuels justiciers. Les époux Aubert et Vincent Martinez étaient sur place, ainsi que le commissaire Alessandra, l'inspecteur Porte et de nombreux fonctionnaires de l'Identité judiciaire. Les policiers avaient amené de Marseille le coupé Peugeot qu'ils avaient à l'étourdi restitué prématurément à Mme Mathon, puis récupéré dans les conditions que l'on sait.

Christian Ranucci émergea de sa torpeur lorsqu'on aborda la reconstitution de l'accident et le problème qui lui tenait tant à cœur de sa vitesse à l'approche du « stop ». Les opérations tournèrent d'une certaine manière à sa confusion car il apparut qu'il jouissait, au débouché sur la route nationale, d'une excellente visibilité sur sa gauche. S'il avait respecté l'arrêt réglementaire, il aurait donc aperçu la voiture de Vincent Martinez et se serait abstenu de redémarrer. L'infraction au code de la route paraissait certaine. Ranucci persista cependant dans ses affirmations et se renfrogna quand Mlle Di Marino coupa court pour passer à la question qui avait sa préférence : comment l'inculpé avait-il pu prétendre qu'il comptait ramener l'enfant à Marseille alors qu'il venait précisément de cette ville et virait en direction d'Aix? Ranucci, qui semblait trouver le problème dépourvu d'intérêt, se borna à répondre : « Peut-être que j'allais à Aix... Je ne me souviens plus. »

La troisième phase fut consacrée à la reconstitution de la poursuite par les Aubert. Elle fut longue car, comme pour l'accident, chaque séquence devait être photographiée par les spécialistes de l'Identité judiciaire. Alain Aubert conduisait sa Renault 15; un policier avait pris le volant du coupé Peugeot. Le juge d'instruction nota : « Nous avons constaté que les véhicules Ranucci-Aubert se suivaient à une distance telle, selon les déclarations des époux Aubert, que ces témoins ont bien vu les faits rapportés par eux au cours de leurs auditions et que dame Aubert a bien été en mesure d'entendre les paroles prononcées par l'enfant. »

La quatrième phase devait être dramatique.

Un officier de police, tenant une poupée désarticulée, mima l'escalade du talus et la fuite dans la garrigue. Les officiels et Ranucci montèrent à sa suite vers le buisson où l'on avait retrouvé le petit cadavre. Questionné sans relâche par Mlle Di Marino, Christian Ranucci répondait : « Je ne sais plus, je ne me souviens de rien... » Lorsqu'on fut arrivé à l'endroit où avaient été ramassées les pierres et la branche tachées de sang, le juge tendit à l'inculpé un couteau en bois et lui ordonna de refaire les gestes homicides. « Le couteau à la main, raconte M^e Le Forsonney, il a secoué la tête et s'est mis à pleurer comme un enfant en répétant : " Je ne me souviens de rien... " Mlle Di Marino a sorti de son dossier les photos prises à la découverte du cadavre, et qui n'étaient pas belles à voir. Elle les a brandies sous son nez en hurlant d'une voix suraiguë : " Voilà ce que vous avez fait! Regardez, Ranucci, regardez ce que vous avez fait! " Et lui qui continuait à pleurer en secouant la tête... C'était insoutenable. »

Le juge d'instruction fit noter par son greffier : « La reconstitution du crime d'homicide a été impossible, Ranucci prétendant ne plus se souvenir de cette partie des faits. »

On termina par la champignonnière. Le juge fit mentionner : « Ranucci a reconnu l'endroit situé à quelques mètres de l'entrée de cette champignonnière où il avait enfoui le couteau, arme du crime, dans un tas de fumier. » Mlle Di Marino constata enfin que Ranucci avait dû conduire au moteur pour s'engager si profondément dans la galerie « car, vraisemblablement, dans le cas contraire, il se serait heurté aux parois de la galerie. Si Ranucci a glissé involontairement dans la champignonnière, c'est sur une assez courte distance ».

Ainsi se termina à trois heures et demie cette reconstitution dont l'événement sensationnel avait été l'amnésie alléguée par Christian Ranucci. L'envoyé de *La Marseillaise,* rapportant que l'inculpé n'avait cessé de répéter : « Je me souviens de l'accident, mais après plus rien », devait en conclure : « Etait-il devenu véritablement amnésique ou avait-il choisi d'organiser de cette manière son ultime défense? La parole est maintenant aux experts. » *Le Provençal,* évoquant l'amnésie, citerait les propos tenus par Ranucci à l'un de ses défenseurs : « Je dois être l'assassin puisqu'on me le démontre de façon imparable. Mais je ne me souviens de rien. » Jérôme Ferraci, reporter du *Méridional,* allait féliciter Mlle Di Marino de « ne pas s'en être laissé conté » lorsqu'elle avait « brandi sous le nez de son " client " les photos de la jeune Marie-Dolorès ». Il devait ajouter : « En ce qui concerne la justice, ce ne sont certainement pas les pertes de mémoire de Christian Ranucci qui lui feront oublier qu'il est deux fois passible de la peine de mort. »

La phase cruciale de la reconstitution avait déconcerté certains journalistes. Ils avaient cru que le meurtrier, fuyant les Aubert, avait fait en sorte de les distancer, et leur surprise avait été grande de constater que le crime avait été commis si près de la route — en fait, à moins de vingt mètres. Paul-Claude Innocenzi écrivit dans *Le Provençal :* « Il avait donc pris la fuite, poursuivi par les époux Aubert. Là, il y a une " zone d'ombre " du dossier qu'on comprend assez mal. Ranucci a stoppé son véhicule au bord de la route, au pied de la colline, et s'est enfoncé avec la petite fille dans les broussailles. D'après les déclarations des époux Aubert, ils devaient être eux-mêmes assez près de Ranucci puisque Mme Aubert a entendu la petite fille qui disait, s'adressant à son ravisseur : " Où me conduisez-vous? " Quant à M. Aubert, il avait crié : " Revenez! Ce n'est pas la peine de fuir, il n'y a que des dégâts matériels. " L'endroit précis où l'on a trouvé le corps de Marie-Dolorès n'est qu'à une vingtaine de mètres de la route. C'est dire que Ranucci n'est pas allé très loin. Qu'ont fait exactement les époux Aubert qui pouvaient, selon eux, parler à Ranucci? Il semble que cette reconstitution n'ait pas fait toute la lumière sur ce point. Sans doute en saurons-nous plus au niveau des Assises, lorsque les avocats leur poseront des questions très précises. »

Faute d'avoir éclairci cette intéressante énigme, la reconstitution avait en tout état de cause apporté à Mlle Di Marino des satisfactions à ses yeux essentielles. Elle avait établi que Ranucci n'allait pas à Marseille au moment de l'accident, puisqu'il en venait ; que le « stop » avait été abordé à grande vitesse et que l'arrêt réglementaire n'avait pas été respecté ; qu'une défaillance du frein à main ne pouvait à elle seule expliquer la présence du coupé Peugeot à trente mètres de l'entrée de la galerie.

*_**

Le surlendemain, 26 juin, une nouvelle confrontation eut lieu dans le cabinet du juge d'instruction, qui fut ce jour-là tout niçois.

Le 13 juin, un inspecteur de la Sûreté urbaine avait déposé au journal *Nice-Matin,* pour publication, une photo de Christian Ranucci. Elle avait paru le 15 juin, accompagné d'un texte invitant à se mettre en rapport avec la police toute personne susceptible d'apporter des informations sur celui qui avait « sauvagement assassiné près de Marseille la petite Marie-Dolorès. » La photo montrait un Ranucci portant lunettes alors que la photo témoin des séances de présentation à l'Evêché atteste que le suspect, placé au milieu des quatre inspecteurs, ne portait pas de lunettes. Si on l'avait voulu sans lunettes à l'Evêché, c'est sans doute parce que le jeune Jean Rambla et Eugène Spinelli n'en avaient pas vu à l'homme à la Simca. Mais dès lors qu'il s'agissait de trouver de nouveaux témoins à charge, les policiers avaient décidé de montrer Ranucci avec ses lunettes, ce qui était en somme judicieux puisqu'il ne s'en séparait jamais que pour dormir.

Le jour même de la parution de la photo, un homme de trente-deux ans, Marc Pappalardo, tourneur de son état et père de trois garçons, se présenta à la Sûreté urbaine de Nice en déclarant reconnaître formellement en Ranucci l'homme qui, deux mois plus tôt, le lundi de Pâques, avait enlevé son fils Patrice.

L'enfant, âgé de quatre ans et demi, jouait avec ses deux frères aînés sur le parc de stationnement de l'immeuble. Il les avait quittés en fin d'après-midi en leur annonçant qu'il remontait à l'appartement parce qu'il avait soif. Dix minutes plus tard, les deux frères rentraient à leur tour et s'étonnaient de ne pas trouver leur cadet à la maison. Marc Pappalardo et sa femme, affolés, s'étaient immédiatement lancés à la recherche de l'enfant. Une demi-heure plus tard, ils ne l'avaient pas retrouvé et le père se décidait à se rendre à la gendarmerie de la Trinité. Les gendarmes avaient alerté le service S.O.S. à Nice et conseillé de continuer les recherches. De retour chez lui, alors qu'il venait de garer sa voiture, M. Pappalardo avait vu son fils à l'angle de l'immeuble, la bouche toute rouge.

L'écarlate avait une explication simple : des bonbons qu'un inconnu avait offert à l'enfant. Celui-ci raconta qu'il avait été abordé par un monsieur alors qu'il s'apprêtait à remonter à l'appartement. Le monsieur l'avait emmené dans une pâtisserie et lui avait acheté des bonbons, puis il l'avait conduit dans le grand garage souterrain d'un groupe d'immeubles voisin. Là, l'homme avait invité l'enfant à s'asseoir sur une caisse, avait pris place à son côté et lui avait raconté des histoires. A un moment, une voiture était entrée dans le garage et l'homme avait demandé à Patrice de se cacher en lui disant : « C'est peut-être la police. » Après quoi ils étaient ressortis et s'étaient séparés, non sans que l'homme eût donné rendez-vous à Patrice pour le lendemain après-midi.

Marc Pappalardo avait examiné soigneusement son fils et s'était efforcé de savoir si l'homme avait eu des gestes obscènes. Le petit Patrice avait dit que le monsieur était très gentil et qu'il ne l'avait pas touché. Simplement, dans le garage souterrain, il l'avait embrassé « comme un papa » sur la joue. Le seul indice livré par l'enfant était que le monsieur avait des cheveux blancs. M. Pappalardo en avait déduit qu'il devait s'agir d'un homme d'un certain âge. Il était ensuite retourné à la gendarmerie de la Trinité pour signaler que son fils était retrouvé. Il n'avait pas fait mention du rendez-vous donné par l'homme pour le lendemain, 16 avril. C'était un peu surprenant dans la mesure où les démarches de M. Pappalardo témoignaient de la juste confiance qu'il plaçait dans la gendarmerie, et c'était assurément dommage car les registres de la Trinité montrent que les gendarmes ne manquent jamais d'organiser une surveillance lorsqu'un maniaque sexuel a l'imprudence de fixer un rendez-vous à sa jeune victime.

Le mardi, M. Pappalardo alla chercher ses deux fils aînés à la sortie de leur école, et il emmena Patrice avec lui. Tout au long du chemin, il demanda à l'enfant s'il reconnaissait parmi les personnes croisées le monsieur de la veille. Ce fut en vain à l'aller comme au retour. Mais alors que le père et les trois enfants rentraient dans leur immeuble, Patrice avisa un jeune homme qui regardait les boîtes à lettres et dit : « Voilà le monsieur. » M. Pappalardo demanda à l'inconnu ce qu'il faisait là. L'autre répondit : « Je cherche M. May. » Marc Pappalardo lui enjoignit alors de ne pas tourner autour de ses enfants et l'invita à se rendre avec lui chez le gardien de l'immeuble. L'inconnu fit mine de le suivre mais prit ses jambes à son cou et réussit à semer le père qui s'était lancé à sa poursuite.

Une heure plus tard, M. Pappalardo donnait son signalement au bureau de police de l'Ariane : dix-sept à dix-huit ans, taille d'un mètre soixante-douze, corpulence moyenne, vêtu d'un polo beige et d'un pantalon clair. Cette description ne mentionne pas de lunettes, élément assez caractéristique, mais M. Pappalardo, après avoir vu *Nice-Matin,* allait déclarer à l'inspecteur de la Sûreté urbaine : « Il portait des lunettes de vue tout comme sur la photographie. » Son fils Patrice hésitait à reconnaître sur cette photographie le monsieur qui lui avait offert des bonbons, mais M. Pappalardo était prêt à l'emmener à Marseille pour une confrontation.

Mlle Di Marino, apparemment plus formaliste en matière d'identification que de reconstitution, avait demandé à deux jeunes policiers marseillais de venir encadrer Ranucci lorsqu'il serait présenté à la famille Pappalardo. L'inculpé devait protester par la suite que les deux jeunes gens s'étaient mis en frais pour aller au palais et qu'ils portaient veston et cravate alors que lui-même était vêtu de son habituelle chemise rayée et d'un pantalon très fripé : « J'étais, écrira-t-il, visible comme une mouche au milieu d'une assiette de lait. » Mais cette réclamation était superflue, de même que le formalisme du juge d'instruction paraît un peu naïf en l'occurrence. Avant la présentation d'un suspect, les policiers du quai des Orfèvres ne manquent jamais de demander au témoin s'il n'a pas déjà vu dans la presse une photo dudit suspect, car il est bien clair que dans ce cas, l'opération n'a plus grande signification. Or, ce cas était précisément celui de M. Pappalardo. Et non seulement M. Pappalardo avait-il vu une photo, mais il avait lu un texte disant en substance : « Voici celui qui a sauvagement assassiné la petite Marie-Dolorès. Si son visage vous dit quelque chose, téléphonez à la police. » Cette annonce devait forcément interpeller, et violemment, tous ceux dont les enfants avaient eu à souffrir des entreprises de maniaques sexuels. Très curieusement, les portraits de Christian Ranucci diffusés par la télévision ou publiés dans *Nice-Matin* huit jours plus tôt, au moment de son arrestation, n'avaient fait se manifester aucun témoin à Nice, alors que les photos de *Nice-Matin,* par exemple, étaient beaucoup plus nettes et révélatrices que celle de l'appel à témoins du 15 juin, dont le format est à peu près celui d'une photo d'identité.

Une autre procédure était convenable, qui eût consisté à transférer avec discrétion Ranucci à Nice et à faire défiler devant lui, après l'avoir entouré de la figuration habituelle, les parents ayant porté plainte pour des faits de ce genre et les enfants susceptibles de l'identifier. Sans doute les délits sexuels commis sur des enfants sont-ils nombreux à Nice comme ailleurs, mais le champ des recherches était ici singulièrement réduit par l'âge de Ranucci et par le fait qu'il était rentré du service militaire au début d'avril : les délits commis sur des enfants par un garçon d'une vingtaine d'années au cours des deux derniers mois ne pouvaient pas être innombrables et la mobilisation des témoins pendant une heure n'eût pas fait de Nice une ville morte. Bien entendu, le transfèrement et le reste eussent été source de tracas pour les autorités judiciaires et policières, mais il s'agissait après tout, comme le rappelait *Le Méridional,* d'une affaire où l'inculpé risquait deux fois la peine de mort.

Lorsque M. Pappalardo fut mis en présence de Christian Ranucci, le souvenir visuel qu'il conservait de la photographie de *Nice-Matin* devait donc obligatoirement interférer et faire écran dans sa mémoire. Consciemment ou non, sa démarche allait s'en trouver gauchie et se réduirait pour une large part à affirmer ou à nier la ressemblance entre l'homme dont il avait vu la photo et l'un des membres du trio qu'on lui présentait.

Il reconnut Ranucci. « C'est l'homme, dit-il, qui a entraîné mon fils Patrice dans le parking souterrain d'un immeuble voisin. » Le juge fit noter la phrase par son greffier, puis, comprenant son impropriété, fit apporter par le témoin une rectification utile : « Je reconnais bien Ranucci comme étant l'homme que j'ai poursuivi le lendemain du jour de Pâques sur indication de mon fils qui m'avait dit que la veille, l'homme en question l'avait entraîné dans les parkings souterrains d'un immeuble voisin. »

Le petit Patrice ne reconnut pas Ranucci. « Je ne connais pas, dit-il, les trois messieurs que vous me montrez. »

Mais son frère aîné Eric, qui avait également vu la photo de *Nice-Matin,* reconnut l'inculpé : « C'est lui que mon père a interpellé un mardi dans la cage d'escalier en lui disant qu'il " lui apprendrait à ne plus rôder autour de ses enfants ". »

On parla ensuite de cheveux. M. Pappalardo apprit au juge que Patrice ne faisait pas de différence entre le blond et le blanc, ce qui expliquait qu'il ait pu dire que « le monsieur » avait les cheveux blancs. Ceux de l'inculpé étaient châtain. M. Pappalardo précisa par ailleurs qu'au moment des faits, Ranucci avait les cheveux plus longs et ondulés en arrière. Le juge questionna Ranucci sur sa coiffure au mois d'avril précédent et l'inculpé admit que ses cheveux étaient en effet plus longs; le contraire eût été difficile à soutenir puisque le coiffeur de la prison venait de lui faire « la boule à zéro ». Pour le reste, l'inculpé affirma sa totale innocence, ajoutant que la publicité faite autour de lui devait fatalement donner naissance à des témoignages de ce genre.

On doit admettre que ses protestations d'innocence lors de la confrontation paraissent comme assourdies, feutrées, malhabiles enfin à gagner la confiance d'un magistrat ou d'un juré. C'est encore un effet de ce style instructionnel si spécifique dont l'un des tours les plus classiques et les plus efficaces consiste à mettre dans la bouche de l'inculpé une phrase liminaire qui va neutraliser, sinon annuler, le reste de sa déclaration. Ainsi Mlle Di Marino fait-elle dire à Ranucci, après qu'il eut été reconnu par M. Pappalardo : « Bien que le témoin ici présent m'ait reconnu parmi d'autres sans aucune hésitation, je conteste être l'homme qui etc. » De même, après l'identification par Eric Pappalardo : « Cet enfant Eric m'a reconnu immédiatement et spontanément parmi d'autres. Je ne peux expliquer ce fait. Je maintiens que je ne suis pas l'homme qu'il a vu. »

A la limite, Mlle Di Marino aurait pu dicter à son greffier : « Bien que les témoins m'aient reconnu immédiatement. spontanément, avec une assurance et une clairvoyance qui rendent tout à fait dérisoires mes protestations. je pense cependant qu'ils se trompent. » Mais c'eût été déformer l'esprit des déclarations de l'inculpé.

**

Sandra Spinek ne reconnut pas Ranucci. Sa mère, sans pouvoir être formelle, trouva une ressemblance avec l'homme dont elle avait déclaré cinq jours plus tôt à la police niçoise : « Je ne puis me tromper car ses traits sont restés gravés dans ma mémoire. »

150

Ni la mère ni la fille ne se souvenaient de la date de la mésaventure mais elles la situaient à la fin de l'année 1973, donc six mois auparavant. C'était en tout cas un mercredi ou un samedi après quatre heures de l'après-midi puisque Sandra, âgée de dix ans, rentrait de son cours de danse avec une amie, Nathalie. En cours de route, Sandra avait constaté qu'elles étaient suivies par « un monsieur pas très vieux, portant lunettes de vue et vêtu d'un imperméable vert ou gris et d'un pantalon foncé ». Elle ne s'en était pas particulièrement inquiétée et, après s'être séparée de Nathalie devant la porte de son immeuble, elle avait commencé de monter l'escalier pour rentrer chez elle. C'est alors qu'elle s'était rendu compte avec une frayeur immense que l'homme escaladait les marches quatre à quatre pour la rattraper.

Par bonheur, Mme Spinek surveillait de la fenêtre le retour de sa fille et s'était aperçue qu'elle était suivie. En voyant l'homme entrer dans l'immeuble sur ses talons, elle s'était précipitée à la porte d'entrée de l'appartement et l'avait ouverte. L'autre, surpris, avait fait demi-tour.

Pas plus que M. Pappalardo, Mme Spinek n'avait été troublée par les photos de Ranucci publiées au moment de son arrestation. Comme M. Pappalardo, elle avait reconnu son homme sur la photographie parue le 15 juin dans *Nice-Matin* et assortie d'un appel sensationnel. Mais contrairement à lui, elle ne s'était pas présentée à la police, se contentant d'envoyer une lettre anonyme. Cette discrétion contraste avec la fièvre point toujours très saine qui saisit le plus grand nombre à la perspective d'être témoin à charge dans une affaire criminelle remuant l'opinion publique. Mme Spinek devait la justifier par un souci de sécurité, encore qu'on ne voie pas bien comment Ranucci pouvait désormais menacer la sécurité de quiconque.

Toujours est-il qu'elle avait mis dans sa lettre anonyme trop de détails révélateurs (quartier d'habitation, école fréquentée par sa fille) pour échapper à la perspicacité de la Sûreté urbaine de Nice. Les policiers l'avaient donc retrouvée et, du coup, elle leur avait dit de bonne grâce sa conviction, partagée par sa fille, que Christian Ranucci était bien l'homme qui leur avait causé si grande frayeur à la fin de l'année précédente.

Dans le cabinet du juge d'instruction, elle n'en était plus certaine et sa fille, quant à elle, affirmait exactement le contraire.

On s'efforça d'y voir plus clair. Mme Spinek gardait le souvenir de lunettes à monture plus importante. Ranucci reconnut qu'il portait en 1973 des lunettes à monture plus large. Mais Mme Spinek et sa fille avaient déclaré que l'homme portait un imperméable vert ou gris, et l'inculpé affirma que son seul imperméable était bleu. A la vérité, il s'agissait là de détails : ce qui changeait tout pour la mère, c'était la longueur des cheveux. L'inculpé les avait très courts alors que l'homme qui avait poursuivi sa fille les portait « plus longs, coiffés haut et frisés ». On pouvait donc penser que le coiffeur des Baumettes était responsable de la difficulté et, comme elle venait de le faire lors de la confrontation avec les Pappalardo, Mlle Di Marino fit préciser par l'inculpé qu'il portait auparavant les cheveux plus longs et légèrement ondulés.

Ranucci avait une autre idée en tête. Il déclara qu'à la fin de l'année 1973, il avait quitté Nice pour un voyage à l'étranger et qu'il ne pouvait donc pas être l'homme en question. Il se trompait d'un an. C'est en effet en 1972 qu'il était allé passer les fêtes de fin d'année en Belgique avec sa mère, dans la première belle-famille de celle-ci. L'erreur était commise de bonne foi car Christian devait écrire par la suite à sa mère pour lui demander d'obtenir une attestation de la compagnie aérienne. Mme Mathon n'eut pas de peine à le détromper. Elle ne s'étonna d'ailleurs pas car Christian était coutumier des erreurs de ce genre : il n'avait pas la notion des dates. Mais cette affaire de voyage en Belgique était devenue entre-temps l'un de ces noirs griefs que nourrissent les inculpés contre leur juge d'instruction : Christian en voulait mortellement à Mlle Di Marino de ne pas opérer les vérifications nécessaires. Or, le juge n'avait en l'espèce rien à vérifier puisque Mme Spinek et sa fille avaient situé leur mésaventure « à la fin de l'année 1973 » sans préciser qu'il s'agissait de l'ultime période des fêtes.

Si l'inculpé avait eu davantage de présence d'esprit, ou si ses avocats avaient été là pour en avoir à sa place — mais ni le bâtonnier Chiappe ni M^e Le Forsonney n'avaient pu se libérer —, ils auraient rappelé au juge qu'à la fin de 1973, Christian Ranucci faisait son service militaire en Allemagne, dans la Forêt-Noire. Certes, il avait bénéficié d'une permission pour les fêtes. Mais nous avons pu retrouver cette permission et nous constatons qu'elle valait pour quatre-vingt-seize heures, du 23 décembre au 26 décembre inclus. Christian est arrivé à Nice le lundi 24 décembre. Il était présent à l'appel du 27 au matin, comme en témoignerait le registre de son régiment, ce qui implique qu'il a pris le train à Nice le mercredi 26 avant midi. Or, si Mme Spinek est incapable de préciser la date de la péripétie de sa fille, elle indique qu'elle se situait forcément un mercredi ou un samedi, et après quatre heures de l'après-midi, puisque Sandra revenait de son cours de danse. Christian ayant séjourné à Nice du lundi 24 au mercredi 26 à midi, il ne pouvait pas être l'homme qui avait importuné Sandra Spinek un mercredi ou un samedi après quatre heures de l'après-midi. De plus, le permissionnaire était venu à Nice — des photos l'attestent — avec des cheveux d'une coupe militaire, c'est-à-dire très comparable à celle en honneur aux Baumettes, et Mme Spinek n'aurait pu en aucun cas lui voir des cheveux « coiffés haut et frisés ».

Sandra Spinek, relancée une dernière fois par le juge d'instruction, resta inébranlable : « Je ne reconnais pas l'homme ici présent comme étant celui qui m'a suivi. »

Christian Ranucci déclara : « Je ne suis pas l'homme dont parle cette dame et cette enfant. »

C'était l'avant-dernière fois qu'il voyait Ilda Di Marino.

Le bonheur commence à Nice.

Un logement d'attente petit et vieillot mais avec une terrasse sur la baie des Anges. Samuel Ritz, directeur et principal professeur du cours Albert-Camus, accueille son nouvel élève avec une exceptionnelle gentillesse : Christian se sent aussitôt en famille, et d'autant plus que sa classe de troisième ne compte que huit élèves : cinq garçons et trois filles. Le chef de file est un Africain dynamique et pittoresque, toujours vêtu d'étoffes chatoyantes, qui épate ses condisciples par des tours de prestidigitation époustouflants — on se demande s'il n'est pas un peu sorcier. Il y a aussi une jolie Patricia de quinze ans, fille d'une famille patricienne résidant à La Gaude, au-dessus de Nice, pour laquelle Christian éprouve une sympathie immédiate et, semble-t-il, réciproque.

Du coup, le travail scolaire s'améliore. Christian avait toujours été tenu par ses maîtres pour un élève intelligent mais très paresseux. Samuel Ritz note dès le premier trimestre la disparité entre les possibilités et les résultats. Au second trimestre, il considère que son élève est sur la bonne voie. Et il constate à la fin de l'année scolaire : « Elève très intelligent qui a tout pour parfaitement réussir. Doit veiller à ne pas se laisser aller. » Les professeurs sont unanimes à estimer que Christian pourrait faire encore beaucoup mieux s'il voulait bien s'en donner la peine.

Il obtient aisément son B.E.P.C. En composition française,

on demande aux candidats de relater les impressions qu'ils ont éprouvées en voyant à la télévision ou au cinéma des scènes de guerre ou de violence, tels qu'accidents de la route, émeutes, suicides. Christian, dont le brouillon finira dans le dossier de Mlle Di Marino, évoque un reportage sur la guerre du Vietnam qu'il a vu au cinéma avec des camarades. Il raconte que la fureur sanglante du combat l'avait troublé si fort qu'il avait versé des larmes, puis qu'il avait fermé les yeux pour ne plus voir le spectacle des corps mutilés. Mais le fracas des détonations continuait de le harceler et il avait préféré quitter la salle. Ensuite, assis sur un banc, il avait médité sur ce qu'il venait de voir. « Rien n'est plus effroyable que la guerre. Elle ne détruit pas que des maisons : elle blesse, elle tue des hommes et les transforme en bêtes féroces assoiffées de sang et de vengeance. Il faudrait lutter contre la guerre et contre toutes les violences car elles ne laissent à l'humanité que de profondes cicatrices dans le cœur de l'homme. Le cerveau de l'homme, capable de créer des merveilles, n'a malheureusement pas encore atteint sa maturité. Mais il nous reste l'espoir qu'un jour, le soleil se lèvera sur une planète transformée et où ses habitants auront vaincu les maux qui nous déchirent. Ce sera un jour nouveau qui marquera une ère de progrès et de sagesse pour tous. »

Cette copie, dont nous avons rétabli l'orthographe hasardeuse, est sans doute d'une plume assez terne mais Christian était plus un scientifique qu'un littéraire. Les poèmes en prose franchement exécrables qu'il dédiait alors à la jeune Patricia sont d'ailleurs d'une inspiration nettement chimico-littéraire : « Depuis que l'acide de tes charmes a attaqué le métal qui entoure mon cœur, la pression de toi exerce sur moi la menace de faire soulever la soupape de ma timidité. A votre vue, mon âme est en effervescence et je suis troublé comme l'eau de chaux par le gaz carbonique. O cœur phosphorescent, vous me faites rougir comme le tournesol bleu en présence d'un acide. Si vous étiez aimant, je me ferais limaille, et si j'étais boussole, vous seriez pôle Nord. Votre déclin verse en moi une soude caustique que quelques baisers pourraient neutraliser » etc. etc. Il a dix-sept ans et tout le monde n'est pas Radiguet.

Sur les huit élèves de la classe de Christian, un seul a échoué au B.E.P.C. Une petite fête est organisée pour le consoler et le groupe se disperse pour les vacances. Christian ne restera en relation qu'avec la jeune Patricia, qu'il rencontrera désormais en dehors du cours car il a décidé de ne pas poursuivre ses études. Samuel Ritz, désolé, convoque Mme Mathon et insiste pour qu'un élève aussi doué continue au moins jusqu'au baccalauréat, mais Christian résiste à toutes les raisons. Il allègue la modicité des ressources de sa mère et le lourd investissement que représente l'achat du nouvel appartement.

Sa recherche d'un travail manque néanmoins de conviction et le fait est qu'il va passer un an sans emploi. Cela ne veut pas dire qu'il ne fait rien car l'installation à la Corniche fleurie l'occupe à partir de l'automne : déménagement des meubles du « Rio Bravo », achat de nouveaux équipements, bricolages multiples, aménagement de la terrasse-jardin. Il s'inscrit aussi à la Préparation militaire, ce qui lui permettra de choisir son arme : il veut servir dans l'aviation. On l'envoie à Tarascon où il passe avec succès les tests psychotechniques. Trois dimanches par mois, il suit des cours techniques à la caserne Aurore, participe à des séances de tir et à des marches dans la campagne niçoise. Il apprécie la camaraderie régnant dans son groupe mais la vie militaire, dont il a un premier aperçu, lui semble dénuée d'attrait.

Au début de l'année 1972, une sérieuse alerte : il est victime d'un malaise qui le met au bord de l'évanouissement. C'est la troisième fois en quelques jours mais il a caché à sa mère les deux premiers épisodes. Le malaise est spectaculaire : vertiges, difficultés respiratoires, violents maux de tête. Héloïse, aux quatre cents coups, l'emmène chez son médecin traitant, qui prend l'affaire très au sérieux en raison de l'accident de vélomoteur dont les malaises pourraient constituer des séquelles. Consultation d'un neurologue, électro-encéphalogramme à l'hôpital Pasteur, examen oculaire approfondi car

Christian se plaint d'un rétrécissement du champ visuel. Ces troubles oculaires inquiètent particulièrement Mme Mathon. dont la mère est morte aveugle. La famille avait attribué sa cécité au choc nerveux éprouvé en lisant le télégramme lui annonçant la mort d'un parent, mais le frère d'Héloïse plus jeune qu'elle, est devenu aveugle à son tour...

Le diagnostic est rassurant : troubles d'allure psychogénétique, examen neurologique négatif, électro-encéphalogramme satisfaisant, système oculaire intact. Le médecin conclut à un léger nervosisme, ordonne un repos de dix jours et prescrit des calmants. Les malaises ne se reproduiront pas.

Mais le « Rio Bravo » bat de l'aile. Les gérants laissent l'affaire aller à vau-l'eau et Mme Mathon, dont c'est la seule source de revenu, s'inquiète d'un prévisible tarissement. Christian part pour Saint-Jean-de-Moirans. Il tiendra le bar pendant plusieurs mois avec deux employés pour s'occuper du restaurant. La clientèle revient. Puis un ménage se porte acquéreur du fonds moyennant un prix convenable. Héloïse Mathon vient à son tour à Saint-Jean pour les formalités et l'inventaire. Elle réserve une place de train pour Christian, qui doit aller passer à Nice l'examen couronnant sa préparation militaire. Le garçon insistant pour l'aider jusqu'au dernier moment, elle lui prend un billet d'avion sur le vol Grenoble-Nice. Il est convoqué à trois heures à la caserne Aurore, d'où les candidats partiront en camion jusqu'à un camp du Gard où les attendent deux jours de manœuvres. Christian rentre le soir même, assez penaud ; il a manqué de quelques minutes le départ des camions à cause d'un retard imprévu entre l'aéroport et la caserne. Sa mère est furieuse : tous ces dimanches de marches et d'exercices pour rien ! Elle le tance vigoureusement. Il aurait dû réagir, sauter dans un train pour Nîmes, prendre un taxi et rejoindre ses camarades. Christian écoute tête basse les remontrances maternelles.

Ils reprennent l'avion pour la Belgique à la fin de l'année et passent les fêtes dans la première belle-famille d'Héloïse. L'accueil est comme toujours débordant d'affection. Christian découvre une maisonnée heureuse, pleine d'enfants, et cette image du bonheur familial entame quelque peu sa décision de ne point se marier avant d'avoir beaucoup voyagé et beaucoup vécu.

Il va avoir dix-neuf ans. L'inactivité lui pèse mais à quoi bon chercher un emploi qu'il faudra bientôt quitter pour partir au service ? Il décide de se débarrasser le plus vite possible de la corvée militaire et demande son incorporation par devancement d'appel. C'est ensuite l'attente de la feuille de route. Il en profite pour obtenir son permis de conduire. Jours quiets dans le bel appartement de la Corniche fleurie, repas pris sur la terrasse que les fleurs embaument, virées sur le vélomoteur caréné tout au long de la côte, sorties vespérales dans les discothèques niçoises, avec une préférence pour le « Brummel's » et le « Whisky à gogo », parties de tennis, piscine, randonnées avec des amis dans l'arrière-pays... Et aussi ce que Christian appelle des « actes de volontariat », qui sont en somme des B.A. : courses pour de vieux retraités, services rendus dans le voisinage. Surtout, une belle amitié avec un ménage habitant une villa proche et dont le fils a été tué en Algérie. La mère en est restée profondément perturbée. Pour elle, Christian remplace un peu le fils perdu et sa visite quotidienne est le seul rayon de soleil de cette vie mutilée.

La feuille de route arrive. Christian fait la grimace ; sa mère est désespérée : un régiment de chars, quelque part en Allemagne.

Peu avant son départ, alors qu'ils sont tous deux sur la terrasse, Christian commence à parler sur un ton d'une gravité inhabituelle. C'est une sorte de testament verbal. Sans doute se sent-il en très bonne santé mais il aime la vitesse et un accident est toujours possible. S'il meurt, il ne veut pas de prêtre à son chevet ni de cérémonie funéraire. Sa mère ne devra pas porter le deuil. Elle le fera incinérer et jettera ses cendres à la mer, entre Nice et la Corse.

Héloïse, bouleversée, répond que le problème ne se posera pas : il est évident qu'elle mourra avant lui. Christian insiste et lui fait jurer qu'elle respectera ses volontés. Elle jure. Son émotion est si forte qu'elle va chercher le whisky réservé aux

158

invités et trinque avec son fils. D'ordinaire, ils ne boivent que des jus de fruit.

Christian part le 4 avril 1973, une petite valise à la main, après avoir embrassé trois fois sa mère et donné une caresse aux deux chats, Gipsy et Mickey.

**

Le 8ᵉ groupement de chasseurs mécanisés est cantonné à Wittlich, dans la Forêt-Noire. Morne caserne proche d'une petite ville endormie. Un foyer à l'extérieur de la caserne. Les contacts avec la population sont inexistants. Presque tout l'encadrement a servi en Algérie, parfois dans la Légion. Unité d'intervention, le 8ᵉ groupement est solidement tenu en main et soumis à un entraînement intensif.

Christian estima dès son arrivée qu'une année sans joie s'ouvrait devant lui et il s'organisa immédiatement pour s'en tirer au moindre mal. Sa première lettre à sa mère n'exprime aucune désespérance mais une volonté affirmée de tirer au flanc : « Rassemble mon dossier médical concernant mes oreilles : je m'en servirai si cela peut m'avantager. Dans ma chambre, il y en a deux qui ont trouvé la ruse pour éviter de faire de longues marches (30, 40 kms et plus). Ce sera toujours ça de moins à faire. » Ses anciennes otites — il en avait eu une dizaine, dont deux ou trois assez sérieuses — ne lui permirent pas d'échapper aux classes, période traditionnellement rigoureuse du service militaire. Il eut cependant trois jours de permission dès Pâques, ce qui n'indique pas un régime disciplinaire bien sévère.

Sa mère le trouva en bonne forme, à peu près satisfait de son sort, résigné en tout cas à prendre son mal en patience. Elle-même avait durement éprouvé le vide laissé par son départ, aussi avait-elle eu l'idée de redevenir gardienne d'enfants, ce qui aurait le triple avantage de combler sa solitude, de satisfaire son inextinguible amour des enfants et de lui apporter quelques revenus supplémentaires. Comme toujours, elle avait suivi la filière officielle : dossier de candidature, deux examens médicaux complets et visite de l'appartement par une responsable de l'Assistance sociale. Gardienne agréée, Héloïse Mathon n'avait eu aucun mal à trouver des clients : ses bons soins et l'affection dont elle entourait les petits lui faisaient la meilleure des publicités. Christian, consulté par lettre, avait d'abord marqué des réticences ; il craignait un excès de fatigue pour sa mère, dont la santé restait précaire. Cette première visite le rassura : les enfants étaient faciles, gentils, et leurs jeux égayaient la solitude maternelle.

Après ses classes, il suivit le peloton d'élève-gradé avec un entrain mesuré : « J'ai commencé ce matin l'entraînement approprié. Jeudi prochain, j'ai une marche de quarante kilomètres, mais désormais je ne force plus, car plus on en fait et plus on vous en demande, et ceux qui en font le moins ont les meilleures places. Je vais toutefois continuer à appliquer ma politique personnelle : rester dans la moyenne sans trop forcer. Je me suis bien amusé et aussi reposé pendant ces trois derniers jours de repos. A partir de maintenant, l'on peut si on le désire sortir faire un tour en ville le samedi et le dimanche. Mais quand on a vu Wittlich une fois, on connaît déjà la ville presque jusque dans ses moindres recoins... Je vais aller boire le café que les copains sont en train de faire. Je te quitte et je t'embrasse bien fort. »

**

Il revint au mois de juillet avec son galon de caporal. Ce fut une permission heureuse : retrouvailles avec les amis, baignades, sorties. Mais la première lettre que reçut ensuite Héloïse Mathon portait le cachet de Trèves, où Christian avait été hospitalisé à son retour de permission. Etat infectieux avec boutons sur le visage et ganglions au cou. C'est une affaire quelque peu nébuleuse. Il apparaît que Christian, rentré à la caserne avec un certain retard, était sous le coup d'une peine de prison à laquelle il n'avait échappé qu'en se faisant porter malade. Les médecins militaires eurent. semble-t-il, le plus grand mal à poser leur diagnostic. On le soigna aux antibiotiques. Toujours est-il que le traitement traîna en longueur et que Christian y était probablement pour quelque chose car il savait, ou croyait savoir, qu'un militaire hospitalisé pendant deux mois avait le droit d'être muté dans une unité proche de son domicile pour y effectuer le reste de son temps de service. Selon son camarade Rietsch, niçois comme lui, la maladie était parfaitement imaginaire et Christian fit en l'occurrence une démonstration talentueuse de son art de tirer au flanc. Lorsque ganglions et boutons eurent disparu, il relança avec des maux dentaires et se fit arracher deux dents de sagesse, protestant d'ailleurs que le délai normal entre les deux extractions n'avait pas été respecté. Il devait néanmoins perdre sa course de lenteur : ses chefs le firent transférer à l'infirmerie deux jours avant l'échéance fatidique, et un séjour à l'infirmerie n'ouvrait pas les mêmes droits qu'une hospitalisation.

Christian dressa pour sa mère le bilan de ces grandes manœuvres : « A l'hôpital, ils ont reçu des consignes particulières à mon sujet. Ils ont obéi et j'ai eu droit à un traitement particulièrement accéléré visant à me faire sortir de l'hôpital avant le 28. Ils n'ont eu d'ailleurs aucun scrupule à passer sur les règlements pour parvenir à leurs fins. Au sujet de mon retard, comme je te l'ai dit, l'affaire a été étouffée : je suis intouchable et le médecin est protégé. Il est donc possible que j'obtienne ma convalescence. Quant à la peine de prison, il n'en est plus question du tout car, dans ce cas, je les ai prévenus que je porterais plainte officiellement à la Sûreté militaire pour cette affaire, et que je déposerais une autre plainte sur la façon illégale par laquelle on m'a fait sortir de l'hôpital pour poursuivre un traitement auquel les infirmiers sont inaptes. Ça ferait un trop gros scandale. Ils s'y prennent maintenant avec des pincettes avec moi. » La lettre concluait bucoliquement : « Ici, le temps se rafraîchit sérieusement. Les arbres des forêts alentour sont bien dégarnis et la parure d'automne laisse place à la grisaille de l'hiver. Aux premiers bourgeons, ce sera le retour à Nice — pas trop tôt! »

Son affrontement avec les autorités militaires ne l'empêche pas de bénéficier d'une permission pour Noël — très courte en vérité : quatre-vingt-seize heures. Il réveillonne avec sa mère et la nouvelle associée de celle-ci. Héloïse a en effet rencontré par l'intermédiaire de sa plus ancienne amie — cette jeune femme avec laquelle elle était partie travailler en Belgique — une Parisienne installée récemment à Nice et qui souhaite ouvrir une agence matrimoniale. Héloïse fera la correspondance en surveillant ses enfants tandis que l'associée recevra au bureau ouvert en ville. « Horizon nouveau » ne réussira pas son démarrage et tombera bientôt en léthargie. « La clientèle est très difficile, explique Mme Mathon. Les hommes veulent tous des femmes jeunes et jolies; les femmes exigent toutes des hommes riches et cultivés. » C'est l'occasion pour Christian de réaffirmer sa décision de ne point se marier avant d'approcher la trentaine. Cependant, il parle beaucoup de Patricia et des qualités qu'il lui trouve : « Elle a tout pour elle, dit-il à sa mère : jolie, intelligente, pas snob, gaie, sportive. » Héloïse, qui ne connaît pas la jeune fille, s'inquiète un peu de cet emballement. Elle sait que Patricia est issue d'une famille de grande bourgeoisie et que ses parents risquent de ne pas trouver en Christian un parti conforme à leurs espérances. Elle craint pour son fils une terrible déception, peut-être même des péripéties déplaisantes : ne va-t-on pas l'accuser d'être un coureur de dot?

Christian repart pour Wittlich et termine l'année joyeusement avec un groupe de camarades. La fête le ruine; il doit demander à sa mère un secours financier. C'est exceptionnel. Il est vrai qu'elle ne le laisse jamais démuni. Mais cet enfant gâté est aussi un fils affectueux qui apporte à chaque permission un cadeau à sa mère.

Pendant ses quatre derniers mois de service, le caporal Ranucci fait l'instruction aux jeunes recrues. « Il était bon type » admet son camarade Daniel Rietsch qui, antimilitariste convaincu, réprouve cependant que Christian se soit compromis avec la hiérarchie détestée en acceptant un galon de caporal. « Il leur foutait la paix. De temps en temps, il poussait un coup de gueule et je dois dire qu'il était assez impressionnant avec sa grande taille, son nez arqué, ses yeux un peu globuleux qui lui sortaient de la tête. Mais c'était rare Un type tranquille, Ranucci. Il foutait la paix aux autres du moment qu'on lui foutait la paix. »

La grande affaire de ces derniers mois est la voiture qu'Héloïse a promis d'offrir à son fils pour son vingtième anniversaire. Christian s'est mis en tête d'acheter en Allemagne une Mercedes au volant de laquelle il rentrerait à Nice. Ses sorties de fin de semaine sont consacrées à écumer les garages de Trèves à la recherche d'une bonne occasion; il voudrait une Mercedes 220 diésel de l'année précédente. Mais les prix dépassent les possibilités de sa mère et l'on décide de se rabattre sur un modèle moins coûteux qu'on choisira tout simplement à Nice.

*
* *

Il rentre au bercail le 4 avril, décidé de s'octroyer un mois de vacances et se met aussitôt en quête d'une voiture d'occasion. Le surlendemain — c'est son vingtième anniversaire — il trouve au garage Cassini un coupé Peugeot 304 en parfait état. Le prix est de huit mille cinq cents francs, payable en partie à crédit. Christian étant mineur, c'est sa mère qui signe le bon d'achat et les traites. Le garagiste livre la voiture l'après-midi même à la Corniche fleurie. Malchance pour Christian : ce 6 avril est un samedi et tous les cabinets d'assurance sont fermés. Il devra attendre le lundi pour inaugurer la belle auto qu'il ne se lasse pas d'admirer.

Faute de mieux, il se rabat sur le vieux vélomoteur caréné et part faire la tournée des amis. Au retour, il dérape sur les gravillons de la rampe en vérité assez raide menant du chemin de la Lanterne à la résidence. Mauvaise chute à la hauteur de la conciergerie. Il se relève avec le nez et la bouche en sang, et la main droite éraflée. La roue avant de sa machine est voilée; le pédalier, brisé net. Sa mère le voit apparaître le visage en sang. Il la rassure : ses éraflures sont superficielles. Un accident de plus. Le dernier à vélomoteur.

Le lendemain, dimanche, il se réveille avec des lèvres enflées et un genou douloureux, mais enfin cela va à peu près. Il quitte l'appartement. Sa mère suppose qu'il est à la piscine de la résidence mais s'inquiète bientôt de ne pas le voir rentrer. Elle sort jeter un coup d'œil dans le garage, pensant qu'il est peut-être en train de réparer son vélomoteur. Le garage est vide. Christian est parti au volant du coupé Peugeot, qui n'est pas assuré.

A son retour, la scène. Une vraie scène, avec reproches cinglants et confiscation des clés de la voiture. C'est la première fois qu'Héloïse en use ainsi avec son fils; en vingt ans de cohabitation, c'est leur premier affrontement véritable. La légèreté de Christian l'atterre et l'inquiète. Après tout, il n'est plus un enfant. Elle lui remontre sa folle imprudence : s'il avait blessé ou tué quelqu'un, avec quoi aurait-elle payé les dommages-intérêts, elle qui est civilement responsable? Il aurait bien fallu vendre l'appartement, se retrouver à la rue et travailler pendant des années et des années pour rembourser... Christian, tête basse, demande pardon. Sa tristesse est évidente. Il sait que si sa mère garde des enfants depuis un an, c'est en partie pour payer cette voiture dont il rêvait. Et voici que ce cadeau, au lieu d'être source de joie partagée, est l'occasion de la pire déception qu'il ait infligée à sa mère...

Le soir, on fête ses vingt ans au restaurant en compagnie d'une amie niçoise, Eliane, qui lui offre une jolie chemise rayée. Aucune allusion n'est faite à l'incident de la voiture; on se contente d'épiloguer sur l'accident de vélomoteur et on multiplie les conseils de prudence à l'automobiliste néophyte. Le dîner terminé, Christian emmène sa mère et son amie dans une discothèque où il a ses habitudes. On boit à son avenir, toute ombre dissipée.

L'avenir, justement. Christian est ambitieux avec modestie. Il veut gagner convenablement sa vie, accéder à des responsabilités. Une carrière commerciale le tente. Il y voit l'occasion de nombreux contacts et, depuis le « Rio Bravo », il aime les rencontres qui lui ouvrent des perspectives inattendues, les amitiés spontanées, même si elles ne durent que le temps d'une soirée de confidences. Il souhaite aussi que son métier lui donne par la suite l'occasion de découvrir les plus lointains pays, à condition toutefois de ne point l'éloigner trop longtemps de sa mère car il craint pour elle la solitude.

Ce goût pour les voyages est la seule originalité, si l'on peut dire, de ce garçon d'un conformisme intégral. Il est bon fils, bon type, bon copain. Sa bibliothèque est composée de livres scientifiques et d'ouvrages de science-fiction. Sa discothèque se partage par moitié entre les musiques classique et moderne. Pas une seule idée générale à se reprocher. Il ne remet aucunement en question le monde, la société, les règles du jeu. Certes, l'injustice l'émeut et il est sensible aux inégalités, mais il n'y voit pas d'autre solution que la générosité individuelle, aussi admire-t-il et aime-t-il sa mère pour le soutien qu'elle apporte à des enfants malades et délaissés. Il adhère sans problème aux modèles de réussite qui lui sont proposés. Confort, loisirs, beaux objets. Il ne transige pas sur l'élégance de ses vêtements et voulait acheter une Mercedes. La brise de 1968 ne l'a pas effleuré. Ce n'est pas lui qu'on trouvera en blue-jean rapiécé au volant d'une vieille guimbarde cahotante. Le mois prochain, qui verra une élection présidentielle inattendue, il sera conquis par le candidat Giscard d'Estaing et regrettera de ne pas avoir la majorité civique qui lui permettrait de lui donner son suffrage. Christian trouve à M. Giscard d'Estaing une élégance souveraine; il envie son charme, son assurance; il l'admire pour son ambition proclamée, assumée, victorieuse. Valéry Giscard d'Estaing incarne pour lui la réussite absolue. C'est l'homme qu'il aurait voulu être.

Dans la deuxième quinzaine de mai, Christian fait publier dans *Nice-Matin* une demande d'emploi. Il reçoit une proposition des établissements Cotto, spécialisés dans la vente de matériel de chauffage. On le convoque pour le jour suivant. Il va au rendez-vous vêtu de son blazer bleu et d'un pantalon gris, son attaché-case à la main. Sa mère, fort anxieuse, le voit revenir deux heures après avec un sourire rayonnant. L'offre est intéressante. Il s'agit de placer des appareils de climatisation et d'assurer le service après-vente. Le salaire est modeste mais les commissions doivent l'améliorer de manière substantielle. Quant à son embauche, Christian recevra le lendemain une réponse dont il est convaincu qu'elle sera positive : le frère du gérant, Jean Cotto, habite en effet leur résidence et donnera sur lui des renseignements qui ne pourront qu'être excellents.

Il est engagé le 20 mai et part immédiatement pour un stage technico-commercial de trois jours à Sorgues. Le 24 mai, il commence son travail aux établissements Cotto en compagnie d'un collègue chargé de le mettre au courant : connaissance et manipulation du matériel, visites aux clients en panne. Tout se passe aussi bien que possible. Le travail l'intéresse; le soir, il consacre des heures à étudier les bulletins techniques et à établir des listes de clientèle. Sa mère est ravie. Cette fois, c'est vraiment le bonheur. Ils habitent un appartement agréable dans un décor de rêve; les enfants qu'elle garde sont sans problème; son fils travaille et ses gains vont leur permettre d'acquérir encore un peu plus d'aisance. Lorsqu'elle se retourne sur un passé tourmenté, riche en péripéties domestiques, Héloïse Mathon estime qu'elle peut mesurer avec fierté le long chemin parcouru.

Le vendredi 24 mai au soir, Christian lui propose de partir en week-end avec le coupé Peugeot. Elle accepte du bout des lèvres. Le samedi est pluvieux et ils remettent le projet à la semaine suivante.

Le samedi 1er juin, Christian fait la grasse matinée et passe l'après-midi sur une plage de Cannes. Le dimanche 2, il renouvelle à sa mère sa proposition d'une balade en voiture — le lundi est férié. Elle préfère ne pas l'accompagner. Il part seul après avoir reçu mainte exhortation à la prudence.

Le lundi, Héloïse garde deux enfants. A sept heures, leurs parents viennent les reprendre. Elle prépare le dîner. Christian lui a promis de rentrer avant neuf heures.

Il est de retour à neuf heures moins le quart, l'embrasse affectueusement, lui demande si tout s'est bien passé pour elle et va poser son sac de voyage dans sa chambre. Ils dînent en regardant la télévision. Christian ne parle guère de sa sortie, se bornant à dire qu'elle a été sans histoire, et va se coucher.

Le lendemain matin, il est déjà parti au travail lorsque sa mère s'éveille. Son collègue, Jean-Marc Ivars, le trouve absolument normal. Un détail cependant : Christian achète un journal et le lit sans aucun commentaire tandis qu'ils se rendent chez un client; c'est la première fois que Jean-Marc Ivars le voit acheter un journal.

Il rentre à midi pour le déjeuner. Sa mère est en train de faire manger deux enfants. Il lui fait le récit de sa sortie : arrêt à Cagnes, puis visite de Brignoles et nouvel arrêt à Salernes. Là, il a bavardé avec d'aimables touristes allemands. Aucune mention d'un accident quelconque. Le garage étant situé sur les arrières de la résidence, Héloïse n'a pas eu l'occasion de voir le coupé Peugeot.

La soirée se déroule comme de coutume : dîner et le film de la troisième chaîne, « Le Trésor de la Sierra Madre ». Christian apprécie mais trouve l'épilogue bien triste : tous ces morts pour rien...

Le lendemain, il achète de nouveau un journal. A midi, il rentre déjeuner et fait un sort à la crème au caramel préparée par sa mère. En fin d'après-midi, il est dans la 2 CV de service que conduit Jean-Marc Ivars lorsque ce dernier entre en collision avec une autre voiture. M. Ivars descend, voit qu'une roue avant est crevée, et demande à Christian de s'occuper du constat avec l'autre automobiliste pendant que lui-même réparera. Le changement de roue effectué, il rejoint Christian et voit avec surprise que celui-ci n'a pas rédigé le constat : ses mains tremblent ; il est incapable de remplir les imprimés. Ils rentrent ensemble au dépôt, où est garé le coupé Peugeot.

Dix minutes plus tard, les gendarmes cueillent Christian à son arrivée chez lui.

*
*   *

L'enquêteur de personnalité, désigné le 11 juin par Mlle Di Marino, dépose son rapport dès le 26 juin. La gendarmerie travaillant avec son sérieux et son objectivité habituels, la plupart de ses procès-verbaux arrivèrent au cabinet du juge d'instruction après le dépôt du rapport de l'enquêteur. Les services de police doublèrent souvent l'enquête de la gendarmerie mais couvrirent plus spécialement la période du service militaire.

En tout et pour tout, deux témoignages défavorables. C'est absolument inhabituel. Une enquête ouverte à propos d'un crime affreusement spectaculaire fait se lever d'ordinaire une moisson de témoignages sentencieux du type : « Ça ne m'étonne pas, j'ai toujours pensé qu'il finirait mal », chacun et chacune exhumant de sa mémoire tel épisode démontrant que le monstre couvait déjà sous l'enfant ou sous l'adolescent.

Les deux témoignages émanent de femmes habitant au-dessus du « Rio Bravo ». Leurs reproches vont du reste moins à Christian qu'à sa mère, et nous ne sommes pas peu surpris de voir Héloïse Mathon accusée d'avoir été une mauvaise mère qui délaissait son fils et ne lui assurait pas « l'habituelle affection maternelle ». On signale son inclination pour les « gens de couleur » dont les visites au « Rio Bravo » étaient fréquentes. C'est la famille de Gilbert, qui a en effet la peau noire. On lui reproche ses nombreux déplacements à Paris — et il est vrai qu'au début au moins de leur installation à Saint-Jean-de-Moirans, Mme Mathon dut retourner assez souvent dans la capitale pour y liquider ses affaires; peut-être aussi pour y retrouver son ami italien. Le premier témoin affirme que Christian était alors confié à la sœur de sa mère; Héloïse n'a pas de sœur. Le second témoin déclare qu'il était confié à une cousine; Héloïse n'a pas de cousine. Christian est accusé d'avoir à l'occasion battu cette vieille parente. A bien lire les témoignages, on découvre le rôle essentiel tenu par la carabine à plombs dans la dégradation des relations avec le voisinage : « Il tirait sur tout — les oiseaux, des boîtes de conserve et même dans ma porte. Plus on lui demandait de cesser, plus il continuait en nous narguant. Sa mère, à qui on en faisait la remarque, trouvait cela normal et le défendait. » Les gendarmes locaux confirment qu'ils ont dû intervenir pour modérer les ardeurs carabinières de Christian mais ajoutent que celui-ci ne s'est « jamais fait remarquer défavorablement pour des délits ou autres faits répréhensibles ». Le garde municipal, chargé d'assurer la paix villageoise, déclare : « Le jeune Christian ne s'est pas fait remarquer spécialement... Je n'ai jamais eu à intervenir pour quoi que ce soit. » Lui aussi note la fréquence des absences de la mère.

Tout le reste est plus que favorable : élogieux. Personne ne comprend le crime, personne n'a jamais imaginé que Christian Ranucci fût capable d'un tel acte. On ne met pas en doute sa culpabilité puisque ses aveux ont été largement publiés mais elle stupéfie : on n'en revient pas. « Il avait toute ma confiance, dit un voisin niçois. Il était gentil, agréable à converser, pas effronté du tout et d'une correction parfaite à tous points de vue. Dans le quartier, il était bien considéré et personne ne m'a jamais dit du mal de lui... Personnellement, je ne puis dire que du bien de ce jeune homme. Il avait beaucoup d'affection pour sa mère, qui le lui rendait bien. Je n'arrive pas à comprendre ce qui a pu le pousser à agir ainsi... » Son camarade de régiment Rietsch : « Si on m'avait dit qu'il serait un jour dans une affaire comme ça, je ne l'aurais pas cru. Pas lui! Sûrement pas lui! » La mère de Daniel Rietsch : « Quand mon fils m'a eu présenté ce Ranucci, je lui ai dit : " A la bonne heure! Pour une fois, tu m'amènes quelqu'un de bien! " Il était très bien élevé, toujours habillé très correctement, d'une grande politesse. S'il m'avait demandé de sortir avec ma fille, j'aurais accepté tout de suite. »

Les parents des enfants confiés à la garde de sa mère sont également élogieux. Mme Abribat insiste sur sa bonne éducation et sur sa gentillesse envers Nathalie, trois ans et demi, et Eric, six ans et demi : « Mes enfants ne m'ont jamais rapporté qu'il ait eu à leur égard des mots ou des gestes déplacés. Bien au contraire, ils l'aimaient bien. Il jouait avec eux et il s'occupait d'eux d'une façon tout à fait normale. Lorsque j'ai appris ce qui était arrivé, j'ai été sidérée. Jamais je n'aurais pensé qu'il puisse faire une chose pareille. C'est tout ce que je puis vous dire, sinon que je continue à faire confiance à sa mère qui garde toujours mes enfants. » Gérard Corso, qui s'est occupé de trouver un emploi à Christian, l'a toujours trouvé « normal, avec un comportement normal ». Son fils Laurent, qui est toujours confié à la garde Mme Mathon, aimait beaucoup Christian.

Jean-Marc Ivars, collègue de travail, lui a trouvé un « comportement normal ». Le policier l'amène même à préciser : « Il ne m'a pas semblé particulièrement attiré soit par les femmes, soit par les hommes, soit par les enfants. » Professionnellement, l'avenir se présentait bien : « Il m'a donné l'impression de s'intéresser à son travail et d'apprendre son nouveau métier. Il me posait bien souvent des questions sur le fonctionnement de tel ou tel appareil et il retenait ce que je lui disais. C'était un bon élève. » Le patron, Jean Cotto : « Il était toujours d'humeur égale, pas nerveux mais calme... En résumé, il m'a paru avoir un comportement normal. »

Statistiquement, les trois mots qui reviennent avec la plus grande fréquence sont : normal, gentil, réservé. Aussi bien

170

l'enquêteur de personnalité devait-il terminer son rapport par cette conclusion : « La personnalité de l'inculpé est apparue toujours normale, dans tous les actes de la vie courante depuis son tout jeune âge. Son comportement habituel n'a jamais attiré l'attention. Intelligent et ouvert, il semblait armé pour réussir à se créer une bonne situation dans l'avenir. Il est indéniable que l'absence d'autorité paternelle, pendant sa jeunesse et son adolescence, a nui à sa formation d'adulte, mais aucune mention d'un dérèglement quelconque n'est apparue dans ses rapports avec ses camarades d'école et de régiment, avec ses professeurs, avec son entourage immédiat et dans la vie courante. »

Une remarque subsidiaire de l'enquêteur de personnalité allait cependant connaître une carrière qu'il n'avait sans doute pas prévue. Elle concerne Héloïse et non Christian. L'enquêteur estime en effet que « la conduite de sa mère a été très douteuse, surtout durant son séjour à Paris, pendant plusieurs années ». Pour quelles raisons? « Il est à signaler qu'elle semble avoir bénéficié d'une certaine aisance car elle a tenu son fils, qui lui avait été confié, dans des écoles privées, et qu'elle a pu acquérir un local et créer un débit de boissons dans la périphérie de Grenoble, ainsi que de devenir propriétaire de son logement actuel, dans une résidence bourgeoise, à Nice. Elle était pourtant sans profession salariée. » Il est parfaitement exact que Mme Mathon n'était pas salariée : les gérants de bar le sont rarement. L'origine de ses ressources n'en est pas moins très claire. Elle subsiste — sans plus — jusqu'au moment où elle touche la moitié du prix de vente de la villa qu'elle avait fait construire avec son deuxième mari, le règlement n'intervenant qu'après une interminable liquidation de la communauté. C'est avec ce capital qu'elle peut acheter le bar de Vincennes. C'est en revendant le bar de Vincennes qu'elle réunit les fonds nécessaires à l'achat d'un local à Saint-Jean-de-Moirans et à l'aménagement du « Rio Bravo ». C'est en mettant en gérance le « Rio Bravo », puis en le vendant, qu'elle peut acheter l'appartement de la Corniche fleurie. Voilà donc une femme qui, travaillant depuis plus de trente ans, parvient à devenir propriétaire d'un logement de trois pièces — et l'on s'étonne ? Nous sommes étonné. Mais une graine est semée, qui donnera bientôt ses fleurs vénéneuses.

L'enquête sur le service militaire ouverte par la Sûreté urbaine de Marseille après le dépôt du rapport de personnalité devait cependant mettre Ranucci sous un éclairage sensiblement différent. Elle fut conduite par l'inspecteur divisionnaire Porte, qui interrogea lui-même plusieurs anciens camarades de régiment de Christian. La chance favorisa sans doute l'inspecteur Porte dans la sélection de son échantillon car tous les garçons qu'il rencontra témoignent du meilleur esprit et d'un très vif respect pour l'armée : c'est merveille de les voir relever avec componction l'antimilitarisme de Ranucci, sa fainéantise, son indiscipline, son adresse à éviter les corvées. L'un d'eux n'hésite pas à révéler tout carrément : « Il m'avait même dit une fois qu'il ne tenait pas à être utile à ses supérieurs. » Un autre renchérit : « Il répondait aux gradés et faisait souvent le mur. » Le sentiment de scandale qu'en éprouvent encore ces jeunes gens est admirablement indiqué par la plume de l'inspecteur Porte.

Mais où allait-il donc, Ranucci, quand il faisait le mur ? L'inspecteur Porte chercha la réponse à cette question, et il est homme à obtenir les réponses les plus difficiles : au détour d'un interrogatoire, mû par la force d'une habitude devenue machinale, il réussit à faire avouer à un ancien du régiment que ses seules relations sexuelles ont jusqu'alors consisté à coucher deux fois avec des putains, le pauvre garçon ajoutant misérablement : « Je suis pourtant constitué normalement et je vous affirme que je ne suis pas un homosexuel. » Nous commençons à deviner qu'il émane de l'inspecteur Porte une aura particulière grâce à quoi les jeunes gens s'éprouvent confortés dans leur amour de l'armée et le respect de l'orthodoxie sous toutes ses formes.

Personne ne sait où allait Ranucci après avoir fait le mur, ni d'ailleurs quand il sortait seul en permission de fin de semaine. Certes, tous ses camarades, sans aucune exception, conservent de lui le souvenir d'un garçon très normal (dans le style portien, cela peut devenir : « Jamais il ne m'a fait l'effet d'un être anormal. ») Certes, aucun d'entre eux ne l'aurait cru capable du crime qu'il a avoué et ils sont unanimes à exprimer leur stupeur : « J'ai été sidéré », « j'ai été surpris », « j'ai été stupéfait car il s'agissait selon moi d'un garçon assez sympathique, turbulent certes, mais gentil ». Le fait demeure néanmoins qu'on ne l'a jamais vu avec une femme ou une fille, qu'il ne s'est jamais vanté d'éventuelles conquêtes, que sa vie privée restait inconnue de tous. Aussi bien l'inspecteur Porte choisira-t-il de mettre en exergue cette phrase qui témoigne de sa part d'un sens très sûr du suspens : « Bianco Jean-Claude, notamment, a entendu dire parfois par Ranucci, revenant d'une sortie : " Je me suis amusé. " Il essayait alors de savoir comment et avec qui, mais Ranucci souriait sans répondre. »

La même constatation, l'insinuation dramatique en moins, revient comme un leitmotiv tout au long des rapports de la gendarmerie, de la police ou de l'enquêteur de personnalité : à part une aventure vieille de quatre ans avec une certaine Monique, il ne semble pas que l'inculpé ait jamais eu la moindre liaison féminine susceptible d'entraîner des relations physiques. Dans une affaire criminelle dont les motivations sexuelles paraissent évidentes, le constat est lourd de signification.

Aux voisins de Christian Ranucci, à ses collègues de travail, à ses amis, les policiers ont posé la question : « L'avez-vous déjà vu avec un pull-over rouge? » Ils ont tous répondu par la négative

La vie s'organise. Héloïse trouve un petit logement à louer à Toulon. Elle envoie plans et photographies à Christian, qui approuve : « Il ne reste plus, écrit-il, que quelques travaux d'installation et d'astiquage qui ne seront pas trop importants, vu l'état général bon. Aussi ne te fatigue pas, fais tout petit à petit. Soigne-toi bien et surtout ne surestime pas tes forces. Je te sais émotive et très sensible... Après ce grand malheur, ménage-toi. » Deux fois par semaine, elle prend le train pour Marseille et lui rend visite aux Baumettes ; le parloir dure une demi-heure. Christian, toujours très organisé, établit volontiers le programme de leurs entrevues : nous consacrerons cinq minutes à tel sujet, puis nous passerons à tel autre. Elle lui écrit quatre fois par semaine. Les lettres de Christian sont plus rares : « Tu le sais, je n'ai malheureusement pas la plume facile... » Mais chacune témoigne de la plus tendre affection. d'une attention constante à sa mère. « Je pense que ta grippe est maintenant définitivement enrayée. Reste bien prudente. S'il pleut jeudi prochain, reste à la maison. Je ne me ferai pas de souci. »

Il lit chaque jour *Le Figaro ;* chaque semaine, *L'Express* et *Paris-Match ;* et aussi des romans classiques et quelques modernes, ce qui est une relative nouveauté. Il étudie l'anglais, l'espagnol, et pioche la chimie dans des manuels scolaires. Il dispose de son transistor. Grâce aux mandats de sa mère, il peut améliorer l'ordinaire de la prison en achetant des suppléments à la cantine. Héloïse insiste pour qu'il ne lésine pas sur les laitages et les fruits. Mais elle le voit vieillir et s'amaigrir au fil des visites, et ses yeux sont cernés comme s'il ne dormait pas assez.

Puis Héloïse est demandée en mariage. « Quelle histoire! répond Christian quand elle lui écrit la nouvelle. Raconte-moi bien tout! » Voilà : sortant de la gare de Toulon avec une forte migraine, elle est entrée dans une brasserie de la place pour prendre un cachet. Au comptoir, un Belge âgé d'à peu près quarante-cinq ans a lié conversation; de fil en aiguille, elle lui a tout raconté. Il a été très ému par le sort de Christian et s'est offert à l'aider. C'est un homme de grands moyens. Il connaît le pape. A son avis, il faut immédiatement proposer dix milllions anciens à Mᵉ Floriot pour qu'il accepte de défendre Christian. On devra aussi s'assurer les services d'un expert psychiatre. Héloïse consulte en sa compagnie un avocat toulonnais, à qui le Belge laisse une confortable provision. Bref, il veut à toute force l'épouser et elle est bien tentée d'accepter car elle y voit un concours inespéré pour son fils. L'idylle s'achèvera quand l'aimable Belge suggérera à Héloïse de mettre leurs comptes bancaires en commun et de commencer par lui donner une procuration sur son propre compte. On n'a pas roulé sa bosse depuis tantôt quarante ans pour se laisser prendre à des embuscades si grossières.

Chaque lundi, après le parloir, Héloïse se rend au cabinet de Paul Lombard et de Jean-François Le Forsonney, cours Pierre-Puget. Le jeune avocat la reçoit avec une gentillesse constante. Quant à Paul Lombard, elle l'a revu juste avant de quitter Nice, où il était venu plaider une affaire; il lui avait fixé rendez-vous devant le Negresco. Ils ont bavardé pendant une dizaine de minutes tout en marchant de long en large. Une question de l'avocat a inquiété Héloïse Mathon. Mᵉ Lombard s'est arrêté et lui a demandé, ies yeux dans les yeux : « Malgré toutes les charges qui pèsent sur lui, vous ne croyez pas à sa culpabilité? » Elle est convaincue de l'innocence de Christian.

La question ne se pose même pas pour Mᵉ Le Forsonney

tant il lui est évident que son client est coupable. Quelques aspects du dossier font cependant problème. Si l'on réserve les aveux, sur lesquels Christian est revenu pendant et depuis la reconstitution, l'essentiel de l'accusation tient dans le témoignage Aubert. « Je n'avais aucune raison de douter de la bonne foi des Aubert, dit l'avocat, mais je n'avais pas non plus besoin d'avoir trente ans de métier derrière moi pour savoir que le témoignage humain est infiniment fragile. Quand un monsieur vous dit d'abord qu'il a vu un homme prendre la fuite en portant un paquet, puis que ledit paquet se met à parler et devient une petite fille dont les vêtements sont décrits avec précision, vous êtes bien obligé de vous poser des questions. Il y avait aussi le fait que les Aubert déclaraient qu'ils avaient vu le ravisseur ouvrir la portière droite, côté passager, pour faire sortir l'enfant. C'est donc qu'il était sorti par la portière gauche, côté chauffeur. Mais alors, ce ne pouvait pas être Ranucci puisque la police avait constaté que sa portière gauche était bloquée depuis la collision avec Martinez et qu'on ne pouvait absolument pas l'ouvrir. Il y avait enfin ce sacré pull-over rouge dont personne ne savait comment il était venu échouer dans la galerie de la champignonnière. Et il n'y était pas depuis longtemps puisqu'il n'avait aucune trace de moisissure alors que ces galeries sont très humides. Di Marino s'est beaucoup excitée sur le pull-over. On a interrogé énormément de monde. Résultat : néant. Personne n'avait vu Ranucci porter un pull-over rouge. Ça ne m'a pas étonné. Si le vêtement lui avait appartenu, il l'aurait dit à Porte le jour de ses aveux. Je me disais qu'un type qui avoue avoir enlevé et tué une fillette, s'il dit qu'un pull-over n'est pas à lui, c'est que c'est vrai. On le lui a d'ailleurs fait enfiler et il n'était pas du tout à sa taille. Et quel intérêt aurait-il eu à nier que le vêtement lui appartenait ? Quelle importance ? Non, il y avait un mystère derrière ce pull-over rouge, mais je ne voyais pas par quel bout le prendre. »

Christian Ranucci ne l'y aide guère. Dix fois, l'avocat lui pose la question : « Etes-vous sûr de n'avoir pas aperçu un homme, sur la route ou au bord de la route, après la collision? Cherchez bien... » Car cela changerait tout. La réponse ne varie guère : « Non. Je veux bien vous dire le contraire, si ça vous fait plaisir, mais ce ne serait pas vrai. Je ne me souviens de rien. Il y avait peut-être quelqu'un, et je l'ai peut-être vu, mais je ne m'en souviens pas plus que du reste. »

Christian n'est plus ce prisonnier au visage d'halluciné qui disait à son défenseur dans les geôles du palais de justice : « C'est obligatoirement moi. Il y a toutes les preuves, tous les témoins. » Subjectivement, émotionnellement, la reconstitution a été un tournant. « L'on m'avait assuré, prouvé et reprouvé, dit et redit, que j'étais l'auteur de ce meurtre, écrira-t-il, et j'ai bien dû accepter la chose, présentée par le commissaire en un scénario apparemment plein de logique. C'était de l'abstrait. Sur le terrain, il en était tout autrement. Je compris combien il était absurde, impossible, irréalisable, que je commette un acte tel que celui de tuer un être humain, de plus une enfant... Je ne savais même pas comment l'on fait pour égorger quelqu'un et il me fut tout simplement impossible d'esquisser de tels gestes d'assassin. »

Cette réaction émotionnelle mise à part, Christian s'interroge quant aux faits eux-mêmes. Il sait à présent que les policiers n'ont pas dit la vérité en affirmant que six témoins l'avaient reconnu : ses seuls accusateurs sont les époux Aubert et ni Jean Rambla ni Eugène Spinelli, témoins directs du rapt, n'ont reconnu en lui le ravisseur de Marie-Dolorès. Quant au pull-over rouge, Christian estime que sa présence dans la galerie pose un problème dont l'instruction devra apporter la solution.

**

Mais l'instruction tire à sa fin. Le professeur Ollivier et le docteur Vuillet ont déposé le 25 juin leur rapport d'autopsie. Ils ont relevé trois plaies contuses sur la tête de la petite victime, côté gauche, et une zone de contusion irrégulière sur le côté droit de la face. Les trois premières plaies sont clairement le résultat de coups portés avec les pierres ensanglantées retrouvées près du cadavre. La zone de contusion sur le côté droit est attribuable à l'appui de la tête sur le sol inégal pendant qu'étaient portés les coups. Ceux-ci ont entraîné une infiltration sanguine, quatre enfoncements localisés et une fracture de la table interne de l'os pariétal gauche.

Au niveau du cou, les experts ont relevé quinze coupures par arme blanche perforante et tranchante, affectant la forme de boutonnières. Trois autres coupures sont signalées sur le dos de la main droite, vraisemblablement consécutives à un geste de défense esquissé par la malheureuse enfant.

Les quinze coupures observées au cou ont atteint le plan vertébral, sectionné la veine jugulaire et occasionné une section incomplète de l'artère carotide primitive. Ces blessures sont la cause directe de la mort, et particulièrement la coupure de la carotide.

Aucune trace de violence n'est constatée au niveau de la région génitale.

Les deux experts ont établi que Marie-Dolorès appartenait au groupe sanguin A. Ils ont également prélevé une mèche de cheveux pour étude comparative avec les deux cheveux trouvés dans la voiture de Ranucci.

Le rapport d'expertise biologique est par eux déposé le 25 juillet. Ils ont établi que le sang souillant les pierres et la branche d'arbre trouvées à proximité du cadavre appartient au groupe A. Même constatation pour le sang tachant le pantalon bleu saisi dans le coffre de coupé Peugeot. Les taches se situent au-dessous de la braguette, côté gauche, et sur la jambe droite, au voisinage de la poche et à la hauteur de la face interne de la cuisse. Quelques taches se situent à l'intérieur de la poche droite, sur le devant.

Le classement du sang dans l'un des quatre grands groupes est bien entendu relativement grossier : les biologistes ont découvert depuis longtemps de nombreux sous-groupes permettant une différenciation beaucoup plus fine. Les malheurs éprouvés par les experts au cours de quelques affaires retentissantes — et notamment lors du procès Jaccoud à Genève — les ont néanmoins conduits à s'en tenir au classement élémentaire tant que les recherches n'auront pas abouti à mettre au point des procédés d'identification absolument incontestables.

Quant aux cheveux trouvés dans la Peugeot, l'un est foncé et raide : les experts concluent qu'il diffère notablement des cheveux de Marie-Dolorès. L'autre, plus fin, plus bouclé et plus clair, « ne présente pas de caractères de dissemblance permettant de le distinguer des cheveux prélevés au cours de l'autopsie de la victime ». Les experts ajoutent cependant : « Cette observation n'implique pas obligatoirement une appartenance commune. En effet, compte tenu du polymorphisme des cheveux d'un même sujet, l'absence de caractères de dissemblance ne permet d'être interprétée que comme une présomption d'appartenance commune. »

Mlle Di Marino n'attend plus que les rapports psychologique et psychiatrique pour clôturer son instruction. En ce qui la concerne, les investigations sont terminées. Cette nouvelle, transmise par ses avocats, plonge Christian Ranucci dans un profond désarroi. Le 26 octobre, il écrit à sa mère : « S'ils ont cessé l'enquête, comment se fera la vérité? Dans le cas probable de ma culpabilité, cette recherche serait tout de même utile, mais dans le cas également probable de mon innocence, cette recherche est *capitale*. C'est ce problème majeur qui m'inquiète le plus. Et puis, le choc passé, j'ai eu le temps de réfléchir et mâcher et remâcher ma bêtise et mes erreurs. Mais, dans le fond, ces erreurs ne sont pas de ma faute : j'y croyais.

« L'erreur capitale que j'ai commise, et elle est à la base de tout, c'est ma naïveté et ma confiance envers les policiers quand ils m'ont dit : " Monsieur, c'est vous, nous avons des preuves et des témoins, c'est vous! " Il s'est avéré que ces preuves n'en étaient pas, et qu'en plus il y avait, non pas des preuves malheureusement, mais des indices de mon inno-cence.

« Au début, je me suis dit : c'est impossible. [Mais] dans ce trou de plusieurs heures, il pouvait bien y avoir la place pour ce drame, et puis ça collait, et ils semblaient sûrs d'eux et de leurs preuves qu'ils me montraient ou démontraient. Et puis j'ai fini par me dire : " probable ", puis " possible ", puis ensuite " c'est moi ! ".

« On me montre des photos que je ne reconnais pas, mais qu'importe les photos : il y a des preuves, des témoins etc., qu'ils disent. Donc ce ne peut être que moi. C'est moi. J'y croyais. Premier stade. Une fois la culpabilité établie, deuxième stade : " Qu'avez-vous fait pendant le week-end ? Etc. "...

« Et là, seconde erreur de ma part, mais là ce n'était pas de ma faute, je croyais vraiment que c'était moi. Il me faut inventer et donner quelques détails du week-end, et aussi du scénario que la police me fournit (je regrette d'employer ce mot pour un drame si grave, mais il est étymologiquement exact : c'est celui qu'il me faut employer). Je les aide donc.

« Je ne pouvais bien sûr pas décrire mon emploi du temps exact, ne le connaissant pas. Où j'ai mangé ? Dans la voiture. Où j'ai dormi ? Dans la voiture. Etc. Il fallait que ça colle avec le reste. A la fin, j'ai cru ce que je disais.

« Cette deuxième erreur était aussi nocive que la première car l'enquête a été arrêtée, et elle aurait pu continuer et établir à l'heure actuelle de vraies preuves de mon innocence ou de ma culpabilité. »

Cette lettre est étonnante, non point tant par son contenu que par son ton. Elle traduit admirablement l'état d'esprit de Ranucci au terme de ses six premiers mois de détention. Elle le caractérise sans doute mieux que ne pourront le faire les investigations conduites pour définir sa personnalité. Elle permet enfin de comprendre l'étonnement de ceux de ses avocats qui ont quelque expérience face à un comportement qu'ils n'ont pas l'habitude de voir à leurs clients, surtout quand ils sont âgés de vingt ans.

Christian Ranucci ne proclame pas son innocence ni ne

reconnaît sa culpabilité : il exprime son regret qu'une instruction écourtée ne permette pas de trancher avec certitude. Il en attendait la lumière et constate que l'ombre persiste. On dirait d'un spectateur qu'un baisser de rideau prématuré priverait de l'épilogue de la pièce. Avec objectivité, il admet tout autant le sérieux des éléments à charge que des critiques qu'on peut faire à la thèse de l'accusation, et il évoque sa « probable culpabilité » et sa « probable innocence » d'une plume impartiale. Simplement, il ne croit plus à ses aveux. On l'a berné. Il admet volontiers la possibilité de sa culpabilité mais il faudrait pour l'en convaincre davantage que des aveux dont il a eu le loisir de démonter le mécanisme. Il voudrait des preuves — « de vraies preuves de mon innocence ou de ma culpabilité ».

Bien entendu, sa sincérité est sujette à caution : après les aveux, la lettre est peut-être l'amorce encore timide d'un retournement permettant à plus ou moins long terme la proclamation stridente de l'innocence bafouée.

Sa lettre, comme l'ensemble de sa correspondance, sera lue par Mlle Di Marino.

Le rapport d'expertise psychiatrique, déposé le 10 décembre, est exemplaire d'un certain fonctionnement aberrant de la justice française.

Il débute avec un paragraphe intitulé « résumé des faits » et rédigé comme suit : « Le 3 juin 1974, Ranucci Christian enlevait la jeune Rambla Marie-Dolorès, âgée de huit ans, et, après avoir parcouru un long trajet en voiture, et à la suite d'une banale collision qui provoquait sa poursuite, l'entraînait dans des buissons et lui portait des coups mortels... L'auteur de l'enlèvement était appréhendé le 5 juin et, après quelques réticences, reconnaissait les faits. Il était incarcéré à la maison d'arrêt des Baumettes à Marseille. Lors de la reconstitution, l'inculpé se plaignait d'amnésie au moment de l'action homicide. »

Ces lignes monstrueuses violent le principe élémentaire et sacré selon lequel tout homme est présumé innocent tant qu'il n'a pas été jugé et condamné. Elles ne sortent pas de la plume de journalistes plus ou moins soumis à l'appétence de leurs lecteurs pour le sensationnel, mais d'experts désignés par l'institution judiciaire, payés par elle, et plus tenus que tout autre à respecter la loi. Elles ont une résonance d'autant plus sinistre qu'elles sont écrites à un moment où l'inculpé est revenu sur ses aveux. Elles trahissent une manipulation vicieuse du vocabulaire, car écrire que Ranucci a reconnu les faits « après quelques réticences » (alors qu'il n'a avoué qu'après dix-neuf heures d'interrogatoire), c'est suggérer que l'évidence de sa culpabilité était si écrasante qu'il n'a pu que se livrer à une sorte de baroud d'honneur. Ces lignes qui proclament si sereinement la culpabilité de Christian Ranucci sont situées et rédigées de telle manière qu'elles créeront forcément une impression décisive sur le juré chargé par la loi de dire la culpabilité ou l'innocence de l'accusé.

Il faut se mettre à la place du juré. Citoyen ordinaire, malhabile comme tout le monde à s'y reconnaître dans le tumulte de sa vie banale, le voici plongé dans un univers cauchemardesque, confronté à des actes inouïs dont il a peine à concevoir les ressorts, chargé de porter sur autrui un jugement à proprement parler capital, investi enfin du droit de vie ou de mort sur l'un de ses semblables dont il ressent surtout la stupéfiante étrangeté. Immense est sa responsabilité ; dérisoire, la capacité qu'il se reconnaît à démêler l'écheveau embrouillé d'une existence complexe. Comment ce juré n'accorderait-il pas crédit aux savants dont c'est le métier de sonder les reins et les cœurs ? Lui qui vient de voir l'accusé faire irruption dans le box comme le taureau sortant du toril, et qui contemple ce parfait inconnu dont il va dire dans quelques heures s'il doit vivre ou mourir, comment ne donnerait-il pas sa confiance aux experts qui sont censés avoir eu avec l'accusé, dans sa prison, de longs et minutieux entretiens ? Et quand un grand professeur, titulaire de la chaire de psychiatrie à la faculté de médecine de Marseille, assisté de deux experts reconnus pour tels par l'autorité judiciaire, écrivent en tête de leur rapport que résumer les faits, cela revient à déclarer sur le ton paisible de l'évidence que l'accusé est coupable, comment le juré ne serait-il pas gagné par la conviction ?

La suite du rapport est confondante. Car après une brève évocation du curriculum vitae de Christian Ranucci, les experts offrent de larges citations des aveux recueillis par l'un d'eux lors du premier entretien, le 7 juin, c'est-à-dire le lendemain même des aveux obtenus à l'Evêché par l'inspecteur Porte. Rappelons que le rapport est déposé le 10 décembre et que Ranucci est revenu depuis plusieurs mois sur ses aveux.

Tous les experts n'agissent pas ainsi. « Pour ma part écrit le docteur Yves Roumajon, président de l'Association française de criminologie, je me suis fixé pour règle de ne jamais confier par écrit ou par parole ce que j'ai entendu, si cela ne rentre pas dans le cadre de ma mission. Ainsi, au risque de choquer, je garderais à coup sûr secrets les aveux que je pourrais recevoir d'un individu dont le dossier m'a appris qu'il conteste les faits. Attitude fondamentale qui me paraît essentielle. Je ne sais pas si elle est juridique et dans quelle mesure nous pouvons invoquer sur ce point le secret professionnel du médecin, qui est intangible même devant la justice. Sur le plan moral, j'estime que je ne peux pas trahir l'homme qui s'est confié à moi. Ce n'est pas le rôle que m'a fixé la loi. En tout cas, c'est la conception que j'ai de ma fonction. » Mais il suffit de lire les Mémoires du docteur Roumajon, récemment publiés, pour le savoir homme de qualité.

Sa règle de conduite se fonde sur une certaine éthique. Pour ceux de ses confrères qui en professent une autre, l'approche strictement utilitaire du problème devrait les conduire à une conclusion identique. Si les psychiatres croient à la psychiatrie et aux services éminents qu'elle est susceptible de rendre à la justice, ils ne peuvent pas ruiner leur efficacité en se prêtant à un rôle policier. Comment les inculpés accepteront-ils d'avoir avec eux les entretiens confiants indispensables aux investigations psychiatriques s'ils savent que l'homme assis dans le parloir est un Janus dont le visage rassurant de médecin dissimule la face d'un flic alerte à enregistrer la moindre confidence compromettante? Quel avenir accorder à l'expertise psychiatrique si c'est le docteur Jekyll qui entre dans le parloir, mais Mr Hyde qui pose les questions? Faut-il que chez nous aussi le psychiatre, contrairement à tous les autres médecins, soit perçu par le détenu comme un membre à part entière de l'appareil répressif venu capter sa confiance pour mieux le perdre?

Si l'on trouve apparemment des psychiatres pour endosser gaiement leur défroque flicarde, si l'on juge expédient et ingénieux, efficace pour tout dire, de tourner les défenses du détenu en lui envoyant un homme dont il ne se méfiera pas comme d'un policier ou d'un juge d'instruction, auquel il accordera au contraire ingénument sa confiance puisqu'il le voit apparaître paré du beau titre de médecin, synonyme depuis Hippocrate de secours à toute souffrance, quelle que soit l'indignité du souffrant ; si l'expert psychiatre est enfin enrôlé dans la cohorte de ceux dont la mission consiste à confondre et non pas à comprendre — alors, il faut d'extrême urgence donner à l'inculpé les mêmes garanties que la loi lui accorde devant son juge d'instruction, et permettre par exemple aux avocats d'assister aux entrevues avec le psychiatre. Sans doute ces avocats sont-ils absents des interrogatoires de police, mais les policiers doivent au moins faire lire le procès-verbal dactylographié au suspect, et celui-ci peut refuser de le signer s'il ne le trouve pas conforme à l'esprit de sa déposition. Rien de tel avec le psychiatre : quand il sort du parloir, le détenu ignore quelle partie de leur entretien sera retenue, dans quels termes elle sera retranscrite, et si un malentendu s'est introduit dans la conversation, si un quiproquo s'est créé dans l'esprit du psychiatre, le détenu n'en sait rien et ne le découvrira qu'en lisant le rapport, c'est-à-dire trop tard.

Car tel est bien le vrai problème. « Peu importe que la vérité soit découverte par tel ou tel, dira-t-on : l'important est qu'elle le soit. » Mais le policier est en principe à la recherche de la vérité, et aussi le juge d'instruction. Les garanties données par la loi au suspect, puis à l'inculpé, ne sont point autant de barricades dressées sur la route de la vérité : ce sont des garde-fous élevés pour empêcher l'enquête et l'instruction de s'engager dans l'impasse d'une vérité trompeuse. Ces garanties sont nées d'une longue expérience démontrant tristement à quel point l'erreur est banale. Elles ne signifient pas que le policier et le juge sont des êtres pervers dont il convient de se méfier, mais qu'ils sont des hommes ou des femmes faillibles comme tous les autres. Comme un expert psychiatre. Et si l'on veut bien admettre qu'il y a selon toute apparence autant de juges d'instruction intègres que de psychiatres honorables, on ne voit pas pourquoi les premiers ne pourraient recueillir des aveux que dans des conditions strictement définies par la loi tandis que les seconds se verraient investir du privilège exorbitant de les obtenir à leur gré, et surtout de les transcrire sans le moindre contrôle sur leur rédaction — même pas de la part de celui qu'ils peuvent mener à l'échafaud. On en arrive ainsi à ce très singulier paradoxe que les aveux rapportés par le psychiatre sont en même temps ceux qui présentent la moindre garantie d'objectivité et ceux qui feront l'impression la plus forte en cour d'assises, puisque le médecin psychiatre, au contraire du policier ou du juge d'instruction, n'est pas perçu par les jurés comme relevant de l'appareil répressif.

Donc, des aveux ; les troisièmes passés par Ranucci. Certes, le récit n'apporte aucun élément nouveau, mais le style est bien différent de celui de l'inspecteur Porte et de Mlle Di Marino. C'est vif, c'est rapide, c'est imagé, ça parle comme parle un garçon de vingt ans. Ranucci ne dit pas : « Un véhicule m'a percuté sur le côté gauche », mais : « Une voiture m'est rentrée dedans » ; il ne dit pas : « J'ai pensé retrouver un camarade de l'armée », mais : « Je me suis dit : Tiens, je vais dire bonjour à un copain. » C'est que l'expert reproduit mot pour mot les déclarations de l'inculpé. Quelles déclarations ? « Nous transcrivons intégralement ses propos », précise-t-il bellement. L'expert utilisait-il un magnétophone ? C'est invraisemblable : la procédure pénale française interdit l'emploi de cet appareil aux auxiliaires de justice et il serait surprenant qu'un expert judiciaire ignorât cette interdiction. L'expert est-il sténographe ? On ne le précise pas, et il faudrait pourtant bien qu'il le soit pour être capable de noter au vol « l'intégralité des propos » d'un garçon parlant à un débit normal. C'est d'autant plus vrai que l'expert ne se contente pas de transcrire des propos : il accumule les notations d'ordre physionomique (« Son visage exprime le trouble », « Il interrompt son récit, montre du désarroi » etc.). Mieux encore : l'expert à la main véloce prend note des sous-entendus. Car un policier, un juge — simples mortels — se contentent d'entendre. L'expert psychiatre, lui, entend et sous-entend. Il lit dans les pensées et déchiffre les arrière-pensées. C'est ainsi que quand Christian déclare qu'il est passé par Salernes et ajoute : « Je voulais voir du pays », l'expert psychiatre et sténographe trouve le temps de commenter : « Sous-entendu : " que je ne connaissais pas ". » Et il se trompe, naturellement, car Christian connaissait fort bien la région de Salernes, où la famille de Gilbert, son frère adoptif, possédait une petite maison — un cabanon, comme on dit à Marseille — dans laquelle il avait passé des jours heureux. C'est précisément pour revoir cet endroit qu'il était allé à Salernes.

Description des jeux de physionomie, perception magistrale des sous-entendus, transcription de « l'intégralité des propos » ? Quelle maestria !

L'accusation, aux assises, fera bon usage des aveux obtenus par le docteur Fiorentini.

*_**

Le rapport énumère ensuite les nombreux examens auxquels a été soumis Christian Ranucci. Il a subi deux électro-encéphalogrammes, dont l'un avec activation cardiazolique, aboutissant à des tracés normaux ; plusieurs radiographies du crâne qui ont permis de conclure à l'absence de toute anomalie au niveau du squelette crânien ; un examen ophtalmologique confirmant qu'il n'est atteint que de myopie simple bilatérale. Les experts avaient demandé une encéphalographie gazeuse, procédé grâce auquel on peut visualiser des lésions cérébrales que les examens électro-encéphalographiques et radiographiques ne permettent pas de repérer, mais ils constatent que l'inculpé s'y est refusé : « C'était son droit, écrivent-ils, d'autant que cette exploration est relativement pénible et peut même, de façon tout à fait exceptionnelle il est vrai, entraîner des accidents sérieux. » L'électro-encéphalographie gazeuse consiste en effet à injecter un produit de contraste gazeux (généralement de l'air) dans le liquide céphalo-rachidien. Elle implique une ponction lombaire et une anesthésie générale. Mais les experts ont pris leur parti du refus de Ranucci : « Il n'y a pas lieu de le déplorer outre mesure. Si nous nous étions en effet décidés, après de longues hésitations, à demander cet examen afin de disposer d'un bilan paraclinique exhaustif, il est à peu près certain qu'il ne nous aurait apporté aucun élément nouveau : l'électro-encéphalographie gazeuse ne détecte que des lésions assez importantes et il n'y a pratiquement aucune chance pour qu'une telle anomalie soit demeurée sans traduction neurologique. »

Forts de ces examens très complets, informés par leurs entretiens avec Ranucci (comme de coutume, ils s'abstiennent d'en préciser le nombre et la durée), les experts peuvent répondre aux questions classiques posées par le juge d'instruction. Il s'agit de savoir si l'inculpé souffre d'anomalies mentales ou psychiques, et s'il était au moment des faits en état de démence au sens de l'article 64 du code pénal. Cet article est bref et décisif : « Il n'y a ni crime ni délit lorsque le prévenu était en état de démence au temps de l'action ou lorsqu'il a été contraint par une force à laquelle il n'a pu résister. »

Christian Ranucci est-il schizophrène ? Il ne l'est pas. Les experts n'en ont « jamais constaté le plus discret symptôme ».

Souffre-t-il de névroses organisées ? La réponse est négative : « Il n'y a ni obsession, ni phobies, ni symptômes de névrose d'angoisse ni de névrose de caractère. »

Est-il un hystérique ? Pas davantage. « On ne découvre pas chez lui le théâtralisme, la suggestibilité, la tendance à intéresser et à séduire l'interlocuteur. » Son passé ne recèle aucun épisode révélateur d'un état hystérique.

Les experts constatant que l'inculpé ne présente actuellement aucune affection psychiatrique, se demandent alors

« s'il n'a pu, au moment des faits, présenter un état pathologique qui aurait pu disparaître par la suite ». Et cette question les amène à examiner « les manifestations d'amnésie alléguées par Ranucci ».

Cette amnésie est-elle authentique ou simulée?

La réponse décidera éventuellement de l'innocence ou de la culpabilité de Christian Ranucci (s'il ment en affirmant ne se souvenir de rien, c'est évidemment qu'il est le meurtrier) mais le fait est que les experts ne l'envisagent absolument pas sous cet angle, cependant capital. Pour eux, Ranucci est coupable. Ils veulent bien examiner l'hypothèse d'une amnésie authentique, mais n'ont aucun doute sur ce qui aurait alors été oublié : le meurtre de Marie-Dolorès Rambla. Au reste, le « résumé des faits » placé en tête de leur rapport indique sans équivoque : « Lors de la reconstitution, l'inculpé se plaignait d'amnésie au moment de l'action homicide. » Il ne leur vient pas à l'esprit que si Ranucci ne se rappelle rien du meurtre, c'est peut-être qu'il ne l'a pas commis. Leur unique problème est de savoir si l'inculpé a véritablement et sincèrement oublié son acte homicide.

Ils concluent par la négative. Ranucci ment. Son amnésie est simulée. Donc, il est coupable. Les jurés l'entendront bien ainsi. C'est la deuxième fois que les experts décident de la culpabilité.

Leurs raisons nous étonnent.

Ils rappellent que le 7 juin, l'un d'eux avait pu obtenir de l'inculpé le récit de son crime. Par contre, lors de l'entretien suivant, Ranucci avait dit ne pas se souvenir du meurtre ni même des aveux qu'il avait passés, alors qu'il se rappelait pourtant l'ordre de succession et la date de ses divers interrogatoires. Or, les experts soulignent l'embarras de Ranucci, ses réticences à répondre aux questions sur le meurtre, ses hésitations et ses silences, la forte opposition qu'il a manifesté à un test, dont il pensait peut-être qu'il allait le trahir, et auquel il n'a donné que des réponses laconiques et conventionnelles. « Cette attitude, concluent les experts, n'est pas celle d'un amnésique qui a perdu la mémoire d'une période de son existence. Elle traduit de toute évidence une allégation d'amnésie, autrement dit une amnésie simulée. L'amnésique authentique n'est ni réticent ni méfiant. Il évoque certains souvenirs et ne parvient pas à en évoquer d'autres, mais il ne cherche pas à donner le change et ne montre point d'embarras. »

L'argument est à première vue d'un bon sens pyramidal : un homme qui a perdu la mémoire ne peut pas être embarrassé par les faits et gestes qu'il a oubliés, puisqu'il les a précisément oubliés. S'il trahit du trouble et de l'hésitation, il y a anguille sous roche. Mais c'est peut-être méconnaître la situation particulière de Ranucci. Celui-ci n'est pas un patient venu consulter un psychiatre pour un problème d'amnésie et qui en discute dans le calme feutré d'un cabinet, « ni réticent ni méfiant », conforme enfin à l'image de « l'amnésique authentique ». Si Ranucci est vraiment amnésique, c'est un amnésique qui sait fort bien ce qu'on voudrait qu'il se rappelât. Il sait que l'entretien avec le psychiatre se déroule dans le parloir d'une prison où il est incarcéré pour rapt et homicide ; il sait que sa vie est en jeu ; il sait, pour le lire dans les yeux de ses gardiens, pour l'entendre crier par les autres détenus, la haine et le dégoût soulevés par l'acte qui lui est imputé. Même s'il est atteint d'une amnésie authentique, il nous semble improbable que l'inculpé Ranucci puisse arborer cette belle sérénité qu'on voudrait lui trouver.

Ayant conclu à la simulation, les experts évoquent cependant deux possibilités qui pourraient infirmer leur diagnostic.

La première est celle de la toxicomanie, et le rapport rappelle qu'une seringue a été saisie dans la Peugeot. Nous savons également que des aiguilles pour piqûres intraveineuses et tout un lot de produits médicamenteux ont été spontanément remis à la police par Héloïse Mathon. Questionné sur leur origine et leur destination, Christian a répondu qu'il avait subtilisé le tout à l'infirmerie de son régiment, pour le simple plaisir de barboter, et qu'il ne prévoyait pas d'en faire un usage particulier. Nous avons adressé au docteur Olievenstein, spécialiste éminent de la drogue, la liste des médicaments saisis. Il nous a aimablement répondu : « Je ne vois pas de lien apparent entre les produits indiqués si ce n'est que l'ensemble peut être utilisé pour une tentative de suicide. Aucun de ces produits ne peut être, à part la caféine, considéré comme une drogue. » Christian n'a d'ailleurs pas souffert aux Baumettes du phénomène de « manque » qui n'eût pas tardé à se manifester s'il avait eu l'habitude de se droguer. L'hypothèse de la toxicomanie est donc à écarter.

La seconde possibilité évoquée par les experts est celle de l'ivresse alcoolique, qu'ils écartent également : « Rien, dans ce que nous savons de Ranucci et de son emploi du temps, ne s'accorde à cette hypothèse. » Ils ont raison. L'inculpé a toujours déclaré qu'il consommait rarement de l'alcool. D'autre part, son emploi du temps, tel qu'il ressort des aveux, n'inclut aucune station dans un bar : il a passé la nuit précédant l'enlèvement dans sa voiture garée près de Salernes et il s'est borné à rouler toute la matinée suivante, son premier arrêt se plaçant à Marseille, face à la cité Sainte-Agnès. Tel est le dossier.

Les experts ignorent, parce que cela ne figure pas dans le dossier, ce que Christian Ranucci a dit à son avocat, Me Le Forsonney, dès leur deuxième entretien aux Baumettes : « Je ne me souviens de rien parce que j'étais saoul. J'ai passé la nuit du dimanche au lundi, non pas à Salernes comme me l'ont fait dire les flics, mais à Marseille, à traîner dans les bars du quartier de l'Opéra. J'ai bu énormément. C'est vrai que je bois très peu d'alcool, mais de temps en temps, je m'offre un dégagement et je me biture à mort. Le lundi matin, quand je suis parti de Marseille, je n'étais pas clair, absolument pas. L'accident m'a achevé. J'ai roulé encore un peu et je suis tombé dans les vapes. Quand je me suis réveillé, j'étais dans la galerie de la champignonnière, et sur la banquette arrière de ma voiture, ce qui m'a surpris. La vérité, c'est que je ne sais pas comment je suis arrivé dans cette galerie. Entre l'accident et mon réveil, c'est le trou noir. »

L'avocat a écouté avec scepticisme cette explication que

Christian Ranucci reprend à chacune de leurs entrevues : « Ça ne me paraissait pas très convaincant et je n'y ai jamais vraiment cru. A quoi rimait cette histoire de la nuit passée à traîner dans les bars de Marseille? Il avait toujours dit qu'il avait garé sa voiture dans un chemin de campagne, près de Salernes, et qu'il y avait dormi. Pourquoi les policiers lui auraient-ils fait inventer cela? Quel intérêt? Qu'il ait passé la nuit à Salernes ou à Marseille ne changeait rien à l'affaire et je ne voyais pas pourquoi Alessandra aurait tenu à lui faire dire qu'il était ici plutôt que là. Je ne le vois d'ailleurs toujours pas... »

C'est deux ans après l'exécution de Christian que nous obtiendrons d'une source rigoureusement irréfutable la preuve qu'il a passé à Marseille et non à Salernes la nuit précédant le crime.

Myriam Colder est un génie.

Expert désigné par Mlle Di Marino, elle a pratiqué l'examen psychologique de l'inculpé. Nous avons déjà évoqué sa première rencontre avec celui-ci, le 11 juin, au cours de laquelle il avait dit ne conserver aucun souvenir du crime qu'on lui reprochait. Contrairement aux experts psychiatres, Mme Colder ne croit pas à une simulation : « Cet oubli paraît être le fait d'un réflexe auto-défensif inconscient et pas seulement un système de défense. » Selon elle, Ranucci ne ment pas : il refoule « au maximum des souvenirs trop traumatisants pour l'équilibre de sa personnalité ». Mais Mme Colder ne s'est pas particulièrement intéressée à ce problème de l'amnésie : sa mission consistait à dresser un portrait psychologique de Ranucci. Tâche immense mais essentielle et de lourde conséquence. Car les experts psychiatres, constatant que « Ranucci est indemne de toute maladie mentale actuellement en évolution, et qu'il n'a pas été atteint de façon transitoire d'une affection psychiatrique passagère ou intermittente qui aurait pu se manifester au moment des faits et modifier son comportement et commander ses actes indépendamment de sa volonté » — les psychiatres, donc, vont conclure : « Nous sommes ainsi amenés à accorder une attention toute particulière à la personnalité de l'accusé », ce qui les conduira à utiliser largement les travaux de l'expert psychologue.

Pour se convaincre de la génialité de la jeune Mme Colder, il n'est que de lire ses conclusions sur Christian Ranucci : « 1°) Etant privé de l'autorité paternelle, dont l'image est ressentie comme agressive, et ressentant vis-à-vis de sa mère des sentiments teintés de sado-masochisme, il n'a pu construire une vie affective et sentimentale harmonieuse, sa sexualité demeurant immature et mal orientée. 2°) Il s'hypercontrôle, refoulant une agressivité et un sadisme accentués par l'angoisse et susceptibles de s'extérioriser sous l'effet d'une très forte émotion. »

Si l'on songe que ce bilan résulte en tout et pour tout de deux entretiens avec Ranucci, comme Mme Colder a bien voulu nous le préciser, on est tenté de crier au miracle. Nous sommes en effet émerveillé par la parfaite adéquation entre le portrait de l'inculpé et la succession des actes qui lui sont reprochés. Ranucci est agressif et sadique, mais il s'hypercontrôle, ce qui explique qu'il ne se soit rendu coupable d'aucun crime ni délit jusqu'à l'âge de vingt ans. Sa sexualité demeure cependant immature et mal orientée : on comprend pourquoi il enlève une petite fille. Son agressivité et son sadisme sont accentués par l'angoisse et susceptibles de s'extérioriser sous l'effet d'une très forte émotion : pardi ! c'est exactement ça ! Angoissé par l'accident avec Vincent Martinez et la poursuite des Aubert, très fortement ému à l'idée de se voir pris avec une fillette qu'il a frauduleusement enlevée, l'agressivité et le sadisme de Ranucci se sont brutalement extériorisés jusqu'à faire de lui un assassin. La démonstration est saisissante et nous devons en déduire que si une cinquantaine de personnes, familières de Christian Ranucci, l'ont unanimement décrit comme « gentil, normal, réservé » alors qu'il est en vérité « sadique et agressif », c'est que ces personnes ne sont point psychologues.

Le lecteur se demandera peut-être si Myriam Colder, examinant Ranucci *avant* le crime, eût témoigné d'une clairvoyance pareillement magistrale. Il n'est malheureusement pas de réponse possible à cette question, pourtant trop cruciale pour qu'on puisse ne pas la poser. Un crime horrible

194

devient un fleuve qui draine les mille affluents d'une vie aussi divers et contradictoires qu'ils soient, ils doivent forcément se jeter dans le grand fleuve de sang et de boue. Ou encore : ce crime est comme un puissant aimant attirant à lui, sans en laisser la moindre parcelle, toute la menue limaille dont est faite une existence. Autrement dit, nous nous demandons si Mme Colder, chargée d'expliquer le crime par le personnage, ne s'est pas contentée d'expliquer le personnage par le crime, déduisant par exemple son sadisme et son agressivité du fait, tenu pour avéré, qu'il avait poignardé à mort une fillette.

Force est de constater l'attristante pauvreté de son information. A propos de l'histoire médicale de l'inculpé, un antécédent psychosomatique aussi digne d'attention que l'énurésie dont a souffert Christian lui reste inconnu. Elle n'a pas une seule fois rencontré Héloïse Mathon, qui n'est pas sans avoir joué un certain rôle dans la formation de la personnalité de son fils. Myriam Colder saura par le dossier la longue litanie des bars dont Mme Mathon a eu la gérance, mais de même que les avocats, le juge d'instruction et les jurés, elle ignorera l'adoption de Gilbert, puis son arrachement, de même qu'elle ne saura rien de la tentative d'adoption de la petite vietnamienne Marie-Ange ni des secours affectueux envoyés à des enfants malades et abandonnés — tous éléments auxquels un quidam est tenté d'accorder quelque intérêt, même s'il n'est pas expert psychologue.

« Image paternelle, écrit-elle, fortement dévalorisée (d'après les récits qui lui en ont été faits), ressentie comme violemment agressive et dangereuse. » C'est incontestable. Christian dira bientôt au juge d'instruction : « J'ai vécu mon enfance dans la peur, je craignais toujours que mon père nous retrouve. Après ce qu'il avait fait, la blessure qu'il avait portée à ma mère, je craignais toujours qu'il la tue et qu'il me tue moi-même. » La crainte était déplacée car le père ne fit qu'une seule tentative, quelques mois après le divorce, pour retrouver son fils, dont il se désintéressa complètement par la suite. Interrogé par le commissaire Alessandra, il eut ce mot digne de l'antique : « Je ne me souviens même plus de son visage », et conclut prosaïquement : « Je ne me sens pas concerné dans cette affaire. » Le cœur nous a manqué pour aller demander à Jean Ranucci ce qu'il avait ressenti à l'aube du 28 juillet 1976. Le destin allait le frapper, deux ans plus tard, dans sa progéniture née d'un second mariage.

« Je ne me souviens même plus de son visage. »

Christian, lui, se souvenait quelque part, même s'il croyait l'avoir oublié, du visage balafré et sanglant qu'il avait vu à sa mère quand il avait quatre ans.

Mais rien n'est jamais simple. Héloïse Mathon, interrogée par le juge d'instruction, avait dit que si Christian était allé à Marseille, c'était peut-être pour y revoir son père, qui continue d'y habiter la maison dans laquelle elle l'a rencontré. L'hypothèse nous avait semblé singulière : pourquoi Christian aurait-il cherché à retrouver ce père dont il avait eu si peur? Mme Mathon nous dit : « Un jour, pendant le service militaire de Christian, j'ai trouvé dans ses affaires une lettre qu'il n'avait pas envoyée. Elle était adressée à son père. J'ai été bouleversée. Nous ne parlions plus de lui depuis longtemps. Christian ne l'évoquait jamais. Et là, dans cette lettre, il lui disait qu'il regrettait de ne pas l'avoir connu, et qu'il l'admirait pour sa belle conduite pendant la guerre, pour toutes ces médailles qu'il avait gagnées au combat... J'ai remis la lettre en place. Je n'ai jamais osé en parler à Christian. »

De toute façon, un rapport au père difficile et conflictuel.

Mais avec la mère? « Mère dont il fait un portrait élogieux, écrit Mme Colder, mais qu'il rend inconsciemment responsable de ses difficultés à s'affirmer, à se viriliser, et de son manque à être général. D'où des relations fils-mère fortement teintées de sado-masochisme, à la fois infantiles, exigeantes, exclusives et par ailleurs dominées par une profonde rancune. »

Les relations entre un fils unique et sa mère divorcée sont rarement simples. Aucune relation humaine n'est simple. Les témoignages attestent unanimement le profond amour que Christian portait à sa mère. Il lui arrivait aussi de la trouver insupportable, excessivement possessive, barbante pour tout dire avec ses éternels conseils de prudence et cette conviction d'être indispensable. En somme, rien que de très banal, les rapports les plus harmonieux étant traversés par le contre-point de l'agacement réciproque. De là à parler de « rapports teintés de sado-masochisme »... L'expression est forte. Elle nous paraît aventureuse, s'agissant de caractériser une rela-tion que nulle crise réelle n'ébranla jamais. L'évidence, c'est qu'aucune tension sérieuse n'est apparue entre Christian et sa mère au cours de leurs vingt années de vie commune, c'est qu'alors même que le fils se trouvait éloigné par les circonstances, il n'a jamais cessé d'écrire à sa mère, et fréquemment, les lettres les plus affectueuses ; c'est que tous leurs familiers vantent l'exceptionnelle affection qu'ils se vouaient mutuellement ; c'est enfin et tout bonnement qu'ils vivaient heureux ensemble. Sado-masochisme ? Pourquoi pas, dans la mesure où tout couple humain vit dans un rapport qui, d'une certaine façon, à un moment ou à un autre, est d'ordre sado-masochiste ? Mais on avouera que l'expression n'est pas inoffensive quand elle prétend définir un garçon de vingt ans inculpé du meurtre d'une fillette.

Une fillette. C'est cela qui importe. Aussi bien Mme Colder souligne-t-elle que Christian rend sa mère responsable de ses difficultés à se viriliser ; qu'il lutte contre une image féminine introjectée, et par là même contre sa propre féminité ; que la crise de l'adolescence « a accentué le malaise du sujet dont la sexualité demeure immature, mal orientée, fortement problé-matique à l'heure actuelle ». A lire attentivement le rapport de Mme Colder, on pourrait même penser que la sexualité de Christian Ranucci est inexistante, ou du moins qu'elle ne s'exprime pas, car l'expert psychologue ne fait pas la moindre allusion à une activité sexuelle quelconque, fût-elle masturba-toire.

Faut-il s'en étonner ? Ce leitmotiv court à travers le dos-sier : à part une expérience unique et ancienne, on ne connaît à Ranucci aucune relation homosexuelle ou hétéro-sexuelle.

***

Il découvrit l'amour à seize ans dans les bras de Monique, qui en avait dix-neuf. Cette splendide mulâtresse est la sœur cadette de Gilbert; ils se connaissaient donc depuis leur plus tendre enfance.

En 1970, Monique vint passer des vacances au « Rio Bravo ». Elle s'intégra à la bande dont faisait partie Christian et participa aux randonnées à vélomoteur. L'amitié devint autre chose et ils firent l'amour; c'était la première fois pour elle comme pour lui. « Je l'aimais à cause de sa gentillesse, dit Monique. C'était un garçon très sensible, très doux. Je ne l'ai pas une seule fois vu en colère. Physiquement, il me plaisait beaucoup. On se plaisait beaucoup. Il m'a toujours fait l'amour très normalement, sans me demander des trucs extraordinaires que je n'aurais d'ailleurs pas acceptés. Je l'aimais aussi parce qu'il était très intelligent. Deux cerveaux réunis, ça n'aurait pas suffi pour contenir son intelligence. Il m'expliquait des tas de trucs, il m'apprenait des choses.

« A la fin des vacances, je suis rentrée chez moi et on s'est écrit. Une lettre par semaine. On voulait se marier. Je pensais bien à la différence d'âge mais je l'aimais tellement que j'étais sûre que ce ne serait pas un problème. Une fois, je me suis échappée de la maison pour aller le rejoindre. Mon père est venu me chercher. Christian a pleuré quand il a fallu se séparer. Moi aussi, je pleurais. Mais en cachette — personne ne s'est rendu compte de rien, même pas sa mère. Une autre fois, il est venu passer quelques jours de vacances dans notre cabanon du Var. Qu'est-ce qu'on a été heureux! C'était la liberté, la nature, le bonheur. Quels bons souvenirs... Et puis on a rompu. Enfin, j'ai rompu. J'avais découvert qu'il avait une liaison avec une femme mariée de Voiron. Même qu'elle attendait un enfant. Christian m'a juré que l'enfant n'était pas de lui, que deux de ses copains couchaient aussi avec cette femme, mais je ne l'ai pas cru. Il était beau gosse, avec beaucoup de charme, et je savais bien qu'il avait du succès. Alors, j'ai rompu. Sans l'oublier. Impossible de l'oublier. Je lui ai écrit pendant son service militaire; il ne m'a pas répondu. Je crois que je l'aimais toujours. »

Un mot en passant sur la correspondance entre les deux amoureux, car elle éclaire certain aspect de la personnalité de Christian. Ses lettres à Monique nous surprennent par leur froideur et leur brièveté. En substance : « Je vais bien. Et toi? Il fait assez beau. Je te quitte parce que je ne vois rien d'autre à te dire. » La jeune femme nous tend alors d'autres lettres, débordantes de sentiments volcaniques. Christian, dans chaque enveloppe, mettait deux missives; l'une, destinée à être lue en famille; l'autre, pour les seuls yeux de Monique. Il conseilla à son amie d'utiliser sur ses enveloppes quatre écritures différentes pour tromper la vigilance d'Héloïse, et il lui indiqua le rythme selon lequel les employer. Il tenta même de l'initier à un code consistant à remplacer chaque lettre par un chiffre, mais Monique trouva le système beaucoup trop compliqué. Il en fut déçu et dit : « Tant pis, on trouvera autre chose. » La rupture régla le problème.

Monique, la dame qui attend un enfant, une autre femme mariée de Voiron avec laquelle Christian a une liaison imprudente car il laisse son vélomoteur en évidence devant sa porte lorsqu'il lui rend visite, ce qui fait un peu scandale : on aurait tendance à penser que pour un adolescent de seize à dix-sept ans dont la sexualité sera décrite quatre ans plus tard comme « immature, mal orientée, fortement problématique », ce sont plutôt des débuts en fanfare.

En vérité, la pauvre Monique ne fut pas évincée par une femme mariée mais par une jeune fille de son âge que Christian rencontra au carnaval de Nice. Cette Annick venait de Paris et séjournait à l'hôtel avec sa mère. Coquette, bavarde, séduisante, elle vampa littéralement le garçon, qui ne la quitta plus de toute la semaine. Ils échangèrent une correspondance et se réjouissaient de se retrouver au carnaval de l'année suivante, mais Christian tomba malade quelques jours avant l'échéance tant attendue. Le médecin diagnostiqua une angine compliquée d'une otite et déconseilla fermement tout déplacement. Christian ne voulut rien entendre et prit le train avec sa mère. Une seule place assise. Ils se relayèrent. Puis Christian tomba évanoui, au grand émoi d'Héloïse et des autres voyageurs. Un traitement énergique le remit sur pied en quarante-huit heures et il revint heureux à Voiron : il avait eu sa semaine avec Annick. Ils se revirent l'été de l'installation à Nice, puis une dispute mit fin à leur liaison.

Au moment de son arrestation, Christian avait pour maîtresse une Niçoise mariée. Elle a beaucoup hésité à témoigner au procès et s'est finalement abstenue par peur de briser son ménage. Elle est jeune et blonde, conforme au type scandinave qui avait la préférence de Christian, ce qui laissait peu de chances à son premier amour. Si elle était venue aux assises, c'eût été pour attester que Christian était un amant très normal et très satisfaisant. Nous n'en dirons pas plus pour respecter son aspiration compréhensible à l'anonymat.

Et le fait est que Christian en dit encore moins. Le lendemain de son arrestation, il déclare au juge d'instruction : « J'ai déjà eu des relations sexuelles normales avec des filles de mon âge, parfois avec des filles plus vieilles. Je ne suis pas fiancé. Je pourrais vous citer des noms et des adresses concernant les filles en question mais pour le moment, je me refuse à le faire. Indépendamment des filles avec lesquelles j'affirme avoir couché, je n'avais pas de relations féminines. » Il indique le même jour au psychiatre : « J'ai eu quelques relations féminines, peu durables... Je reste quelque temps, puis on se quitte et on ne se voit plus... » Ce seront ses seules confidences. Pas un nom, pas une adresse, pas un détail. Si les policiers découvrent l'existence de Monique, c'est que la mère la leur signale. Encore ignore-t-elle totalement jusqu'où sont allées leurs relations. Elle l'apprendra par une lettre que lui écrira la jeune fille le lendemain de l'exécution · « Oui, je peux vous le dire aujourd'hui, nous avons fait l'amour ensemble et j'ai été très heureuse avec lui. Il était doux, aimable et joli. Je l'ai aimé de toute mon âme et de tout mon cœur. J'espère que lorsque la mort viendra me prendre à mon tour, nous nous retrouverons là-haut. »

« Gentil, normal, réservé »; nulle part la réserve de Christian n'est plus éclatante, si l'on peut dire, que dans le domaine sexuel. Même à sa mère, il ne fait aucune confidence — et il est à l'honneur d'Héloïse Mathon de n'avoir pas cherché à entretenir avec lui cette espèce de connivence obscène qu'on trouve quelquefois entre une mère seule et son fils unique. Avec ses amis, bouche cousue. Son camarade de régiment Daniel Rietsch, qui l'a le mieux connu, nous dira sa certitude absolue que Christian était puceau. Au retour de ses permissions de fin de semaine, il se borne à dire qu'il s'est bien amusé, sans aucun commentaire, ce qui permettra à l'inspecteur Porte de donner à penser que ces mystérieuses distractions étaient peut-être bien sinistres. Mais en fouillant dans les affaires de Christian, que trouvons-nous? Des photos de jeunes filles faites en Allemagne. Plusieurs sont prises sur une patinoire. En voici une autre, dans un parc. Et celle-ci, qui montre une brunette souriante à califourchon sur une moto, porte au dos la mention : « Souvenir du Nurburgring 73, Elefantentreffen. » Christian l'avait donc rencontrée sur le célèbre circuit de course de la Forêt-Noire. Combien d'autres à Nice, à Cannes, sur les plages, dans ces discothèques qu'il aimait à fréquenter? Passades rapides, amours furtives, « puis on se quitte et on ne se voit plus ». Sait-on suffisamment, dans les cabinets d'instruction, que c'est ainsi qu'on fait l'amour en France quand on a dix-huit ou vingt ans? Sur l'agenda de Christian sont notées les coordonnées de Corinne, d'Isabelle, de Christine, de Kareen, de Katy, de Chantal, de Jane l'Ecossaise...

Mais il a probablement menti en disant à Mlle Di Marino : « Indépendamment des filles avec lesquelles j'affirme avoir couché, je n'avais pas de relations féminines. » Il avait Patricia, qu'il aimait.

Drôle d'histoire.

Il l'a rencontrée au cours Albert-Camus. Elle lui a plu par

sa gentillesse et sa simplicité. Elle sortait d'un milieu social très supérieur au sien mais ne le faisait jamais sentir. Une toute jeune fille : quinze ans. Gaie, un peu désinvolte, « moderne » comme disait Christian. Il lui écrit des poèmes désastreux.

Officiellement, l'affaire s'arrête là : une camaraderie scolaire. C'est en tout cas ce que soutiendra Patricia. Héloïse a donné son nom aux policiers niçois. Convoquée le 21 juin 1974 à la Sûreté urbaine de Nice, Patricia s'y rend escortée de sa mère et déclare : « De septembre 1970 à juin 1971, année au cours de laquelle j'ai passé mon B.E.P.C., j'étais dans la même classe que le nommé Ranucci Christian, dont vous présentez la photographie. Je ne suis jamais sortie avec lui en dehors de l'école. A l'intérieur, nous nous sommes retrouvés ensemble, avec d'autres camarades, mais jamais seuls tous les deux. A ce titre je ne puis vous dire grand-chose à son sujet, ne le connaissant pas davantage. J'ai été surprise de son arrestation et des motifs qui l'ont provoquée. Pendant son séjour au cours, il a eu à mon égard et à l'égard des autres camarades un comportement tout à fait normal. »

Lorsque Patricia fait cette déposition lapidaire, elle va avoir dix-huit ans. A l'en croire — encore qu'elle ne le suggère qu'implicitement et que M. Ritz ait dit le contraire — elle n'a pas eu le moindre contact avec son ancien camarade de classe depuis le B.E.P.C., déjà vieux de trois ans.

Il faut donc que Christian ait rêvé. Imaginaires, ces relations qui se seraient poursuivies pendant l'année précédant son service militaire, puis au cours de celui-ci. Rêverie pure et simple, les retrouvailles à son retour. Inventées pour les besoins d'on ne sait quelle cause, les sorties communes à la plage, les balades à vélomoteur, certaine discothèque du dimanche après-midi que Patricia préférait entre toutes parce qu'on y jouait des danses lentes. Hallucinations, les portraits que Christian traçait à sa mère de la jeune fille, dont il repetait sans cesse : « Elle a tout pour elle. » Parfaitement vaines, les craintes d'Héloïse Mathon qui ne voyait pas d'issue conjugale possible à cette grande passion et qui craignait de

202

voir son fils dénoncé comme coureur de dot (cette inquiétude la conduisant même à fouiller les affaires de Christian, tant elle redoutait de trouver des lettres de Patricia évoquant un mariage possible — c'est ainsi qu'elle avait découvert le lot de médicaments barboté à Wittlich). Controuvé, cet après-midi passé avec Patricia, quelques jours avant la fatale Pentecôte et dont Christian était revenu en disant qu'ils avaient cueilli ensemble des cerises — il en rapportait quatre ou cinq kilos.

Pourquoi pas?

Mais une hallucination malgré tout opiniâtre puisque le garçon continuait d'écrire dans sa cellule sur Patricia.

Nous avons retrouvé la trace de la jeune fille. Ce ne fut pas simple. La famille a quitté La Gaude à la fin de l'été du crime et s'est installée dans la région parisienne. Après de longues et vaines recherches, un hasard heureux nous mit sur la piste. Au premier appel téléphonique, il nous fut répondu que Patricia était absente; elle faisait un stage auprès de Jacques Chirac à l'hôtel de ville de Paris. Au second appel, Patricia nous répondit qu'elle accepterait volontiers de parler avec nous de Christian Ranucci car elle gardait de lui un excellent souvenir. Au troisième appel, destiné à fixer un rendez-vous, la mère de Patricia nous expliqua longuement que sa fille avait subi un choc très dur lors de l'affaire Ranucci, qu'elle avait même failli échouer au baccalauréat, qu'elle avait eu enfin beaucoup de mal à s'en remettre (cette grande perturbation chez une personne qui n'avait pas revu Christian depuis trois ans au moment de son arrestation suggère une sensibilité bien émouvante); qu'elle s'interrogeait enfin sur l'opportunité d'une rencontre à propos d'un garçon qui n'avait été qu'un camarade de classe parmi d'autres. Au quatrième appel, le père de Patricia nous signifia que sa fille n'avait rien à nous dire.

Pourquoi pas?

Ainsi le cercle était-il bouclé, et bien gommé tout un pan essentiel de la vie de Christian Ranucci. Seule exception : la bonne Monique qui évoque sans ambages ses amours adolescentes. Mais une mère qui ne sachant guère, déclare ne rien savoir, de quoi l'on déduit que c'est parce qu'il n'y a rien à dire. Mais une maîtresse mariée légitimement soucieuse de ne pas mettre en péril son ménage. Mais des camarades de régiment qui, de l'absence de toute confidence sexuelle, concluent à l'abstinence — ce qui est bien normal dans un pays où la vantardise mâle fait partie du folklore. Et, pour couronner le tout, un Ranucci s'enfermant d'autant plus dans sa réserve qu'il est inculpé d'un crime à motivations lugubrement sexuelles, et qui refuse aux vieux messieurs et à la jeune femme venus aux Baumettes touiller sa vie intime les confidences qu'il n'avait déjà pas envie de faire aux copains de chambrée.

Sa sexualité sera donc « immature, mal orientée, fortement problématique ».

*

Les psychiatres, constatant l'absence de toute maladie mentale, se trouvent amenés « à accorder une attention toute particulière à la personnalité de l'intéressé » et, munis des conclusions de Myriam Colder, abordent l'étude de l'enchaînement criminel ayant abouti au meurtre de Marie-Dolorès Rambla.

Première question : « Existe-t-il chez Ranucci un attrait sexuel particulier pour les enfants? » Trois faits conduisent les experts à le penser. Le premier : « C'est ainsi qu'il témoigne d'un intérêt très vif pour des enfants que sa mère a en garde : il leur parle, les amuse, les aide à manger. »

Rappelons que l'idée de prendre des enfants en garde est d'Héloïse Mathon et non de son fils, dont la première réaction avait été au contraire défavorable. Cela dit, nous apprenons avec surprise que le fait de distraire des enfants, de leur parler et de les aider à manger signifie qu'on leur porte « un intérêt très vif » — expression qui n'est évidemment pas innocente, vu le contexte. Les parents des enfants n'ont quant à eux jamais dit que Christian leur témoignait « un intérêt très vif » : ils ont dit qu'il était gentil avec eux — formule bien différente car dénuée de toute résonance inquiétante. Nous apercevons d'ailleurs à cette gentillesse une motivation qu'on pourrait énoncer ainsi : « Ranucci, qui témoigne d'un intérêt très vif pour sa mère, s'efforçait de l'aider en distrayant les enfants dont elle avait la garde. C'était d'autant plus normal que cela se passait au cours de ses permissions ou pendant le mois de vacances qu'il s'était octroyé en rentrant du service, de sorte qu'il était entièrement disponible et devait, en fils affectueux, s'employer à soulager sa mère. »

Bien entendu, si Christian, agacé par la marmaille piaillante qui avait envahi la maison, s'était laissé aller à distribuer force taloches et coups de pied au derrière, les savants experts eussent probablement décelé en lui des pulsions sadiques envers les enfants, pulsions qu'il réfrénait tant bien que mal en présence de sa mère et à cause des représailles possibles des parents, mais qu'il avait finalement libérées en enlevant Marie-Dolorès pour la massacrer.

Si Christian s'était enfin montré aveugle et sourd à la présence des enfants, s'il avait vécu au milieu d'eux tel un zombie, sans leur prêter la moindre attention, les experts psychiatres eussent sans doute opiné qu'une indifférence si étrange devait à coup sûr recouvrir de violents tourbillons intimes et qu'elle indiquait avec éloquence que la relation de Christian aux enfants n'était pas claire.

De sorte qu'il était de toute façon piégé.

Les experts ajoutent : « Mais rien ne permet de penser qu'il a jamais eu à leur égard un comportement répréhensible ou même équivoque. » C'est bien honnête de leur part, encore que la construction négative de la phrase nous chagrine : elle suggère, consciemment ou non, qu'en cherchant mieux, on aurait peut-être trouvé quelque chose. Or, comme bien l'on pense, les parents des enfants confiés à Héloïse Mathon n'ont pas manqué d'interroger leur progéniture, et les réponses les ont pleinement rassurés, de sorte que les experts auraient pu écrire carrément : « Tout démontre qu'il a eu à leur égard un comportement rigoureusement normal. »

Conscients de la fragilité de leur premier argument, les psychiatres poursuivent : « Deux faits semblent plus significatifs, bien qu'ils soient niés par Ranucci et n'aient pu être établis en toute certitude. Une fois, il aurait suivi et tenté de rejoindre dans son escalier une fillette de dix ans. Une autre fois, il aurait entraîné un enfant de quatre ans dans un parking souterrain mais se serait borné à lui raconter des histoires et à lui donner des bonbons sans se livrer sur lui à la moindre entreprise sexuelle. »

Deux faits plus significatifs, par conséquent, « bien qu'ils soient niés par Ranucci et n'aient pu être établis en toute certitude ». La formule est digne d'attention. Ces faits sont donc à la fois significatifs et incertains. Ils signifient davantage mais sont peut-être dénués d'existence. Nous sommes invités à apprécier la signification de ce qui ne s'est peut-être jamais passé. C'est singulier. Mais l'incohérence et la boiterie juridique de leur démarche n'embarrassent pas les experts, qui concluent sans s'appesantir plus qu'il ne faut : « On doit donc considérer, comme nous y invite l'examen médico-psychologique, que Ranucci, garçon à la personnalité mal structurée et à l'affectivité immature, a encore une sexualité " mal orientée ". »

Le tour de force est sidérant.

N'insistons pas sur les épisodes Spinek et Pappalardo dont le lien avec Ranucci est en effet problématique à l'extrême, ne serait-ce qu'à cause du processus adopté pour mobiliser les témoignages et de la non-identification de Ranucci par les deux enfants concernés, sans parler des impératifs du calendrier en ce qui concerne l'incident Spinek. Mais que la gentillesse dont témoignait Christian envers les enfants confiés à sa mère soit retenue comme élément à charge, voilà qui stupéfie.

Le concours de circonstances était rare. Un garçon de vingt ans est accusé d'avoir enlevé une fillette. Contrairement à l'habitude, il ne s'agit pas d'un homme vivant en solitaire, ou enfermé dans un environnement adulte, et qui va chercher son gibier à la sortie des écoles : Ranucci habite une maison pleine d'enfants. En somme, le loup est dans la bergerie — plus exactement, on lui amène les agneaux dans sa tanière. Situation de rêve pour un être possédant une sexualité de cette sorte : livrés à domicile, des enfants des deux sexes et d'âges divers, de dix-huit mois à dix ans. On ne voit même pas pourquoi il ferait deux cents kilomètres pour aller enlever une fillette quand il a son gibier à portée de la main, mais enfin le fait est qu'on l'accuse d'un tel rapt. Par bonheur, ses conditions d'existence vont permettre de savoir s'il est sexuellement attiré par les enfants. Les investigations minutieuses des parents aboutissent à une constatation certaine : pas un seul geste suspect, pas une seule attitude équivoque — rien! Un esprit doué de bon sens en conclurait que si Christian Ranucci, placé dans des conditions si favorables à la manifestation d'une inclination sexuelle pour les enfants, vivant au milieu d'eux dans une familiarité et un climat de confiance qui eût favorisé ses entreprises, ne s'est cependant pas livré à la moindre démarche suspecte, c'est tout bonnement que les enfants n'exercent pas sur lui la moindre attraction sexuelle. Les experts psychiatres tournent le dos à cette frappante évidence pour émettre un avis contraire.

La sexualité « mal orientée » se trouve donc confirmée. Il manque encore un zeste d'agressivité pour compléter le bagage de nos psychiatres prêts à monter avec Ranucci dans le coupé Peugeot. Ils rappellent bien entendu que Mme Colder a décelé une « vive agressivité latente, auto-défensive, très contrainte et très refoulée, mais susceptible de se manifester de manière explosive et incontrôlée sous l'effet d'une forte émotion ». Comment Mme Colder est-elle parvenue à ce diagnostic sortant du commun? C'est son secret. Elle nous révèle simplement qu'au cours de ses deux entretiens avec l'inculpé, elle a eu en face d'elle un jeune homme « inquiet » et dont le débit verbal « saccadé et irrégulier témoigne d'une angoisse latente ». Ma foi, si l'on se met à la place de Ranucci, menacé d'une condamnation à mort, son inquiétude et même son angoisse ne sont pas extrêmement surprenantes. Mais les experts psychiatres ont-ils trouvé dans le dossier la trace de son agressivité? Ils l'ont trouvée : « L'enquête établit que pendant une période au moins de son adolescence, il se montrait agressif, tirait à la carabine sur les cibles les plus diverses, faisait des scènes à sa mère, narguant et même battant la parente qui le gardait en l'absence de cette dernière... » Christian avait onze ans, une carabine à plombs, deux voisines mal lunées, une mère aimée à qui il faisait parfois des scènes, ce que ne font jamais les enfants de psychiatres. L'homme enfermé dans une cellule de prison et vers qui se tendent les bras maigres de la guillotine, l'un de ses étonnements doit être de voir remonter à la surface de sa vie, ramenés par d'étranges crocheteurs, des morceaux d'enfance qui le feraient sourire plus tard, si on lui laissait le temps de vieillir, mais qui prennent dans l'instant, comme par maléfice, une signification sinistre, une importance tragique...

Ainsi le scénario psychiatrique peut-il se dérouler harmonieusement. Ranucci enlève Marie-Dolorès Rambla. « Il paraît évident qu'il veut se livrer sur elle à des entreprises d'ordre sexuel et pourtant il l'a toujours nié. » C'est qu'il hésite à passer à l'acte et se trouve « dans un état de tension émotionnelle considérable ». Son trouble est sans doute responsable de la collision avec Vincent Martinez, et s'en trouve par ailleurs décuplé. La chasse menée par les Aubert fait encore monter la vague émotionnelle, qui atteint son point culminant avec le cri de l'enfant : « L'émotion, portée au paroxysme, submerge la conscience et libère les instincts les plus primitifs; dans un tel état, la pulsion sexuelle dont nous avons établi qu'elle était certainement présente, bien que tenue en respect, peut se transformer en pulsion de meurtre... Il est donc certain que, lorsqu'il tua l'enfant et s'acharna sur elle, Ranucci était en proie à un état émotionnel intense que les premiers coups ont accru, rendant confus le souvenir de la fin de la scène. »

Ce dérèglement émotionnel est-il pathologique, donc absolutoire conformément à l'article 64? Les experts répondent par la négative. Christian Ranucci est pénalement responsable de son acte.

Le rapport se termine cependant sur une note optimiste : « Le jeune âge, l'absence d'antécédents légaux, le bon niveau intellectuel représentent des éléments favorables dans la perspective d'une réinsertion sociale éventuelle. »

Christian Ranucci revit pour la dernière fois Mlle Di Marino le 27 décembre 1974 à l'occasion de l'acte terminal de toute instruction : l'interrogatoire récapitulatif. A son entrée dans le cabinet du juge, il constata l'absence de ses avocats et s'en émut, mais Mlle Di Marino lui indiqua que le bâtonnier Chiappe et M^e Le Forsonney avaient été régulièrement convoqués. Christian demanda si l'on ne pouvait pas essayer de les joindre par téléphone; le juge refusa d'accéder à cette requête, ce qui était son droit le plus strict.

La séance consista essentiellement en un long monologue de Mlle Di Marino, qui rappela les démarches successives de l'enquête de police, puis de l'instruction, ainsi que les conclusions auxquelles étaient arrivés les experts commis par elle. Le juge fit la part belle aux investigations sur la vie de l'inculpé, et cette partie de son discours, qui eût dû logiquement n'apporter aucune révélation à Christian puisqu'il s'agissait après tout de sa propre existence, fut pour lui l'occasion de surprises considérables. Les deux voisines du « Rio Bravo » accédant à la dignité de témoins capitaux, il apprit qu'il « manquait d'une habituelle affection maternelle », ce qui le complexait et le rendait agressif, sa mère témoignant de son côté d'un « certain penchant pour les gens de couleur ». Mlle Di Marino révéla également à Christian que son père, parlant de sa mère, jugeait « possible qu'elle se soit prostituée du temps de leur union ». C'était, de la part du juge, déformer quelque peu les termes du procès-verbal établi par le commissaire Alessandra, qui avait de son côté singulièrement sollicité les réponses. Jean Ranucci avait déclaré : « Notre union s'est détériorée sans que je puisse en connaître la raison profonde. » A la fin de son interrogatoire, et en réponse à une question qui, pour n'être pas indiquée, n'en est pas moins certaine, il avait ajouté : « J'ignore si, toujours à cette époque, elle se prostituait. Je ne le pense pas, mais toutefois je n'en suis pas sûr. » On présume que si Jean Ranucci avait entretenu le moindre soupçon de ce genre avant que le commissaire Alessandra ne lui pose la question, il l'aurait indiqué comme l'une des raisons de la détérioration de son mariage. Il n'hésite d'ailleurs pas à dire que s'il a frappé Héloïse à coups de couteau, c'est qu'elle l'avait « bafoué ». Mais l'adultère est une chose, surtout de la part d'une épouse en instance de divorce, et la prostitution en est une autre. Il est très clair que Jean Ranucci n'avait jamais envisagé cette seconde hypothèse et que sa surprise en l'entendant évoquer par le commissaire Alessandra conduisit ce Romain à faire une réponse de Normand. Le « j'ignore... Je ne le pense pas, mais toutefois je n'en suis pas sûr » devenait une franche possibilité dans la bouche de Mlle Di Marino et sous la plume de son greffier.

On laisse à imaginer, s'agissant d'un garçon de vingt ans aimant profondément sa mère, l'effet de la déclaration brutale que celle-ci est une possible putain.

« Avez-vous des observations à formuler ? » demanda le juge à la fin de son long monologue. Christian répondit : « Je ne suis d'accord avec rien. Mes avocats n'étant pas présents, je refuse de faire une déclaration quelconque maintenant. » Mlle Di Marino dicta à son greffier : « Nous notifions à l'inculpé qu'en l'état du dossier à la date d'aujourd'hui, cet interrogatoire est le dernier et nous attirons son attention sur l'importance de ses réponses. » Christian Ranucci déclara alors : « Au début, j'ai cru moi-même que ma culpabilité était possible. Aujourd'hui, je pense le contraire. Je me souviens être parti en week-end, m'être rendu à Marseille à un endroit dont j'ai dessiné le plan que vous me présentez de nouveau et qui constitue la cote D 24 de votre dossier. Je me souviens avoir eu un accident à Peypin, je me souviens m'être retrouvé dans une carrière où je me suis trouvé embourbé, je me souviens être retourné à Nice, avoir été arrêté à Nice ; je me souviens que ceux qui m'ont arrêté ont découvert un pantalon m'appartenant présentant des taches.

« Si j'ai reconnu les faits, c'est parce que j'y étais forcé. En effet, à Marseille où l'on m'a transporté, on m'a dit qu'il y avait des témoins et des charges matérielles contre moi. Forcé par la logique et ne me souvenant de rien, j'ai tout reconnu.

« Je reconnais par contre que c'est bien moi qui ai indiqué aux enquêteurs à quel endroit était le couteau m'appartenant et que vous m'avez montré lorsqu'il a été retrouvé. Mais par contre, je ne sais pas ce que j'ai pu faire avec ce couteau. Je ne me souviens pas avoir enlevé quiconque ; je ne me souviens pas avoir mortellement frappé quiconque. »

* * *

Etrange instruction. L'inculpé avait été entendu cinq fois par le juge, ce qui est fort peu pour un crime de sang — de simples cambrioleurs font couramment l'objet d'interrogatoires plus nombreux. La chambre d'accusation de la cour d'appel d'Aix-en-Provence allait bientôt juger l'information « terminée dans des délais assez rapides ». Sur les cinq séances, deux avaient été consacrées à des confrontations. Lors des deux premières, l'inculpé n'avait pas de défenseur désigné. Sur les trois suivantes, ses avocats n'assistèrent qu'à une seule.

L'absence du bâtonnier, malade et proche de la retraite, avait mis Me Le Forsonney dans une situation difficile : « Je me rendais bien compte que le sort de Ranucci risquait de se jouer à l'instruction, que tout ça était capital, et je me sentais en même temps complètement impuissant à tenir le coup. Le jour de la confrontation générale avec les Aubert et Martinez, chaque fois que j'intervenais pour présenter une observation, on me regardait comme si j'étais partisan de l'assassinat des petites filles. Vous ne pouvez pas savoir le climat... Et Ranucci qui laissait filer comme s'il avait décidé que tout était inutile, que ce n'était même pas la peine de se défendre, qu'il n'y avait plus qu'à baisser les bras. J'ai fini par dire à Lombard : " Ça ne peut plus durer. Si vous n'entrez pas dans l'affaire, je vais demander au bâtonnier de désigner un autre défenseur à Ranucci parce que moi, je ne peux pas tenir le coup tout seul. " » On décide qu'André Fraticelli, qui travaille avec le bâtonnier Chiappe, viendra épauler M⁽ᵉ⁾ Le Forsonney, mais la clôture de l'instruction rend son concours superflu.

Le caractère de M⁽ˡˡᵉ⁾ Di Marino est célèbre à Marseille. On lui reconnaît une rare pugnacité, un acharnement hors du commun, une aptitude remarquable à surmonter ces accès de sensibilité auxquels tout être humain est plus ou moins exposé. Qu'elle ait voué à Christian Ranucci une vive hostilité n'est pas douteux. Les avocats l'affirment — on dira qu'ils sont de parti pris. Mais des témoins aussi peu suspects de sympathie envers l'inculpé que M. Rahou ou M. Guazzone gardent un souvenir ébahi de la fureur vengeresse de M⁽ˡˡᵉ⁾ Di Marino : « Elle te le rembarrait que ça faisait plaisir à voir, nous dira M. Guazzone. Cette femme-là, je vous jure, elle vaut bien des hommes ! » *Le Méridional* vantera « l'extraordinaire compétence » de ce juge qui s'est « battu pied à pied avec son diabolique " client " » et a « démoli pièce par pièce les pièges de la défense ». C'est évidemment une conception un peu insolite du rôle du juge d'instruction, mais M⁽ˡˡᵉ⁾ Di Marino semble avoir bien mérité le compliment.

Il est vrai que l'affaire avait soulevé une vague de fond émotionnelle qui devait submerger chacun peu ou prou. M⁽ˡˡᵉ⁾ Di Marino avait assisté à l'identification du petit cadavre par le père, scène atroce qui a laissé une empreinte ineffaçable sur tous les spectateurs. On lui avait même vu des larmes dans les yeux. Il était compréhensible qu'elle restât habitée par ces souvenirs cauchemardesques lorsqu'elle avait en face d'elle son « diabolique client ».

Ranucci y ajouta la profonde irritation que suscite immanquablement l'inculpé revenant sur ses aveux. Celui qui les a reçus sans exercer la moindre pression pour les obtenir — c'était le cas de Mlle Di Marino — s'estime abusé, grugé, et pour tout dire roulé : « C'est vraiment trop facile! » L'inculpé, tenu pour un fieffé tricheur, est désormais traité comme tel. De sorte qu'en réservant le problème de l'authenticité des aveux de Ranucci et pour s'en tenir aux affaires où il a été finalement démontré que des aveux n'étaient pas authentiques, on peut constater que le dommage ne réside pas uniquement dans l'existence de déclarations ne correspondant pas à la réalité, mais encore et surtout dans la création d'un climat de rancune et de défiance réciproques peu propice à la manifestation future de la vérité. Dans le cas de Ranucci, l'irritation fut générale et n'épargna pas les experts psychiatres. Elle fut portée à son comble par la revendication de l'amnésie, ce qui parut d'une pauvreté presque insultante : l'inculpé ne se donnait même pas la peine d'imaginer une explication digne de sa très réelle intelligence.

On a déjà évoqué le grave problème de la transcription des déclarations en cours d'enquête ou d'instruction. Le hasard veut qu'il soit au centre de l'actualité judiciaire dans la semaine où nous écrivons ces lignes. M. Fernand Legros, marchand de tableaux inculpé de fraudes et d'escroqueries, se plaint de la langue de bois qui donne à toutes les dépositions des témoins « la même tonalité neutre ». Il ajoute en homme dont la palette est riche : « Vous dites : c'est doré et argent; on écrit : c'est rouge et vert. Si vous protestez, on explique qu'il faudra tout recommencer et qu'il y en aura pour des heures. Alors... » (1) La deuxième affaire concerne trois hommes accusés devant la cour d'assises d'Aix-en-Provence d'avoir violé deux jeunes femmes belges. Ces dernières déclarent à l'audience qu'elles ont réellement dû subir les entreprises des trois hommes, « contrairement à ce que semble nous faire dire le procès-verbal de nos déclarations au juge

(1) *Le Monde*, 10 mai 1978.

d'instruction. Celui-ci a dénaturé nos propos » (1) L'un des avocats de la défense, que nous retrouverons bientôt au procès Ranucci, mais au banc de la partie civile, demande alors : « Vous prétendez que le juge d'instruction vous a extorqué cette déposition ? » L'une des plaignantes répond : « Je n'ai pas dit extorquer, mais dénaturer. » (2) Cette plaignante est professeur de biologie à Bruxelles ; l'autre, puéricultrice. Leurs capacités intellectuelles interdisent d'envisager qu'elles aient signé des dépositions sans en comprendre le sens. Il n'empêche que l'instruction a passé sur elles comme un rouleau compresseur et qu'il leur a fallu attendre l'audience publique pour restituer à leur propos son sens authentique. La cour d'assises devait retenir le viol et condamner lourdement les trois hommes.

Le juge mis en cause est Mlle Di Marino. Elle a instruit cette affaire, dont les faits remontent à quatre ans, en même temps que celle qui nous occupe. Mlle Di Marino allait quitter peu après son cabinet d'instruction pour être affectée à d'autres tâches.

Son instruction du dossier Ranucci entrera dans les annales à cause de cette circonstance véritablement inouïe : dans une affaire d'enlèvement de mineur où, par chance exceptionnelle, existaient des témoins, Mlle Di Marino n'a pas jugé utile d'entendre les deux témoins directs du rapt de Marie-Dolorès, Jean Rambla et Eugène Spinelli.

(1) *Le Monde*, 4 mai 1978.
(2) *L'Humanité*, 3 mai 1978.

Le jeudi 12 juin 1975, Héloïse Mathon fait la queue comme chaque jeudi à la porte de la prison des Baumettes. Il y a déjà plus d'un an que son fils a été arrêté et six mois se sont écoulés depuis la fin de l'instruction. Christian vit dans l'espoir qu'un supplément d'information finira par faire la lumière. Personne n'ose lui dire que le Parquet n'envisage absolument pas de rouvrir l'instruction. La procédure avance au contraire à bonne allure. Le 9 janvier 1975, Mlle Ilda Di Marino a communiqué le dossier au procureur de la République. Le 11 mars, le procureur de la République l'a transmis au procureur général de la cour d'appel d'Aix-en-Provence. Le 11 avril, la chambre d'accusation d'Aix prononce la mise en accusation et renvoie l'accusé devant la cour d'assises. Sur le conseil de ses avocats, Christian Ranucci s'est pourvu contre cet arrêt de renvoi; l'instance est actuellement pendante devant la cour de cassation. Quelle qu'en soit l'issue, on aura toujours gagné un délai et dans une affaire qui a profondément remué l'opinion publique, l'intérêt de l'accusé est de laisser aux passions le temps de se refroidir.

« J'attendais mon tour, raconte Héloïse Mathon, mon numéro d'appel à la main, au milieu d'un grand nombre de personnes, et j'ai remarqué pas très loin de moi une petite femme brune d'une quarantaine d'années, très mince. Elle se plaignait du sort de son fils, qu'elle allait voir aux Baumettes, et de son propre sort. Quelqu'un lui a dit en me désignant :

`Il y a plus à plaindre que vous... Regardez cette dame son fils est accusé d'avoir tué une fillette. "

« Le jeudi suivant — c'était le 19 juin — j'étais de nouveau aux Baumettes et j'ai vu s'approcher de moi cette dame brune. Elle tenait dans les bras un bébé. J'ai su par la suite que c'était la fille de son fils et qu'elle venait la lui montrer au parloir. C'était elle qui s'en occupait, d'après ce que j'ai compris. Elle avait bien du mérite parce qu'elle avait déjà huit enfants, dont certains encore très jeunes.

« Elle m'a dit : " Excusez-moi, Madame, mais on me dit que vous êtes la maman du garçon qui a été arrêté pour l'affaire de la petite Marie-Dolorès, l'an dernier... " Je lui ai répondu : " Oui, Madame, c'est bien moi. " Elle a eu l'air étonné. Elle m'a dit : " Je suis vraiment étonnée. Je croyais qu'on l'avait relâché depuis longtemps. Ce n'est pas lui qui a enlevé la petite. Je le sais parce que l'homme qui a fait le crime a essayé d'enlever ma fille Agnès. Je l'ai vu de mes propres yeux. C'est un homme qui a au moins trente ans. " Evidemment, j'ai été saisie. Mais juste à ce moment-là, on a appelé mon numéro et il a fallu se séparer. Elle m'a vite donné son adresse et elle m'a dit : " Encore mieux : attendez-moi après le parloir au café d'en face. Je vous expliquerai tout ça. "

« J'ai vite posé à Christian les questions habituelles : " Comment ça va? As-tu reçu ton mandat? L'avocat est-il venu? " et je lui ai tout raconté. Je lui ai dit que je venais de parler à une femme qui était sûre de son innocence parce qu'elle avait vu l'homme qui avait enlevé la petite Marie-Dolorès, qu'elle m'attendrait à la sortie et qu'elle me donnerait tous les détails. Christian m'écoutait avec un grand sourire. C'était la quatrième fois qu'il me souriait en un an. Il avait tout à coup l'air heureux, détendu, et il s'est écrié : " Enfin! Enfin ce que j'attendais est arrivé! Cette fois, Maman, c'est la fin de nos malheurs! " Je l'ai quitté plein d'espoir, rajeuni, tel qu'il était avant.

« La dame m'attendait au café d'en face; elle était en train de donner le biberon au bébé. Elle m'a dit qu'elle s'appelait

Mme Mattéi et qu'elle habitait la cité des Tilleuls, à Saint-Jérôme. C'est plus loin que la cité Sainte-Agnès mais dans la même direction. Ce qu'elle a vu, elle croyait bien que c'était le samedi 1er juin 1974, mais de toute façon la police avait dû noter toutes les dates. C'était l'après-midi. Elle mettait du linge à sécher dans sa salle de bains, qui donne sur le devant, et elle a vu un homme avec un pull-over rouge et un pantalon vert foncé qui avait garé sa voiture — une Simca 1100 grise — de l'autre côté de la haie de lauriers roses qui sépare les bâtiments. Cet homme parlait avec un petit garçon de six ans, Alain Barraco. On a su après qu'il lui avait demandé d'appeler l'autre garçon avec qui il jouait. Mme Mattéi ne connaissait pas le nom de ce petit garçon parce qu'il habitait bien la cité, mais dans un bâtiment éloigné, et elle n'a pas pu le savoir parce que la famille a déménagé tout de suite après. En tout cas, il avait les cheveux frisés. Alain Barraco l'a donc appelé et le petit frisé s'est approché de l'homme, qui l'a pris par le bras et a essayé de l'attirer à l'intérieur de sa voiture. Le petit frisé a réussi à se dégager et il a couru en criant. L'homme a démarré aussitôt. Il est parti par une issue qui rejoint le chemin du Merlan. D'après Mme Mattéi, c'était la preuve qu'il connaissait bien les lieux parce que son bâtiment est le dernier de la cité, qui est très grande, et il faut être déjà venu pour savoir qu'on peut sortir par le fond. Mme Mattéi a eu le temps de voir qu'il y avait des jouets d'enfant sur la plage arrière de la voiture, surtout des animaux en peluche, et aussi un seau bleu avec sa pelle. Elle a aussi pu voir une partie de la plaque d'immatriculation, mais pas tout à cause de la haie. Il y avait un 8 et ça finissait par 54 comme numéro de département. L'homme était plutôt grand, avec des cheveux bruns un peu ondulés et coiffés en arrière. Après qu'il soit parti, Mme Mattéi est descendue et elle en a parlé avec les parents d'Alain Barraco.

« La veille, il était déjà venu dans la cité. Mme Mattéi l'a su le mardi 4 juin quand la radio a parlé de l'enlèvement de la petite Rambla. Sa fille Agnès, qui avait douze ans à l'époque, lui a raconté une aventure qui lui était arrivée le vendredi 31 mai. Elle n'avait pas classe et elle se promenait dans un terrain derrière la cité avec son amie Carole Barraco, la sœur d'Alain, qui avait onze ans. C'était vers trois heures de l'après-midi. Une Simca grise s'était arrêtée près d'elles et le chauffeur, un homme vêtu d'un pull-over rouge qui paraissait dans les trente ans, leur avait demandé : " Dites, petites, vous n'avez pas vu mon petit chien noir? C'est un caniche jeune et gentil... " Elles ont répondu qu'elles n'avaient vu aucun chien. L'homme a dit : " C'est ennuyeux, je l'ai perdu depuis ce matin. Mon neveu est venu le promener par ici et il a lâché la laisse. Vous ne voulez pas monter avec moi, qu'on essaie de le retrouver? " Les filles ont refusé et il a redémarré, l'air contrarié. Agnès Mattéi et Carole Barraco avaient bien trouvé ça louche mais elles n'en ont pas parlé sur le moment à leurs parents parce qu'elles se disaient qu'on les empêcherait peut-être de sortir à leur guise. Quand elles ont entendu à la radio qu'une petite avait été enlevée aux Chartreux par un homme en Simca qui prétendait avoir perdu son chien noir, elles ont fait le rapprochement et elles ont décidé de raconter leur histoire à leurs parents. Mme Mattéi s'est immédiatement rendue au commissariat de Saint-Just pour déposer une plainte.

« Je lui ai demandé si je pourrais rencontrer sa fille. Elle a accepté et on a convenu que j'irais la voir chez elle. Ensuite, très émue, tellement heureuse, j'ai pris un taxi pour arriver plus vite chez M^e Le Forsonney. J'avais hâte de tout lui raconter. »

Jean-François Le Forsonney s'efforça de dissimuler son scepticisme : « Elle avait l'air de croire que tout était réglé, dit-il. Je n'ai pas voulu la démolir mais tout ça me paraissait un peu trop beau pour être vrai. Je lui ai dit : " Que cette Mme Mattéi vienne me voir : on verra après... " » Le soir, il raconta l'affaire à sa fiancée, Chantal Lanoix. Celle-ci fut encore plus sceptique et dit en souriant : « Evidemment, ça tombe vraiment à pic! »

Dès le lendemain, Héloïse Mathon envoya à Mme Mattéi un

mot « pour vous remercier profondément de votre franchise, de votre sens d'humanité, de justice, au sujet de votre entretien avec moi ». Elle lui fit part du désir de l'avocat, « juste et sérieux », de la rencontrer, et lui proposa de l'accompagner à son cabinet la semaine suivante.

Ce même 20 juin, Christian écrivit à sa mère une lettre dans laquelle il s'abstenait de toute allusion à Mme Mattéi. Il savait bien entendu que sa correspondance était contrôlée et manifestait désormais une méfiance quasi névrotique. Elle se fondait sur l'enlèvement de sa voiture, dont sa mère lui avait dit les circonstances bizarres, mais plus généralement sur ce qu'il tenait pour un refus scandaleux de la justice de faire la lumière. Même au parloir, il incitait sa mère à la prudence en raison de la présence possible de micros. Il avait la conviction que la police et la justice, trop heureuses d'avoir trouvé un coupable à si bon compte, ne reculeraient devant aucune machination pour bloquer les initiatives de la défense.

Sa joie affleurait pourtant sous la réserve qu'il continuait de s'imposer : « Bien que tout ne soit pas fini, je me sens beaucoup plus optimiste. Malgré tous les efforts que l'on a déployés pour me faire passer pour le coupable, eux n'ont que manœuvres (que je préfère m'abstenir de qualifier), tandis que moi, j'ai la conscience pour moi, la loi pour moi, les témoins pour moi, la vérité qui se fera bientôt jour pour moi.

« Les responsables de la situation injuste que je subis maintenant n'ont qu'à s'apprêter à passer des nuits blanches. Je ne veux pas que la liberté et les réparations, il faudra aussi que les responsables soient punis, ne serait-ce que pour leur ôter toute envie de recommencer à se servir d'innocent comme ils l'ont fait.

« Juste la justice, mais toute la justice. Gardons encore patience, persévérance, prudence et discrétion. J'ai une phrase de Platon qui me revient à l'esprit. Elle s'applique fort bien à ma et notre situation : " La plus grande injustice est de considérer comme injuste un homme juste. " Rien de plus vrai. »

Puis Christian conclut : « Plus de philosophie » et passe à

un sujet en effet moins spéculatif : « Pour l'achat du costume, avant de choisir, relis bien le petit papier que je t'ai donné avec tous détails sur coupe, couleur etc. Je me méfie parfois de tes goûts lorsqu'il s'agit d'acheter quelque chose pour moi. Tissu fin et léger, couleur claire (bleu ou gris perle) etc. » Il s'agit du complet qu'il portera à son procès.

*
**

« J'ai reçu Mme Mattéi la semaine suivante, continue M^e Le Forsonney, et j'ai vu arriver une femme menue, plutôt timide, qui ne ressemblait pas à ce que j'avais imaginé. Je lui ai fait raconter son histoire et je dois dire que j'ai sauté dans mon fauteuil quand j'ai appris qu'elle avait été confrontée avec Ranucci à l'Evêché. C'était le détail qui changeait tout. Mme Mathon ne s'en était pas rendu compte mais pour moi, c'était capital. Le commissariat de Saint-Just avait expédié Mme Mattéi et sa fille Agnès à l'Evêché, où on les avait mises en présence de Christian Ranucci, qu'elles n'avaient ni l'une ni l'autre reconnu. Encore mieux : la petite Carole Barraco avait été elle aussi confrontée avec Ranucci et ne l'avait pas reconnu. Et encore ceci : les policiers avaient demandé à Mme Mattéi de se rendre aux obsèques de Marie-Dolorès Rambla pour le cas où l'homme au pull-over rouge aurait été dans la foule. Elle y était allée, un bouquet de fleurs à la main, encadrée par deux inspecteurs, mais n'avait pas vu son bonhomme.

« Là, vraiment, j'y ai cru. Impossible de ne pas y croire. Ce que je ne comprenais pas, c'était l'absence dans le dossier des procès-verbaux des dépositions de Mme Mattéi, de sa fille et de Carole Barraco, et du procès-verbal qui avait dû être dressé de leur confrontation négative avec Christian Ranucci. »

Héloïse Mathon, répondant à l'invitation de Mme Mattéi, se rend à la cité des Tilleuls : « J'ai vu sa fille Agnès et la petite

Carole Barraco. Elles m'ont raconté leur histoire mais j'ai bien senti que ça ne leur plaisait pas d'en parler. Ça les avait traumatisées d'apprendre qu'elles avaient failli être enlevées par un sadique, un assassin d'enfants. Carole Barraco m'a dit : " Maman ne veut plus qu'on en parle. Elle dit qu'il faut qu'on oublie. " J'ai demandé à Mme Mattéi comment était le pull-over rouge de l'homme à la Simca 1100. Elle est allée chercher une petite nappe brodée pour me montrer la couleur et j'ai bien vu que c'était exactement le même rouge que le pull-over qu'on avait voulu me donner à l'Evêché. A mon avis, il a été tricoté en Espagne. C'est une laine un peu spéciale qu'on emploie assez bien là-bas. Mme Mattéi m'a dit aussi qu'elle avait rencontré à l'Evêché, le 4 juin, un certain M. Martin, gardien d'immeuble à la cité des Cerisiers, à Saint-Loup. Il était venu porter plainte avec des parents de la cité contre un homme qui avait eu de mauvais gestes sur des fillettes.

« Je me suis rendue à la cité des Cerisiers et j'ai vu que le gardien s'appelait M. Martel, et non Martin. C'est un gardien assermenté. Je ne lui ai pas dit qui j'étais, je n'ai pas parlé de Christian. Je lui ai dit que je cherchais des renseignements sur l'affaire des deux fillettes de la cité. Il m'a dit que ça c'était passé le samedi 1er juin vers quinze heures trente. Pour me le prouver, il a pris un carnet noir sur le bureau de sa loge : tout était noté, les dates, les heures. Il était sorti pour sortir les poubelles et il avait vu des déménageurs en train de faire un déménagement dans un bâtiment. Il y avait aussi les deux petites Albertini (1), qu'il connaissait bien, et un homme qui avait l'air d'attendre. M. Martel ne connaissait pas cet homme mais il a pensé que c'était un ami de la locataire qui déménageait. Il était vêtu d'un pull-over rouge et d'un pantalon de velours. M. Martel est passé à côté de lui et a fait le tour du bâtiment pour aller à ses poubelles. Quand il est revenu, il a vu un attroupement autour des deux fillettes et on lui a dit que l'homme au pull-over rouge les avait touchées

_____
(1) Ces deux enfants ayant été victimes d'une agression caractérisée, même si elle est fort heureusement restée superficielle, nous avons cru devoir les désigner par un pseudonyme.

d'une façon dégoûtante. M. Martel a voulu le poursuivre mais il avait déjà filé. Un garçon de la cité, qui était là, a dit qu'il l'avait vu monter dans une Simca. Ensuite, le 4 juin, M. Martel avait été convoqué à l'Evêché avec M. Albertini et ses deux filles. On leur avait montré Christian mais, bien sûr, ils ne l'avaient pas reconnu. M. Martel m'a dit : " Je leur ai dit à l'Evêché que ce n'était pas lui. Ils ne se ressemblaient pas du tout. Mon pull-over rouge, il avait dans les trente-cinq ans, et je l'ai bien regardé quand je suis passé près de lui. "

« J'ai beaucoup remercié M. Martel et, après le parloir où j'ai annoncé toutes ces nouvelles à Christian, j'ai pris un taxi et je suis retournée aux Cerisiers pour voir les Albertini. Je n'ai trouvé que Mme Albertini, une femme blonde qui paraissait une trentaine d'années. Je lui ai dit que je venais à propos de l'affaire de ses deux petites, sans en dire plus. Elle m'a accueillie très gentiment et m'a fait entrer dans la salle à manger, où son fils, un petit garçon de six ans, était en train de regarder la télévision. Elle m'a dit qu'il avait une angine. Elle m'a montré les photos de ses deux fillettes, Patricia et Nathalie, qui avaient dans les dix ans. Mme Albertini avait l'air un peu ennuyé. Elle m'a expliqué qu'elle évitait de reparler de cette histoire aux enfants pour qu'elles l'oublient au plus vite. C'était normal. D'ailleurs, elle ne savait rien de plus que M. Martel. C'était son mari qui avait porté plainte et qui était allé à l'Evêché avec Patricia et Nathalie.

« Je l'ai remerciée de son accueil et je suis partie. J'étais heureuse, soulagée, optimiste. En comptant Mme Mattéi, sa fille Agnès, la petite Barraco, M. Martel et les deux petites Albertini, ça faisait six personnes qui avaient vu l'homme au pull-over rouge et qui savaient que ce n'était évidemment pas Christian. »

**

L'instruction est terminée. Ranucci est renvoyé devant les assises. Son pourvoi est pendant devant la cour de cassation.

La chambre d'accusation d'Aix-en-Provence est donc dessaisie. A quelle autorité judiciaire s'adresser pour demander l'indispensable complément d'information?

Ce casse-tête juridique est l'occasion de l'entrée en scène de Paul Lombard. Certes, il avait suivi l'instruction des coulisses et était tenu au courant par son jeune collaborateur, mais c'est un an après le début de l'affaire qu'il s'engage officiellement. Ranucci a donc désormais trois avocats car André Fraticelli, faute d'avoir pu l'assister lors de l'instruction, a accepté de rester à ses côtés.

Me Le Forsonney croit avoir trouvé la solution. La chambre d'accusation est dessaisie par le pourvoi en cassation mais l'article 148 du code de procédure pénale dispose qu'en pareil cas, il sera statué sur une éventuelle demande de mise en liberté par la juridiction qui a connu en dernier lieu de l'affaire au fond — c'est-à-dire, en l'espèce, la chambre d'accusation. On va donc faire solliciter par Ranucci sa mise en liberté et, au soutien de cette demande, réclamer que Mme Mattéi, témoin capital, soit entendue dans les formes de la loi.

Trois mois s'écoulent avant cette demande, qui est du 11 septembre 1975. Entre-temps, les avocats se sont fait envoyer par Mme Mattéi une lettre recommandée résumant son témoignage. Elle est rédigée dans un français très fruste et par une femme qui n'a point l'habitude d'écrire, Mme Barraco, qui manie encore plus difficilement la langue française, a contresigné la lettre de Mme Mattéi. La mésaventure d'Agnès et de Carole, telle que racontée à leurs mères, se trouve donc certifiée par celles-ci.

Le 3 octobre, la chambre d'accusation d'Aix-en-Provence rejette comme prévu la demande de mise en liberté mais dit irrecevable la requête d'un supplément d'information : elle se considère comme dessaisie par le pourvoi en cassation.

Le 4 octobre, *Le Provençal* publie sous la signature d'Alain Delcroix, journaliste chevronné, un article intitulé : « Un témoin inattendu cité par les défenseurs de Christian Ranucci ». Alain Delcroix rapporte succinctement les faits révélés par Mme Mattéi; annonce que la chambre d'accusation a rejeté, pour des raisons de procédure, la demande des avocats; signale que ceux-ci ont décidé de faire recevoir par un huissier marseillais, Me Bourgarel, le témoignage de Mme Mattéi; il conclut ainsi son article : « Mme Ranucci, qui croit à l'innocence totale de son fils, veut envoyer une lettre ouverte au président de la République, M. Valéry Giscard d'Estaing, si l'on n'entend pas ce témoin nouveau. »

Le 23 octobre, Christian Ranucci écrit à sa mère : « Je sais que tu fais au mieux, au maximum, pour rétablir la vérité, et les avocats aussi, mais nous nous heurtons à un mur de mauvaise volonté, sinon de mauvaise foi. Je comprends que les magistrats, devant la gravité des " erreurs " commises dans cette affaire, préfèrent étouffer la vérité et laisser couler le temps; ils s'entendent comme larrons en foire pour sauver les apparences. La politique de l'autruche est une attitude imbécile et dans cette affaire où il s'agit de la vie et de l'honneur d'une famille, c'est criminel, mais ils s'en foutent totalement. Ils ont tort. »

Il a tort. Neuf jours plus tôt, le 14 octobre, le procureur général d'Aix a prescrit au procureur de la République de Marseille de recueillir « par procès-verbal régulier les dires de la dame Mattéi et le cas échéant de toute autre personne (qui ne serait pas encore intervenue dans la procédure) ». La gendarmerie contrôlera ensuite « les faits, données ou indices matériels dont la dame Mattéi et autres auront pu faire état ». Le procureur justifie sa demande par la volonté persistante des avocats de Ranucci de faire entendre le témoin et par son propre désir « qu'il ne puisse être un jour reproché à la Justice d'avoir négligé un élément d'appréciation qui pourrait disparaître ».

Mlle Brugère, premier substitut du procureur de la République de Marseille, demande à la Sûreté urbaine de convoquer à son cabinet la dame Mattéi « qui aurait des " révélations " à faire dans une affaire suivie contre Ranucci Christian ».

Le 14 novembre à trois heures, Mme Mattéi se présente à son cabinet. Six mois se sont écoulés depuis sa première rencontre avec Mme Mathon.

Jeannine Mattéi, quarante-quatre ans, huit enfants, est d'origine polonaise. Son mari est devenu docker après avoir navigué dans la marine marchande. Elle est minée par une grave maladie et ne parvient qu'à grand-peine à assurer son travail de mère de famille très nombreuse. Lorsque nous l'avons rencontrée, nous avons vu une femme timide, épuisée, accablée depuis son enfance par les soucis et les tracas de toute sorte.

A l'entendre, l'accueil de Mlle Brugère fut rien moins que cordial : on la traita davantage en suspect qu'en témoin. Le substitut montra selon elle de la réticence à enregistrer que la voiture de l'homme au pull-over rouge était une Simca à quatre portes. Quant au pull-over lui-même, Mme Mattéi fut étonnée de s'entendre demander si elle était bien certaine de sa couleur : Mlle Brugère avait l'air de penser qu'il pouvait bien avoir été vert.

Toujours est-il que ces deux heures d'audition aboutirent à un procès-verbal de trente-huit lignes, ce qui est peu.

« Je ne connais pas Ranucci Christian mais j'ai connu sa mère après le crime aux Baumettes où j'allais voir mon fils tandis qu'elle-même allait voir le sien. Nous sommes entrées en conversation et je lui ai promis que je dirai ce que je savais de certains faits.

« Deux jours avant le crime, ma fille Agnès, âgée de douze ans, et sa camarade Carole, onze ans, avaient été victimes d'agissements de la part d'un individu qui avait cherché à les entraîner en leur disant de monter dans sa voiture pour rechercher un chien. Bien sûr, elles ne l'ont pas suivi. La voiture était une Simca grise métallisée. Elles me l'ont dit.

« Le lendemain, toujours dans mon quartier de Saint-Jérôme (13e) un individu a essayé de faire monter un enfant, un garçon âgé de cinq à six ans, dans sa voiture. Le numéro de la voiture se terminait par un 8, département 54. Je lui ai parlé. Il m'a dit " qu'il s'arrêtait ". Je remarquai qu'il avait un accent méridional. La voiture était une voiture Simca grise, normale quatre portes, gris métallisé.

« J'ai déclaré ces faits au commissariat de police de Saint-Just et ensuite à l'Evêché au commissaire Alessandra. Ma déclaration a été enregistrée car j'ai signé.

« Dans les locaux du commissariat, j'ai été confrontée avec Ranucci Christian, ainsi qu'Agnès et Carole. Je n'ai pas reconnu en Ranucci Christian, pas plus que les enfants, l'individu qui les avait importunées et celui qui avait essayé d'entraîner un petit garçon.

« L'homme que j'avais vu en train d'essayer d'attirer le petit garçon correspondait au signalement suivant : taille moyenne 1,68 m environ, corpulence normale, cheveux bruns, mi-longs, ondulés, coiffés en arrière. Je n'ai pas remarqué de lunettes. Il avait un pantalon vert foncé et un pull-over ras le cou rouge. Il y avait dans sa voiture des jouets et des chapeaux de paille d'enfant. Je suis même allée aux obsèques de la petite Rambla, sur le conseil des policiers, mais je n'ai pas vu cet individu dans la foule.

« J'ai oublié de vous dire que je vis toujours avec mon mari qui est retraité de la marine marchande et qui exerce en ce moment le métier de docker.

« C'est tout ce que j'ai à déclarer. »

Le même jour, Mlle Brugère envoie, sous la mention « très urgent », une note à la Sûreté urbaine de Marseille. Elle indique que Mme Mattéi prétend avoir porté plainte au commissariat de Saint-Just, puis à l'Evêché, et avoir été confrontée avec Ranucci. « Je vous serai très obligée, demande-t-elle, de bien vouloir me faire connaître si une procédure a été établie et, dans l'affirmative, sous quelle référence. »

Le lendemain, 15 novembre, Christian se plaint à sa mère d'être sans nouvelles : « Je suis dans l'attente la plus complète. C'est long et terriblement éprouvant pour nous deux. De l'autre côté, on ne semble pas préoccupé par la loi et la morale... J'ai l'impression d'être tombé dans un piège. Et la manière dont l'instruction a été faite — et ça, j'y pense beaucoup également — a été le ressort qui a fermé le piège. C'est un peu une loterie. J'ai tiré le gros lot du malheur sans même avoir acheté de billet... Mais nous devons garder espoir. Il faudra bien que vérité se fasse : dame Justice n'est pas aussi aveugle que dame Fortune. »

Le 25 novembre, Mme Mattéi est entendue à l'Evêché par l'inspecteur divisionnaire Jules Porte. Elle répète une fois de plus son témoignage et précise que sa plainte a été régulièrement enregistrée au commissariat de Saint-Just : « Un fonctionnaire a tapé à la machine à écrire et j'ai signé ma déposition sur un procès-verbal semblable à celui sur lequel vous enregistrez ma déclaration aujourd'hui. Ce matin, je me suis présentée au commissariat de Saint-Just, sur convocation, et le fonctionnaire qui m'a reçue, après recherches, m'a affirmé qu'il n'y avait aucune trace de ma plainte. Je me permets de faire remarquer que si je n'avais pas déposé plainte, un planton du commissariat de Saint-Just ne serait pas venu, comme cela a été le cas, à mon domicile, en juin 1974, pour que le nommé Ranucci Christian soit présenté à ma fille, à sa camarade et à moi-même. »

En fin de procès-verbal, l'inspecteur Porte expose qu'aucune trace d'une plainte déposée par Mme Mattéi n'a été retrouvée au commissariat de Saint-Just; qu'une erreur du témoin est par conséquent probable; qu'il est cependant possible qu'elle se soit présentée au commissariat pour signaler les faits concernant Agnès et Carole mais qu'aucune plainte n'ait été enregistrée en raison de l'absence d'un délit caractérisé; qu'il est vraisemblable que Mme Mattéi, sa fille Agnès et Carole Barraco ont été convoquées à l'Evêché pour être mises en présence de Ranucci, mais que cette confrontation étant restée négative, aucun procès-verbal n'a été rédigé. L'inspecteur Porte termine en indiquant que « de nombreuses personnes, dont les enfants avaient fait l'objet de faits similaires, se sont présentées, soit spontanément, soit sur invitation, dans des conditions similaires ».

Les procès-verbaux de Mlle Brugère et de l'inspecteur Porte sont adressés au procureur général d'Aix-en-Provence, puis versés au dossier Ranucci sur décision du président de la cour d'assises.

Officiellement, l'incident est clos.

Le 6 novembre, la cour de cassation, rejetant le pourvoi de Christian Ranucci, l'a renvoyé devant la cour d'assises des Bouches-du-Rhône.

Troisième partie

LE PROCÈS

Le mardi 9 mars 1976 à neuf heures du matin, le président Antona ouvrit l'audience en avertissant le public qu'il ne tolérerait aucun désordre. Pour bien marquer sa détermination, il donna lecture des articles appropriés du code de procédure pénale : expulsion de tout perturbateur; arrestation immédiate et placement sous mandat de dépôt de celui qui résisterait et créerait du tumulte. Puis le président Antona donna l'ordre d'amener l'accusé qui, selon la formule consacrée, comparaissait « libre et seulement accompagné de gardes pour l'empêcher de s'évader. »

Christian Ranucci émergea du couloir souterrain aboutissant directement dans le box et s'assit sur le long banc de bois. Pendant deux jours, il serait à peu près le seul à disposer d'un espace vital convenable. La cour, augmentée de deux jurés supplémentaires pour pallier l'éventuelle défaillance d'un ou deux titulaires, allait siéger derrière l'ordinaire comptoir incurvé dominant la salle de la hauteur de six marches. Si l'on fait face à la cour, le box est à gauche et les bancs de la presse à droite. Plus de quarante journalistes étaient venus de toute la France; les chroniqueurs régionaux murmuraient qu'ils n'avaient pas souvenir d'un pareil envahissement. Les trois avocats de l'accusé étaient naturellement assis devant le box mais le manque de place était tel que l'avocat de la partie civile avait dû s'installer à leurs côtés, ce qui est inhabituel; faute de mieux, ils avaient tous glissé leur dossier sous le banc. Entre le box et la presse, face à la cour, la barre des témoins. Elle est curieusement placée sur un petit socle qui lui donne l'apparence d'une bascule de foire. Le fond de la salle, réservé au public, était absolument comble ; encore les privilégiés qui avaient pu entrer ne représentaient-ils qu'une petite partie de la foule faisant la queue depuis sept heures du matin à la porte du palais. Au-dessus du public, une galerie à laquelle on accède de l'extérieur de la salle d'audience et qui est traditionnellement réservée aux magistrats, à leurs épouses et à leurs invités ; elle fait un peu loge de corrida.

La décoration est austère. Les murs sont recouverts de grands panneaux blancs encadrés de motifs d'un gris tourterelle tirant sur le bleu pâle. Pas un tableau, pas une fresque. Le seul ornement est un buste de Marianne placé derrière la cour.

Le plus frappant est sans doute l'exiguïté de la salle : c'est petit, tout petit. Aussi bien la masse humaine qui s'y entasse ne tardera-t-elle pas à créer une atmosphère d'étuve contrastant avec la température extérieure, qui est des plus fraîches : la neige est tombée la veille sur les hauts de Provence et le ciel reste nuageux. Des travaux ont lieu quelque part dans le palais, ou à ses abords ; le tapage sourd d'un marteau-piqueur alternera avec la stridence d'une chignole jusqu'à ce que l'avocat général excédé dépêche un émissaire pour suggérer aux ouvriers de prendre quelque repos. A dix heures et demie, « L'Internationale » recouvrira les débats : ce seront les syndicats de fonctionnaires manifestant contre la politique d'austérité du pouvoir.

La cour d'assises d'Aix-en-Provence a la réputation d'être l'une des plus répressives de France. Certains observateurs attribuent cela au charme de la ville, où tant de magistrats souhaitent être nommés qu'on y arrive en général en fin de carrière, c'est-à-dire à un âge où les élans du cœur sont bien maîtrisés, et aussi au fait que les magistrats ayant servi dans la justice coloniale française, qui était assez rigoureuse, obtiennent plus facilement d'y être envoyés pour des raisons climatiques.

Il a suffi à Christian Ranucci d'apparaître pour susciter malaise et hostilité. Le cheveu bien peigné, les lunettes à monture d'écaille chevauchant son nez en bec d'aigle, il est vêtu d'un complet dont le bleu agressif eût été plus congru sur la promenade des Anglais que dans un box d'accusé, et porte un polo blanc à col roulé sur lequel se détache, insolite, ostentatoire et provocante, une croix pectorale pendue à son cou par une chaînette. Non point l'une de ces petites croix que certains hommes aiment à nicher dans leur virile broussaille, mais une croix comme on n'en voit qu'aux missionnaires et aux évêques. C'est une idée de sa mère. Elle suscite une réprobation immédiate, unanime, et plonge dans la consternation ses trois avocats. Mais l'accoutrement de Christian n'est encore rien auprès de la mine impérieuse et méprisante qu'il arbore. Le capitaine de gendarmerie Gras en fut, comme tout le monde, frappé de stupeur : « Je me disais que son intérêt était de se faire tout petit, d'apparaître repentant et soumis. Au lieu de ça, il fallait voir son arrivée aux assises... Il est entré dans le box comme un seigneur, comme une vedette. Il a toisé l'avocat général, les journalistes, la cour... Un regard d'un défi incroyable. Je me suis dit : " Mon gars, c'est mal parti pour toi... " »

C'est que Christian Ranucci n'est pas dans l'état d'esprit d'un homme accusé d'un crime horrible, sur qui pèsent des soupçons écrasants, et que menace le pire des châtiments : il s'éprouve comme un justicier dont l'heure triomphale a enfin sonné.

Le virage date de neuf mois, avec la découverte par sa mère de cette fournée de témoins attestant qu'un homme au pull-over rouge a tristement opéré dans les cités marseillaises. Les révélations de Mme Mattéi, de M. Martel et de la famille Albertini ont convaincu Christian de la vanité de l'accusation portée contre lui. Et les réticences, pour ne pas dire plus, de l'appareil judiciaire à enregistrer ces faits nouveaux l'ont persuadé qu'il était victime d'une machination. Le 11 janvier 1976, il écrit à sa mère : « Cet acharnement insensé et criminel à refuser de reconnaître les fautes commises, à cacher la vérité, à continuer à se servir de moi comme bouc émissaire, tous les ignobles petits trafics — tout cela ne les mène nulle part. J'avais tendance à leur accorder le bénéfice du doute et de mettre les fautes dont je suis victime sur le compte de la bêtise ou de l'incompétence, mais force est de constater que tout s'est vraiment passé comme si, depuis le tout début, quelqu'un tirait les ficelles. » Et cet être machiavélique, c'est évidemment le commissaire Alessandra, responsable de l'enquête, à qui Christian voue désormais une haine farouche. Cependant, l'heure du châtiment approche pour Alessandra et ses complices : « Notre dossier est éloquent, accablant même, écrit Christian à sa mère le 5 février, à un mois de son procès. Mais je sais très bien que les grands responsables vont se défendre à fond pour protéger leur carrière, et peut-être aussi leur liberté. Ils jouent leur va-tout. » Le 22 février, il renchérit : « J'attends le 9 mars avec sérénité. Ma révolte et mon mépris à l'égard des deux ou trois responsables directs n'ont d'égales que ma patience et aussi ma détermination à les voir punis comme ils le méritent, selon la loi. Ils n'ont aucune excuse. » Il conseille à sa mère d'interrompre son inlassable quête : « Repose-toi l'esprit. C'est maintenant inutile de continuer à rechercher des renseignements sur l'individu au pull rouge. Mon innocence reconnue, ils seront *obligés* de le chercher. Ils ont des moyens quand ils le veulent. » Le 29 février : « Enfin l'heure de la vérité, avec rétablissement des faits et reconnaissance de mon innocence!... Soigne-toi bien et ne prends pas froid. Bientôt la fin de nos épreuves : courage! »

Sa certitude de triompher est au demeurant si entière qu'il ne l'évoque que pour mémoire et en passant, tout de même qu'il confirme que sa santé est bonne et que la cantine lui fournit d'excellents suppléments. La grande affaire, au cours des semaines précédant le procès, c'est le choix de sa tenue vestimentaire. Il apporte un soin particulier à la sélection de ses chaussures sans paraître se douter que personne — absolument personne — ne verra ses pieds de tout le procès :

« Voici le modèle que je désire . boots (petites bottines). couleur marron clair, pas de fioritures, net. lisse et clair. Si pas de boots convenables, prendre chaussures idem : cuir marron clair, pas de fioritures· prendre avec les lacets. Taille 44. *Attention :* ne pas prendre avec bouts pointus. » Autre souci : la cravate qu'il souhaiterait porter à l'audience. Le directeur des Baumettes la refusera mais sa mère pourrait la déposer au greffe de la prison d'Aix, où il sera transféré le 8 mars. Il est essentiel qu'elle s'harmonise avec le costume bleu. Boots et cravate sont évoqués dans chaque lettre jusqu'à la veille de l'ouverture des débats.

Héloïse Mathon est dans les mêmes dispositions d'esprit que son fils. A quatre jours du procès, elle dresse déjà le bilan d'une expérience qui, pour avoir été affreuse, aura malgré tout comporté des enseignements positifs : « Tu seras plus méfiant, tu feras preuve de plus de prudence, car cette fois tu as été très éprouvé. » Comme Christian, elle attend avec impatience le dénouement judiciaire qui tournera forcément à la confusion des accusateurs : « Je ne voudrais pas être à leur place! » La veille du procès, elle écrit d'Aix, où elle s'est installée à l'hôtel : « Courage! Défends-toi, n'aie aucune crainte. aucune retenue contre ceux qui s'acharnent sur toi comme des bêtes sauvages. Les vampires existent en 1976. Plaignons-les car ils ignorent leur destin... Si l'homme au pull-over rouge commet un autre meurtre, le poids de ce deuxième crime pèsera sur la conscience de tes accusateurs. Ils souffriront. Dieu les punira. »

Bien entendu. elle fait emplette des précieuses boots et choisit une cravate assortie au costume bleu. mais Christian renoncera en fin de compte à la porter.

Ni la mère ni le fils ne font une seule allusion à Patrick Henry.

*
**

Il n'était point besoin du crime perpétré à Troyes pour que Christian Ranucci fût jugé dans un climat de haine. Les deux années écoulées depuis la mort de Marie-Dolorès n'avaient fait qu'assoupir l'émotion et la colère populaires : elles renaissaient intactes avec le procès. C'est pourquoi Micheline Théric avait décidé d'aller à Aix. Elle habitait avec son mari et sa petite fille le quartier des Chartreux, à Marseille, et avait eu la surprise de trouver chez sa marchande de journaux, plusieurs mois auparavant, une feuille de papier posée sur la caisse et portant en titre : « Pour la condamnation à mort de l'assassin de Marie-Dolorès Rambla ». La marchande avait expliqué qu'il s'agissait d'une pétition. Elle ne comportait encore que quelques noms mais serait en peu de jours couverte de signatures au recto comme au verso. « Mais c'est très grave ! s'était écriée Micheline Théric. Est-ce que vous vous rendez compte que c'est très grave ? » La semaine suivante, la même pétition était apparue chez le boucher du quartier, et avait rencontré le même succès. Catholique militante, Mme Théric avait discrètement interrogé les enfants auxquels elle enseignait le catéchisme : que pensaient leurs parents de l'affaire Ranucci ? Les parents voulaient qu'on exécutât l'assassin. « Il y avait une haine totale, sans merci. »

Micheline Théric avait pris le car d'Aix très tôt et avait fait la queue à la porte du palais de justice. Elle avait été surprise de retrouver plusieurs habitants du quartier ; ils étaient venus pour entendre condamner Ranucci à mort. Le même souhait était exprimé par tous ceux qui attendaient qu'on ouvrît les portes : la mort. A la prison d'Aix, où l'accusé venait d'être transféré, on avait fait le vide autour de lui pour le protéger des autres détenus. Ses avocats avaient reçu maintes lettres d'insulte et, jusqu'au milieu de la nuit, des coups de téléphone menaçants ; le pire était encore le silence oppressant qu'observaient parfois les correspondants anonymes.

La vague de haine qui eût de toute façon submergé Aix-en-Provence est devenue raz de marée avec l'affaire de Troyes. Il y a moins de six semaines que le petit Philippe Bertrand a été enlevé à la sortie de son école; que Patrick Henry, soupçonné par les policiers, leur a tenu tête pendant quarante-huit heures avant d'être relâché, faute de preuves, pour venir parader avec une froide impudence devant les caméras de télévision en déclarant que le ravisseur méritait à son avis de finir sur l'échafaud; il y a moins de trois semaines qu'on a découvert le cadavre de Philippe Bertrand, confondu finalement son meurtrier, découvert les sordides motivations du crime; moins de trois semaines que le garde des Sceaux, M. Lecanuet, en a appelé à une justice expéditive et sans merci; que le ministre de l'Intérieur, M. Poniatowski, a déclaré publiquement : « Si j'étais juré, je prononcerais certainement la peine de mort »; que le père du meurtrier lui-même, emporté par la tempête, a demandé la guillotine pour son enfant.

Quand s'ouvre l'audience des assises d'Aix, « la France a peur », comme le crie par trois fois Roger Gicquel; elle « communie dans la haine », selon Me Crauste; elle « cède à l'hystérie collective » pour Henri Noguères, président de la Ligue des droits de l'homme; elle « se livre à une séance d'exorcisme collectif », selon Pierre Viansson-Ponté; elle obéit « à la loi du talion et à celle de l'immolation », pour le sociologue Edgard Morin. Une semaine avant l'ouverture du procès Ranucci, le magazine *Le Point* est paru avec une photo de la guillotine sur sa couverture, et ce titre : « L'opinion veut la mort : pourquoi? »; Jacques Duquesne l'explique en un article fort documenté et très remarquable; il conclut que « la justice, ce n'est pas la vengeance », mais son enquête révèle la soif de vengeance du pays et son exigence que soit versé le sang de l'assassin du petit Philippe Bertrand : c'est par centaines qu'affluent de toute la France les lettres réclamant la mort, les pétitions émanant de groupes de mères de famille, d'associations diverses, d'usines où la direction et le personnel ont fraternellement mêlés leurs noms; toutes exigent le châtiment suprême pour « le monstre que l'on nourrit aujourd'hui à nos frais », la plupart demandant en substance que le meurtrier « soit exécuté dans les quinze jours sans procès, sans avocat, sans examen psychiatrique, sans grâce présidentielle » (cette grâce présidentielle que l'on redoute car on se souvient plus que jamais des déclarations de Valéry Giscard d'Estaing lors de l'élection présidentielle, deux années auparavant — et il a déjà commué une condamnation capitale, qui frappait, il est vrai, un mineur —, aussi le président de la Ligue pour l'application de la peine de mort, M. Taron, s'est-il rendu à Troyes où il a collecté en trois heures six mille signatures contre le droit de grâce présidentiel). Mais la mort sur l'échafaud n'est-elle point encore trop douce? C'est l'opinion majoritaire chez ceux qui ont pris la plume. « On va le guillotiner, ça passera trop vite, il faudrait le faire souffrir avant de le tuer »; « la mort sera trop douce à ce sale individu, ce sadique devrait être livré à la foule et torturé avant l'exécution. » Certains font même acte de candidature, avec nom et adresse, aux fonctions de tortionnaire d'Etat : « Que l'on m'en charge : je le ferai crever à petit feu. » Ou encore : « Voilà comment je punirais Patrick Henry : je le crucifierais sur une place et la population pourrait l'insulter pendant qu'il mourrait. » Trois jours avant que s'ouvre le procès d'Aix, *Le Parisien libéré* a lancé une grande enquête-référendum sur le thème « pour ou contre la peine de mort », avec bulletin-réponse (une majorité écrasante se dégagera en faveur de la peine capitale) et interviews de personnalités. Le 9 mars, jour de la première audience d'Aix, c'est M. Taron qui, entre autres déclarations d'une violence inouïe, annonce qu'il exécutera de sa propre main le meurtrier de son fils si on le laisse sortir de prison. Comme le reste, la campagne du *Parisien libéré* est motivée par l'affaire de Troyes.

Mais voici que Patrick Henry, l'homme le plus haï de France depuis des décennies, est escamoté par la machine judiciaire et disparaît dans l'ombre miséricordieuse d'une instruction qu'il n'est au pouvoir d'aucun garde des Sceaux, fût-il le plus cynique, d'avilir en une livraison hâtive au compère bourreau de son humaine matière première. On n'entendra plus parler de lui d'ici un an. La soif de vengeance va cependant être étanchée et la formidable charge de haine accumulée trouvera un exutoire, puisque le destin fait justement sortir des coulisses une providentielle doublure, cet autre assassin d'enfant qu'on avait un peu oublié. Certes, Christian Ranucci affirme son innocence, mais l'opinion publique l'ignore et ne se souvient que de ses aveux. Certes, il a enlevé Marie-Dolorès, s'il l'a enlevée, sous l'empire d'obscures pulsions sexuelles, et non pas dans le dessein crapuleux de battre monnaie avec l'angoisse d'une famille, comme a fait Patrick Henry. Sans doute a-t-il tué, s'il a tué, dans un moment d'égarement, submergé par la peur, et non point par calcul délibéré, comme a peut-être fait Patrick Henry. Mais n'importe! il a vingt-deux ans, l'autre vingt-trois, et il a lui aussi tué un enfant. Il fera l'affaire.

« Qui ne voit derrière les traits émaciés, le regard absent de l'accusé, le masque cynique de Patrick Henry? » écrira un chroniqueur du procès Ranucci.

Ainsi la pièce qu'on va jouer à Aix est-elle folle puisque les acteurs n'ont pas appris le même texte. Tout ce qui n'est pas l'accusé et sa défense s'attend à voir célébrer une immolation expiatoire sur l'autel de l'enfance assassinée. Christian Ranucci se prépare à fulminer son courroux contre les misérables qui ont bafoué son innocence. « Il se languissait d'aller aux assises, dit sa mère, il attendait le procès avec une impatience que vous ne pouvez pas savoir, et il y est allé comme à une fête. » Pour Ranucci, c'est après son acquittement que commenceront les choses sérieuses. Il a longuement débattu s'il tirerait pleine vengeance de ses persécuteurs ou s'il se prêterait à un compromis raisonnable. Et comme il s'est mis en tête d'aller vivre aux Amériques, sa dernière parole à Jean-François Le Forsonney avant de partir pour Aix a été celle-ci : « Il faudra négocier avec Giscard, après mon acquittement. Je veux deux billets d'avion pour le Venezuela : un pour ma mère, un pour moi. Et suffisamment d'argent pour nous installer. Sinon, je fais éclater le scandale et je pousse l'affaire jusqu'au bout. » Héloïse Mathon, toujours soucieuse de la santé de son fils, a prévu de six semaines à deux mois de repos près de Perpignan avant le grand départ outre-Atlantique. Ils s'installeront dans un meublé, à l'abri de la curiosité publique. Elle a retenu un chauffeur de taxi marseillais, « homme sérieux, digne de confiance », pour qu'il attende Christian à la porte de la prison, le soir de l'acquittement. La voiture est une Mercedes blanche, couleur de l'innocence. Héloïse sera là, bien entendu, mais elle a prévenu son fils que s'il pleuvait ou s'il faisait froid, elle se réfugierait dans le café d'en face. Ils partiront directement pour Perpignan.

L'opinion publique, Christian Ranucci : deux aveugles fonçant l'un vers l'autre sur une autoroute, convaincus qu'aucun obstacle ne peut se présenter.

La collision fera un mort.

* *
*

Le président Antona — Corse, sexagénaire, visage rond et rouge, cheveu rare et moustache fournie, l'air d'un brave homme sans malice — procéda à l'interrogatoire d'identité de l'accusé, puis au tirage au sort des neuf jurés qui allaient composer le jury. L'avocat général demanda et obtint que deux jurés supplémentaires fussent désignés pour le cas où des titulaires viendraient à faire défaut en raison de la longueur prévisible des débats.

Les bulletins portant les noms de vingt-trois jurés furent placés dans une urne pour être tirés au sort. Sur ces vingt-trois jurés, six — soit plus d'un quart — sont originaires de ce qu'on appelait jadis l'A.F.N. : l'Afrique française du Nord; cinq sont à la retraite; les quatre femmes sont sans profession; trois hommes sont, ou ont été, militaires de carrière; sept — soit près d'un tiers — appartiennent à la catégorie des cadres; les autres sont commerçants ou agriculteurs; un seul est ouvrier. C'est ce qu'on nomme la justice populaire.

La défense, comme l'accusation, a le droit de récuser quatre jurés dont le nom est sorti de l'urne. C'est un exercice difficile que de déduire de la profession d'un juré, de son âge, de son apparence physique, s'il penchera vers la répression ou vers l'indulgence. On songe à Me Badinter qui, dans un an, et précisément au procès de Patrick Henry, recevra lors d'une suspension d'audience cette confidence navrée du président départemental de la Ligue des droits de l'homme : « Hélas, vous avez récusé une femme : c'est l'une de mes meilleures militantes, adversaire résolue de la peine de mort... » Comment savoir? Mais un homme peut vivre ou mourir selon que ses avocats ont été séduits par un visage faussement bonhomme ou au contraire défavorablement impressionnés par une physionomie revêche plaquée sur la miséricorde.

Les avocats de Christian Ranucci récusèrent une femme, un officier, un militaire en retraite et un agriculteur. Le jury se trouva donc ainsi composé : une femme sans profession, un retraité, un agriculteur, un technicien, un contrôleur des P.T.T., un commerçant, un cadre des assurances, un sous-directeur de banque, un directeur de société. La moyenne d'âge était de quarante-trois ans.

L'avocat général Viala n'exerça pas son droit de récusation. Ce magistrat blanchi sous le harnois est un homme de belle apparence, décoré de la Légion d'honneur, d'une intelligence et d'une éloquence redoutables. Il avait alors la réputation établie d'être opposé à la peine capitale. Son handicap, dans l'affaire Ranucci, était d'avoir été désigné au tout dernier moment, de sorte qu'il n'avait disposé que de quelques jours pour étudier le dossier. Cette désignation tardive était le résultat d'une tentative désespérée de Paul Lombard visant à faire renvoyer le procès à une date ultérieure. Pour autant qu'on ait bien compris l'opération, il semble que l'avocat, justement angoissé par la vague de haine née de l'affaire Patrick Henry, ait imaginé d'appeler à ses côtés un avocat parisien connu pour les dignités éminentes auxquelles il a atteint dans la franc-maçonnerie. Le substitut d'Aix qui devait requérir contre Ranucci étant considéré, à tort ou à raison, comme relevant de la même obédience maçonnique, il eût peut-être été possible d'obtenir un renvoi salvateur. Le procédé pouvait paraître osé, mais à considérer le péril extrême où l'hystérie suscitée par l'affaire de Troyes mettait son client, l'avocat devait tenir que tout était bon pour neutraliser l'injustice colossale née du calendrier. Toujours est-il que le projet avait échoué, le substitut mis en cause ayant demandé lui-même son remplacement, et que M. Viala avait été désigné pour occuper le siège du ministère public. L'affaire avait créé une certaine émotion dans la magistrature aixoise, qui en restait amertumée. Ainsi continuait de se manifester inexorablement l'exceptionnelle malchance de Christian Ranucci. Ses défenseurs avait fait d'excellente besogne en usant de tous les moyens dilatoires à leur disposition, de sorte qu'il était jugé près de deux ans après la mort de Marie-Dolorès Rambla, mais ce délai, au lieu de le faire bénéficier de l'apaisement qu'apporte avec lui le temps, le précipitait sur l'estrade dans la circonstance la plus effroyablement contraire. Et quand son principal avocat tentait une manœuvre ultime pour conjurer le sort, elle n'aboutissait qu'à irriter contre lui les magistrats du siège.

Si l'accusateur public était impromptu, la défense allait à la bataille profondément divisée et André Fraticelli s'était résolu à être présent mais à ne pas plaider.

Il est si l'on veut le Porthos du trio (auquel manque évidemment un Aramis) ; un Porthos rugbyman court de taille mais large d'épaules, habitué en bon talonneur à évaluer la puissance de la poussée adverse, attentif au score et disposé à botter en touche pour préserver un résultat. Il n'estime pas que les plaidoiries désespérées sont aussi les plus belles et, plutôt qu'à un éventuel génie qu'il n'est point assuré de posséder, il fait confiance à son bon sens, qui est écrasant.

« Je ne voyais pas la possibilité de plaider l'innocence de Ranucci, dit-il. Cela ne veut pas dire que je le considérais comme coupable . simplement, je ne croyais pas possible de démontrer son innocence. Bien entendu, c'est à l'accusation de prouver la culpabilité. Mais dans ce cas précis, il y avait des témoins, des aveux — des aveux copieux, répétés —, tant et si bien que la culpabilité paraissait acquise au départ et que la défense devait remonter le courant, prouver l'innocence. Le vrai n'est pas plaidable s'il n'est pas vraisemblable. Je dois préciser que je n'avais pas été associé à toutes les histoires autour du pull-over rouge et que je n'en savais pas grand-chose.

« Ma stratégie était donc la suivante : plaider la culpabilité et prendre l'accusation à contre-pied en accentuant le côté macabre, scandaleux, excessif du crime. J'aurais longuement parlé de la malheureuse petite victime, du calvaire qu'elle avait subi, du véritable massacre qui avait mis fin à ses jours. Délibérément, je serais allé au-delà même de l'accusation dans l'évocation de l'horrible. Mais j'en aurais tiré cette conclusion : " Le crime est si atroce, si gratuit, qu'un être normal ne peut l'avoir commis. Les examens psychiatriques pratiqués sur Ranucci concluent à son entière responsabilité? C'est vrai, mais ils ont été faits plusieurs semaines après l'acte. Or, les psychiatres eux-mêmes parlent de pulsion. Une pulsion est par définition limitée dans le temps. C'est un phénomène qui joue par éclipse. Examiner Ranucci alors qu'il n'est plus sous l'empire de sa pulsion, c'est aboutir forcément au constat de sa normalité. Il faudrait pouvoir l'examiner en période de crise. Et qui peut dire qu'on aboutirait alors à la conclusion de sa responsabilité pénale? Un doute demeure. un doute si grand qu'on ne peut aller jusqu'à la condamnation à mort. "

« Je m'étais donc attaché à l'aspect médical du dossier dès mon entrée dans l'affaire, c'est-à-dire à la fin de l'instruction, et j'en ai longuement parlé avec Ranucci. Son accueil a été réticent. Je dois l'avouer : je n'ai jamais réussi à établir vraiment le contact avec lui. C'était un garçon très gardé. Il était multiple, complexe et simple. Très intelligent d'une certaine façon. Très méthodique, par exemple, et même super-organisé. Mais je dis aussi qu'il n'était pas intelligent parce que le vraisemblable ne le concernait pas. Il avait sa vérité et se souciait trop peu de savoir si elle était acceptable ou non par les autres. En prison, avant le procès, il n'avait qu'une idée : sortir de là. Bien sûr, tous mes clients emprisonnés ont le même désir, mais je ne l'ai jamais ressenti aussi fortement que chez Ranucci. Sortir de prison. Il ne doutait absolument pas de la possibilité de la chose, ni même de sa facilité. Pour lui, il n'y avait aucune raison valable de le garder aux Baumettes. Son innocence devait forcément éclater aux yeux de tous. »

Le système de défense envisagé par Mᵉ Fraticelli devait rencontrer la réticence de son client alors même que celui-ci n'était pas encore installé dans la certitude de son innocence : ce système, privilégiant le champ d'action médical, impliquait un examen douloureux et relativement périlleux — l'encéphalographie gazeuse — auquel Christian Ranucci se déroba avec une sorte de constance indécise qui mit à rude épreuve la patience des médecins experts et des magistrats. Le 12 juillet 1974, conduit dans le service du professeur Salamon à l'hôpital de la Timone, il refuse l'encéphalographie gazeuse. A ses avocats et à sa mère, il explique qu'il n'était pas à jeun, condition nécessaire pour une anesthésie générale. Le 6 janvier 1975, Mᵉ Le Forsonney dépose des conclusions demandant qu'il soit procédé à une encéphalographie gazeuse. Mˡˡᵉ Di Marino y consent, bien que les experts psychiatres aient déjà déposé leur rapport, et désigne le professeur Paulette Jouve pour pratiquer l'examen. Conduit le 9 janvier 1975 dans le service du professeur Jouve, à l'hôpital Nord, Ranucci refuse l'encéphalographie gazeuse pour protester contre une mesure d'isolement qui lui a été imposée la veille aux Baumettes; Mᵐᵉ Jouve lui explique vainement que cet isolement n'avait d'autre motif que d'éviter toute ingestion de boissons ou d'aliments avant l'anesthésie générale. André Fraticelli parvient enfin à convaincre son client récalcitrant que son intérêt est de se prêter à l'examen, fût-il pénible. On est devant la chambre d'accusation. Celle-ci, bonne fille, accepte le principe mais demande que Ranucci confirme sa requête par écrit et lui donne huit jours pour envoyer sa lettre.

Le délai écoulé, point de lettre. Christian affirmera à ses avocats et à sa mère qu'il l'a dûment envoyée; toujours est-il qu'elle n'est jamais arrivée. Le plus probable est qu'il ne voulait décidément pas subir l'encéphalographie gazeuse, opération en vérité très douloureuse.

Le Scanner est indolore. Jean-François Le Forsonney lit dans *L'Express* un article sur ce nouvel instrument d'investigation fonctionnant avec l'assistance d'un ordinateur et grâce auquel on obtient, sans anesthésie, sans injection dans le liquide céphalo-rachidien, des éléments d'appréciation nettement supérieurs à ceux qu'apporte l'encéphalographie gazeuse. Sur les deux Scanner existant en France, l'un vient d'être installé à l'hôpital marseillais de la Timone, dans le service du professeur Gastaut.

« J'ai eu beaucoup de mal à convaincre Ranucci d'accepter le Scanner, dit Mᵉ Fraticelli. Il ne voulait pas croire qu'il ne souffrirait pas et qu'il n'y avait aucun risque, contrairement à l'encéphalographie gazeuse. J'ai finalement obtenu son accord, mais très difficilement et en ayant l'impression de le violer. »

Au vrai, tout cela n'intéresse plus Christian, inébranlablement convaincu de son innocence, qui trouve de plus en plus suspecte l'insistance de Mᵉ Fraticelli à l'engager dans un système de défense impliquant sa culpabilité. La réticence originelle est devenue une méfiance avouée qu'il exprime dans de très nombreuses lettres à sa mère. Héloïse Mathon, de son côté, s'indigne des prudences et des réserves de l'avocat, qui a l'air de croire que le procès d'Aix pourrait finir autrement qu'en apothéose. Avertissements et mises en garde réciproques culminent à la fin avec le soupçon qu'André Fraticelli s'est peut-être « infiltré dans la défense » pour le compte de la police. La mère et le fils s'en défient comme d'un ennemi potentiel. On pourrait s'étonner à bon droit qu'ils ne l'aient point récusé si l'on ne savait avec quelle confiance l'un et l'autre envisageaient le procès d'Aix, que même la présence d'un avocat tenu pour félon ne pouvait rendre périlleux.

Pour Christian Ranucci, ses véritables avocats sont

Me Lombard et Me Le Forsonney, qui vont plaider son innocence.

***

La préparation de son dossier achevée, Jean-François Le Forsonney avait pourtant éprouvé un scrupule. Il se savait trop inexpérimenté pour improviser à la barre un nouveau système de défense, aussi avait-il dit à Ranucci, lors de leur dernier entretien aux Baumettes : « Je vais plaider votre innocence parce que j'y crois. Mais je dois vous prévenir que si vous avouez votre culpabilité en cours d'audience, ça fiche tout par terre. Vous le comprenez? Si vous êtes coupable et si vous craquez... » Christian l'avait interrompu, l'air offusqué : « Mais comment voulez-vous que je craque? Il n'y a pas à craquer ou à ne pas craquer. Je suis innocent. C'est tout. » Sa tranquille assurance avait impressionné l'avocat, mais celui-ci avait quitté le parloir avec un sentiment d'appréhension : « J'aurais préféré qu'il se rende davantage compte de la situation réelle. Il ne se doutait absolument pas que sa peau était en jeu. Pour lui, il était évident que la vérité allait éclater et qu'il serait triomphalement acquitté. »

Ce triomphe sera naturellement celui de Paul Lombard. Son âge, sa célébrité, son ascendant sur ses jeunes confrères font de lui le maître de l'affaire. C'est Paul Lombard qui a fixé la stratégie. C'est lui qui a choisi de plaider l'innocence. Et il a maintenu sa décision après qu'un jury improvisé par ses soins lui eut conseillé de prendre le parti contraire.

La réunion s'était tenue cinq jours avant l'ouverture du procès au domicile de l'avocat, dans un vieil immeuble du cours Pierre-Puget tout proche de son cabinet. Paul Lombard avait invité à dîner les chroniqueurs judiciaires des journaux régionaux et les correspondants à Marseille des organes d'information nationaux. Ils étaient une dizaine. L'avocat les connaissait tous, en tutoyait la majeure partie, savait pouvoir compter absolument sur l'amitié de quelques-uns. Jean-

François Le Forsonney assistait au repas, mais non André Fraticelli. Cette assemblée générale ne manquait pas d'un pittoresque typiquement lombardien, mais elle relevait sans doute d'une psychologie erronée car les journalistes préfèrent le tête-à-tête, qui leur donne au moins l'illusion de l'exclusivité : le plaisir et l'intérêt que chacun avait éprouvés en recevant une invitation à dîner avec le grand avocat à la veille d'une affaire sensationnelle se mua en déception quand on se découvrit si nombreux autour de la table. La chère était bonne; l'hôte, dans sa meilleure forme. Il fit une analyse brillante du dossier Ranucci, énuméra les atouts de l'accusation, insista beaucoup sur l'homme au pull-over rouge, et termina en demandant : « Que plaideriez-vous à ma place : innocence et acquittement, ou bien culpabilité avec circonstances atténuantes? »

La question en surprit beaucoup. Alain Dugrand, par exemple, correspondant de *Libération,* n'avait jamais envisagé que Ranucci pût ne pas être coupable, alors pourtant que son inclination le portait en général à croire à l'innocence. Paul Georges, correspondant à Marseille de Radio Monte-Carlo, avait couvert l'affaire depuis son tout début et l'accumulation des preuves contre Ranucci lui paraissait irrésistible. Roger Arduin, correspondant d'Europe 1, qui avait conduit Héloïse Mathon au cabinet de Paul Lombard, fut atterré : demander l'acquittement pur et simple, c'était tenter un gigantesque coup de poker dont une vie humaine était l'enjeu.

Quand Paul Lombard eut terminé son tour de table, tous les journalistes, à une exception près, s'étaient formellement prononcés contre le plaidoyer pour l'acquittement.

Le dîner tourna court : on se battait à Narbonne, où la révolte des vignerons tournait à l'insurrection armée; le lendemain, un commandant de C.R.S. allait être abattu à la carabine. Les rédactions ralliaient leurs journalistes et la plupart des convives se dispersèrent. Paul Lombard lança un dernier appel pour demander à chacun de faire preuve de sérénité dans ses articles et comptes rendus : Christian Ranucci ne devait pas payer pour le crime de Patrick Henry.

Donc, l'innocence. André Fraticelli expose à son éminent confrère le système de défense qu'il comptait pour sa part adopter. « Lombard, dit-il, m'a répondu : " Si tu plaides sur ce thème, tu démolis complètement ma plaidoirie et celle de Le Forsonney. Il faut que nous présentions un front commun. " Comme je me sentais incapable de plaider l'innocence, j'ai décidé qu'il valait mieux ne pas plaider du tout. »

Donc, deux plaidoiries. Mᵉ Lombard suggère à Jean-François Le Forsonney : « Répartissons-nous les tâches : vous parlerez de la personnalité de Ranucci et je plaiderai les faits. » Le jeune avocat répond : « Non, la défense est un tout. Je plaiderai la personnalité mais aussi les faits. » Paul Lombard, entré dans l'affaire après que son collaborateur eut été en première ligne tout au long de l'instruction, ne se sent peut-être pas l'autorité nécessaire pour imposer sa décision, qui est sage. On aura par conséquent deux plaidoiries qui, plutôt que de se conforter, se répèteront au risque de lasser.

L'innocence. Mais, bien étrangement, les avocats rédigent des conclusions, qu'ils déposeront devant la cour, demandant que Christian Ranucci soit soumis à deux examens pour déterminer s'il ne présente pas de lésions cérébrales organiques; l'un sera pratiqué grâce au Scanner, le second n'est autre que l'éternelle encéphalographie gazeuse. N'est-ce point introduire une machine infernale dans le système de défense? Peut-on plaider en même temps que Ranucci est fou et innocent? Les jurés ne vont-ils pas penser que les avocats eux-mêmes sont peu convaincus de l'innocence de leur client puisqu'ils cherchent à se ménager des excuses absolutoires du côté de la psychiatrie? Paul Lombard croit avoir trouvé la parade : si la défense juge plausible une anomalie mentale chez Ranucci, et nécessaire sa recherche par des moyens scientifiques, c'est pour expliquer les aveux aberrants qu'il a passés devant les policiers et le juge d'instruction.

Le distinguo est subtil.

Après l'appel des témoins, et ceux-ci s'étant retirés de la salle d'audience, le procès commença vraiment avec l'interrogatoire de l'accusé par le président Antona.

Mince, le visage émacié par la détention, les lunettes posées à mi-nez, légèrement penché en avant, les deux mains à plat sur le rebord du box, Christian Ranucci écouta avec une commisération exaspérée le portrait que le président traçait de lui à l'intention des jurés. Pour tous les familiers des enceintes de justice, il était clair que M. Antona tendait une perche à la défense en soulignant systématiquement les circonstances biographiques hors du commun dont l'accumulation avait pu faire de l'accusé un garçon, sinon anormal, du moins différent. Ainsi insista-t-il longuement sur l'enfance vagabonde, la peur du père, l'emprise de la mère. Il parla du « tendre sentiment » existant entre Héloïse Mathon et son fils de façon si suggestive que chacun devait envisager une relation des plus troubles. Son esquisse psychologique aboutissait enfin à faire de Christian un adolescent attardé, traumatisé par sa relation au père, victime d'une mère abusive, plus ou moins séquestré par elle, et dont la première sortie libre dans le vaste monde avait été ponctuée par le meurtre d'une fillette. Ce fatal week-end de la Pentecôte, le diable était brutalement sorti de la boîte où sa mère l'avait tenu enfermé vingt ans durant, mais c'était en somme un pauvre diable que dépeignait le président Antona, un accusé dont la principale circonstance atténuante était son enfance mutilante.

Christian objecta, contesta, protesta et ricana sans cesse, de sorte que le dialogue fut d'un bout à l'autre de cet ordre :

— On dit que vous êtes d'un caractère renfermé...

— Je me demande vraiment où on est allé chercher ça! Les enquêteurs ont interrogé des types de mon régiment que je connaissais à peine mais pas mes vrais amis, alors, évidemment...

— Ce caractère renfermé est assez explicable, Madame et Messieurs les jurés, chez un jeune homme qui n'a pas eu de père et que sa mère a couvé — trop couvé sans doute...

— Mais c'est faux! C'est absolument faux! J'ai eu une enfance normale, comme tout le monde. Je ne me suis jamais senti différent des autres.

— Ecoutez, il semble tout de même que votre mère vous a passé beaucoup de fantaisies...

— Mais non! C'est une invention!

— Les psychiatres vous disent parfaitement équilibré mais à onze ans, vous tiriez à la carabine à tort et à travers...

— Et alors? C'est interdit de tirer avec une carabine à plombs?

— Même si vous avez été couvé, vous avez manqué d'une affection constante...

— Mais non!

— L'expert psychologue, Mme Colder, écrit que vous avez avec votre mère des rapports sado-masochistes...

Ici, l'accusé, comme accablé par l'excès de sottise, se borne à ricaner en haussant les épaules et en martelant du poing le rebord du box...

La consternation régnait sur les bancs de la presse.

Chacun savait qu'une tête était en jeu, et les chroniqueurs judiciaires sont dans leur grande majorité hostiles à la peine de mort. Pour certains, c'est affaire de philosophie personnelle. Pour la plupart, c'est en vertu de l'expérience acquise. Roulant leur bosse de prétoire en prétoire, ils ont reniflé de près la cuisine judiciaire et savent que la justice des hommes est fonction d'une série d'aléas dérisoires au regard de l'enjeu : le talent d'un avocat ou d'un procureur, l'état de l'opinion publique, le caractère du président, la présence au sein du jury d'une personnalité affirmée, la bonne ou la mauvaise impression que l'accusé fait à l'audience. Pour le chroniqueur judiciaire, les assises sont une loterie, et une conscience aiguë de la relativité de la justice humaine conduit naturellement à ne point aimer une peine dont la caractéristique est d'être absolue et irréversible.

Les journalistes étaient arrivés à Aix avec une présomption de culpabilité, pour employer un euphémisme : les aveux et le faisceau de preuves réuni par l'accusation leur paraissaient a priori accablants. Aux yeux de la plupart d'entre eux, la personnalité de l'accusé était cependant si singulière qu'elle devait lui valoir de larges circonstances atténuantes et lui éviter le châtiment suprême. On avait repris, pour les articles d'avant-procès, les informations vraies ou fausses publiées au moment de l'arrestation de Ranucci. Le « Je l'ai élevé comme une fille » prêté à Héloïse Mathon connaissait une grande fortune. Un journaliste provençal écrivit même que Christian avait couché dans le lit maternel jusqu'à son service militaire. La description par la mère d'un Christian « qui lui cachait ses petites bêtises de peur d'être grondé » en laissait beaucoup perplexes, s'agissant de l'assassinat d'une fillette; on oubliait que Mme Mathon avait dit cela quand elle croyait encore qu'on reprochait à son fils un simple délit de fuite. Mais la phrase la plus reprise, et qu'elle n'avait en vérité cessé de répéter, était celle-ci : « C'est la première fois de sa vie que Christian passait la nuit hors de la maison. » On trouvait extraordinaire qu'un garçon attendît sa vingtième année pour découcher. Aujourd'hui encore, cette singularité reste dans le souvenir comme la caractéristique principale du personnage de Christian Ranucci. Tous les journalistes que nous avons interrogés à propos de l'affaire ont commencé par nous dire en substance : « Ranucci? Ah oui! Ce pauvre type qui a tué une fillette la première fois que sa mère l'a laissé sortir de chez elle... » On ne trouve pratiquement aucun article qui ne mentionne le détail, tenu pour significatif d'une jeunesse passée sous les jupons d'une mère abusive, caractéristique d'un « fils à maman » empêché de s'épanouir, et le chroniqueur de *Var-Matin* exprimait assez bien l'opinion de la majorité de ses confrères lorsqu'il écrivait : « Il a été couvé, abusivement choyé et tenu soigneusement à l'écart des réalités de la vie, et dans l'ignorance ou dans l'insatisfaction des besoins inhérents à une sexualité qui se développe. Comment ne pas comprendre dès lors que Christian Ranucci ait été sérieusement perturbé par cette contradiction qui lui faisait en même temps avoir des besoins d'homme et qui l'amenait à se comporter comme un enfant, parce qu'on le traitait comme tel? »

La véracité de ce tableau psychologique s'imposait avec une telle force que les évidences les plus contraires s'en trouvaient purement et simplement annulées, sinon même distordues pour concourir à renforcer le trait. Le capitaine Gras nous dit par exemple : « Les avocats avaient fait venir de Nice deux prostituées, une Blanche et une Noire — très belle fille, d'ailleurs — pour témoigner que Ranucci avait eu des rapports sexuels normaux. Elles n'ont pas déposé, en définitive, et c'était aussi bien parce que ça n'aurait rien prouvé — au contraire! J'estime que s'il avait été normal, un beau garçon comme lui n'aurait pas eu besoin d'avoir recours à des prostituées. » La jeune femme noire que le capitaine Gras prenait pour une prostituée niçoise, c'était bien entendu Monique, la demi-sœur de Gilbert, l'amie d'enfance de Christian Ranucci et sa première maîtresse. Ainsi l'un des épisodes les plus touchants de la vie familiale de Christian, et qui témoignait à la fois d'une enfance entourée de tendresse et d'une adolescence épanouie sentimentalement et physiquement, cet épisode lui-même était détourné pour servir à conforter la légende.

Nous supposons que la deuxième femme dont le capitaine Gras pensait sincèrement qu'elle sortait d'un bordel niçois n'était autre qu'Héloïse Mathon, qui suivit la deuxième journée du procès assise à côté de Monique. La méprise serait compréhensible car même si cela ne fut pas dit explicitement à l'audience, la rumeur courut dans le public et sur les bancs de la presse que la mère de Ranucci était une ancienne putain. Un journaliste allait même l'écrire en y trouvant une explication pertinente des dérèglements de l'accusé. Nous avons dit l'origine de cette rumeur. La police, on le sait, tient à jour ses registres de la prostitution : si Mme Mathon s'était livrée à cette coupable activité, la trace en eût été facilement retrouvée dans les archives. Mais une rumeur n'a point besoin d'être fondée du moment qu'elle trouve un climat favorable à son épanouissement. Une mère abusive et de surcroît débauchée expliquait admirablement la sexualité difficile du fils. Si ce dernier avait partagé la couche maternelle jusqu'à l'âge de dix-neuf ans, on comprenait qu'il en vînt à s'intéresser aux filles impubères.

Assise au milieu du public, Héloïse Mathon offrait au demeurant un saisissant spectacle. Tout de sombre vêtue comme si elle portait déjà le deuil, chapeautée de noir, un foulard à dominante noire par-dessus son chapeau, le regard dissimulé par d'énormes lunettes noires, portant elle aussi une croix au revers de son manteau, la mère de l'accusé semblait s'être ingéniée à créer une impression bizarre. Micheline Théric l'aperçut dès son entrée dans la salle d'audience et, stupéfaite, se demanda : « Mais qui est donc cette personne étrange? » L'étonnant appareil vestimentaire de la mère, qu'elle trouvait personnellement très bon genre, suscita un malaise aussi profond, quoique d'un ordre différent, que le complet bleu pétrole du fils et sa croix d'évêque, de sorte que toutes les conditions étaient réunies pour avérer le portrait psychologique tracé par le président Antona et considéré par les chroniqueurs judiciaires comme l'unique planche de salut d'un accusé en péril de mort.

Mais Christian déchira sèchement l'esquisse. Il refusa de s'y reconnaître et il devait le faire s'il était de bonne foi puisque l'image était inexacte. On ne peut pas attendre d'un garçon élevé dans un bar-restaurant placé au bord d'une route nationale qu'il estime avoir été « soigneusement tenu à l'écart des réalités de la vie », ni qu'il admette son ignorance ou son insatisfaction sexuelle quand il a été dépucelé à seize ans par une fille aimante et aimée, et qu'il n'a point cessé depuis d'avoir des rapports très satisfaisants avec diverses jeunes femmes. Sportif accompli, maniaque de la vitesse, rescapé de cent bûches lors de ses moto-cross de fortune, Christian Ranucci ne pouvait guère s'identifier à la poule mouillée couvée par sa mère que le président Antona croyait avoir dénichée, de même que le caporal Ranucci, qui menait la vie dure à ses supérieurs, faisait volontiers le mur et savait pousser le coup de gueule pour intimider les jeunes recrues, devait forcément trouver peu adéquate l'image d'un benêt éperdu d'émotion dès qu'on le sortait du jupon maternel.

Plus extraordinaire était encore le fameux : « C'est la première fois de sa vie que Christian passait la nuit hors de la maison » que la malheureuse mère ressassait depuis deux ans pour bien séparer son fils des loubards et blousons dorés hantant les nuits azuréennes. Un garçon accomplissant son service militaire couche pendant un an hors de chez lui, et Christian avait vagabondé seul en pays étranger au cours de permissions de fin de semaine trop brèves pour lui permettre de rallier Nice. Il avait aussi tenu le bar du « Rio Bravo » pendant plusieurs mois tandis qu'Héloïse Mathon était à Nice, et l'on admettra que cette activité est de celles qui débrouillent un jeune homme et lui ouvrent les yeux sur les « réalités de la vie ». Deux semaines avant le crime qui lui était reproché, il avait enfin quitté sa mère pour un stage professionnel de trois jours à Sorgues. L'impression d'ensemble est donc exactement inverse de celle accréditée par la presse et reprise par le président : à vingt ans, Christian Ranucci avait eu des expériences plus précoces et plus émancipatrices que beaucoup de garçons de son âge. Cela ne signifie pas que son enfance ait été exempte d'incidents traumatisants ni qu'elle n'ait pas baigné dans un certain climat peu ordinaire, mais que le portrait de lui-même proposé à Ranucci était si manifestement erroné qu'il devait en toute bonne foi le récuser.

Il le fit sans ménagement, jugea superflu de coopérer à une approche paisible et plus exacte de sa personnalité, manifesta au contraire une agressivité inlassable, une morgue souveraine, cognant du poing pour marquer son exaspération, ricanant avec mépris quand les propos du président lui paraissaient relever d'une imbécillité plus signalée. Il en fit tant et tant que beaucoup le virent au bord de l'outrage à magistrat. Le public massé au fond de la salle, d'abord stupéfait, gronda de colère à plusieurs reprises : personne ne s'était attendu à voir dans le box un chat sauvage hérissé et crachant sa hargne. Ranucci ne jouait pas le jeu. Il refusait son rôle, qui était de payer pour la mort de Marie-Dolorès Rambla et de Philippe Bertrand. Sur les bancs de la presse, on considérait avec commisération et un début d'exaspération cet accusé acharné à sa propre perte. Un chroniqueur écrivit : « Se rend-il compte qu'il vient de commettre sa première lourde erreur en refusant la pitié des hommes? »

Christian Ranucci ne quêtait pas la pitié : il exigeait la justice. Il n'était pas venu à Aix pour écouter des calembredaines sur sa personnalité intime et le type de rapport qu'il avait avec sa mère, mais pour que fût proclamée son innocence. Sourd à la rumeur hostile montant du fond de la salle, aveugle à l'agacement des journalistes assis en face de lui, il avait réussi en moins de deux heures à décupler la haine et à susciter l'irritation, n'en avait cure, et attendait avec une impatience évidente que le président en vînt aux faits.

Ce fut catastrophique.

*
**

— Qu'avez-vous à dire sur votre sortie de la Pentecôte?
— Avec trois jours de libre, j'avais envisagé de visiter l'arrière-pays, le Var, et même l'Italie jusqu'à Gênes.
— Votre mère a refusé de partir avec vous : pourquoi?
— Elle trouve que je roule trop vite. Elle a eu peur.
— Vous êtes parti au hasard?
— Oui, au hasard. J'ai visité Salernes, je suis passé par Aix

et je suis arrivé à Marseille en fin d'après-midi, le dimanche. Là, j'ai garé ma voiture sur le Vieux-Port et j'ai fait les bars du quartier de l'Opéra. J'ai beaucoup bu. Quand je suis reparti, le lendemain matin, j'étais à moitié ivre. J'ai roulé et, arrivé au « stop » sur la route nationale, j'ai senti un choc épouvantable. Je n'ai rien compris. Après, c'est le noir. Je me suis retrouvé embourbé et j'ai essayé de m'en sortir en mettant des branches coupées sous mes roues. Ça n'a pas marché, alors je suis parti à la recherche d'une maison pour téléphoner et j'ai trouvé M. Rahoù, qui m'a aidé à me désembourber avec son patron. Il m'a invité ensuite à prendre le thé et je suis reparti à Nice.

Le président Antona considère l'accusé avec un étonnement patent :

— Voyons, voyons, ça ne concorde pas. Réfléchissez, Ranucci. Ne vous souvenez-vous pas d'avoir passé la nuit à Salernes et non à Marseille ? Rappelez-vous : vous avez déclaré que vous aviez dormi à Salernes dans votre voiture...

— Les policiers voulaient à toute force me faire dormir à Salernes, alors, bon, j'ai dit que j'avais dormi à Salernes.

— Cette ivresse dont vous nous parlez, c'est nouveau. Vous n'y avez jamais fait allusion auparavant. Pourquoi n'en avez-vous pas parlé aux policiers ?

— J'en ai parlé, bien sûr, mais ça n'a servi à rien...

— Pourquoi ?

— Ecoutez, Monsieur le Président, reprenons par ordre chronologique sinon on ne s'y retrouvera pas.

Ce fameux ordre chronologique, Ranucci allait inviter à plusieurs reprises, et sur le ton le plus sec, le président Antona à s'y conformer, comme s'il savait mieux que personne — en tout cas mieux que son interlocuteur — la manière dont un interrogatoire d'assises doit être conduit.

— Vous avez pris la fuite, après la collision...

— J'avais peur pour mon permis. Et j'avais autre chose à faire que d'aller passer la nuit à Marseille à ergoter sur un accident minable avec un commissaire de police nommé Alessandra. Je devais me lever de bonne heure, le lendemain.

— Peut-être, mais vous commettiez un délit de fuite.

— Absolument pas. Je me suis arrêté plus loin. C'est là que j'ai perdu conscience. D'habitude, je bois de l'eau minérale mais je me biture une fois tous les six mois. C'est permis, non?

— Je répète ma question : pourquoi n'en avez-vous pas parlé aux policiers?

— Mais puisque je vous dis que je leur en ai parlé!

— Je ne comprends pas. Où avez-vous commencé à boire!

— A Salernes. Ensuite, dans les bars du quartier de l'Opéra. J'avais aussi une bouteille de whisky dans ma voiture : on l'a retrouvée vide. J'ai bien le droit de me noircir comme tout le monde une fois de temps en temps...

— Qu'avez-vous fait à Marseille, le lundi matin?

— Je me suis promené un peu et j'ai repris ma voiture.

— Expliquez-nous ce dessin que vous avez fait devant les policiers après votre arrestation...

— Je ne m'en souviens pas.

— Voyons, Ranucci, vous avez fait vous-même un croquis des lieux où a été enlevée Marie-Dolorès. Tenez, le voici...

— Ah! oui... Je m'en souviens, maintenant. Je l'ai fait, ce plan. Mais si je l'ai fait et signé, c'est parce qu'on m'y a forcé.

— Qui ça, « on »?

— Les policiers, pardi! Ecoutez, je vous répète qu'on n'en sortira pas si on ne suit pas l'ordre chronologique...

Dialogue de sourds. Personne n'y comprend rien, à commencer par le président Antona qui conserve un sang-froid remarquable et une patience digne d'éloge face à un accusé teigneux contestant le dossier en bloc et jusque dans ses détails les plus anodins. Car ce qui suffoque, c'est l'incohérence de Ranucci, son acharnement à nier par exemple qu'il ait passé la nuit à Salernes, et non point la proclamation hargneuse de son innocence. Le lecteur doit savoir qu'un accusé revenant sur ses aveux et affirmant son innocence à l'audience ne constitue pas un phénomène exceptionnel pour un vieux routier des prétoires. Le retournement est au contraire si banal qu'il est reçu avec un scepticisme blasé. De même, un avocat peut fort bien, à l'occasion de sa première rencontre avec son client, entendre celui-ci regretter vivement son crime, et le retrouver quelques mois plus tard révolté à la perspective qu'un jury pourrait commettre l'iniquité de le trouver coupable. La condamnation elle-même ne fait pas toujours démordre le condamné de son illusion, sincère ou non : à interroger les détenus, les prisons seraient peuplées d'innocents. Si les malfaiteurs professionnels jugent assez souvent la comédie superflue, elle est courante et vécue avec une totale authenticité chez les criminels d'occasion victimes d'un moment d'égarement, d'une pulsion incoercible, et pour lesquels le retour à l'équilibre psychique rend littéralement inconcevable qu'ils aient pu commettre un acte dont l'horreur les révulse. Christian Ranucci, dans l'hypothèse de sa culpabilité, appartenait à cette catégorie et l'expert psychologue, Myriam Colder, avait jugé sa bonne foi probable quand il lui avait déclaré ne conserver aucun souvenir de l'acte qu'on lui reprochait : c'était le résultat d'un « réflexe auto-défensif inconscient ». On sait que Christian Ranucci avait en fin de compte acquis la certitude de son innocence en fonction d'éléments matériels très précis (la découverte par sa mère de nouveaux témoins), mais tout le monde l'ignorait à Aix, hormis ses avocats et quelques journalistes, de sorte que la cour et les chroniqueurs, habitués au phénomène de l'innocence auto-suggérée, pouvaient à bon droit conclure que l'accusé leur en offrait, dans son style bien particulier, une nouvelle démonstration.

Mais pourquoi se battre avec pareille ténacité sur des détails secondaires, sans rapport direct avec le crime? Dans quel but voulait-il faire accroire qu'il avait passé la nuit à Marseille et non plus à Salernes? Si c'était pour fonder sa thèse de l'ivresse — inédite, elle aussi —, la manœuvre était superflue car on peut boire à Salernes tout autant qu'à Marseille. Et pourquoi les policiers de l'Evêché auraient-ils éprouvé le besoin de lui faire passer des aveux aberrants sur un épisode dénué d'importance? Jean-François Le Forsonney, pourtant bien disposé à l'égard de son client, se posait depuis bientôt deux ans ces irritantes questions. A Aix, elles portèrent à son comble l'exaspération de ceux qui étaient convaincus de la culpabilité : non seulement Ranucci mentait, mais il mentait avec une insupportable effronterie. « Nous prend-il à ce point pour des imbéciles? » allait écrire un chroniqueur. Quant à ceux dont l'opinion n'était pas faite, et parmi lesquels on compte par principe le président Antona, ses deux assesseurs et les neuf jurés, l'évidence du mensonge sur le secondaire devait obligatoirement induire l'extrême probabilité du mensonge sur le principal. On n'en était pas encore arrivé à l'évocation du crime que l'accusé avait déjà perdu tout crédit.

L'inexorable enchaînement de malentendus s'allongeait ainsi d'un maillon essentiel, meurtrier, d'une injustice à serrer le cœur, car Christian Ranucci disait vrai dans l'instant même où personne n'aurait osé parier sur sa sincérité : il avait bel et bien passé à Marseille la nuit du 2 au 3 juin 1974.

**

Nous l'avons appris du commissaire Alessandra.

Une promotion flatteuse l'a installé dans le bureau attenant à celui du préfet de police de Marseille. Nous l'y rencontrâmes le 15 février 1978. Son accueil fut courtois et même cordial. Le visage rond, le teint mat, affichant une placidité inébranlable, Gérard Alessandra est à l'opposé du style cow-boy que certains de ses anciens collègues de l'Evêché cultivent soigneusement. Nous n'avons pas eu cependant le sentiment d'avoir en face de nous un Français moyen. Le commissaire, faisant preuve d'un rare esprit de coopération, commença par nous proposer le récit de l'identification du cadavre de sa petite fille par Pierre Rambla : ce devait être à son avis l'une des grandes scènes du livre que nous projetions d'écrire. Il l'évoqua avec talent et sensibilité. Son alacrité de conteur devait pourtant s'effilocher au fil des questions, dont beaucoup parurent l'étonner, comme s'il les jugeait de peu d'intérêt pour un auteur se donnant à tâche d'écrire une grande tragédie humaine. Au bout d'une heure d'entretien, le commissaire Alessandra nous dit sur un ton mémorable. qui n'était pas d'un Français moyen : « Je vois que c'est une affaire que vous connaissez très bien. » Mais la certitude d'avoir en face de lui un interlocuteur informé, bien loin de l'encourager à approfondir la discussion, sembla l'inciter à mettre un terme à l'entretien. C'est là une impression toute subjective et le fait est que le commissaire Alessandra nous avait déjà consacré un temps substantiel.

Comme nous lui disions, peu après son évocation de la scène dramatique de l'identification, notre perplexité quant à l'emploi du temps de Ranucci la veille de l'enlèvement, il répondit d'une voix posée, sur le ton de l'évidence :

— Il était à Marseille.

— A Marseille? Mais comment le savez-vous?

— Nous le savons de façon certaine parce qu'il a eu un accident de la circulation le dimanche en fin d'après-midi. Il a renversé un chien dans le quartier Saint-Marcel. Le propriétaire du chien et lui ont échangé leurs identités pour les problèmes d'assurance.

— Ranucci était seul?

— Je le suppose, sinon le propriétaire du chien nous l'aurait signalé. D'après sa déposition, Ranucci était seul dans sa voiture.

— Mais comment se fait-il que ce témoignage n'ait jamais été évoqué?

— Parce que le propriétaire du chien s'est manifesté assez tardivement. L'instruction était terminée.

— Il s'est manifesté avant le procès?

— Oui, avant le procès, mais après la clôture de l'instruction.

Simple détail que cette nuit passée à Marseille et non à Salernes? On verra bientôt qu'il s'agit en fait d'une brèche capitale dans la thèse de l'accusation. Au moment où nous sommes, on se bornera à constater que Christian Ranucci, criant la vérité, donne à la cour, au jury et à l'assistance l'image d'un menteur effronté, et que l'homme qui pourrait d'une seule phrase apporter la preuve de sa sincérité — le commissaire Alessandra — se trouve à quelques mètres de la salle d'audience, dans la pièce où attendent les témoins.

**

Las de cet interrogatoire qui dégénérait en dialogue de sourds, le président Antona prit dans le dossier les procès-verbaux des aveux passés par l'accusé à l'Evêché, le 6 juin 1974, puis devant le juge d'instruction, et en donna lecture.

L'impression fut terrible. Tout devenait clair, logique, précis. « Cette fois, aucun détail ne manque », devait écrire un journaliste, traduisant bien le soulagement intellectuel qu'apportait à chacun ce brutal coup de projecteur dans l'obscur embrouillamini entretenu jusqu'alors par Ranucci. En même temps, la certitude de la culpabilité devenait écrasante. Un homme parle à la première personne et dit : « J'ai tué » ; il s'accuse du plus horrible des crimes ; il donne des détails : « Je vous précise que j'ai dû aider la petite à grimper le talus », « Je l'ai empêchée de crier en lui serrant le cou avec ma main gauche » — pas n'importe quelle main : la gauche ; il donne d'un acte insensé un récit cohérent, sans faille apparente, tout imprégné du sentiment horrifié de sa propre monstruosité. Puissance irrésistible de l'aveu! Puissance qu'on dirait presque surhumaine puisque la lecture d'un procès-verbal d'aveux déclenche insidieusement le même processus de conviction et entraîne malgré qu'on en ait à une semblable suffocante certitude, alors pourtant que ces aveux ont été reconnus aberrants, que la justice les a solennellement déclarés non fondés, que le véritable auteur du crime a été retrouvé depuis et confondu...

Il y eut des temps forts. Le président montra les lanières de cuir tressées en forme de martinet qui se trouvaient sur la

table des pièces à conviction. Ranucci répéta son explication
il avait fait cela pendant son service militaire en Allemagne;
c'était une sorte de scoubidou. Mais la police avait demandé à
cinq ou six de ses camarades de régiment s'il était dans leurs
habitudes de s'adonner à ce délassement; tous avaient
répondu par la négative, ajoutant qu'à leur connaissance, des
lanières de ce genre n'étaient en vente ni au foyer du régiment,
ni dans les magasins de Wittlich. La mode des scoubidous
était d'ailleurs passée depuis longtemps.

Le pantalon bleu figurait aussi parmi les pièces à conviction. Les experts avaient déterminé que le sang dont il était
souillé par endroits appartenait au groupe A, c'est-à-dire au
même groupe que celui de Marie-Dolorès Rambla. La défense
marqua ici un point. Quelques jours avant le procès, Paul
Lombard avait eu l'excellente idée de faire déterminer à quel
groupe sanguin appartenait son client : c'était le groupe A. Le
président objecta que l'accusé avait dit au juge d'instruction :
« Avant que l'enfant ne soit égorgée, mon pantalon était
propre. » Ranucci intervint : « Je me suis fait une blessure au
genou au moment de l'accident; elle a saigné. » Une blessure?
C'était nouveau, cela... Pourquoi n'en avait-il pas parlé aux
policiers? L'avocat général Viala rappela que le docteur
Vuillet, qui avait examiné l'accusé au terme de sa garde à vue,
n'avait relevé sur lui aucune blessure. La défense objecta que
le certificat médical mentionnait « une plaie chronique de la
face antérieure de la jambe droite, à l'union du tiers moyen et
du tiers inférieur, mesurant quinze millimètres de diamètre
environ ». Une plaie chronique était-elle une blessure? Pou-
vait-elle être à l'origine des taches relevées sur le pantalon
bleu? On poserait la question au docteur Vuillet quand il
viendrait à la barre. Mais Paul Lombard marqua un nouveau
point avec un rappel à la chronologie : « Le pantalon bleu,
dit-il en substance, a été trouvé dans le coffre de la voiture de
Ranucci, ainsi que le martinet, ou ce qu'on nomme ainsi.
Quand le commissaire Alessandra et ses hommes ont-ils saisi
ce vêtement et cet objet? Le 5 juin en fin de soirée. Ranucci
était rentré à Nice depuis plus de quarante-huit heures. Est-ce

qu'un coupable ne se serait pas débarrassé immédiatement du pantalon et du prétendu martinet? Les aurait-il laissés dans son coffre pendant deux jours, à la merci de la première fouille? Evidemment pas! J'estime que cette chronologie est très importante. »

L'arme du crime. Le président Antona prit le couteau à ouverture automatique, appuya sur le bouton libérant la lame, et fit circuler l'arme parmi les jurés. L'unique femme du jury la saisit entre deux doigts, comme si elle craignait de se brûler, et la passa sans la regarder à son voisin. Celui-ci, robuste et moustachu, en éprouva le tranchant sur son pouce, du geste machinal d'un homme s'apprêtant à trancher dans une miche de pain.

— Ce couteau taché de sang, dit le président, on l'a retrouvé grâce aux indications que vous avez données aux policiers...

— C'est faux!

— Il est bien à vous?

— Négatif!

Ce « négatif » tiré du vocabulaire d'un service militaire encore tout frais, Ranucci l'a lancé avec violence, avec assurance, avec une conviction communicative. Dans la salle, quelques-uns de ceux qui n'ont pas cru un mot de ses explications confuses sur sa nuit à Marseille en seront impressionnés. Or, il ment. Le couteau est à lui. Jean-François Le Forsonney, au cours de leur ultime examen du dossier, lui avait annoncé que ce couteau serait une pièce maîtresse dans l'arsenal de l'accusation. « Je n'y peux rien, avait répondu Christian. Ecoutez, si vous me dites que je dois prétendre qu'il n'est pas à moi, je dirai qu'il n'est pas à moi. Mais ce ne sera pas vrai. Il est à moi. » L'avocat avait expliqué qu'en sa qualité d'auxiliaire de la justice, il ne pouvait en aucun cas conseiller à un client de mentir à ses juges : c'était à Ranucci lui-même de se déterminer en conscience.

Les égratignures constatées sur les mains de l'accusé, et que le commissaire Alessandra avait immédiatement remarquées lorsqu'il était allé prendre livraison de Ranucci à Nice, furent évoquées par le président Antona : « Voyons, Ranucci, vous avez reconnu devant la police que vous vous les étiez faites en coupant des branches d'épineux pour dissimuler le cadavre de Marie-Dolorès. Et vous avez répété votre explication devant le juge d'instruction... Vous ne pouvez tout de même pas nier l'avoir déclaré... » L'accusé répondit qu'il avait coupé des branches et utilisé un vieux morceau de grillage pour tenter de désembourber sa voiture; M. Guazzone et M. Rahou l'avaient l'un et l'autre constaté. Il s'était égratigné les mains de cette façon. L'explication parut plausible. « Mais ceci encore, enchaîna le président, que vous avez dit devant le juge d'instruction : " J'affirme que mes intentions étaient honnêtes lorsque j'ai pris l'enfant... J'ai emmené la petite fille se promener avec moi par sympathie... Si j'ai fait faire plusieurs kilomètres à l'enfant à bord de ma voiture, c'est parce qu'elle était contente de se trouver en voiture. " Eh bien, Ranucci, tout cela ne vous dit plus rien, aujourd'hui? Ce sont vos dépositions que je viens de lire... Des dépositions que vous avez faites et que vous avez signées! »

Blême, les mâchoires crispées, Christian lança : « J'ai été torturé. » Et l'auditoire médusé entendit un récit stupéfiant de son interrogatoire à l'Evêché. Dès son arrivée, les policiers avaient commencé à frapper à main nue, puis le commissaire Alessandra avait empoigné une matraque en caoutchouc — « qu'il ne s'avise pas de le nier, tout à l'heure, ou alors... » — et tandis que deux jeunes inspecteurs maîtrisaient le prisonnier, il lui avait martelé le crâne à un rythme régulier, sans appuyer ses coups mais en frappant toujours au même endroit. Après plusieurs minutes (dix, vingt? difficile à dire) le crâne formait caisse de résonance; on avait l'impression que le cerveau se liquéfiait, on se sentait devenir fou et c'était une sensation effrayante, bien plus difficile à supporter que la douleur physique, laquelle restait mesurée car les coups n'étaient pas délivrés avec violence : c'était leur répétition et leur localisation qui les rendaient efficaces. Cette torture, précisa l'inculpé, s'appelait le « supplice vietcong » et il

266

supposait qu'elle avait été importée du Vietnam en Algérie, où avait travaillé le commissaire Alessandra. La seule différence était qu'on se servait en Indochine d'un morceau de bambou alors que le commissaire usait d'une matraque en caoutchouc.

Il y avait eu plusieurs séances de ce genre au cours de la longue nuit du 5 au 6 juin. Son tortionnaire, selon Ranucci, était commodément assis sur le rebord de son bureau. Il choisissait chaque fois un nouvel emplacement du crâne et adoptait un rythme différent. La sensation de folie devenait épouvantable. A un moment, il avait même eu l'impression que sa matière cervicale s'écoulait par une fissure de sa boîte crânienne. Tout en frappant à cadence régulière, le commissaire harcelait sa victime de questions, lui répétait sans cesse qu'il avait tué une petite fille, que ses hommes avaient toutes les preuves, que six témoins l'avaient vu, soit enlever l'enfant, soit l'entraîner dans le fourré où le cadavre avait été ensuite retrouvé. Six témoins! Ils seraient là au matin et confondraient Ranucci. Toute dénégation était superflue, absurde. Mais comme son prisonnier s'obstinait à nier, le commissaire Alessandra était passé du « supplice vietcong » au « supplice de l'acide ». Les inspecteurs avaient baissé le pantalon de Ranucci, exposé son sexe, et le commissaire, tenant de la main gauche un flacon rempli d'un liquide transparent, de la droite un compte-gouttes, avait laissé tomber sur le sexe quelques gouttes d'un acide dilué qui brûlait horriblement.

Telles étaient, selon l'accusé, les conditions dans lesquelles on l'avait contraint à l'aveu d'un crime qu'il n'avait pas commis. Hébété, rendu quasi inconscient par le matraquage du commissaire Alessandra, il avait fini par craquer après dix-neuf heures d'un interrogatoire qui n'avait été en fait qu'une longue séance de torture entrecoupée de pauses au cours desquelles on lui répétait sans cesse : « Toutes les preuves! Six témoins! »

Les avocats de la défense s'efforçaient de ne pas laisser transparaître leur surprise. Christian leur avait dit qu'il avait été « sérieusement tabassé » à l'Evêché mais il n'avait jamais évoqué un supplice aussi caractérisé que celui de l'acide.

Le président Antona marqua de l'étonnement :

— Vous avez été examiné par un médecin à la fin de votre garde à vue : il n'a pas remarqué la moindre trace de coups...

— C'était pourtant visible. J'avais la tête tout enflée. S'il avait voulu le voir, il l'aurait vu !

— Mais pourquoi n'avez-vous rien dit au juge d'instruction quand vous avez été conduit dans son cabinet? C'était le moment ou jamais de vous plaindre des sévices que vous prétendez avoir subis.

— Le juge le savait bien. Je vous dis qu'il suffisait de me regarder. J'avais un œil au beurre noir, suite aux gifles, et la tête cabossée.

— Le fait est que vous avez confirmé devant le juge les aveux que vous aviez passés devant la police — et il ne peut être question de sévices à ce moment-là. Ces aveux, vous les avez répétés une fois de plus devant le psychiatre venu vous examiner aux Baumettes. Là non plus, vous n'avez pas fait la moindre allusion à des tortures que vous auriez subies.

— On m'a fait croire que j'étais coupable. On a créé autour de moi une ambiance culpabilisante. Après, il a bien fallu que je cherche les preuves de mon innocence. Mais quand j'ai voulu les exposer au juge, elle m'a foutu à la porte! Ce n'est pas moi, l'assassin de la gamine. Nos routes se sont croisées, voilà tout, et je n'y peux rien !

L'interrogatoire était terminé.

Premier témoin cité par l'accusation, le professeur Sutter prit place à la barre. Titulaire de la chaire de psychiatrie de la faculté de médecine de Marseille, chef de service à l'hôpital de la Timone, le professeur Sutter est un homme grand et sec, au visage austère, parlant d'une voix feutrée, impressionnant à force de modestie. Marcel Pagnol, malgré tout son talent, n'aurait certainement pas réussi à le caser dans sa trilogie marseillaise.

Sa déposition fut écoutée avec une attention extrême. Après la pénible impression qu'avaient laissée l'interrogatoire de l'accusé, ses foucades incohérentes et sa détestable agressivité, chacun attendait de l'expert psychiatre qu'il apportât la clé d'un personnage aussi déconcertant, et ceux qui s'obstinaient envers et contre tout à espérer un verdict de vie pensaient que le sort de Ranucci était désormais suspendu au diagnostic qui tomberait des lèvres minces du témoin. Mais celui-ci ne pouvait que répéter les conclusions qu'il avait signées avec ses deux confrères : l'accusé ne souffrait d'aucune anomalie mentale et n'était pas en état de démence au moment des faits.

Il fit du déroulement des événements un exposé en tout point conforme au rapport. Christian Ranucci, en proie à un émoi sexuel dont il n'était peut-être pas conscient, avait été submergé par une vague émotionnelle au terme d'une série d'incidents successifs : insistance de Marie-Dolorès à être ramenée chez elle, collision avec la voiture de Vincent

Martinez, poursuite lancée par les Aubert, cris de l'enfant qui risquaient de le faire découvrir. Au terme de ce processus émotionnel cumulatif, il avait « littéralement perdu le contrôle de ses actes » car « l'émotion, portée au paroxysme, submerge la conscience et libère les instincts les plus primitifs ».

Cette explication quasi mécaniste déçut profondément l'avocat de la partie civile, qui songea : « L'inconscient est complètement évacué. » Quelques mois plus tard, profitant d'une grippe pour lire les *Confessions* de Jean-Jacques Rousseau, il y découvrirait une théorie des paliers émotionnels exactement conforme à celle qui avait été exposée à propos de Ranucci — rien n'avait donc changé, songerait-il, au moins pour le professeur Sutter, depuis le dix-huitième siècle...

Si M. Sutter bannissait l'inconscient, certains en avaient hardiment tenté l'exploration. Un psychanalyste, contacté par *L'Express,* et disposant pour tout matériau d'une interview d'Héloïse Mathon, avait délivré un diagnostic se basant principalement sur l' « image du père » imprimée dans l'esprit de Christian : « Un violent, qui rouait de coups sa femme jusqu'à la défigurer, menaçait d'enlever son fils et de lui faire subir des sévices et, en même temps, bénéficiait de l'impunité (condamnation légère, responsabilité atténuée). Or, ce n'est pas, selon l'analyse freudienne, une coïncidence si Christian a commis son crime peu après son retour du service militaire (toujours considéré comme un rite d'initiation au monde adulte), et son entrée dans la vie active, au cours du week-end où, pour la première fois, sa mère l'autorisait à découcher... Christian a peut-être inconsciemment mis en actes, pendant ce premier week-end de ˮ liberté ˮ, ce contre quoi il avait toujours été prévenu et protégé : il enlève une enfant alors que sa mère l'a durant toute son enfance mis en garde contre le risque de kidnapping. Il tue et défigure Marie-Dolorès comme M. Ranucci père a défiguré sa mère et aurait pu le tuer et le défigurer si sa mère n'avait été là pour le protéger. »

Deuxième explication psychanalytique : « Ranucci a été

abandonné par son père, haï par lui. L'image paternelle est donc, sinon inexistante, du moins terriblement négative. Or, personne ne peut vivre sans une image paternelle. Pour accepter son père, l'attitude de son père, le délaissement par le père, la haine du père, il faut donc que lui, Christian Ranucci, devienne coupable à sa ressemblance : de là le rapt et le crime, qui justifieront le père. »

Troisième explication psychanalytique : « Ranucci a été élevé dans la psychose du rapt paternel, ce qui a entretenu en lui une angoisse intolérable. Il lui faut donc, pour liquider une bonne fois cette angoisse, démontrer — se démontrer — qu'on peut parfaitement prendre un enfant, l'emmener en promenade et le ramener sans qu'aucun drame ne se soit passé. Voilà pourquoi il enlève Marie-Dolorès. Et tout se serait bien terminé pour elle et pour Ranucci si l'irruption inopinée de Martinez, puis des Aubert, n'avait grippé ce processus intime dont le déroulement paisible excluait évidemment l'intrusion de tiers. La réaction meurtrière de Ranucci s'explique par l'incompatibilité radicale entre son projet — une promenade sans histoire liquidant son angoisse — et le jugement négatif que ne manqueraient pas de porter des tiers sur la présence à ses côtés d'un enfant enlevé frauduleusement. »

Les deux dernières explications partent de postulats radicalement opposés : dans l'un des cas, Ranucci doit tuer pour justifier l'image paternelle en la rejoignant dans le meurtre; dans l'autre, il doit au contraire ne pas tuer pour démontrer que cette image est fausse. Or, ces deux explications sont livrées par le même spécialiste, ce qui nous laisse dans une perplexité déférente. L'acte imputé à Ranucci n'est-il pas à ce point massif et d'une telle richesse psychanalytique qu'il permettrait les variations les plus diverses, les interprétations les plus contradictoires? Dans le jeu de meccano psychologique, n'est-ce pas une pièce à usages multiples si commode qu'elle autoriserait les constructions les plus disparates? Nous nous demandons si un tel passe-partout ne permet pas d'ouvrir les serrures de l'inconscient avec une trompeuse facilité...

Toujours est-il que le professeur Sutter n'était pas venu à la barre pour fournir des interprétations psychanalytiques.

Le président Antona lui demanda s'il avait soumis l'accusé au test de Murray — et ce n'était plus tendre une perche à la défense mais lever un bâton pour la frapper. Le professeur Sutter répondit en effet que Ranucci avait manifesté une grande réticence devant ce test, « visiblement inquiet de ce qu'il pouvait révéler », et qu'il avait opposé une « technique de défense ». Il souligna l'intelligence de l'accusé tout en répétant, conformément au rapport, qu'il avait une personnalité fragile, une sexualité incertaine, mal assurée, et que son émotivité était à coup sûr supérieure à la moyenne. Mais il était normal.

Paul Lombard se leva et demanda avec quelque solennité :

— En votre âme et conscience, considérez-vous qu'un être normal peut commettre un acte aussi atroce que celui qui est reproché à l'assassin de Marie-Dolorès Rambla?

— Oui, répondit posément le professeur Sutter.

Patrick Séry, envoyé spécial du *Nouvel Observateur,* nota que la défense venait de « marquer un but contre son camp ». Cette erreur était insolite de la part d'un avocat aussi expérimenté car les experts psychiatres s'exténuent depuis des décennies à préciser que leurs classifications ne sont pas celles du public, pour lequel un assassin d'enfant ne saurait être « normal ». Le professeur Sutter, développant sa réponse, prit l'exemple du « meurtre de parking » : un automobiliste s'encolère au point d'en tuer un autre, qui lui a subtilisé la place qu'il convoitait.

— Ce phénomène est-il du même ordre que l'acte reproché à Ranucci? demanda Me Lombard.

— De toute évidence, il ne s'agit pas du même processus. Le « meurtre de parking » procède d'une colère née d'un incident banal. Dans le cas de Ranucci, il y a eu conjonction d'un émoi sexuel et de la peur d'être découvert dans une situation irrégulière.

La défense n'ayant plus de question à poser, le président Antona autorisa le témoin à se retirer.

Quatre ans plus tard, l'étonnement du professeur restait intact : « J'ai été très surpris, nous a-t-il dit, de ne pas être davantage interrogé par les avocats. Je m'attendais à leurs questions, je m'y étais préparé, et je crois que mes réponses auraient pu leur être utiles. Ce n'est que le lendemain, en lisant la presse, que j'ai compris leur attitude : ils avaient choisi de plaider l'innocence. Je dois dire qu'il ne m'était même pas venu à l'esprit que Ranucci pût être innocent. Leur décision m'a énormément surpris, mais enfin il est clair que dans cette optique, l'expertise psychiatrique n'offrait pas d'intérêt pour la défense. J'avais pourtant le sentiment qu'il y avait dans notre rapport tout ce qu'il fallait pour faire obtenir à Ranucci de larges circonstances atténuantes. »

Le professeur Sutter est adversaire de la peine de mort.

« Notre » rapport, dit-il. C'est vrai et c'est faux. Le rapport a eu un rédacteur unique, mais les trois experts l'ont signé. Le professeur Sutter n'était pas le rédacteur. Ce dernier, de notoriété publique, ne partage pas ses convictions philosophiques. Et s'il est exact qu'on pouvait trouver dans le rapport de quoi « faire obtenir à Ranucci de larges circonstances atténuantes », le moins qu'on puisse dire est qu'il fallait bien chercher.

Les conclusions écartent toute excuse absolutoire : l'accusé n'était pas en état de démence au moment des faits. A première lecture, la simple atténuation de responsabilité n'est évoquée que pour être aussitôt écartée. Le rédacteur décrit bien le processus émotionnel cumulatif au terme duquel Ranucci aurait tué, mais c'est pour conclure : « Si, au terme de cette accumulation, l'inculpé a littéralement perdu le contrôle de ses actes, il pouvait, aux stades précédents, mettre fin à cette escalade, d'abord en ramenant plus tôt l'enfant chez elle, puis en s'arrêtant au moment de l'accident, acceptant enfin de prendre ses responsabilités, ce dont il n'avait pas le courage; enfin en répondant à l'invite de M. Aubert qui l'avait rejoint sur la route. »

Surprenant discours! Considérations déplacées! Les experts sortent ici de leur rôle, qui est d'expliquer, et s'aventurent à juger, ce qui n'est pas de leur compétence. Il ne leur revient pas de reprocher à Ranucci d'avoir manqué de courage à tel ou tel moment, ni d'avoir refusé de prendre ses responsabilités. La cour et les jurés n'avaient pas besoin d'eux pour déterminer que l'accusé avait commis une mauvaise action en enlevant une fillette et que s'il s'en était abstenu, ou s'il l'avait ramenée chez elle dès sa première demande, bien des malheurs eussent été évités. Le professeur Sutter nous a dit : « S'il n'y avait pas eu la collision au « stop », j'estime possible et même probable que Ranucci aurait ramené la petite chez elle et qu'elle serait rentrée à la maison sans avoir subi le moindre mal. » Au reste, l'avocat général lui-même n'affirmera pas que le meurtre était en germe dans l'enlèvement; que Ranucci, fuyant après la collision, cherchait un coin tranquille pour tuer l'enfant; qu'il l'a tirée de sa voiture avec le projet de la massacrer : l'avocat général va dire que Ranucci a chaviré au moment précis où les Aubert arrivaient et où l'enfant criait. Jusque-là, Christian Ranucci était un homme qui avait perpétré un enlèvement et commis un délit de fuite. Ce qu'on demandait aux experts psychiatres, toujours dans l'hypothèse de sa culpabilité, c'était la description du phénomène psychique qui, à cet instant déterminé, avait fait de lui un assassin.

Et le professeur Sutter a ici raison : la défense disposait de ce dont elle avait besoin pour obtenir de larges circonstances atténuantes. Cette défense pouvait sans dommage concéder aux experts qu'il eût été excellent de la part de l'accusé de ne pas enlever une fillette; puis, l'ayant enlevée, de la ramener chez elle à première invite; puis, après la collision, de ne pas déguerpir; puis, après l'arrivée des Aubert, d'expliquer à ceux-ci dans quelle situation embarrassante il s'était placé et de solliciter compréhension et indulgence — la défense aurait pu dire qu'elle acceptait à l'avance condamnation pour n'avoir pas agi de la sorte, mais que le point crucial, s'agissant d'un meurtre, était de connaître l'état psychique du criminel au moment du meurtre. Or, le rapport disait — et le professeur Sutter était tout disposé à le confirmer — que Ranucci était en proie à une « émotion portée au paroxysme », « submergeant la conscience », et qu'il avait « littéralement perdu le contrôle de ses actes ». L'article 64 ne prévoit pas seulement l'excuse de la démence : il ajoute qu'il n'y a ni crime ni délit lorsque le prévenu a été « contraint par une force à laquelle il n'a pu résister ». On aurait sans doute discuté le point de savoir si l'émotion paroxystique décrite par les experts s'identifiait à la force évoquée sans précision par la loi. Mais si les mots ont un sens, un homme qui a « littéralement perdu le contrôle de ses actes » est bien le jouet d'une force irrésistible, un homme dont la conscience est « submergée » ne sait plus ce qu'il fait... Les jurés n'y auraient assurément pas vu une raison suffisante pour absoudre l'accusé de son crime, mais auraient-ils eu le sombre courage de l'envoyer sur l'échafaud?

On ne pouvait pas plaider cela et l'innocence. Or, s'il n'était pas venu à l'esprit du professeur Sutter que Ranucci pût être innocent, deux de ses avocats en avaient l'intime conviction.

*
* *

Les assises sont aussi un théâtre et il en est des témoins comme des acteurs : certains passent la rampe grâce à leur texte ou à leur personnage, les autres viennent donner leur réplique et rejoignent les coulisses dans l'indifférence générale. Diverses sommités médicales marseillaises qui avaient examiné l'accusé à un titre ou à un autre vinrent ainsi confirmer les observations consignées dans les rapports.

Puis l'huissier appela à la barre le docteur Vuillet, médecin légiste. L'exécrable coutume française fait de la déposition du médecin légiste un spectacle audio-visuel — et si l'expression peut paraître d'un goût douteux, elle l'est moins que la chose elle-même.

D'une voix sourde, empreinte d'émotion, et tandis que le malheureux Pierre Rambla pleurait en étouffant ses sanglots, le docteur Vuillet dressa l'inventaire des multiples blessures dont était morte Marie-Dolorès. Sa description ne risquait pas de rester abstraite puisque l'illustration s'en trouvait dans le dossier de la cour, avec les effrayantes photos du cadavre prises sur les lieux du crime et lors de l'autopsie.

Pourquoi pas? Mais il faudrait alors, en bonne justice, montrer aux jurés les photos d'un corps que la guillotine vient de couper en deux.

Ces photos de la victime sont à juste titre le cauchemar de la défense. Pendant l'audience, lorsque le président les fait circuler, on suit leur sillage sur le visage des jurés : faces soudain crispées, révulsées; regards tout à coup durcis; lèvres serrées et mâchoires comme d'un chien qui veut mordre. La défense sait aussi qu'au cours du délibéré, un président répressif saura annuler l'effet des plaidoiries, ou contrebattre l'influence d'un juré tendant à l'indulgence, en sortant opportunément du dossier les accablantes photos.

Le plus absurde est encore que leur tragique efficacité est sans rapport avec le degré de responsabilité du criminel, et même souvent dans un rapport inverse. Un tueur maître de lui, agissant avec un sang-froid absolu, exécutera sa victime d'un unique coup de poignard délivré en professionnel et laissera un cadavre « propre », tandis que le criminel d'occasion, submergé par la passion, s'abandonnera à un carnage dont les photos seront d'une horreur grand-guignolesque. De même, le délai écoulé entre le meurtre et la découverte du cadavre devient-il essentiel à cause de la décomposition plus ou moins avancée des chairs, alors que ce délai ne devrait impliquer ni aggravation ni diminution du châtiment infligé au criminel puisqu'il ne dépend pas de lui. Pour la même raison, il vaut mieux assassiner en hiver qu'en été : les basses températures font le cadavre plus présentable. Les propriétés de l'arme sont enfin capitales et favorisent encore le criminel endurci : une balle dans le cœur impliquant la décision de tuer vaut mieux que dix coups de bâtons distribués peut-être sans volonté homicide délibérée mais qui ne laissent d'un visage qu'une bouillie sanglante. Le poison est supérieur à tout car s'il est bien choisi, la victime offre aux jurés un visage calme et reposé peu susceptible de les bouleverser.

L'unique chance de Ranucci, qui eut toutes les malchances, fut que les photographes de l'Identité judiciaire n'adoptèrent la pellicule couleur qu'un an après son procès.

Des photos de Marie-Dolorès Rambla, nous dirons seulement que les coups portés et la mort elle-même n'ont pu ôter à l'enfant sa grâce puérile, de sorte qu'elles offrent simultanément l'image de la beauté et de l'horreur, et que cela est sans doute plus bouleversant que ne l'eût été une image simplement affreuse. Nous avouerons aussi qu'à notre profonde épouvante, nous n'avons pas pu les regarder une seule fois sans que monte d'une part infâme de nous-même le goût âcre du lynch, le désir violent et irraisonné qu'il y ait un responsable à cela, qu'on le trouve et qu'on l'extermine.

On sut donc comment était morte la petite victime.

Le docteur Vuillet apporta par ailleurs deux précisions précieuses pour l'accusation. D'une part, il n'avait trouvé le 6 juin sur l'accusé aucune trace de blessure susceptible d'avoir saigné le jour du crime ; d'autre part, les taches relevées sur le pantalon bleu imprégnaient l'extérieur du tissu et le sang pouvait donc difficilement provenir de celui qui portait le vêtement.

Ce fut ensuite le tour des enquêteurs et l'huissier appela successivement à la barre le capitaine de gendarmerie Gras, l'un de ses adjoints et l'inspecteur divisionnaire Porte. La salle retint son souffle quand le commissaire Alessandra entra à son tour pour témoigner.

Sa déposition fut précise et placide. Il relata les différentes phases de l'enquête, l'arrestation de Ranucci, son interrogatoire, ses aveux. L'accusé l'écouta sans l'interrompre. Quand le commissaire Alessandra en eut terminé, un flottement sensible régna, comme au théâtre lorsque l'acteur principal oublie la réplique que chacun attend. L'avocat général Viala fit le souffleur alors que le témoin se dirigeait déjà vers la porte :

— Et les sévices? demanda-t-il. Ces sévices dont s'est plaint Ranucci : il faut quand même bien en parler!

Tous les regards étaient fixés sur l'accusé, dont on avait pensé, tant sa hargne avait été grande, qu'il interpellerait spontanément et furieusement ses persécuteurs policiers. Mais il avait laissé témoigner l'inspecteur Porte sans broncher et il fallait que l'avocat général l'exhortât à accuser son principal tortionnaire. L'embarras de ses défenseurs était manifeste pour tous les journalistes. Christian Ranucci lui-même marqua une hésitation infime mais suffisante pour que son crédit achevât d'y sombrer. Puis il se leva et, avec la subite détermination d'un homme qui se jette à l'eau, s'écria :

— Oui, j'ai été torturé! D'abord, on m'a frappé à main nue. Ensuite, on s'est servi d'un acide dans une petite fiole!

Le commissaire Alessandra était revenu à la barre. Si sa stupeur était feinte, elle témoignait d'un remarquable talent d'acteur.

— Et la matraque? continuait Ranucci, tendu vers son adversaire, le visage crispé de haine, la voix sifflante. C'est vous qui la teniez, la matraque! Vous n'allez quand même pas le nier?

— C'est faux! protesta le commissaire, suffoquant et blême de colère.

— Vous avez un drôle de culot!

— Et vous, vous êtes un monstre!

Curieusement, l'insulte apporta le soulagement qui accompagne toujours le dénouement d'une situation équivoque. Les choses étaient enfin claires. Car si le cri du commissaire Alessandra avait fait mouche et soulevé les applaudissements de la salle, c'est que la presse écrite et audio-visuelle ne cessait depuis des jours et des jours d'accoler l'épithète de « monstre » au nom de Patrick Henry.

278

Paul Lombard jaillit de son banc en criant, hors de lui : « Vous n'avez pas le droit d'insulter l'accusé ! » ; on entendit Ranucci hurler au commissaire cette phrase qui parut folle : « Je briserai votre carrière ! » ; pendant quelques secondes, le tumulte fut général ; puis le président Antona imposa le silence et l'accusation comme la défense s'efforcèrent de repriser le voile brutalement déchiré. Me Lombard évoqua « une France en colère » et en appela à la sérénité de la justice. M. Viala déclara avec dignité qu'il n'entendait « à aucun prix » tenir compte de considérations étrangères au cas de l'accusé, ajoutant que les faits retenus contre celui-ci étaient « suffisamment graves ».

C'étaient des mots. Le fait, c'était l'acclamation de l'assistance en entendant l'invective du commissaire : quelqu'un avait enfin eu le courage de lui *nommer* sa proie.

Ayant recouvré sa placidité ordinaire, Gérard Alessandra s'employa à démontrer l'inanité des accusations portées par Ranucci :

— Quand nous l'avons ramené à Marseille pour l'interroger, dit-il, l'hôtel de police était rempli de journalistes. Ils étaient massés dans le couloir de mon bureau, juste derrière la porte. Ils ont entendu le crépitement de la machine à écrire mais pas le moindre cri — et pour cause...

L'inspecteur Porte, resté dans la salle après son témoignage, fit chorus avec son supérieur. La cour pouvait du reste, si elle le souhaitait, entendre un journaliste présent au banc de la presse et qui avait passé la nuit du 5 au 6 juin derrière la porte du bureau : ce journaliste était disposé à témoigner qu'il n'avait rien entendu qui pût laisser imaginer la moindre violence, et encore moins des tortures. Il s'agissait d'Alex Panzani, de *La Marseillaise,* qui donna aimablement son approbation.

Le commissaire Alessandra rappela que le docteur Vuillet avait examiné Ranucci à la fin de sa garde à vue et que l'accusé, aussitôt après ses aveux, avait été conduit dans le cabinet du juge d'instruction ; bien loin de se plaindre d'avoir été torturé, il avait confirmé les déclarations faites devant les policiers. « Nous avons eu en face de nous deux Ranucci, continua le policier. Pendant toute la nuit et toute la matinée, un homme qui admettait avoir eu un accident de voiture au carrefour de La Pomme et s'être enlisé dans la champignonnière, mais qui niait farouchement la présence de l'enfant. Il s'est accroché à ça pendant des heures : personne ne réussirait à prouver qu'il avait une fillette avec lui, parce que ce n'était pas vrai. Et puis, il y a eu le témoignage des Aubert... Là, devant les Aubert, vous ne pouviez plus crâner, Ranucci! Quand ils vous ont dit qu'ils vous reconnaissaient, vous vous êtes effondré, vous avez éclaté en sanglots, vous avez crié : " Je ne suis pas un salaud... " Vous avez vous-même dessiné le plan de l'endroit où vous aviez enlevé Marie-Dolorès Rambla. Et nous vous avons demandé une preuve irréfutable : le couteau, l'arme du crime, la façon dont vous vous en étiez débarrassé. A ce moment-là, plein de remords, vous nous avez indiqué que vous l'aviez enfoncé d'un coup de pied dans le tas de tourbe, près de la champignonnière. Sans ces précisions, jamais les gendarmes n'auraient pu retrouver le couteau. Et vous avez renouvelé vos aveux devant votre mère elle-même! Vous avez pleuré, vous lui avez dit : " Maman, pardonne-moi ", et cette pauvre femme, effondrée, ne savait que répéter : " Comment as-tu pu faire une chose pareille? " »

Micheline Deville, du *Soir,* nota : « Ranucci ne répond plus. Cela ne semble plus le concerner. Comme un personnage de Pirandello, cet imaginatif s'est inventé une vérité. Il n'en démordra pas. »

*
**

Diminuée par l'impression désastreuse qu'avait laissé l'interrogatoire, contrée par les experts psychiatres, accablée par la réaction policière à des accusations de torture que chacun trouvait à présent extravagantes, la défense contre-attaqua en déposant les conclusions visant à faire soumettre Ranucci à une tachographie axiale par le Scanner et à une encéphalographie gazeuse. L'acceptation par la cour entraînerait le renvoi du procès à une autre session des assises.

Paul Lombard eut la parole pour développer sa requête. Elle venait bien tard. On s'étonna, dans l'assistance et sur les bancs de la presse, que l'avocat soulevât l'hypothèse d'une anomalie mentale de son client après que celui-ci eut pendant des heures proclamé son innocence. Certains crurent même que la défense, par une initiative hardie, avait décidé de mener une bataille à front renversé en déduisant l'insanité d'esprit des absurdes et incohérentes prétentions de l'accusé à l'innocence.

Au contraire, Me Lombard fixa d'entrée les limites de sa requête : « Je ne fuis pas le combat. Ne voyez pas dans notre demande une manœuvre désespérée. Nous plaiderons, le moment venu, l'innocence de Ranucci. Je demande seulement que la justice soit au rythme de la science. Il y a eu des aveux. Les examens que nous sollicitons doivent permettre d'apprécier la valeur qu'il convient d'accorder à ces aveux. »

Puis l'avocat s'employa habilement, tel un judoka, à tirer profit de l'immense irritation qu'avait soulevée l'attitude de Christian Ranucci tout au long de la journée : « Vous voyez la défense, dit-il, profondément traumatisée par l'attitude de celui qui est là, derrière elle, dans le box, par ses excès, par son absence totale de contrôle. Mais ce box est un prisme profondément déformant. Le Ranucci que vous voyez n'est pas, ne peut pas être, le vrai Ranucci. Ne le jugez pas sur les apparences. Pour le connaître, vous avez besoin de ces examens que nous vous demandons d'ordonner. Priver l'accusé de cette chance, ce serait porter une grave atteinte aux droits de la défense. Posez-vous enfin cette question : et si, après le verdict, le nouvel examen enfin pratiqué révélait des anomalies jusque-là indécelées?... »

Il en avait été ainsi d'un meurtrier d'enfant, Jean Olivier : une autopsie pratiquée après son exécution avait révélé une coloration suspecte dans un lobe du cerveau.

Le président donna la parole à l'avocat de la partie civile

pour ses observations. Cet avocat n'était pas Me Pollak, victime par ricochet de l'affaire Patrick Henry. Les Rambla lui avaient en effet retiré la charge de les représenter au procès, non point à cause de ses prises de position contre la peine de mort, mais après qu'il eut annoncé publiquement, à l'heure où tous les avocats de Troyes refusaient d'assurer la défense du « monstre », qu'il accepterait cette cause désespérée si l'on venait à le solliciter, pour la raison que tout être humain a le droit d'être défendu quelle que soit l'horreur de ses crimes. Cet acte de courage, banal de la part d'un homme qui était le courage incarné, lui avait valu un torrent d'insultes et de menaces si précises qu'on avait craint pour la sécurité de son petit-fils : les justiciers anonymes, arguant d'une logique singulière, voulaient en effet punir par la mort d'un enfant innocent celui qui prétendait défendre l'assassin d'un enfant innocent. Les parents de Marie-Dolorès n'avaient certes pas versé dans ces aberrations, mais enfin ils avaient ressenti un malaise à la perspective que la mémoire de leur fille serait évoquée par un avocat qui venait de se déclarer prêt à défendre Patrick Henry. C'était de leur part une réaction compréhensible.

Il est rare de rencontrer un jeune homme de vingt-huit ans, avocat frais émoulu du stage, et de savoir aussitôt qu'il connaîtra la grande réussite, égalera bientôt les meilleurs de son temps, rejoindra un jour la lignée des grandes voix qui ont fait l'illustration du barreau français — à moins, bien sûr, que ce jeune ogre amoureux de la vie ne se dévore lui-même d'ici là. Le procès d'Aix, fatal pour l'accusé, allait marquer pour son avocat, Paul Lombard, la plus sévère défaite de sa carrière, et servir de révélateur à l'immense talent de l'avocat de la partie civile, Gilbert Collard.

Il n'était pas le gendre de Pollak, contrairement à ce qui se disait partout, mais il avait avec lui un lien ténu : le grand-père de sa femme avait fait travailler Emile Pollak quand celui-ci s'était inscrit au barreau de Marseille. Gilbert Collard, débutant à son tour dans le dénuement le plus complet, sans relations d'aucune sorte, jugea expédient de rappeler au premier avocat de Marseille les services anciens que lui avait rendus sa belle-famille. C'était quatre ans avant le procès Ranucci.

Emile Pollak le reçut avec bienveillance, évoqua le passé, raconta des anecdotes, et dit au jeune homme qu'il l'aurait volontiers pris avec lui mais qu'il avait malheureusement le plus petit cabinet de Marseille. C'était un mot : la pièce était en effet minuscule. « Si je peux toutefois vous aider, je le ferai volontiers. Où peut-on vous joindre? » Gilbert Collard, qui ne disposait pas encore d'un bureau, donna en rougissant le numéro de téléphone d'un bar où il avait ses habitudes.

Quelques jours plus tard, le barman lui annonça qu'il devait rappeler d'urgence Me Pollak. Il se précipita sur le téléphone. La secrétaire lui passa le grand maître :

— Allô, ici votre confrère Pollak, entendit le jeune homme avec ravissement (mon confrère Pollak!...). Pouvez-vous me rendre un service?

— Mais bien sûr! Tous les services!

— Voilà : je devais plaider lundi aux assises d'Aix mais je ne pourrai pas y aller. Pouvez-vous me remplacer?

— Bien entendu, répondit Gilbert Collard après une hésitation. Quand puis-je passer prendre le dossier?

— C'est tout le problème : je n'arrive pas à remettre la main sur ce foutu dossier. Ce n'est pas grave. Avez-vous lu *Le voyage au bout de la nuit* de Céline?

— Oui...

— Le dossier, c'est *Le voyage*... Vous plaidez pour un chiffonnier qui a tué quelqu'un. C'est un ancien combattant. Il a des décorations mais pas de pension. Il faudra répéter ça dix fois aux jurés : « Des décorations, pas de pension. » Vous comprenez? Voilà votre plaidoirie : « Des décorations, pas de pension ».

Gilbert Collard se rendit à Aix, emprunta une robe car il n'en possédait pas, plaida et s'en tira avec une condamnation bénigne à quatre ans de prison.

C'était la première fois de sa vie qu'il plaidait.

Il est assis non loin de Pierre Rambla. Le père de Marie-

Dolorès est venu au procès sans sa femme, dont les nerfs n'auraient pas supporté le rappel incessant de la tragédie. Maigre, fluet, cravaté de noir, le teint blême, Pierre Rambla s'efforce de maîtriser la colère qui le dévore depuis l'entrée de Ranucci dans le box. La croix arborée par l'accusé lui est apparue comme une bravade sacrilège; son insolence, la hauteur avec laquelle il traite la cour, ses grands airs de victime venue demander des comptes — tout cela le suffoque et l'enrage. Pierre Rambla veut désormais la peau de Ranucci, même s'il a accepté que son avocat ne réclame pas la mort. Car Me Collard a été formel : « Je démontrerai sa culpabilité mais je ne demanderai pas sa tête : ce n'est pas mon rôle et je suis de toute façon contre la peine de mort. »

Il était aussi contre le complément d'expertise psychiatrique réclamé par la défense : « La demande est tardive et inconvenante, dit-il d'une voix ferme. Si la cour y accédait, elle ferait durer un peu plus longtemps la souffrance de ceux qui attendent dans la dignité, sans haine, que justice soit enfin rendue. » Il est vrai que Pierre Rambla avait trouvé le temps long; il avait même écrit au président de la République pour s'étonner des lenteurs de la procédure et un chargé de mission lui avait répondu qu'on comprenait ses sentiments et qu'on l'assurait d'une entière compréhension.

L'avocat général Viala s'éleva à son tour contre la demande. Il rappela que plusieurs experts avaient examiné l'accusé sans lui trouver la moindre anomalie mentale et s'étonna d'entendre réclamer de nouveau l'encéphalographie gazeuse que la défense avait eu l'imprudence de remettre sur le tapis : c'était permettre à l'accusateur de stigmatiser les réticences lassantes et hypocrites de Ranucci à propos de cette investigation. M. Viala souligna que les éminents psychiatres préposés à son examen avaient estimé superflue ladite encéphalographie gazeuse et il affirma que rien ne permettait de penser que le Scanner aboutirait à des résultats différents de ceux déjà obtenus. La demande apparaissait donc comme dilatoire et la cour devait la repousser. Mais M. Viala, en bon stratège, ne laissa pas passer l'occasion d'enfoncer un coin dans le système de défense à double face adopté par les avocats de Ranucci · « Je trouve surprenant, dit-il, que la défense plaide à la fois l'innocence et les circonstances atténuantes. »

La cour se retira pour délibérer. Quelques minutes lui suffirent pour prendre une décision de rejet motivée en une phrase : « Attendu que, en l'état des débats, la mesure d'instruction sollicitée par l'accusé n'apparaît pas indispensable à la manifestation de la vérité. »

Le procès continuait.

* * *

Le témoignage des Aubert fut l'un des temps forts de la journée.

Alain Aubert fit une excellente impression. Il était vêtu d'un élégant complet sombre, d'une chemise imprimée et d'une cravate claire. Précis, objectif, ce directeur de société toulonnais devait forcément être reconnu comme l'un des leurs par le cadre des assurances, le sous-directeur de banque et le directeur de société siégeant parmi les jurés. Sa femme Aline, qui était venue à Aix en manteau de léopard, fit un peu sensation par l'opulence de sa blonde chevelure tombant bien au-dessous des épaules.

Après leur témoignage, la culpabilité de Ranucci ne faisait plus de doute pour personne. C'était un peu le même phénomène qu'au cours de la lecture des aveux par le président : tout devenait d'une évidence éclatante. Et comment douter de la bonne foi de ce sympathique jeune couple qui avait juré de parler sans haine et sans crainte, et devait le faire d'autant plus facilement que, jeté à l'improviste et sans même le savoir dans une tragédie, il ne connaissait pas l'accusé et n'avait donc aucune raison de l'accabler?

Paul Lombard intervint et tout changea. Le verbe calme mais cinglant, l'avocat entreprit un travail de démolition systématique du double témoignage des Aubert. Il leur rappela les extraordinaires variations entre leurs déclarations successives, évoquant ce « paquet » qui était devenu un enfant décrit avec minutie, insistant sur le problème de la portière bloquée, rappelant qu'au cours de leur première confrontation avec Ranucci, les Aubert ne l'avaient pas reconnu.

Pour tous ceux qui n'avaient pas eu en main le dossier, c'est-à-dire pour la quasi-totalité de l'auditoire, ces errements étaient une révélation. On s'agita sur les bancs de la presse. Frédéric Pottecher, dont l'ancienneté et le prestige faisaient un mentor respecté, grommela de sa célèbre voix : « Mais c'est pas possible, des témoignages comme ça ! » Jean Laborde, autre grande figure de la chronique judiciaire, fut également sensible à l'efficacité du travail accompli par Paul Lombard. Le néophyte Alain Dugrand aperçut avec un bonheur généreux la possibilité de croire à l'innocence. Perdue au milieu du public, Micheline Théric fut ébranlée et se prit elle aussi à douter de la culpabilité.

L'avocat général Viala se déclara peu gêné par une certaine imprécision dans les témoignages : son expérience lui avait appris à se méfier des témoins trop affirmatifs.

On entendit ensuite Henri Guazzone, le contremaître de la champignonnière, et son employé Mohamed Rahou ; leur déposition fut en tout point conforme à leurs déclarations devant la police et le juge d'instruction. Vincent Martinez répéta qu'il n'avait pas vu d'enfant dans la voiture de Ranucci mais que la scène de la collision avait été violente et brève. M. Pappalardo était venu de Nice raconter la brève disparition de son fils, emmené par un inconnu dans un parking souterrain, et réaffirmer sa certitude que l'accusé était bien l'homme que son fils lui avait désigné le lendemain. Le petit Patrice, qui n'avait pas reconnu Christian dans le cabinet du juge d'instruction, n'était pas là pour le dire à la cour et aux jurés. Mme Spinek vint également confirmer la grande ressemblance entre l'accusé et l'homme qui avait importuné sa fille Sandra. Celle-ci, qui avait formellement nié à l'instruction que Christian fût cet homme, n'était pas là pour le redire, et les avocats de l'accusé n'avaient pas dans leur dossier le précieux titre de permission qui eût confirmé le témoignage de Sandra.

Le processus de conviction s'était remis en marche. Les épisodes Pappalardo et Spinek confirmaient le diagnostic des psychiatres sur la sexualité immature de l'accusé et la trouble attirance qu'exerçaient sur lui les enfants. Avouant son crime, il avait répété plusieurs fois s'être abstenu de tout geste suspect envers la victime, et le petit Pappalardo ne s'était plaint à son père d'aucune atteinte sexuelle : l'identité de comportement était frappante. Les témoignages sur l'épisode de la champignonnière complétaient enfin le puzzle : après avoir tué Marie-Dolorès, Ranucci était allé se cacher au fond d'une sombre galerie, et quand il avait été contraint de chercher de l'aide pour en tirer sa voiture, il avait donné de sa présence des explications extravagantes qui n'avaient trompé ni M. Guazzone ni M. Rahou.

Les grandes variations dans les déclarations successives des Aubert? Le fait demeurait que Ranucci avait craqué en leur présence. Aline Aubert avait décrit la scène avec une assurance dont chacun restait frappé : « Il niait avoir eu une petite fille dans les bras, il disait que ce n'était pas vrai. Je l'ai traité de menteur. Il s'est effondré et il a dit en pleurant : '' Je ne suis pas un salaud. '' »

Ranucci avait assisté sans broncher au défilé des derniers témoins, comme si son violent accrochage avec le commissaire Alessandra l'avait purgé d'un seul coup de son agressivité. Assis sur son banc, sa tête dépassant seule du rebord du box, il s'était contenté, tel un étudiant studieux, de prendre des notes sur un petit carnet. On eût dit que tout cela ne le concernait pas. Même le public avait enfin accédé à la sérénité. « Un calme morne qui ressemble à la certitude, écrivit Christian Chardon, assis parmi les journalistes. La terrible certitude que l'accusé, qui s'est cadenassé dans son absurde système de défense, est coupable. »

Le président Antona suspendit l'audience à dix-neuf heures quarante-cinq, « vu l'heure tardive et pour le repos de tous » selon la formule consacrée que nota le greffier, après avoir annoncé que les débats reprendraient le lendemain matin dès huit heures et demie.

La journée serait longue.

Jean-François Le Forsonney, dont c'était le premier procès d'assises, quitta accablé le palais de justice : « J'avais parlé avec des journalistes : ils étaient convaincus que Ranucci allait y passer. Cette unanimité, c'était affreux. Ils trouvaient aberrant que nous plaidions l'innocence. La seule chance, à leurs yeux, était de chercher à obtenir des circonstances atténuantes. Evidemment, tout cela n'était pas très encourageant. J'ai parlé un peu avec Lombard, lui-même très inquiet. Le pire était que Ranucci avait mis tout le monde contre lui. Nous n'avions pas prévu qu'il aurait cette attitude insensée. Le mal était fait, on n'y pouvait plus rien. Nous nous sommes réconfortés en nous disant que cette journée avait été celle de l'accusation, de ses témoins. Le lendemain, ce serait aux nôtres de déposer, et nous mettions tous nos espoirs dans notre témoin choc : Mᵐᵉ Mattéi. »

Mᵉ Le Forsonney rejoignit l'hôtel du Pigonnet où il avait loué une chambre pour s'épargner les allées et venues entre Marseille et Aix. Il dîna rapidement, puis ouvrit son dossier et travailla sur ses cotes de plaidoirie jusqu'à trois heures du matin.

Héloïse Mathon était aussi dans un hôtel d'Aix, en compagnie d'une jeune mère de famille niçoise dont elle avait gardé les enfants et qui devait témoigner le lendemain de la conduite sans reproche de Christian. Jean Hazarabedian, vieil ami d'Héloïse et de Christian, cité comme témoin de moralité, était également présent et s'efforçait de trouver des raisons d'espérer.

A dix heures du soir, Mme Mathon écrivit quelques lignes à son fils dans un style heurté et parfois incohérent : « Mon très cher enfant, mon bien cher fils Christian, je suis avec toi, je te le jure sur ma vie, je te jure que j'ai vécu ce jour ton drame. Je te sais innocent. Avec force, je souffre en silence... Tu as toujours été bon, simple, franc, prévenant, affectueux. Entendre ces calomnies qui sont fausses, c'est un supplice moral que je supporte pour toi. Je sais que je dois rechercher toutes les preuves concernant le coupable, l'homme au pull rouge. Tes témoins diront ce qu'ils ont vu, je vais pas te répéter ce que tu sais déjà, tes avocats ont noté. Défends-toi, défendons-nous par droit, la vérité. Tu es innocent, je le sais... Je dois rentrer à Toulon puis revenir. Obligée me changer, nourrir les chats. Mon enfant. A bientôt. Par la pensée et disponibilité, je suis là. Gros baisers. Ta Maman. »

Les journalistes rédigeaient à la hâte leur compte rendu. Alain Dugrand fit titrer par *Libération :* « Le doute s'est installé » — c'était généreux mais subjectif. Le reste de la presse inscrivait la journée à l'actif de l'accusation. *La Marseillaise* rejoignait pour une fois *Le Méridional :* l'une titrait : « Journée accablante pour Ranucci »; l'autre : « Témoignages accablants ». *L'Aurore* annonçait : « Deux versions pour un crime » mais Jean Laborde commençait ainsi son article : « Le destin a bon dos. Il faut en tout cas qu'il ait une carrure de pilier gallois pour supporter le récit que les jurés d'Aix-en-Provence ont entendu de la bouche de Christian Ranucci. » Les chroniqueurs de la radio et de la télévision avaient déjà exprimé un sentiment identique.

Toute la presse soulignait l'extraordinaire comportement de l'accusé. *Le Monde* écrivait avec sa prédilection coutumière pour la litote : « Il ne s'est pas présenté sous son meilleur jour et n'a guère facilité la tâche de ses défenseurs. » *Nice-Matin* annonçait en première page : « Ranucci proclame son innocence avec insolence mais les charges s'accumulent sur sa tête. » Jean-François Dominique, dans *L'Humanité,* parlait lui aussi d' « arrogance » et de « hauteur » Jérôme Ferraci, du *Méridional,* croyait pouvoir écrire, en vertu d'on ne sait quelle connaissance intime qu'il aurait eue de l'accusé : « Ranucci se montre tel qu'il est : agressif, hargneux, pervers. Il discute, argumente, tout en lui est désagréable. » Dans le même journal, Marc Fénéon écrivait cependant, à propos de l'assistance : « A certains moments du procès, on la sentira crispée, prête à bondir, indisposée par l'attitude de l'accusé. Mais un homme qui risque sa tête n'a-t-il pas tous les droits, y compris celui d'irriter? » Micheline Deville, du *Soir,* décrivait un Ranucci « méprisant, arrogant, sans un regard pour la salle où pourtant se trouve sa mère... Quand il entend une phrase qui semble ne pas lui plaire, il contracte ses joues, comme s'il se contenait. Puis il parle avec un aplomb singulier, comme s'il ne se rendait pas compte de la gravité des faits. Il est évident que son attitude devant le procès déclenche la réprobation du public. Il n'est pas moins clair qu'il ment, honteusement, qu'il joue la comédie, mais à la façon d'un enfant qui a fait une énorme bêtise et qui ne se rend absolument pas compte de la monstruosité de la chose. » Et Micheline Deville de conclure : « Il faudrait un Freud pour l'analyser. » Jean Laborde notait lui aussi « une sèche agressivité », des explications présentées « à la manière d'un défi ». Christian Chardon, dans *Détective,* surenchérissait : « Décidément, l'accusé semble prendre un malin plaisir à provoquer, à narguer, à se rendre terriblement antipathique. » Jean-Dominique Bauby concluait dans *Le Quotidien de Paris* à « un comportement suicidaire ». *Le Méridional* aurait le surlendemain ce commentaire qui résume tout et qui va loin : « Son crime pourtant suffisait largement. Pourquoi fallut-il encore que ce garçon joue si mal le terrible rôle qui lui était assigné? »

Me Collard n'aurait pas besoin de lire les journaux pour mesurer le potentiel de haine que Ranucci avait réussi à accumuler sur sa tête. Il avait invité à assister au procès l'un de ses amis, adversaire comme lui de la peine de mort. A la fin de cette première journée, l'ami, ulcéré jusqu'au chavirement par l'attitude de l'accusé, lui avait dit avec une sourde violence : « J'espère bien que ce salaud sera condamné à mort et exécuté ! »

La majorité des chroniqueurs jugeait d'autre part périlleuse la stratégie de la défense. Maurice Huleu, de *Nice-Matin,* titrait son article : « Un tragique quitte ou double ». Patrick Séry, du *Nouvel Observateur,* se demandait si les avocats « avaient joué le bon cheval » et s'ils n'auraient pas mieux fait de plaider la folie, tandis que *La Marseillaise* posait cette question : « Les avocats de l'accusé, malgré tout leur talent, prisonniers du système de défense que leur client leur impose, pourront-ils continuer à se battre sur ce terrain ? » Charles Blanchard écrivait dans *France-Soir* que les avocats allaient avoir « la tâche impossible d'essayer de prouver l'innocence de l'accusé », et, comme son confrère marseillais, il précisait : « C'est bien entendu leur client qui leur impose cette gageure », ce qui n'était pas exact car Paul Lombard et Jean-François Le Forsonney avait choisi délibérément de plaider l'innocence. La demande d'un complément d'enquête psychiatrique était généralement considérée comme un coup d'épée dans l'eau, sinon même comme une erreur monumentale : ce n'était pas assez pour jouer les circonstances atténuantes, c'était trop pour rester crédible quand on plaiderait l'innocence. « Etrange défense... » constatait Alain Dugrand.

Les journalistes qui n'avaient pas été conviés au dîner de presse organisé par Me Lombard s'interrogeaient sur ces « preuves d'innocence » dont Christian Ranucci avait proclamé qu'il lui avait fallu des mois pour les réunir. Le scepticisme était patent. On ne voyait pas bien quelle preuve pourrait abolir l'écrasant faisceau réuni par l'accusation et, au terme de cette première journée, *La Marseillaise* résumait l'opinion générale en écrivant : « On se demande quel fait nouveau, quel témoin de dernière heure peut-être, la défense va sortir de sa manche pour redresser la situation. »

Le Monde était le seul à informer ses lecteurs de trois autres affaires concernant des enfants. En Charente-Maritime, on avait écroué ce même jour un père de famille qui martyrisait sa fille de trois ans et venait de frapper son fils âgé de trois mois, sous prétexte qu'il pleurait trop, au point de lui fracturer le crâne et le fémur; le bébé était dans un état désespéré. Dans le Val-d'Oise, on avait arrêté un couple qui, depuis cinq mois, séquestrait un enfant de sept ans dans un minuscule grenier sans fenêtre; la famille occupait un pavillon abandonné sans eau ni électricité. Dans le Maine-et-Loire, on avait incarcéré une femme pour coups et blessures ayant entraîné la mort de sa fillette, âgée de deux ans; elle avait reconnu qu'elle frappait l'enfant « pour la réprimander ».

Ces trois cas n'intéresseraient aucun de ceux qui, massés au fond de la salle des assises d'Aix, sentaient venir la jouissance d'un verdict de mort, et dont les homologues de Charente-Maritime, du Val d'Oise et du Maine-et-Loire, honnêtes citoyens eux aussi, avaient su s'abstenir de se mêler des affaires d'autrui pour faire cesser les sévices infligés à des enfants. Ces tristes choses se passaient chez des gens qui font leurs atrocités en famille et ne menacent pas la santé ou la vie d'un enfant d'honnête citoyen. Si le maniaque sexuel suscite tant de haine et s'attire un châtiment généralement implacable, alors qu'il a souvent plus d'excuses qu'un père ou une mère tortionnaire, c'est qu'il choisit ses petites victimes au hasard et que chacun sent peser sur son enfant l'épouvantable menace. Ainsi en était-il du procès Ranucci, où la peur tenait les guides du char de la justice.

La nuit avait attisé la haine et l'aube du 10 mars se levait à peine que la foule s'agglutinait déjà devant les portes du palais de justice d'Aix. On se montrait les inscriptions « A mort Ranucci! » que des inconnus venaient de tracer en rouge sur les murs; la peinture fraîche et dégoulinante ressemblait à s'y méprendre à du sang.

L'édifice, de style indécis, vaut surtout par son environnement. Il s'élève au milieu d'une place ombragée de platanes à laquelle on accède par un lacis de rues pittoresques et où se tient trois jours par semaine un marché provençal bruissant et coloré. Une volée de marches de pierre mène aux trois grandes portes du palais; il y a toujours quelques jeunes touristes pour s'y asseoir au soleil et mêler paisiblement les effluves de leurs bizarres cigarettes aux senteurs entêtantes montant du marché, ce qui achève de faire le décor désinvolte et quiet.

Mais ce matin, la haine.

Les comptes rendus d'audience diffusés sur les ondes et imprimés dans les quotidiens devaient en vérité créer un choc inouï dans l'opinion méridionale. On gardait du meurtre de Marie-Dolorès Rambla un souvenir horrifié et simple. L'assassin avait avoué. La presse régionale avait largement commenté ses aveux. On savait aussi que le meurtrier avait indiqué où il avait caché l'arme du crime. C'était péremptoire. Affaire bouclée. Certains lecteurs du *Provençal* et du *Méridio-*

nal gardaient même en mémoire — et cela était évoqué sur les marches du palais — qu'une enquête avait été menée en Allemagne pour vérifier si Ranucci n'avait pas, là-bas aussi, massacré quelques enfants. Un monstre. Comme l'autre, à Troyes. Et voici que le misérable, au lieu de porter humblement sa tête sur l'échafaud, se livrait dans le box à une exhibition indécente ; il ergotait, discutait, contestait. Il avait l'insupportable audace d'accuser la police et menaçait avec effronterie de briser la carrière du commissaire qui l'avait confondu. L'assassin aux mains rouges d'un sang innocent avait osé défier les braves gens. Au matin du 10 mars, ceux-ci venaient en foule lui apporter leur réponse.

Micheline Théric en fut épouvantée. Elle était cette fois accompagnée de son mari, qui avait demandé congé pour la journée. Le travail de démolition exécuté par Me Lombard sur le témoignage des Aubert l'avait fort impressionnée et elle avait hâte d'entendre les témoins de la défense. L'accusé ne lui était pas apparu particulièrement antipathique : elle l'avait surtout trouvé très crispé, ce que sa situation rendait compréhensible. Mais Mme Théric a le cœur ouvert à toutes les pitiés. Elle fut horrifiée d'entendre non loin d'elle un vieil homme déclarer en recueillant une approbation générale : « Faut le tuer, le Ranucci. Aurait même fallu l'exterminer sans prendre la peine de le juger. »

Chantal Lanoix arriva à Aix un peu plus tard : elle savait pouvoir trouver une place grâce à son fiancé, Me Le Forsonney. Celui-ci s'était réveillé à sept heures après avoir travaillé jusqu'au milieu de la nuit. « En arrivant au palais, dit-il, en découvrant cette foule, j'ai éprouvé que l'absence de notoriété avait ses avantages : je suis passé inaperçu. »

Les portes du palais donnent sur un vaste hall hérissé de colonnes où tiendraient dix salles d'assises. Au fond, un escalier solennel mène à une galerie. Une statue de Mirabeau est plantée devant l'escalier. Les justiciers anonymes avaient réussi à pénétrer dans le palais durant la nuit et l'inscription « A mort ! » s'étalait en lettres sanglantes sur le socle de la statue. C'était faire tenir à Mirabeau, qui a connu à Aix de violentes tribulations judiciaires, un langage qu'il eût assurément répudié. Mais les choses étaient ainsi claires : la marée rouge de la haine venait clapoter jusqu'à la porte de la salle où l'on jugeait Ranucci.

M^e Le Forsonney eut quelque peine à faire entrer sa fiancée dans la salle archi-comble. Elle trouva finalement une place assise parmi les invités, à côté de la famille de Gilbert Collard. Les Théric étaient derrière elle, avec le public massé debout dans le fond de la salle. Ils avaient dû se séparer car une barrière métallique transversale coupait l'assistance en deux : les femmes d'un côté, les hommes de l'autre, comme dans les églises bretonnes. M. Théric s'en était étonné auprès d'un garde qui lui avait répondu que telle était la règle.

Chantal Lanoix avait vingt ans et pénétrait pour la première fois de sa vie dans une enceinte de justice. Ce qui la frappa plus que tout, c'est la distribution des personnages sur deux plans horizontaux. Les magistrats, les jurés et l'avocat général dominaient la salle du haut de leurs six marches ; l'accusé et ses avocats étaient au niveau du sol. Elle fut étonnée de la position dominante de l'accusation par rapport à la défense : les avocats avaient l'air de quémandeurs, de suppliants, et cela lui parut peu équitable. Vieille histoire souvent disputée et dont un avocat fameux avait tiré un mot sur certaine erreur du menuisier. Mais il est vrai que leur proximité dans la prééminence établit un compagnonnage ambigu entre l'avocat général et les jurés ; pour ces derniers, l'accusateur public est l'un des leurs, tandis que la défense est en bas, de l'autre côté du fossé séparant les juges des malfaiteurs. Il en va autrement en Angleterre. Là-bas, l'accusateur n'est pas un magistrat siégeant en robe rouge avec la cour. mais un avocat engagé par la police, tout comme celui de l'accusé et les jurés ont à trancher entre deux thèses opposées défendues par des hommes dont aucun n'a par rapport à l'autre le privilège d'être assis plus haut ni d'incarner avec sa robe et de par ses fonctions la justice elle-même.

Que M Viala fût tout bonnement dans un camp et les

défenseurs dans l'autre, on le vit bien quand l'huissier appela à la barre Eugène Spinelli, garagiste de son état. De même que le juge d'instruction avait jugé superflu d'entendre le témoin direct de l'enlèvement de Marie-Dolorès Rambla, le ministère public n'avait pas trouvé nécessaire de le faire citer, tant et si bien qu'il venait à la barre sur les seules diligences de la défense. En somme, chaque capitaine alignait ses joueurs. Mais Chantal Lanoix avait alors raison de s'étonner que l'un d'eux siégeât avec les arbitres.

M. Spinelli est un homme de trente-huit ans, de taille moyenne, à l'expression ouverte et franche. Par son calme, par sa simplicité, il est de ces témoins qui font bonne impression au jury et ont immédiatement son oreille. Il raconta de manière précise, sans fioritures, comment il avait vu, alors qu'il sortait de son garage, en face de la cité Sainte-Agnès, le 3 juin 1974 à onze heures moins dix, un homme d'une trentaine d'années faire monter une fillette dans une Simca 1100 de couleur gris clair.

L'avocat général demanda au témoin s'il était absolument sûr et certain de ne point se tromper. Que M. Spinelli réponde qu'il l'était, et il entrait dans cette catégorie de témoins trop affirmatifs dont M. Viala avait dit la veille, à propos des Aubert, que sa longue expérience lui avait appris à s'en méfier. M. Spinelli répondit qu'on ne pouvait jamais être absolument sûr et certain de quoi que ce soit. M. Viala, bien loin de voir dans cette réserve de bon aloi la preuve que M. Spinelli était un homme crédible, en tira la conclusion que son témoignage était mal assuré. Il poussa son avantage en faisant reconnaître au témoin qu'une Simca 1100 et un coupé Peugeot 304 sont, vus de l'arrière, extrêmement ressemblants. Et tandis que M. Spinelli se retirait, il sortit de son dossier deux photographies qu'il fit passer à la cour et aux jurés. L'une représentait le coupé 304 de Ranucci; l'autre, détachée d'un magazine, était une publicité pour la Simca 1100; sur l'une et l'autre, les voitures étaient prises de l'arrière. On vit bien, aux jeux de physionomie des magistrats et des jurés, qu'ils trouvaient en effet la ressemblance très frappante et qu'ils auraient bien pu s'y tromper.

Effet d'audience. D'ordinaire, c'est la défense qui en use et en profite, mais il était écrit quelque part que tout se liguerait contre Ranucci, y compris le rare talent de son accusateur.

Si nous avions été la défense (comme il est facile de jouer à être la défense dans la quiétude de son bureau d'écrivain, sans subir les tensions psychologiques auxquelles sont soumis les avocats et alors qu'on a eu le loisir de réfléchir plus d'un an à une seule affaire, de vivre plus d'un an avec elle et pour elle, ce que ne peut pas se permettre l'avocat tiraillé dans le même temps entre dix causes, laminé par une course démentielle contre la montre...) — si nous avions été la défense, nous aurions réuni cent photos de voitures de diverses marques, toutes prises de l'arrière, et nous aurions dit aux jurés : « Nous allons les montrer au témoin en lui demandant d'identifier successivement chaque modèle. S'il se trompe une seule fois, nous renonçons à son témoignage. Mais s'il ne se trompe pas, vous devrez en conclure qu'il a bien vu l'enfant monter dans une Simca 1100. » C'eût été un pari gagné d'avance.

M. Spinelli était assurément un témoin exposé à l'erreur, et il l'avait lui-même spécifié aux policiers qui avaient enregistré sa déposition, se plaçant ainsi dans la catégorie testimoniale aimée de M. Viala. Il avait dit, concernant le ravisseur : « Je ne suis pas en mesure de vous fournir de plus amples détails sur cet homme que j'ai vu de quarante à cinquante mètres environ », ce qui était modeste de la part de quelqu'un qui venait de donner une description assez précise. M. Spinelli avait ajouté avec une prudence remarquable : « Je ne pense pas pouvoir être formel quant à l'identification de cet individu pour le cas où il me serait présenté. » Il avait répété cette phrase quand on lui avait montré le fichier photographique des satyres et maniaques sexuels marseillais. Il l'avait prononcée une troisième fois après sa confrontation avec Ranucci. Mais M. Spinelli, d'une prudence si exceptionnelle lorsqu'il s'agissait de l'individu, s'était insurgé quand il avait constaté que le procès-verbal de l'inspecteur Porte lui faisait dire à propos de la voiture : « Il est donc possible que j'aie confondu une Simca 1100 avec un coupé 304 car, je le redis, je n'avais pas fait très attention à cela. Ces deux voitures se ressemblent. » Et il avait tenu à ce que fût enregistrée cette rectification : « Je tiens à préciser que je suis mécanicien de métier et que je connais donc parfaitement tous les types de voitures. »

Car M. Spinelli savait qu'il pouvait se tromper sur tout sauf sur cela. On ne se trompe pas sur la marque d'une voiture quand on a martelé des carrosseries pendant vingt ans. Huit personnes ayant occupé ensemble un compartiment de train témoigneront que l'un des voyageurs lisait un livre, mais s'il est un écrivain parmi ces huit personnes, il dira sans se tromper que la couverture du livre portait la marque de tel éditeur. Cent personnes ayant assisté à une conférence témoigneront qu'un officier en uniforme était assis dans le public, mais s'il est un autre officier parmi ces cent personnes, il précisera sans risque d'erreur le grade de son collègue et l'arme à laquelle il appartient. Cinquante mille personnes réunies pour regarder un match témoigneront qu'un petit avion de tourisme a survolé le stade, mais s'il est parmi elles un aviateur, il dira que l'avion était un Jodel ou un Piper Apache — et l'on devra le croire car il peut se tromper sur tout, et même sur le score final du match, mais pas sur cela.

Au reste, l'argumentation de l'avocat général se fondait sur le fait que M. Spinelli avait vu la voiture de l'arrière (« de trois quarts arrière » avait-il précisé à l'Evêché) et qu'une Simca 1100 et un coupé Peugeot 304 sont de ce point de vue fort ressemblants. Pour ruiner sa démonstration et anéantir son effet d'audience, il suffisait de relire la déposition de M. Spinelli : il avait certes vu la voiture de trois quarts arrière, mais il avait aussi vu la fillette s'installer sur le siège du passager et le ravisseur prendre place au volant. C'est donc que les deux portières étaient ouvertes. Or, une Simca 1100 a quatre portes alors qu'un coupé 304 n'en comporte que deux. Les formes et les longueurs ne sont pas les mêmes. Comment cette grande différence, sensible pour un simple usager, aurait-elle pu échapper à un homme du métier?

Ainsi fut escamoté le témoignage d'Eugène Spinelli, seul témoin du rapt avec le petit Jean Rambla, au point que la plupart des chroniqueurs judiciaires n'en firent même pas état dans leur compte rendu.

*
* *

La défense attendait Grouchy; ce fut Blücher.

Menue, voûtée, le teint gris, l'œil aux aguets, Jeannine Mattéi trottina jusqu'à la barre et offrit durant toute sa déposition l'image accomplie du faux témoin. Le public l'écouta avec des ricanements méprisants raconter la tentative d'enlèvement dont sa fille et une amie de celle-ci avaient été victimes de la part d'un homme vêtu d'un pull-over rouge, puis la scène qu'elle avait vue de sa fenêtre et au cours de laquelle un petit garçon de sa cité avait failli être embarqué par le même homme au pull-over rouge.

Ceux-là mêmes dont le cœur penchait vers la défense s'en trouvèrent désolés. Chantal Lanoix savait le témoignage décisif : « Jean-François m'en avait parlé et après une première réaction de scepticisme, j'avais été convaincue. Mais là, à l'audience, c'était épouvantable. On avait l'impression que Mᵐᵉ Mattéi récitait sa leçon. Et une leçon mal apprise. Ça ne sonnait pas vrai. Autour de moi, derrière moi, les gens riaient sans se gêner. Je n'ai pas quitté des yeux les jurés. Ils faisaient une sale tête. Ils avaient l'air de gens à qui on raconte des histoires et qui n'aiment pas ça du tout. » Micheline Théric eut une réaction identique : « Elle parlait d'une voix sourde et indécise qu'on entendait à peine. Il y a eu des mouvements dans l'assistance pendant son témoignage. Autour de moi, personne n'y croyait. Moi-même, j'avoue que j'étais bien perplexe... » Et son mari partageait son sentiment : « Est-ce qu'elle disait vrai? Est-ce qu'elle mentait? On ne savait pas. Ça donnait l'impression d'un témoignage pour le moins douteux... »

M. Viala et Gilbert Collard, avocat de la partie civile, affichaient ostensiblement de l'indignation. Lorsque nous évoquerons le nom de Mme Mattéi devant Me Collard, trois ans et demi plus tard, il nous interrompra avec un grand rire : « Faux témoin! Ça puait le faux témoignage! Personne n'y a cru, personne ne pouvait y croire! Le fils Mattéi était aux Baumettes avec Ranucci : ils ont ensemble mis au point le scénario. Ou bien ce sont les deux mères qui se sont mises d'accord. J'en suis sûr, absolument sûr! Il suffisait d'ailleurs de lire ses dépositions pour prévoir ce qu'allait être son lamentable témoignage à l'audience... »

Cette dernière observation était justifiée. Si l'on se met à la place de l'avocat général ou de l'avocat de la partie civile lisant dans le dossier les dépositions de Jeannine Mattéi devant Mlle Brugère et l'inspecteur Porte, on est très enclin à comprendre leur total scepticisme. Mlle Brugère avait elle-même reçu avec une suspicion résolue ce témoin de la onzième heure opportunément pêché à la porte d'une prison pour tenter d'arranger les affaires d'un criminel dont l'avenir était sombre. Et Mlle Brugère avait de bonnes raisons de considérer Ranucci avec réticence : elle avait eu à s'occuper, en sa qualité de substitut, de l'exaspérante valse-hésitation dansée autour de l'encéphalographie gazeuse. Un inculpé tordu, sournois, rusant avec la justice.

On l'a déjà signalé : trente-huit lignes de procès-verbal pour deux heures d'audition. C'est peu. Du coup, les faits sont évoqués si sommairement qu'ils en deviennent d'une réalité douteuse. Ainsi de la tentative d'enlèvement à laquelle Mme Mattéi disait avoir assisté : « Le lendemain, toujours dans mon quartier de Saint-Jérôme (13e) un individu a essayé de faire monter un enfant, un garçon, âgé de cinq à six ans, dans sa voiture. Le numéro de la voiture se terminait par 8, département 54. Je lui ai parlé. Il m'a dit " qu'il s'arrêtait " Je remarquai qu'il avait un accent méridional. La voiture était une voiture Simca grise, normale quatre portes, gris métallisé. »

Il est aimable de la part de Mlle Brugère de nous préciser que le quartier Saint-Jérôme se situe dans le treizième arrondissement de Marseille, mais il eût été sans doute plus utile de faire dire à Mme Mattéi — et de le faire enregistrer par son greffier — où elle se trouvait quand elle avait assisté à cette scène, quelle heure il était, pourquoi elle n'avait vu qu'une partie de la plaque d'immatriculation de la voiture, où était stationnée cette voiture, le nom de l'enfant concerné, s'il était seul ou s'il jouait avec d'autres enfants, et enfin si d'autres habitants de la cité, susceptibles d'être entendus, étaient au courant de l'affaire.

Mlle Brugère s'est abstenue de poser ces questions essentielles, ou de faire enregistrer les réponses, mais elle a par contre fait noter que Mme Mattéi attribuait à l'individu une taille d'un mètre soixante-huit. Notation savoureuse. Un témoin digne de foi ne dira pas d'un homme aperçu à quelque distance qu'il mesure un mètre soixante-*huit* : il dira soixante-cinq ou soixante-dix. Rares sont les maris qui pourraient donner la taille de leur femme au centimètre près, et vice versa.

Mais c'est dans sa conclusion que le procès-verbal atteignait au chef-d'œuvre. Mlle Brugère faisait finir avec cette phrase la déposition de Mme Mattéi : « J'ai oublié de vous dire que je vis toujours avec mon mari qui est retraité de la marine marchande et qui exerce en ce moment le métier de docker. » Tout le monde se fichant éperdument de la situation matrimoniale de Mme Mattéi, cette précision déplacée devait définitivement ancrer l'image d'un témoin débile, à la limite du crétinisme, ou d'un faux témoin racontant n'importe quoi pour meubler sa fable. Quelle confiance accorder à une femme qui, venant témoigner dans une atroce affaire de meurtre, s'exclame à la fin de sa déposition qu'elle a oublié de préciser que son ménage marchait toujours bien?

La réalité semble avoir été un peu différente. Mme Mattéi nous a dit qu'au terme de leur long entretien, le substitut lui avait demandé avec quelque hauteur : « Mais dites-moi, Mᵐᵉ Mattéi, je crois que vous vivez en concubinage? » Trois ans plus tard, nous avons pu constater que l'émotion de Mᵐᵉ Mattéi restait intacte : elle réagit au mot « concubinage » comme l'autre au mot « atmosphère ». « Pas du tout! s'était-elle exclamée, dressée tout debout. Je vis toujours avec mon mari etc. » En supprimant la question et en n'enregistrant que la réponse, Mˡˡᵉ Brugère faisait terminer le témoin par une phrase grotesque qui achevait de ruiner son crédit.

L'inspecteur Porte avait de son côté apporté une contribution efficace à la neutralisation du témoignage Mattéi. Son procès-verbal, enregistré onze jours après celui de Mˡˡᵉ Brugère, comporte par exemple cette phrase : « Je dois vous dire que moi-même, j'avais vu quelques jours avant un individu qui avait essayé d'enlever de force un petit garçon, dans ma cité. Je l'avais vu de ma fenêtre. Or, ma fillette, lorsque l'individu l'a abordée, avait un pull-over rouge bordeaux à ras le cou. L'individu que j'avais vu correspondait au même signalement et était vêtu pareillement. » Le moins qu'on puisse dire de cette prose est qu'elle est confuse, ce qui nous étonne de la part de l'inspecteur Porte dont le style était à la fois clair et convaincant lorsqu'il mettait en forme les aveux de Christian Ranucci. On aura noté au passage qu'il fait dire à Mᵐᵉ Mattéi que c'est sa fille qui portait un pull-over rouge...

Le plus grave n'est pas dans ces ingéniosités misérables mais dans le fait navrant que l'enquête ordonnée par le parquet général d'Aix n'a abouti qu'à l'audition de la seule Jeannine Mattéi. Le procureur général, quel qu'ait été son sentiment intime, avait donné des instructions à Marseille « afin qu'il ne puisse être un jour reproché à la Justice d'avoir négligé un élément d'appréciation qui pourrait disparaître. » Ces instructions prescrivaient l'audition de Mᵐᵉ Mattéi « et le cas échéant de toute autre personne », la gendarmerie devant être chargée de contrôler les données ou indices matériels dont tel témoin pourrait faire état. Si Jeannine Mattéi, dénichée par Mᵐᵉ Mathon à la porte des Baumettes, se présentait sous des auspices peu favorables, les larges initiatives accordées par le procureur général, et notamment la recommandation expresse d'entendre tout autre témoin, donnaient la possibilité de tester sa bonne foi.

Mlle Di Marino avait fait faire quatre cents kilomètres à un enfant de quatre ans, Patrice Pappalardo, pour recueillir son témoignage et le confronter avec Ranucci. Mlle Brugère jugea superflu de convoquer une adolescente, Agnès Mattéi, qui habitait à vingt minutes du palais de justice de Marseille. Elle ne prit pas la peine d'entendre son amie Carole, dont Mme Mattéi avait cité le prénom sans que le substitut manifestât la curiosité élémentaire de connaître son nom de famille. Elle ne vit aucun intérêt à l'audition de Mme Barraco, qui avait pourtant signé avec Mme Mattéi la lettre exposant aux avocats de Ranucci la tentative d'enlèvement. Elle n'insista pas pour connaître les garçons que Mme Mattéi prétendait avoir vus aux prises avec l'homme au pull-over rouge, de façon à recueillir leur témoignage et à interroger éventuellement leurs parents. Tout cela ne l'intéressait pas. Elle n'eut pas l'idée de se transporter à la cité des Tilleuls, où étaient censés s'être déroulés tous ces événements, pour contrôler les assertions de Mme Mattéi, constater la disposition des lieux, vérifier si le témoin avait pu voir tout ce qu'il prétendait avoir vu, organiser sur place une reconstitution ; elle ne demanda même pas à la gendarmerie ou aux services de police de procéder à ces vérifications, comme l'y invitaient les instructions d'Aix. Elle ne réunit pas l'équipe du commissaire Alessandra et Mme Mattéi pour une confrontation qui semblait s'imposer puisque le témoin affirmait que les policiers lui avaient demandé d'assister aux obsèques de Marie-Dolorès afin d'y repérer éventuellement l'homme au pull-over rouge — demande qui, dans le cas où elle aurait été vérifiée, démontrait l'importance accordée par la police au témoignage de Mme Mattéi.

A quelques kilomètres de Mlle Brugère, aux Baumettes, un jeune homme de vingt et un ans dont la vie est en suspens. A quelques mètres de son bureau, un scellé 979/74 comprenant un pull-over rouge dont nul ne connaît les tenants et aboutissants, mais qu'on a trouvé à proximité du cadavre d'une fillette enlevée, et qui fait par conséquent problème. En face d'elle, un témoin exposant qu'un homme portant un pull-over rouge a procédé à deux tentatives d'enlèvement mettant en cause quatre enfants, dont deux adolescentes. Pour Mlle Brugère, cela mérite trente-huit lignes.

Le procès-verbal de l'exécution de Christian Ranucci en fera vingt-sept.

***

Après un bref et violent pilonnage de questions, il ne resta plus rien du témoignage de Mme Mattéi. L'avocat général et l'avocat de la partie civile avaient rongé leur frein pendant sa déposition. Ils n'étaient pas émus par le spectacle de cette petite femme hagarde, vêtue de noir, à la voix faible et hésitante, au regard introuvable, s'agrippant à la barre comme une noyée, car ils étaient convaincus qu'elle se noyait dans le flot de ses propres mensonges. Leurs soupçons se vérifiaient au-delà de toute attente : on essayait en face d'abuser la justice. Et Gilbert Collard s'en trouvait enragé. Il n'était pas venu à Aix pour demander la tête de Ranucci mais il n'admettait pas qu'on se payât la sienne. Oui à la pitié. Non à la roublardise d'une défense qui allait crocheter des témoins frauduleux dans la poubelle des Baumettes. On allait voir ce qu'on allait voir.

Alain Aubert, directeur de société, avait plié sans se rompre sous les coups de Paul Lombard. Jeannine Mattéi était trop fragile pour résister au double assaut de M. Viala et de Me Collard.

Elle est fragile parce que minée par une longue maladie, parce que huit enfants élevés avec un mari toujours en mer, parce qu'un fils aux Baumettes, parce que depuis toujours la misère, les coups durs, le martèlement quotidien d'une vie inhumaine.

Ce récit, nous l'avons voulu factuel, dit à mi-voix et non point hérissé de cris. Il s'agit de l'affaire Ranucci et d'elle seule. Mais le témoignage de Jeannine Mattéi, pivot du système de défense, a été conditionné par la personnalité du témoin, et cette personnalité elle-même résultait d'un certain environnement social.

Nous avons retrouvé Mme Mattéi dans la cité qu'elle habite à présent. C'est, dans la partie nord-ouest de Marseille, une série d'énormes constructions où vivent des milliers de familles. A distance, le spectacle des tours orgueilleuses est assez exaltant pour qui sait ne jamais devoir y habiter, mais dans cet écrin bétonné, une misère sauvage, la violence à fleur de peau, une atroce désespérance. On entre dans cet enfer le cœur serré et l'estomac révulsé; on en sort comme d'un cauchemar.

L'ensemble, coincé entre trois routes à grande circulation, ne comporte aucun terrain de jeu, aucun espace vert. Les enfants errent par bandes sur les parkings jonchés de détritus où la plupart des voitures sont veuves de leurs accessoires extérieurs. Ici, la bande des Portugais; là, celle des Algériens. A cette entrée, toutes les boîtes aux lettres ont été arrachées. Dans les couloirs obscurs — plus une ampoule au plafond — on enfonce par endroits jusqu'à la cheville dans l'excrément : le mercredi, des parents partant au travail enferment leurs enfants *dehors,* pour préserver le logement, de sorte que les malheureux sont bien obligés de chier dans les couloirs. La haine raciale s'inscrit partout en graffiti insultants, en dessins obscènes. Le matin, les enfants se rassemblent par nationalités et s'en vont escortés par des mères vigilantes. Un monde hallucinant, dangereux car la misère et la peur font un mélange détonant. Il nous est arrivé assez souvent de mettre le nez hors de notre village mais nous ne soupçonnions pas qu'un tel monde existait en France. Jeannine Mattéi, aux assises d'Aix, face aux hommes en robe rouge ou noire parlant un langage qu'elle comprenait mal, respectant des rites opaques, se trouvait transportée dans un monde étranger.

306

Surtout, elle a peur et elle ressent quelque chose qui ressemble à de la honte.

Elle a raison d'avoir peur. Dans quelques heures, une virago se jettera sur elle et lui souhaitera de mourir d'un coup de poignard dans le dos. Dans quelques semaines, Pierre Rambla trouvera son adresse et ira la couvrir d'insultes et la menacer de mort.

Une sorte de honte. Non pas celle de faire un faux témoignage, comme le croient à tort M. Viala et Me Collard, mais parce que son témoignage est ressenti comme une trahison par toutes ses semblables, les mères de famille des cités populaires. On a dit autour d'elle : « Bon, d'accord, ce n'est pas le Ranucci qui a essayé de prendre sa petite, mais qu'est-ce que ça prouve pour la pauvre malheureuse Marie-Dolorès? Il l'a bien avoué, ce crime-là? Alors, pourquoi elle va parler pour lui? » On est autour d'elle sans pitié pour ceux qui enlèvent les enfants et les tuent. Ranucci, lâché dans n'importe quelle cité marseillaise, serait déchiqueté sur place. Une haine palpable, sans faille ni merci. Une haine que partage Jeannine Mattéi, mère de huit enfants. Ce monde-là, issu de la mère Méditerranée, n'a pas le sens civique exacerbé et le jugement qu'il porte sur la délinquance pèche certainement par défaut de sévérité. Dans ce monde-là, il n'est pas exclu qu'on donne un faux témoignage pour sauver un voleur, un cambrioleur, un proxénète — pas un assassin d'enfant. Aussi bien M. Viala et Me Collard commettaient-ils de bonne foi une erreur psychologique capitale : non seulement Mme Mattéi ne pouvait en aucun cas se prêter à un faux témoignage en faveur d'un meurtrier d'enfant, mais il lui avait au contraire fallu un extraordinaire courage pour accepter de concourir à la défense d'un homme accusé d'un tel crime. Et depuis les difficultés qu'on avait faites pour l'entendre, depuis l'accueil de Mlle Brugère et de l'inspecteur Porte, depuis son arrivée au palais entouré d'une foule grondante, elle avait compris qu'on ne lui en saurait aucun gré.

— Ce garçon, demanda le président Antona ce petit

garçon que vous auriez vu échapper de justesse à l'individu au pull-over rouge, quel est son nom?

— Je ne sais pas.

— Comment? s'exclama Gilbert Collard. On tente d'enlever un enfant sous vos yeux et vous ne vous souciez même pas de savoir de qui il s'agit?

Mme Mattéi aurait pu répondre qu'elle ne connaissait pas les centaines d'enfants habitant la cité des Tilleuls, que la famille du garçon en question avait d'ailleurs déménagé immédiatement après l'incident, qu'elle connaissait par contre son compagnon de jeu, qui avait assisté à toute la scène, et qu'il s'agissait du petit Alain Barraco. Elle ne répondit pas. L'eût-elle fait que l'accusation aurait souligné l'absence de Mme Barraco, citée par la défense et témoin défaillant. La mère de Carole et du petit Alain avait accepté de mettre sa signature au bas d'une lettre relatant les faits mais elle n'avait pas eu le courage de plonger dans la fournaise des assises.

— La tentative dont auraient été victimes votre fille et son amie, demanda M. Viala, c'est avant ou après la scène que vous prétendez avoir vue de votre fenêtre? Si je pose la question, c'est que vous avez beaucoup varié dans vos déclarations...

Observation justifiée. A lire le procès-verbal Brugère, la tentative sur les deux garçons a suivi celle sur les deux filles. A lire le procès-verbal Porte, c'est l'inverse. L'explication est simple. L'homme au pull-over rouge s'en était d'abord pris à Agnès Mattéi et à Carole Barraco, puis aux deux garçons. Mais Agnès Mattéi n'avait raconté son aventure à sa mère que le 4 juin, c'est-à-dire après ce second épisode. Selon que Mme Mattéi racontait les faits dans l'ordre chronologique de leur déroulement ou au contraire dans l'ordre chronologique où elle les avait appris, la tentative concernant les filles se plaçait avant ou après la tentative sur les deux garçons. Mme Mattéi, qui n'avait même pas conscience du problème, se borna à répondre que l'homme au pull-over s'en était d'abord pris aux deux filles.

— Je ne comprends pas! s'étonna Me Collard. Votre

prétendue plainte daterait du 4 juin, donc de plusieurs jours après... On essaie d'enlever votre fille et vous ne vous précipitez pas à la police?

Interloquée, Mme Mattéi resta silencieuse.

— Encore une question, continua Me Collard. S'il faut vous croire, ce mystérieux individu se serait attaqué à votre fille le vendredi 31 mai dans l'après-midi. Elle n'était donc pas à l'école, votre fille?

— Non, répondit Mme Mattéi.

— Vous n'envoyez pas vos enfants à l'école?

— Mais si! balbutia Mme Mattéi, qui devait se rappeler en sortant du palais qu'il n'y avait pas classe ce jour-là.

— Vous dites avoir déposé une plainte, fit observer le président Antona, mais on n'en a trouvé la trace nulle part...

— Elle existe pourtant. J'ai été au commissariat de Saint-Just et à l'Evêché. Trois fois à l'Evêché.

— Aucune trace... C'est tout de même étrange!

— Mme Mattéi, demanda Gilbert Collard, voulez-vous expliquer à la cour et aux jurés dans quelles conditions vous avez été amenée à témoigner dans cette affaire?

C'était le coup de grâce. Dans un silence glacial, Mme Mattéi commença à raconter sa rencontre avec la mère de Christian Ranucci.

— Mais que faisiez-vous aux Baumettes? interrompit M. Viala.

— J'allais voir mon fils...

— Aux Baumettes?

— Il est détenu...

— Mme Mattéi, demanda Gilbert Collard, n'est-ce pas à la demande de votre fils que vous êtes venue témoigner pour Ranucci?

— Mais non...

— A la demande de Mme Mathon, alors?

— Elle a été très intéressée par ce que je lui ai appris...

« Ce devait être affreux pour elle, dit Mme Théric. Cette petite femme frêle que tout le monde accablait. Elle répondait d'une voix mal assurée, on la sentait traquée. » Chantal

Lanoix, qui savait l'importance du témoignage, était au désespoir : « Ils se sont employés à la prendre en défaut et le moins qu'on puisse dire, c'est qu'elle s'embrouillait et qu'elle perdait les pédales. En principe, elle devait sauver Ranucci. Je suis sûre qu'elle a été un élément défavorable. Et franchement, je comprends qu'elle n'ait pas été crue. » Pierre Rambla nous dira en souriant : « Gilbert l'a complètement démolie. » Et Gilbert Collard lui-même considère que Mme Mattéi a eu de la chance : « Elle était à la limite de l'inculpation pour faux témoignage. A un moment, j'ai même cru qu'elle n'y couperait pas, que Viala allait annoncer qu'il demandait l'inculpation. »

La défense avait marqué un but contre son camp faute d'avoir compris que Mme Mattéi, arrivée à l'audience après avoir essuyé le feu de Mlle Brugère et de l'inspecteur Porte, ne pouvait en aucun cas, et même si elle avait été d'une autre stature, emporter la conviction de la cour et des jurés. Son témoignage était vicié à la base : elle avait rencontré la mère de Ranucci aux Baumettes, où son propre fils était détenu.

*
**

Paul Martel faisait un témoin infiniment plus crédible.

Bien sûr, il ne pouvait pas en dire autant que Mme Mattéi. Celle-ci avait vu un homme en pull-over rouge conduisant une Simca 1100 et qui s'était plaint à sa fille d'avoir perdu son petit chien noir : Simca 1100 et chien noir faisaient partie du scénario de l'enlèvement de Marie-Dolorès Rambla. M. Martel pouvait seulement témoigner qu'il avait vu dans sa cité des Cerisiers, le samedi 1er juin 1974, un homme vêtu d'un pull-over rouge qui avait eu peu après des gestes obscènes sur deux fillettes, et que ce triste sire n'était pas Ranucci. La relation avec l'enlèvement de Marie-Dolorès était moins évidente — encore qu'un jeune homme présent sur les lieux avait déclaré que le satyre s'était enfui au volant d'une Simca 1100 — mais l'indication du pull-over rouge présentait en tout état de cause un puissant intérêt.

Quand l'huissier l'appela à la barre, M. Martel était un témoin malheureux : il se demandait encore pourquoi on l'avait cité.

Qu'on se mette à sa place... Il a été convoqué à l'Evêché le 6 juin 1974 au matin, confronté avec Ranucci, et il a pu dire en toute certitude aux policiers que le suspect n'était pas son homme. Un an après, une brave dame vient lui faire raconter son histoire. Il la renseigne sans savoir qu'elle est la mère de Christian Ranucci. Puis, deux ans après, un huissier lui remet une citation pour le procès Ranucci. M. Martel s'étonne : « Qu'est-ce que c'est que cette histoire? Je n'ai rien à voir là-dedans, moi. Ils le savent bien, à la police... » L'huissier répond : « Vous êtes cité : il faut y aller. » Il est venu, mais sans comprendre.

Peut-être faut-il rendre ici à la défense une espèce d'hommage. Leur déontologie interdit aux avocats de prendre contact avec les témoins, et encore plus de préparer avec eux les dépositions. C'est légitime. Nous avons cependant connu quelques « marchands de résultats » qui n'auraient guère hésité à faire expliquer à M. Martel, fût-ce par des voies détournées — un ami journaliste, par exemple —, que son témoignage risquait d'être vital pour Ranucci dans la mesure où restait inexpliquée la présence d'un pull-over rouge non loin du cadavre de Marie-Dolorès Rambla. Ainsi éclairé, M. Martel aurait au moins compris pourquoi on l'avait fait venir au procès.

Quand nous l'avons rencontré, trois ans et demi plus tard, cet excellent homme était toujours dans la perplexité. « Je n'ai pas encore compris, nous a-t-il dit, pourquoi ils m'ont convoqué à Aix. Je n'avais absolument rien à dire sur l'affaire Ranucci. Mon gabarit au pull-over rouge et Ranucci, ce sont deux affaires tout à fait différentes. » Et comme M. Martel partage avec Mme Mattéi la haine des assassins d'enfants, il ajoute : « Moi, je voulais aller jusqu'à ce pauvre M. Rambla, lui serrer la main et lui dire que je ne venais absolument pas pour défendre Ranucci, mais on m'en a empêché. J'estime qu'on m'a mis dans une situation réellement désagréable, d'avoir l'air de venir au secours de ce type que je n'avais vu qu'une seule fois à l'Evêché et qui n'avait rien à voir avec mon gabarit. »

« Gabarit » : c'est ainsi que M. Martel désigne l'homme au pull-over rouge. « Un grand brun d'une trentaine d'années, nous dit-il. Il avait un pull-over rouge vif qui se boutonne sur l'épaule et un pantalon de velours. Quand je l'ai vu, j'ai pensé : " Tiens, ce gabarit-là, il n'est pas de chez moi. " Mais je ne lui ai pas adressé la parole et je n'avais pas à le faire. J'ai cru qu'il venait pour le déménagement. Il y avait une locataire qui déménageait. Je fais le tour du bloc et quand je reviens, je vois un attroupement autour des deux petites Albertini. J'y vais et j'apprends qu'un type au pull-over rouge vient de les tripoter. Je leur ai dit : " Mais c'est mon gabarit! " J'ai couru pour le rattraper mais il avait fichu le camp. Un jeune homme a dit qu'il avait filé dans une Simca 1100. Ensuite, M. Albertini a porté plainte et on a été convoqués à l'Evêché le 4 juin tous les quatre — M. Albertini, ses deux filles et moi — pour faire une déposition. Le 6, toujours à l'Evêché, on nous a présenté Ranucci mais personne ne l'a reconnu. Ce n'était pas lui. J'en suis sûr, absolument sûr. Vous pensez, je l'ai photographié, mon gabarit, quand je suis passé juste à côté de lui! »

Grand, sec, portant allègrement une jeune cinquantaine et arborant l'expression résolue d'un sous-officier en retraite peu enclin au compromis (son impeccable short blanc lui donnait, le jour où nous le rencontrâmes, l'air d'un ancien de l'armée des Indes), le chêne Paul Martel est à coup sûr d'une autre solidité que le roseau Jeannine Mattéi. Ni Mlle Brugère ni l'inspecteur Porte n'auraient réussi à le faire plier ou rompre, et il n'aurait pas laissé enregistrer des procès-verbaux emberlificotés. Mais la défense n'avait pas trouvé utile de demander son audition préalable : elle avait joué toute sa mise sur le témoignage Mattéi.

Mal à l'aise, ignorant l'intérêt et même la signification de ce qu'il avait à dire, M. Martel le dit mal. Gilbert Collard le rangea dans la même catégorie que Mme Mattéi. Chantal Lanoix l'écouta en s'ennuyant : « Je ne connaissais pas l'existence de ce Martel : Jean-François ne m'en avait pas parlé. Son témoignage ne m'a pas frappée. Je garde le vague souvenir d'un monsieur qui est venu dire qu'il avait vu un homme en chandail rouge errant dans une cité. Un homme sans lunettes : il insistait là-dessus. Je n'ai pas vu l'intérêt de ce qu'il disait. Ça paraissait complètement à côté de l'affaire. » Les Théric eurent la même impression et se demandèrent eux aussi ce que venait faire ce témoin au procès Ranucci.

Si M. Martel avait raconté certain épisode, les choses eussent sans doute été plus claires, et plus évident l'intérêt de son témoignage. Quelques jours après sa confrontation avec Ranucci, alors que celui-ci avait avoué et que la presse unanime tenait l'affaire pour bouclée, les policiers qui l'avaient reçu à l'Evêché étaient venus le chercher dans sa loge de gardien assermenté et l'avait conduit dans une clinique pour débiles légers située derrière la cité des Cerisiers. D'après la description de M. Martel, le commissaire Alessandra s'était lui-même déplacé. Il s'agissait de lui faire identifier, s'il le pouvait, l'homme au pull-over rouge. C'était la preuve que l'Evêché restait perturbé par la présence inexplicable dans la galerie de la champignonnière d'un vêtement caractéristique n'appartenant pas à Ranucci. Le directeur de la clinique s'était montré coopératif : « Tous mes malades vont se retrouver dans la salle à manger. Vous allez pouvoir les observer à loisir. » Mais M. Martel n'avait pas reconnu parmi eux son « gabarit ».

La défense ne posa pas la question pour la simple raison qu'elle ignorait cet épisode, alors que M. Martel l'avait pourtant raconté à Mme Mathon.

Le témoin se retira avec le sentiment amer d'un acteur convoqué dans le mauvais théâtre pour y tenir un rôle qu'il n'a pas répété. Trois ans plus tard, M. Martel nous dirait avec indignation : « Ils l'ont raccourci, le Ranucci, très bien! Mais mon gabarit au pull-over rouge, il court toujours, lui!... »

M. Albertini, qui se demandait aussi ce qu'il faisait là, lui succéda à la barre. Il raconta de manière un peu embrouillée qu'en rentrant chez lui, le samedi 1er juin vers quatre heures de l'après-midi, il avait trouvé ses deux filles en larmes et qu'elles lui avaient raconté leur mésaventure. M. Albertini avait appris que le satyre portait un pull-over rouge et qu'il s'était enfui au volant d'une Simca 1100. La police, alertée téléphoniquement par le témoin, ne s'était pas dérangée. Le 4 juin, M. Albertini avait été cependant convoqué à l'Evêché avec ses deux filles et, le surlendemain, ces dernières avaient été mises en présence de Ranucci. Ni l'une ni l'autre ne l'avait reconnu.

Le témoignage ne fit pas grande impression, comme toujours lorsque le témoin rapporte des faits connus de seconde main, ce qui était le cas de M. Albertini.

Ainsi s'effilocha dans l'indifférence générale la contre-offensive de la défense (ses deux derniers témoins — un ami de Christian et une mère de famille dont Héloïse Mathon avait gardé les enfants — vinrent dire que l'accusé était un garçon doux, gentil et serviable, ce dont sourit l'assistance qui avait depuis la veille un tout autre spectacle). Quelques journalistes, avertis par Me Lombard, s'étaient attendus à un feu d'artifice : ils avaient l'impression d'avoir assisté à un tir foireux de pétards mouillés. Pierre Macaigne nota pour *Le Figaro :* « Les témoins de la défense n'ont pas produit une grande impression de solidité. » Alain Dugrand, de *Libération,* les avait trouvés sans intérêt. Jean Laborde évoqua dans *L'Aurore* les « vigoureuses critiques » émises par l'avocat général et l'avocat de la partie civile à l'encontre de ces témoignages où ils avaient relevé « de nombreuses contradictions ». Mais Jean Laborde ajouta équitablement que les témoins de l'accusation « n'étaient pas exempts de reproches sur ce point ». D'une manière générale, les chroniqueurs retinrent d'ailleurs davantage la sévère algarade subie par

Mme Mattéi que le contenu de sa déposition. *La Marseillaise* n'était guère convaincue par le faisceau de témoignages produit par la défense : « Tout cela manque de détails concrets ; l'homme au pull-over rouge demeure un fantôme, un épouvantail, et il aide fort mal Ranucci. » Pour Riou Rouvet, du *Provençal :* « De l'ensemble des déclarations se dégage un mystérieux personnage, une sorte de " satyre au pull-over rouge "... » Jacques Bonnadier écrivit dans le même journal : « Les témoins de la défense ont tenu des propos le plus souvent fumeux, embrouillés et contradictoires. Pas grand-chose au total qui puisse entraîner l'adhésion des jurés. » Le chroniqueur de *Var-Matin* exprima lui aussi son scepticisme. Jérôme Ferraci, du *Méridional,* jugea certainement tout cela sans intérêt car il passa sous silence les trois témoignages, de même que les chroniqueurs du *Monde* et de *L'Humanité* — qui disposaient, il est vrai, de beaucoup moins de place. Quant à Micheline Deville, elle écrivit dans *Le Soir :* « Tous parlent d'un inconnu s'étant permis des gestes obscènes. Ils ont ensuite fait un rapprochement mais ne reconnaissent pas l'accusé. » Exactement comme si les trois témoins avaient été cités à Aix pour confondre Ranucci mais s'étaient cependant révélés incapables de le faire...

Le moins qu'on puisse dire est que l'opération tactique montée par la défense sur l'homme au pull-over rouge avait échoué. Or, toute la stratégie lombardienne reposait sur son succès : c'était le coin à enfoncer dans le système de l'accusation pour le disloquer et permettre l'irruption du doute. Faute d'y avoir réussi, la seule stratégie offrant quelque possibilité était désormais celle que préconisait depuis le début Me Fraticelli : accepter la culpabilité et sauver les meubles — sauver une vie — en plaidant à fond le coup de folie. Mais il était sans doute bien tard et l'accusé ne l'aurait pas admis.

Christian Ranucci avait abandonné l'agressivité mais conservé le mépris. Assis dans le box, il avait assisté en silence au défilé de ses témoins, prenant consciencieusement des notes sur un cahier d'écolier, aussi étranger à son procès que les étudiants en droit de la faculté d'Aix entassés au fond de la salle, affichant ce que Pierre Macaigne appela « la froideur massive de l'iceberg ». Seules les interventions de l'avocat général et de Gilbert Collard avaient pu lui arracher un geste d'agacement, ou mettre sur ses lèvres un sourire de dédain. La veille, sa hargne avait irrité; ce matin, son impassibilité méprisante faisait peur.

Le président Antona donna la parole à Mᵉ Collard, avocat de la partie civile.

Une plaidoirie ne se résume pas. Si l'on écrit que l'avocat a répété maintes fois : « Des décorations, pas de pension », le lecteur risque d'en déduire que cet avocat avait l'éloquence courte : il n'aura pas, au contraire du juge, subi la force incantatoire d'une formule revenant en leitmotiv mais comme glissée en contrebande dans les phrases les plus innocentes.

La plaidoirie de Gilbert Collard fut magnifique. L'avocat de la partie civile — ce défenseur passé de l'autre côté de la barricade — n'est presque jamais magnifique. Me Collard le fut parce qu'il sut allier ce à quoi l'obligeait son rôle avec l'humanité généreuse qui est dans sa vocation.

« Je ne suis ici, commença-t-il, pour témoigner d'aucune haine. Je suis ici pour témoigner d'une souffrance immense qui ne peut s'épancher par les larmes ni s'éteindre avec le temps qui passe. Quand on a vécu un tel drame, plus rien ne compte. Je représente ici des parents qui ont perdu leur raison de vivre.

« Ranucci, pour moi, est coupable d'avoir tué une fillette de huit ans qui avait pris sa main parce qu'elle lui faisait confiance, parce qu'il était un grand. Et soudain, cette main a frappé. Je n'évoquerai pas ce que fut cette horreur car la douleur se suffit à elle-même. Les parents se sont efforcés de garder silence, calme et dignité. Bien sûr, la défense est un droit sacré. Lorsqu'on défend un homme, on peut tout faire. Mais le malheur aussi a ses droits. Et le premier d'entre eux, c'est de démontrer la vérité. »

La vérité, c'était que Ranucci était coupable : « Trop de présomptions, trop de preuves, trop de témoignages, trop d'aveux ! » Et, à propos des aveux, avec une diction d'un art consommé : « Vous avez avoué devant la police, Ranucci... (un temps de respiration)... vous avez avoué devant le juge d'instruction... (une respiration)... vous avez avoué devant les experts psychiatres... » L'impression créée fut sensible. Puis l'avocat regroupa dans un tir serré tous les éléments à charge. Il le fit avec une conviction communicative mais en donnant à son auditoire le sentiment que seule la défense, par son entêtement obtus à nier l'évidence, l'obligeait à cette démonstration superflue — dont l'efficacité se trouva du même coup renforcée. Il balaya au passage les dépositions que l'on venait d'entendre, qualifiant durement de « témoins indécents » ceux qui avaient tenté d'accréditer un conte à dormir debout avec leur homme au pull-over rouge jouant les loups-garous dans les cités marseillaises. Car pour Me Collard, il apparaissait avec une évidence aveuglante que Jeannine Mattéi, Paul Martel et Jean Albertini n'étaient que des faux témoins recrutés par la mère d'un accusé aux abois.

— Ainsi, dit-il, tout désigne celui-ci, tout l'accable. Mais au lieu d'avouer son crime, de libérer sa conscience, d'implorer le pardon, nous le voyons discuter, hurler, s'enfoncer dans un système de défense démentiel... Quel homme est-ce donc ?

Et l'avocat de vingt-cinq ans de prononcer ces phrases en vérité admirables car elles auraient pu être dites par la défense et n'étaient pourtant pas trahison du père écrasé de chagrin, son client :

— La partie civile a toujours un rôle déchirant puisqu'elle est représentée par un avocat et que celui-ci a pour vocation de défendre les hommes et non de les accabler. Un avocat est capable de tout comprendre de leurs motivations comme de leurs angoisses. Et moi, devant ce dossier, je ne puis croire que l'on tue un enfant sans être fou ! Je ne puis croire, n'en déplaise aux psychiatres et aux psychologues de tout poil, qu'on puisse le faire sans y être contraint par une force irrésistible ! Je veux croire à un autre Ranucci, à celui qui

318

savait que son père avait frappé à coups de couteau le visage de sa mère, à celui qui a été conduit au crime par son passé...

Dans le grand silence de la salle pétrifiée, il se tourne alors vers l'accusé et l'interpelle d'une voix si tendue par l'émotion qu'elle semble à la limite de la brisure :

— Vous aviez vingt ans au moment des faits. Votre âge m'émeut : c'est presque le mien. Ranucci, je ne supporte pas de suivre avec vous ce terrible chemin. Je voudrais que vous me disiez que vous avez fait cela, et puis que nous essayions ensemble de comprendre comment est morte une enfant de huit ans. Mais ne restez pas ainsi, Ranucci, je vous en conjure : implorez votre pardon, dites quelque chose, parlez!...

Ce moment était grand, et toute l'assistance le sentit, suspendue aux lèvres de ce jeune homme à la chevelure taillée en crinière léonine, à l'œil étincelant, qui ajoute aux prestiges de la beauté physique un immense pouvoir de sympathie. Ainsi celui qui avait reçu en partage tous les dons tendait-il une main fraternelle à celui que le destin contraire avait écrasé; c'était la jeunesse qui interpellait la jeunesse; c'était la vie qui suppliait l'accusé d'écarter d'un mot, d'un geste, l'ombre de la mort qui commençait de l'envelopper; c'était la voix chargée d'évoquer l'enfant martyrisée qui s'élevait pour convoquer la pitié dans cette salle grondante de ressentiment, devant ce public rassemblé pour une curée — bloc de haine qui vacillait soudain sur sa base parce qu'aucune assemblée humaine ne résistera jamais à une voix transcendée par l'éloquence.

Tout pouvait basculer.

Christian Ranucci, figé dans son box, ne cilla pas, ne broncha point.

La péroraison fut à la même hauteur :

— Je veux que Ranucci se souvienne de son crime, de la mort de Marie-Dolorès, forme éternelle de l'innocence, je veux pour lui un chagrin et un repentir qui ne finissent jamais.

Avec cette dernière phrase, l'avocat de la partie civile refusait la peine de mort.

* * *

Solennel, livide dans sa robe écarlate, l'avocat général Viala se leva et usa d'entrée d'un tout autre ton :

— J'ai trouvé dans ce dossier, commença-t-il, la photographie d'un petit cadavre désarticulé, souillé, abandonné. Il n'y a rien de plus odieux au monde que le petit cadavre abandonné d'un enfant. Nous souhaitons ardemment une justice silencieuse devant ce petit être. On parle comme si nous allions, les uns et les autres, chercher à remporter une victoire. Dans ce procès, il n'y aura de victoire pour personne et nous aurons tous perdu quelque chose. Comme l'écrivait Hemingway : « Ne demande pas pour qui sonne le glas, il sonne pour toi, il sonne pour moi, il sonne pour l'humanité tout entière. » Ce procès, c'est le procès de Ranucci et de lui seul. Il y a suffisamment d'horreurs et de preuves pour que je n'aie pas besoin de faire appel à des éléments extérieurs. C'est pourquoi je requiers la peine de mort contre Christian Ranucci. Je la requiers parce qu'il est coupable, et j'entends le prouver. Je la requiers parce qu'il est totalement responsable, et j'entends le démontrer. Je la requiers parce que c'est la loi — et même trois fois la loi : quelle que soit la démarche juridique que l'on adopte pour qualifier les faits reprochés à l'accusé, on aboutit à un crime puni de mort par le code pénal.

« Christian Ranucci irresponsable? Laissez-moi hausser les épaules! Douze médecins experts se sont penchés sur son cas, c'est-à-dire un nombre très supérieur à l'habitude. Tous les moyens de la science moderne ont été mis en œuvre. Jamais on n'avait tant cherché, jamais on n'a si peu trouvé. Les experts sont formels : l'accusé ne souffre d'aucune anomalie mentale ; il est totalement responsable. »

Et l'avocat général ne manqua pas d'élargir un peu plus la brèche qu'il avait ouverte la veille dans le système de défense :

— Dans ces conditions, comment peut-on essayer, comme le fait la défense, de plaider à la fois l'innocence et la folie? On est innocent ou on est fou. On n'est pas l'un et l'autre. Et si l'on est responsable, on l'est entièrement. J'estime que cette dernière hypothèse est la bonne dans l'affaire qui nous occupe. Dans ces conditions, il est indécent de chercher des circonstances atténuantes.

Le raisonnement parut relever d'un bon sens évident.

Puis, avec une tranquille certitude, sans jamais verser dans l'outrance, se donnant même l'élégance d'évoquer les critiques que pourrait émettre la défense — mais c'était naturellement pour les neutraliser à l'avance —, l'avocat général s'attacha à démontrer la culpabilité de Christian Ranucci.

D'abord, il avait avoué. Et comme Mᵉ Collard, l'accusateur public insista sur ces aveux trop souvent répétés pour qu'on les puisse croire extorqués. La police, le juge d'instruction et un expert psychiatre avaient successivement entendu l'accusé raconter son crime. Cette répétition faisait justice des absurdes accusations de Ranucci à propos de prétendues tortures qu'il aurait subies à l'Evêché : il ne pouvait quand même pas prétendre que Mˡˡᵉ Di Marino l'avait torturé dans son cabinet d'instruction, ni l'expert psychiatre dans le parloir des Baumettes! Or, il leur avait fait le même récit qu'aux policiers.

La seule réticence de l'accusé lors de ses aveux, l'avocat général la voyait dans la dissimulation de ses mobiles : Ranucci n'avait jamais expliqué dans quel but réel il avait enlevé Marie-Dolorès. « Croyez-vous, demanda M. Viala, qu'il avait simplement l'intention de faire une promenade avec la fillette? Non, en réalité, il n'a pas eu le temps d'assouvir ses désirs. Les mobiles de Ranucci? Ils sont moins mystérieux qu'ils n'en ont l'air. Les experts ont parlé d'émotion sexuelle. Dans sa voiture, on a retrouvé ce que Ranucci appelle un scoubidou et qui ressemble étrangement à un fouet... » Et M. Viala d'ajouter en soulevant quelques murmures sur les bancs de la presse : « J'oserais presque imaginer ce qui serait arrivé si l'enfant n'avait pas été tuée tout de suite... »

Réserve faite de ses mobiles, l'accusé avait passé des aveux précis et circonstanciés. Il avait livré des détails que lui seul pouvait connaître, ce qui démontrait leur authenticité. Il avait même dessiné le plan des lieux où s'était déroulé l'enlèvement. Il avait avoué son forfait, en présence des policiers, à sa malheureuse mère. Il avait encore écrit à celle-ci, le 18 juin 1974, quinze jours après le crime : « Toute cette affaire était comme écrite, tout s'est déroulé sans que ni toi ni moi n'y puisse rien. Il aurait suffi d'un clou sur la route, j'aurais crevé et le « stop », l'accident et ses conséquences n'auraient pas existé. » Cette phrase écrite par l'accusé dans l'isolement de sa cellule, sans que quiconque fût en mesure d'exercer sur lui la moindre pression, n'était-elle pas elle aussi un aveu ? Mais surtout, chaque moment du processus criminel, chaque épisode du sanglant enchaînement se trouvait confirmé par un indice, par une preuve, par un témoignage, tant et si bien que M. Viala se faisait fort de prouver la culpabilité sans avoir recours à ces aveux que l'accusé avait décidé de contester à l'approche du châtiment.

La collision au croisement de La Pomme ? Sa voiture avait été endommagée et c'était bien lui qui tenait le volant : Vincent Martinez et sa fiancée l'avaient formellement reconnu.

La fuite, l'arrêt au bord de la route, sa disparition avec l'enfant dans les fourrés de la colline ? Les Aubert avaient bien décrit tout cela, et si leurs dépositions successives présentaient quelques variations, comme il arrive aux témoins les plus dignes de foi, deux éléments essentiels attestaient leur véracité : d'une part, ils avaient relevé le numéro d'immatriculation de la voiture arrêtée pour le rapporter à M. Martinez, et ce numéro était celui du coupé Peugeot ; d'autre part, on avait retrouvé le cadavre de Marie-Dolorès à l'endroit désigné par les Aubert. La défense pourrait bien contester tel ou tel détail de leur témoignage mais elle ne parviendrait pas à évacuer ces deux faits massifs. accablants pour l'accusé.

Celui-ci avait donc, à cet instant, massacré sa victime. Contrairement à Gilbert Collard, qui s'était refusé à évoquer l'horreur, M. Viala en peignit le tableau le plus réaliste. décrivant les tentatives de la malheureuse enfant pour écarter les coups du meurtrier, relisant le minutieux inventaire des blessures dressé par le médecin légiste. Mais tandis que le docteur Vuillet avait conservé à son propos une rigueur scientifique, l'avocat général parait le sien des prestiges d'une sombre éloquence. C'était délibéré : « Je ne veux pas, dit-il, qu'on oublie l'horreur de ce crime, car elle explique que je réclame la peine de mort. » Le président Antona jugea le moment venu de faire circuler pour la seconde fois parmi les jurés les terribles photos du cadavre. On y ajouta même le petit sabot de Marie-Dolorès retrouvé à proximité du fourré et qui figurait, émouvante relique, parmi les pièces à conviction.

Pierre Rambla pleurait. Plusieurs jurés paraissaient violemment émus. La salle atterrée retenait son souffle. Christian Ranucci prenait des notes.

Les preuves? Là encore, on les trouvait à foison. L'arme du crime, d'abord. Le couteau était à Ranucci : il l'avait avoué trois fois. Les gendarmes avaient pu le récupérer dans le fumier grâce à ses indications. Détail significatif : au cours de l'interrogatoire clôturant l'instruction et alors que Ranucci était revenu depuis longtemps sur ses aveux, il avait déclaré : « Je reconnais par contre que c'est bien moi qui ai indiqué aux enquêteurs à quel endroit était le couteau m'appartenant et que vous m'avez montré lorsqu'il a été retrouvé. » Cela, il l'avait dit le 27 décembre 1974, six mois après ses premiers aveux... Pouvait-il prétendre qu'on le lui avait extorqué par la torture?

Le pantalon bleu taché de sang. Oui, bien sûr, la défense allait plaider que la victime et le meurtrier appartenaient au même groupe sanguin, mais elle serait impuissante à expliquer comment Ranucci en était venu à saigner. Il ne s'était pas blessé lors de l'accident. Le docteur Vuillet, l'examinant trois jours après les faits, n'avait trouvé sur lui aucune trace de blessure susceptible d'avoir occasionné un épanchement sanguin. Les taches imprégnaient au surplus l'extérieur du tissu, et non l'intérieur comme c'eût été le cas si l'accusé avait saigné. L'imprégnation la plus dense se situait à la hauteur de la poche droite, où Ranucci avait rangé son arme après avoir frappé Marie-Dolorès.

Et le cheveu blond trouvé par le commissaire Alessandra dans le coupé Peugeot? Ce cheveu blond fin et bouclé tout pareil à ceux de la pauvre enfant... Bien sûr, les experts, dans leur prudence, se bornent à conclure qu'il ne présente « pas de caractère de dissemblance permettant de le distinguer des cheveux prélevés au cours de l'autopsie de la victime » : la rigueur scientifique ne leur permet pas d'aller au-delà. Mais la présomption n'est-elle pas bien forte que ce cheveu soit tombé de la chevelure de Marie-Dolorès pendant son ultime voyage avec le meurtrier?

Là aussi, l'avocat général prévoyait l'objection de la défense : si Christian Ranucci était le coupable, il aurait nettoyé sa voiture et n'eût pas laissé traîner dans son coffre un pantalon taché de sang et des lanières de cuir tressées en forme de fouet. Cela ne gênait pas M. Viala : « Oui, les criminels font des erreurs, et c'est bien heureux pour la société. »

Les égratignures, en tout cas, le meurtrier n'avait pas le moyen de les faire disparaître. Où avait-on découvert le cadavre de Marie-Dolorès? Enfoui dans un épais fourré et recouvert de branches d'épineux. Celui qui avait ainsi tenté de dissimuler son forfait s'était forcément égratigné les mains. C'était le cas de Ranucci. Il l'avait reconnu devant les policiers : « Je garde encore sur mes mains les traces de piqûre et de coupure des épines, et je vous les montre. » Le docteur Vuillet les avait également mentionnées sur son certificat médical.

Puis Ranucci était allé se cacher dans une galerie de la champignonnière. Va-t-on s'enterrer à trente mètres au fond d'un tunnel obscur quand on a seulement sur la conscience le non-respect d'un « stop »? Y reste-t-on caché pendant cinq heures, six heures? L'homme qui s'était réfugié dans cette obscure cachette savait qu'on le poursuivrait pour un crime et non pour une contravention : il avait voulu gagner du temps, attendre la fin d'éventuelles recherches. Si sa voiture ne s'était enlisée, il aurait déguerpi furtivement et regagné Nice avec la certitude de son impunité.

Mais la voiture de Ranucci s'étant enlisée, le meurtrier avait dû se résoudre à aller chercher du secours. A M. Rahou, puis à M. Guazzone, il avait raconté une fable qui ne tenait pas debout — nouvelle preuve de sa mauvaise conscience — et qui n'avait d'ailleurs pas abusé ces braves gens. Le piquenique dans le fumier... Le frein à main dont la défaillance aurait fait s'enfoncer la voiture dans les profondeurs d'une galerie sinueuse sans qu'elle heurtât une seule fois les parois... Un homme dont le seul tort eût été d'avoir brûlé un « stop » six heures plus tôt ne se serait pas senti dans l'obligation d'inventer pareilles sornettes. Mais Ranucci avait un crime sur la conscience et il ressentait la nécessité de donner une explication — n'importe laquelle — à son enfouissement dans la champignonnière.

Ici, M. Viala répondit à l'avance à une objection probable de la défense. MM. Rahou et Guazzone avaient déclaré que l'accusé leur était apparu dans un état de propreté impeccable. C'est bien sûr qu'il avait changé de pantalon. Pour le reste de son habillement comme pour ses mains, qui avaient été à coup sûr sanglantes après le crime, on pouvait aisément expliquer leur propreté par la présence de la grosse nourrice de trente litres remarquée par les deux témoins. Elle contenait probablement de l'eau et les six heures passées au fond de la galerie étaient largement suffisantes pour procéder à une toilette complète.

Le sang-froid dont avait témoigné Ranucci devant le contremaître de la champignonnière? Ah! il avait assurément recouvré toute sa maîtrise, cet homme capable de rentrer à Nice, de manger de bon appétit et de regarder un film à la télévision comme s'il n'avait pas laissé derrière lui le cadavre d'une enfant... Et cependant, il s'était encore trahi. Le lendemain et le surlendemain, son collègue de travail l'avait vu acheter un quotidien et le lire, ce que Ranucci n'avait encore jamais fait : il voulait évidemment savoir où en était l'enquête et si l'on avait découvert son forfait. Puis ses nerfs avaient craqué quand son collègue avait embouti une voiture, à la fin de l'après-midi du 5 juin. Ranucci, tremblant, avait été incapable de procéder au constat. Le souvenir des épouvantables événements de l'avant-veille le submergeait. C'était une heure à peine avant son arrestation. Il avait devant lui un long interrogatoire, ses vaines dénégations, puis l'aveu de son crime en présence des Aubert et grâce à l'irrésistible accumulation des preuves réunies par les enquêteurs.

La démonstration de M. Viala emporta l'adhésion quasi-unanime de son auditoire. Sur les bancs de la presse, il n'y eut guère qu'Alain Dugrand pour ne pas s'éprouver convaincu. La plupart des chroniqueurs, tout en saluant la performance de l'avocat général, ajoutèrent que la facilité de sa tâche était à la mesure de l'évidence de la culpabilité, c'est-à-dire très grande. Tous notèrent que l'accusateur avait atteint à une efficacité remarquable dans sa démonstration en se gardant de l'outrance et de la verbosité : il avait parlé le langage d'un homme de bon sens, sûr de son dossier, exposant raisonnablement son affaire à des gens raisonnables. « Efficacité de bulldozer » apprécia Charles Blanchard.

— Il reste, continua M. Viala, cette espèce de doute qu'on veut jeter dans les esprits au moyen de certains témoignages faisant état d'un mystérieux satyre au pull-over rouge que l'on agite comme un épouvantail. C'est la dernière manœuvre de la défense, et je l'estime impudente.

En quelques phrases d'une extrême sévérité, il mit en pièces les trois témoignages de la matinée, insistant sur les variations incohérentes de Mme Mattéi qui avait à chacune de ses dépositions situé les faits dont elle prétendait témoigner dans un ordre chronologique différent.

Sa péroraison, écoutée dans un silence de mort, fut d'une

eloquence dramatique et M. Viala la prononça avec une émotion évidente :

— Jamais dans un dossier, s'écria-t-il, je n'ai trouvé autant de preuves accablantes qu'aujourd'hui! Et aujourd'hui, que faites-vous, Ranucci? Que faites-vous de l'occasion qui vous est donnée de crier votre remords, de pleurer, de demander pardon? Je vous vois depuis le début de mon réquisitoire avec votre froideur et votre moue dédaigneuse... Vous m'effrayez! Votre seul souci est de vous tirer d'affaire. Moi, je pense à votre mère qui pleure son fils vivant, je pense à Mme Rambla qui pleure sa fille morte et qui aura toujours, comme compagnon fidèle, le désespoir dans son cœur. Et j'imagine ce qu'a été le calvaire de ce père que l'on a emmené, le 5 juin 1974, identifier le cadavre de sa fille. Elle est là, Marie-Dolorès, elle est debout à côté de moi, jolie comme un cœur, et elle vous regarde, Ranucci, elle vous regarde! Alors, maintenant, que Dieu vous assiste, car vous êtes au-delà de la pitié des hommes...

Chantal Lanoix ne résista pas à cette envolée tragique couronnant une accablante démonstration : « A la fin de son réquisitoire, je n'étais plus sûre de l'innocence. Il m'avait ébranlée. Et ses dernières phrases m'avaient donné le frisson. Il employait des images terribles. C'était vraiment un grand monsieur. »

Assis au banc de la défense, son fiancé, Jean-François Le Forsonney, avait écouté M. Viala avec une admiration désolée. « Un réquisitoire époustouflant », songea-t-il en constatant l'impression profonde qu'il faisait sur l'auditoire. Mais le jeune avocat n'eut pas le loisir d'épiloguer sur le talent de son adversaire car, tournant vers lui sa face ronde et rouge, le président Antona lui disait :

— Maître, vous avez la parole.

*
**

Il était onze heures et demie. Mᶜ Le Forsonney, fatigué par son travail nocturne, engourdi par la chaleur de sauna qui régnait dans la petite salle bondée, avait assisté en somnolant au défilé des témoins de la défense. Le choc du réquisitoire l'avait tiré de la torpeur mais son implacable efficacité n'était pas de nature à le revigorer. Il comptait sur la suspension d'audience de la mi-journée pour rassembler ses forces car il lui était évident que le président lèverait l'audience après le réquisitoire, réservant l'après-midi aux plaidoiries de la défense. La décision de M. Antona le prit au dépourvu.

Il se leva dans le brouhaha : de nombreux journalistes quittaient précipitamment la salle pour aller téléphoner leur compte rendu de la matinée et annoncer que l'avocat général avait requis la peine de mort. Pour les chroniqueurs régionaux, c'était un événement : il y avait très longtemps qu'on n'avait demandé une tête devant la cour d'assises d'Aix-en-Provence.

Paul Lombard sortit avec eux. Sans doute était-il lui aussi fatigué et ressentait-il le besoin de souffler après l'impressionnante performance de M. Viala. Son départ acheva de désemparer son jeune confrère et collaborateur. Chantal Lanoix lut le désarroi sur le visage de son fiancé et se demanda pourquoi Paul Lombard le laissait seul à cet instant critique. Puis Mᵉ Fraticelli quitta à son tour le banc de la défense pour aller fumer une cigarette dans le hall. Il n'était pas intervenu une seule fois depuis le début du procès et sa décision était désormais irréfragable : il ne plaiderait pas. André Fraticelli voyait avec exaspération et tristesse se réaliser ses funestes pressentiments. La stratégie de la défense était intenable. L'avocat général venait de faire voler en éclats la prétention à l'innocence — et il n'avait pas eu grand mal. Aucune plaidoirie, fût-elle grandiose, ne pourrait remonter le courant. Mᵉ Fraticelli était persuadé que ses deux confrères allaient perdre leur temps et gaspiller l'ultime chance de Ranucci de sauver sa tête.

Ainsi Jean-François Le Forsonney se retrouva-t-il dans la solitude. C'était décidément son destin. Seul aux premiers jours de l'affaire, quand l'obscurité de son nom l'avait fait désigner pour assister un homme vomi par tout Marseille; seul face au juge d'instruction; seul au banc de la défense après un réquisitoire en forme de rouleau compresseur. Mais ses adversaires n'avaient pas quitté leur place, et il le sut assez vite.

C'était la première fois qu'il plaidait aux assises. L'événement est mémorable dans une vie d'avocat. Il avait décidé de dédier sa plaidoirie aux parents de Marie-Dolorès Rambla. L'idée était touchante; son expression, difficile. A peine eut-il prononcé sa phrase d'une voix nouée que Gilbert Collard lui lança férocement : « On n'a pas besoin de dédicace : on a déjà une épitaphe! » Le mot était cruel; il fit mouche. Ces deux jeunes hommes à l'aube de leur carrière, affrontés comme deux coqs de combat, et l'autre, derrière eux, dans le box, qui a leur âge à quelques années près...

Cinglé par la réplique, Mᵉ Le Forsonney chargea à fond contre la peine de mort. Il fut superbe. Ses phrases quasiment hurlées rétablirent dans l'audience le grand silence tendu qu'avait su obtenir l'avocat général avec sa péroraison :

— Cette salle, s'écria-t-il, vient de renvoyer l'écho de la peine de mort. Nous avons frémi, nous sommes épouvanté par ce qu'on vient de demander. Il s'agit de décider si cet homme de vingt ans doit vivre ou mourir. Nous voici de nouveau face à la vieille ennemie : la peine de mort. Et cela alors que des événements récents nous ont fait perdre la raison, dans un pays qui vient de succomber à l'hystérie collective...

« Cet homme de vingt ans »... La mère exceptée, Jean-François Le Forsonney était le seul à le connaître vraiment parmi tous ceux qui étaient rassemblés là pour l'accuser, le défendre, le juger, ou plus simplement assister au spectacle de sa mise à mort judiciaire. Il l'avait vu deux fois par semaine pendant près de deux ans. Ensemble, ils avaient parlé de l'affaire, mais aussi de leurs vies, de la vie, du temps qu'il faisait. Christian Ranucci n'était pas devenu un ami; il avait cessé d'être un dossier; son avocat se battait pour un homme dont il n'oublierait plus jamais le regard, les inflexions de voix, les gestes familiers.

Il se battait, penché en avant pour mieux convaincre, le profil aigu, la main sèche et nerveuse tendue vers les juges dans un geste qui était tour à tour de défi et de supplication, paraissant dans sa robe noire encore plus jeune qu'il n'était, sa voix d'ordinaire chaleureuse atteignant à la raucité tant était violente la passion qui l'emportait.

Lorsqu'il en eut fini avec « la vieille ennemie », il annonça qu'il passait à l'examen des faits. Le charme fut instantanément rompu. Assise au milieu du public, Chantal Lanoix sentit celui-ci décrocher d'un seul coup. « Il n'intéressait plus personne, dit-elle. Les gens en avaient par-dessus la tête des histoires de portière bloquée et de couteau. Ils n'écoutaient même pas. »

L'intime conviction de chacun était faite et les phrases des avocats rebondiraient comme balles de caoutchouc sur un mur de béton. Toute la chronique judiciaire allait saluer leur beau courage mais, comme l'écrirait Jean Laborde : « C'était le duel du sabre d'abordage et du fleuret ébréché. En face d'un avocat général et d'une partie civile qui avaient des atouts plein les mains, la défense alignait un jeu où l'on cherchait en vain les honneurs. »

Me Le Forsonney plaida une heure et demie, attaquant les zones d'ombre et les incertitudes du dossier de l'accusation. Plusieurs fois, le public gronda sa réprobation. Plusieurs fois, M. Viala l'interrompit dans sa démonstration. Pierre Rambla lui cria au milieu d'une phrase : « C'est affreux! Et nous? Est-ce que vous pensez à nous? »

Quand il se rassit, l'avocat savait qu'il n'avait pas réussi à ébranler le jury.

Le président Antona suspendit l'audience pour le déjeuner.

330

∗ ∗ ∗

Dehors, la foule n'avait cessé de grossir et une longue file d'attente, canalisée par des barrières métalliques, partait de l'extérieur du palais, escaladait les marches de pierre et s'étirait à l'intérieur du hall jusqu'à la porte de la salle d'assises. Le service d'ordre avait quelque mal à contenir les poussées latérales qui menaçaient à chaque instant de renverser les barrières.

Monique, la première amie de Christian, faisait la queue depuis plus d'une heure. Elle avait pu obtenir in extremis un congé et était arrivée à Aix par le car vers onze heures. La découverte d'une foule surexcitée entourant le palais l'avait stupéfiée : « Ils étaient comme fous! Il y avait des gens qui criaient : " A mort, Ranucci! A mort! " C'était aussi écrit sur les murs en grosses lettres rouges. J'en ai été toute saisie. J'avais vu des choses comme ça dans les films mais je ne croyais pas que ça pouvait exister en vrai. Je me suis mise au bout de la file d'attente en me disant que je n'entrerais pas, qu'il y avait trop de monde. Jamais je n'aurais cru qu'il y aurait tant de monde pour venir voir Christian. »

Elle était certaine de son innocence pour cette pauvre et excellente raison qu'un garçon si doux, si sensible, ne pouvait pas avoir tué un enfant.

Les Théric se retrouvèrent à la porte de la salle et traversèrent la place du marché pour aller manger un sandwich dans un café. Leurs impressions concordaient. Gilbert Collard avait été admirable de générosité et de talent; son exhortation finale écarterait le spectre de « la vieille ennemie ». L'argumentation serrée de l'avocat général ne les avait pas absolument convaincus et leurs doutes se trouvaient décuplés après la première plaidoirie de la défense. Ils avaient jugé M^e Le Forsonney excellent, non pas tant pour son attaque fougueuse contre la peine de mort — les Théric en étaient eux-mêmes des adversaires déterminés — que pour l'intelligence avec laquelle il avait sondé les failles de l'accusation. Grâce à lui, les Théric avaient enfin compris l'intérêt de ce fameux homme au pull-over rouge et ils estimaient qu'il y avait là un mystère préoccupant.

Héloïse Mathon était heureuse et désespérée. Heureuse parce qu'elle venait d'embrasser Christian dans un couloir; c'était la première fois depuis vingt mois qu'elle avait pu serrer contre elle son enfant. Tandis que les gardes l'entraînaient, elle lui avait crié : « Courage! Défends-toi! » Il avait l'air profondément malheureux.

Mais elle était désespérée car elle se déchiquetait à la haine qui les assiégeait, elle et son fils. Elle avait de cette haine une sensation physique : c'était comme un mur humain fait de centaines de visages dont chacun exprimait le dégoût et appelait la mort. Comme elle sortait du palais, soutenant Mᵐᵉ Mattéi que sa déposition avait épuisée, une femme rousse aux yeux exorbités se rua vers elles et leur souhaita hystériquement de mourir poignardées. A Mᵐᵉ Mattéi, toute menue dans son manteau noir, elle cria : « Et toi, salope, ne t'avise pas de revenir, sinon... »

Jean-François Le Forsonney déjeunait avec Paul Lombard. Le jeune avocat était dans l'état d'esprit d'un coureur de relais qui a fait son parcours : au soulagement d'en avoir terminé se mêlait l'inquiétude de savoir l'équipe adverse largement en tête. Il est vrai que l'épreuve était rude et que pour sa première prestation aux assises, Mᵉ Le Forsonney n'avait pas eu la chance de défendre un chiffonnier couvert de décorations mais dépourvu de pension. On ne pouvait guère imaginer plus difficile épreuve initiatique.

Tout reposait à présent sur son patron, Paul Lombard. Il commençait à le bien connaître et lui vouait une admiration de disciple. Il l'avait vu se tirer de situations difficiles avec une souveraineté rieuse, un énorme culot. On le pensait perdu, promis à l'engloutissement sous la vague de l'adversité, et il réapparaissait en équilibre sur la crête écumante, agitant gaiement la main, porté au plus haut par ce qui devait l'abattre; il y avait du magicien chez cet homme. Mais Jean-François Le Forsonney le découvrit au cours de ce bref entracte tel qu'il ne l'avait jamais connu : blême, tendu, oppressé, mangeant à peine, parlant encore moins. Il avait le trac. Pis encore : il avait peur. Cette découverte bouleversa le jeune homme qui reçut en plein cœur la révélation que l'horreur devenait possible. Son maître dut ressentir son trouble car il lui dit avec un sourire : « Ne vous inquiétez pas, Jean-François, ça va aller... »

*

Lorsque les gardes ouvrirent les portes, une foule hurlante donna l'assaut. Des gendarmes durent frayer un chemin aux magistrats et aux avocats. Monique, qui attendait depuis trois heures, aperçut Héloïse Mathon avec les défenseurs. Elle l'appela à tue-tête. La mère de Christian la fit entrer avec elle.

Chantal Lanoix, par contre, ne retrouva pas son fiancé et ne réussit pas à réintégrer la salle d'audience. Elle s'assit en compagnie d'un ami dans le grand hall du palais. Les Théric s'étaient mis dans la file d'attente après avoir mangé leur sandwich. Micheline Théric se trouva prise dans un tourbillon humain. Ecrasée, soulevée de terre, elle retomba évanouie. On dut la porter sur un banc, où elle retrouva lentement ses esprits. D'accord avec son mari, elle renonça à entrer dans la salle et décida d'attendre le verdict dans le hall.

Assise près de Mᵐᵉ Mathon, la jeune Monique fut pétrifiée par ce qu'elle entendait dire autour d'elle et par la haine froide inscrite sur les visages. Son impression ne s'améliora pas après que la cour et les jurés eurent fait leur entrée : « L'atmosphère était terrible. On se sentait rejeté. Je me suis dit tout de suite que Christian ne pourrait pas s'en sortir. Les gens, on aurait dit des bêtes. Franchement, j'ai pensé : " Pourquoi ils prennent le temps de le juger? Ils veulent le condamner, comme ceux de dehors, alors à quoi bon toutes ces simagrées?... " Même s'ils l'avaient acquitté, je me demande s'il serait sorti vivant du palais de justice. Franchement, je ne crois pas. »

Le président Antona donna la parole à Me Lombard.

Le visage d'une pâleur absolue, il se dressa face à la cour. Sa voix était tout ce qui séparait encore Christian Ranucci d'un verdict de mort. Et cette voix lui manqua. Rien n'avait laissé présager pareille extinction; rien ne pouvait l'expliquer sinon l'angoisse extrême qui submergeait l'avocat à l'instant de livrer le plus dur combat de sa vie. Jean-François Le Forsonney envoya une collaboratrice quérir un remède dans une pharmacie d'Aix.

Ainsi l'ultime défenseur commença-t-il à parler avec un filet de voix. C'eût été peut-être ridicule si Paul Lombard n'avait dit justement la grande peur qui l'habitait, de sorte que son prologue atteignit d'emblée au tragique. Il dit qu'il avait contre lui trois adversaires, et rendit hommage au premier — l'avocat de la partie civile — pour son élévation d'esprit. Au second — l'avocat général —, il déclara que son réquisitoire était l'un des meilleurs qu'il eût entendu de toute sa carrière. Puis, tourné vers le box, il s'écria :

— Mais mon plus redoutable adversaire, c'est vous-même, Ranucci! Vous qui ne savez pas inspirer la sympathie aux autres avec vos yeux de poisson mort! Vous qu'on avait envie de comprendre quand vous êtes entré pour la première fois dans cette salle, vous dont l'attitude a fait qu'on a eu ensuite envie de vous haïr...

Quittant la barre pour se rapprocher des jurés, il leur dit : « Juger sur les apparences, c'est se faire bourreau. » Puis, le doigt pointé sur les fenêtres derrière lesquelles montait la rumeur ignoble, il fustigea « l'opinion publique qui frappe à la porte de cette salle », citant le mot célèbre de Me Moro-Giafferi : « Elle est une prostituée qui tire le juge par la manche. Il faut la chasser de nos prétoires. Lorsqu'elle entre par une porte, la justice sort par l'autre. » Et il continua, captant tour à tour le regard de chacun des jurés :

— Je n'ai rien à faire de l'opinion publique. Je ne suis pas un signataire de pétitions humanitaires. Je ne suis pas un militant. Je suis un homme. En tant que tel, je hais la peine de mort. Je ne serai jamais aux côtés de ceux qui la réclament. de ceux qui la donnent, jamais aux côtés du guillotineur. Si vous accordiez cette peine capitale, vous feriez reculer la civilisation de cinquante ans. En donnant la mort à Ranucci, vous rouvririez les portes de la barbarie, vous grossiriez le tombereau sanglant des erreurs judiciaires, vous deviendriez bourreau, vous céderiez à la colère, à la peur, à la panique. Mais je le sais : vous ne ferez pas ça!

Ayant lancé cette dernière phrase avec une formidable conviction, il se détourna pour revenir à son dossier. Jean-François Le Forsonney crut voir sur le visage de certains jurés un durcissement des maxillaires, et lire dans leurs yeux une fugace expression qui voulait dire : « Attends un peu, tu vas voir si on n'ose pas faire ça... »

Me Lombard allait plaider trois heures.

« Dans un procès d'assises, écrit magistralement Me Badinter, la plaidoirie n'est pas, selon moi, le moment où l'avocat sert le plus utilement la défense. Le corps à corps de l'audience, ses feintes, ses incidents forment les convictions des juges bien avant l'heure des plaidoiries. Sans doute, la plaidoirie donne une armature logique à ce qui est encore le plus souvent sentiments mêlés, simple intuition de la décision à prendre... Elle justifie et rassure des convictions acquises. Au mieux, la plaidoirie est révélation d'une conviction encore confuse. Au pis, elle ne sert à rien. »

Tout serait donc vain.

Une plaidoirie de trois heures ne se résume pas, non plus qu'un réquisitoire. Quant aux citations qu'on en donne, ce ne sont jamais que phrases piquées au vol, et y laissant des plumes, de sorte que leurs auteurs, relisant ce qu'ils n'ont pas exactement dit, doivent souffrir de se voir attribuer tel adjectif qu'ils n'auraient jamais employé, ou de ce que telle période d'une éloquence balancée se trouve mutilée jusqu'au déséquilibre. Nous n'aurons pas échappé à la règle et nous en exprimons le regret à M. Viala et aux trois avocats.

Me Lombard s'en prit d'entrée aux aveux mais avança avec prudence : « Je suis contre ceux qui attaquent systématiquement la police : elle fait un métier difficile. Aussi ne dirai-je rien des méthodes employées. Mais j'affirme que les aveux de Ranucci s'expliquent par son état psychique et qu'ils sont en contradiction avec les faits. »

Sa démonstration fut saisissante. Il montra la fragilité de ce garçon dont les nerfs avaient craqué lorsqu'il s'était vu accuser d'un crime abominable et qui avait fini par reconnaître tout ce qu'on avait voulu. Des précédents? On n'avait que l'embarras du choix. C'est Jean-Marie Deveaux qui avoue à Lyon le meurtre d'une fillette et que l'on condamne avant de le réhabiliter. C'est, plus près encore, le jeune Jean-Pierre qui s'accuse du fameux crime de Bruay-en-Artois — une affaire que Me Lombard connaissait bien pour avoir été le défenseur du notaire Leroy — et dont on découvre ensuite qu'il a affabulé... Dans les deux cas, il s'agit de jeunes gens, tel Ranucci, incapables de résister à la pression psychologique de policiers coriaces et convaincus de leur culpabilité. « L'aveu n'est pas une preuve en droit français » dit-il aux jurés, et il leur lança cette belle formule : « L'aveu, c'est au contraire le fil d'Ariane de l'erreur judiciaire, c'est sa fusée porteuse! »

Il avait annoncé en commençant : « Je plaide ici l'innocence de mon client, mais je dis aussi que cet homme n'est pas en possession de toutes ses facultés. Qu'on me comprenne bien : je plaide l'irresponsabilité, non pas pour le crime que Ranucci n'a pas commis, mais pour expliquer les aveux qu'il a passés. » Il ne fut pas compris autant qu'il l'espérait. Plus qu'une tentative d'explication des aveux, ses auditeurs virent dans ses longs développements sur l'irresponsabilité une offensive subsidiaire pour le cas où les jurés retiendraient la culpabilité. Et Me Lombard avançait là sur un terrain soigneusement miné à l'avance par l'avocat général. Parmi les chroniqueurs judiciaires, il n'y eut guère que Charles Blanchard, de *France-Soir*, pour apprécier cette double stratégie. Décrivant « l'étrange et fascinant ballet » dansé par l'avocat, il allait écrire . « Mᵉ Lombard commença par plaider la folie, incompatible à première vue avec l'innocence. En réalité, c'était très fort parce que, si j'ose dire, ça fonctionnait dans les deux sens : ou bien Ranucci était innocent — thèse officielle de la défense — et son irresponsabilité expliquerait ses aveux imbéciles —, ou bien il était coupable — on ne sait jamais — et cela risquait de lui valoir les circonstances atténuantes. » Mais la plupart de ses confrères furent d'un avis contraire. « Offensive tous azimuts d'autant plus malaisée qu'il était ainsi amené à plaider à la fois l'acquittement et les circonstances atténuantes » devait constater Jean Laborde dans *L'Aurore,* tandis que Jean-Dominique Bauby, du *Quotidien de Paris,* notait que l'avocat « plaidait plusieurs dossiers à la fois ». Le plus sévère serait Jean-François Dominique, de *L'Humanité,* qui écrirait après avoir rappelé que l'avocat réclamait l'acquittement pur et simple : « Et puis, tout uniment, Mᵉ Lombard de plaider brusquement les circonstances atténuantes et l'irresponsabilité! C'était aberrant encore que — tâchant sans doute d'exorciser ses propres fantasmes — il s'écriait périodiquement : " Je plaide non coupable! Je plaide l'acquittement! " Pour toute la salle, c'était le spectacle le plus pénible que l'on puisse imaginer... »

*

A quelques milliers de kilomètres et tandis que plaide Paul Lombard, les évêques canadiens approuvent une résolution demandant au gouvernement de leur pays l'abolition de la peine de mort. Leur porte-parole déclare : « La violence engendre la violence, et la peine de mort est une mesure violente. Enfin, l'esprit de l'Evangile incline à la miséricorde. »

A Paris, au même moment, la Ligue pour l'application de la peine de mort tient une conférence de presse au débarcadère des bateaux-mouches. Le député U.D.R. Hector Rolland proclame : « Il faut que soit reconnu par l'action capitale le crime qui déshonore la personnalité humaine. » Michel Droit, invité d'honneur, exprime des doutes sur l'exemplarité mais conclut : « Je crois à la valeur de la peine de mort en tant que châtiment »; il regrette avec force le défaut de sévérité de la justice. Renchérissant sur ce dernier thème, Raymond Le Bourre, ancien secrétaire de Force Ouvrière, lance une menace : « Nous avons dans nos besaces suffisamment de tireurs d'élite... Mon 22 long rifle est à votre disposition. » Un membre de la Ligue réclame avec vigueur la suppression du droit de grâce et affirme : « Ceux qui sont contre la peine de mort sont partisans du crime. » On distribue des tracts aux auditeurs. L'un d'eux montre un enfant étendu au sol, un énorme couteau de boucher planté dans le dos. Dans la mare de sang qui a coulé de sa plaie sont inscrits les mots « Au secours ». Sous ce dessin, un autre montrant un détenu dans sa cellule. Il est carré dans un fauteuil, cigare au bec, une bouteille de champagne rafraîchissant dans un seau posé sur une petite table, avec en arrière-plan un téléviseur et une lampe à abat-jour. Le détenu, dont le profil est clairement sémite (on croirait une caricature du *Sturmer* nazi) considère en souriant une « permission » qu'il tient à la main.

Dans le hall d'Aix, appelé salle des pas perdus comme dans tous les palais de justice de France et de Navarre, une foule compacte piétine et attend. On se montre Pierre Rambla quand il quitte l'étuve de la salle d'audience. Micheline Théric voit sortir sa bouchère de la rue Albe, qui avait mis sur sa caisse la pétition demandant la mort. Elle se précipite vers elle et demande :

— Alors? Que se passe-t-il?

— Il se passe qu'on va le condamner à mort.

— Mais qu'est-ce qu'il dit, Mᵉ Lombard?

— Qu'est-ce que vous voulez qu'il dise? Il n'y a rien à dire!

Chantal Lanoix interroge elle aussi quelques personnes sortant de la salle. Certaines, ce n'est même pas la peine : elles se frottent la joue pour exprimer que l'avocat les rase. On le trouve outrageusement long. On est venu pour entendre un verdict de mort. On voudrait être rentré chez soi à temps pour regarder le film de la troisième chaîne, « La femme du prêtre », avec Sophia Loren et Marcello Mastroianni.

* * *

L'avocat est passé à l'examen des faits et charge sur tous les fronts. Il attaque les experts psychiatres dont le rapport « partial » travestit la personnalité de son client, « un garçon calme, correct et doux, affectueux envers les enfants que gardait sa mère, et dont on ne nous explique pas comment il aurait pu se transformer en gibier d'échafaud. »

Il accable avec fureur les Aubert, dont le témoignage, fondamental pour l'accusation, a évolué de manière ahurissante et demeure farci d'incohérences et d'impossibilités.

Il s'étonne qu'on ait mis deux heures à retrouver un couteau dont l'accusé avait, selon la police, indiqué l'emplacement précis, et demande pourquoi le commissaire Alessandra n'a pas conduit Ranucci sur place afin qu'il livre lui-même ce fameux couteau, comme eût fait n'importe quel autre policier dans une situation semblable. Il constate au passage certaine incohérence chronologique dans les procès-verbaux de mise sous scellé.

Il rappelle que le pantalon bleu n'est pas une preuve contre Ranucci puisque le sang dont il est souillé peut provenir de la plaie chronique à la jambe mentionnée dans son certificat médical par le docteur Vuillet.

Il demande enfin si son client avait le comportement d'un coupable quand il rentrait paisiblement à Nice sans même faire disparaître de son coffre le pantalon et les lanières de cuir qu'on brandissait aujourd'hui pour l'accabler...

La voix était revenue et le verbe allait comme un torrent rapide, rebondissant sur les rocs ou les contournant — « une éloquence fluviale » noterait un chroniqueur —, avec cette fougue propre à Paul Lombard et qui efface de son visage les atteintes de l'âge, les cicatrices le la vie, pour ne plus laisser voir qu'émotion et conviction. Il allait, venait, dansant son « étrange et fascinant ballet », la main soudain dressée pour ponctuer sa phrase, la tête rejetée en arrière, avec cette longue crinière léonine pareille à celle de son aîné Pollak et que leur cadet Collard portait à son tour à la barre. C'était beau et désespéré.

Un hussard chargeant dans les barbelés.

La presse salua la performance et rendit hommage au talent; s'agissant de Paul Lombard, c'était une redondance : à ce procès où l'éloquence avait régné comme rarement dans une enceinte de justice, la surprise était venue de Gilbert Collard, de Jean-François Le Forsonney, et aussi, bien sûr, de l'avocat général Viala qui avait prononcé un réquisitoire l'égalant aux meilleurs.

Mais tout était vain, et la simple et bonne Monique, qui assistait pour la première fois de sa vie à un procès, traduit exactement le sentiment des chroniqueurs judiciaires les plus chevronnés en disant : « Lombard, il a très bien plaidé, mais c'était pas possible. »

Et pourtant, quelque chose bougea quand l'avocat lança aux juges son dernier argument. Il est bien difficile de mesurer l'amplitude de ce vacillement des certitudes. Rien de plus, sans doute, que l'infime frémissement parcourant une banquise bien avant la débâcle. Mais certains, parmi les plus chargés d'expérience, s'éprouvèrent traversés par une onde de doute fugace et inattendue. Frédéric Pottecher et Raymond Thévenin, vétérans des prétoires, échangèrent un regard perplexe.

Paul Lombard parlait de l'homme au pull-over rouge. L'homme dont trois témoins étaient venus attester l'existence, décrire le vêtement, révéler qu'il conduisait une Simca 1100, répéter, pour l'un d'entre eux, qu'il avait abordé des enfants en usant du prétexte d'un chien noir égaré; trois témoins qui affirmaient avoir été confrontés avec Ranucci à l'Evêché et ne pas l'avoir reconnu... Une Simca 1100 : la marque nommée par les seuls spectateurs de l'enlèvement de Marie-Dolorès, son frère Jean et le garagiste Eugène Spinelli — un garagiste! — qui, eux non plus, n'avaient pas reconnu Ranucci. Le chien noir que le ravisseur avait demandé aux enfants Rambla de chercher avec lui. Un pull-over rouge exactement semblable à celui qui était là, sous les yeux des jurés, posé sur la table des pièces à conviction, qu'on avait retrouvé dans la champignonnière et dont nul n'était capable d'expliquer la présence...

La péroraison est une évocation bouleversante du spectre de l'erreur judiciaire : « Allez-vous condamner à mort sur un dossier pareil? » Puis l'ultime assaut contre « la vieille ennemie » avec, dans la bouche de l'avocat, les mots sublimes de Victor Hugo : « Le sang se lave avec les larmes, non avec le sang... Tant que la peine de mort existera, la nuit régnera dans la cour d'assises. »

C'est fini.

*
* *

Ce n'est pas fini. Car l'assistance, qui n'en croit pas ses yeux, voit l'avocat général se lever de son siège pour reprendre la parole après la défense. Frédéric Pottecher gronde : « Non, ce n'est pas vrai! C'est un scandale! Je n'ai jamais vu ça! » Aucun chroniqueur judiciaire n'a vu ça. Quelques-uns, oui, ont vu un accusateur répliquer à l'avocat, mais cet accusateur n'avait pas requis la peine capitale et la vie d'un homme n'était pas en jeu. Une mise à mort, cela se demande puisque telle est encore la loi, cela ne se bégaie pas. M. Viala avait décrété Christian Ranucci au-delà de la pitié des hommes et l'avait solennellement remis à Dieu : voici qu'il le lui reprenait pour une minute encore — le temps de peaufiner son réquisitoire.

« J'ai construit une maison, dit-il à Me Lombard. Vous êtes monté sur le toit et vous en avez enlevé quelques tuiles. Je peux les y remplacer... » Cette image de la maison était singulière dans la bouche d'un homme qui venait de creuser une tombe et se remettait à l'ouvrage pour un dernier coup de pioche. Les tuiles de remplacement, ce sont cinq feuillets que M. Viala tient à la main, cinq procès-verbaux de police. Il en choisit un et commence à le lire...

Le commissaire Alessandra était à l'origine de ce rebondissement stupéfiant. « J'avais des hommes qui suivaient l'audience, nous dira-t-il plus tard. Quand ils m'ont téléphoné, en fin de matinée, que le premier avocat de Ranucci faisait mention de l'homme au pull-over rouge, j'ai aussitôt fait porter à Aix les procès-verbaux des dépositions que nous avions recueillies à son propos. » Phrase inouïe car l'avocat général et l'avocat de la partie civile n'ont cessé de faire des gorges chaudes sur les témoins de la défense qui prétendaient avoir donné des dépositions dont on ne retrouvait curieusement aucune trace nulle part !

Pendant la plaidoirie de son confrère, Gilbert Collard a vu soudain un policier, venu s'asseoir au premier rang du public, l'appeler d'un geste de la main. Il s'est levé et l'a rejoint. L'homme lui a tendu cinq procès-verbaux. Revenu à son banc, l'avocat en a pris connaissance, puis il s'est relevé et, sur la pointe des pieds, est allé s'entretenir à voix basse avec l'avocat général :

— Tenez, a-t-il dit en tendant les cinq pièces, voilà ce que m'apporte la police. Je vous préviens tout de suite qu'il n'est pas question pour moi d'en faire usage.

M. Viala a parcouru les procès-verbaux, s'attardant sur l'un d'entre eux.

— Evidemment... a-t-il murmuré. Mais si j'en fais moi-même état, c'est la cassation assurée : ils n'ont pas été communiqués à la défense...

Les deux hommes échangent un long regard. Gilbert Collard est certain, comme beaucoup d'autres, que M. Viala est adversaire de la peine de mort.

— Tant pis, j'y vais, c'est le doigt de Dieu ! décide à la fin l'avocat général.

Gilbert Collard lui sourit et rejoint son banc.

Alors quoi ! la reprise de parole de M. Viala, est-ce volonté acharnée de l'obtenir, cette tête, ou bien au contraire stratagème généreux pour faire casser le funeste arrêt qui va être rendu? L'accusateur a bien le droit de répliquer aux avocats : la loi le tolère, même si l'usage le réprouve; elle exige seulement que la défense ait la parole en dernier. Mais M. Viala ne peut pas appuyer son argumentation sur des pièces ne figurant pas au dossier et non communiquées aux avocats, car ce procédé violerait les droits sacrés de la défense.

Les jurés et le public ignorent tout cela. Ils voient simplement l'avocat général dressé dans sa grande robe rouge et ils l'écoutent parler. Ce qu'il dit est terrible. A l'entendre — c'est ainsi qu'il fut en général compris, comme le démontrent les comptes rendus de presse — un témoin de la défense a menti à la barre. Ce témoin est venu affirmer le matin que le satyre responsable d'une agression sexuelle sur ses deux filles portait un pull-over rouge. Or, il avait déclaré à la police, le 4 juin 1974, que le pull-over était vert...

C'est le coup de grâce. La presse constate l'effondrement des témoignages de la défense. Frédéric Pottecher se sent libéré de toute perplexité : « J'avais cru à l'homme au pull-over rouge. Après cela, je n'y ai plus cru du tout. » Le commissaire Alessandra nous dira avec son sourire de bouddha : « Nous avons pris les avocats complètement à contre-pied. Ils ne savaient pas que nous possédions ces procès-verbaux, tant et si bien que l'avocat général a pu anéantir leur argumentation. » Le capitaine Gras, qui était dans la salle d'audience, apprécia lui aussi l'impact du coup de théâtre : « Ce qui a tout fait basculer, c'est l'intervention finale de l'avocat général et sa démolition des témoignages de la défense. »

Quant à Jean-François Le Forsonney, qui ne quittait pas des yeux les jurés, il lut sur leur visage que tout était perdu : « A voir l'attention avec laquelle ils écoutaient Viala, je me suis dit que nous avions peut-être réussi, en fin de compte, à leur faire comprendre qu'il y avait dans cette histoire de pull-over rouge quelque chose qui ne tournait pas rond. Mais là, c'était fini. Ils avaient la tête de gens qu'on a essayé de rouler et qui vont en tirer les conséquences. Quelques-uns avaient l'air furibond. »

Sa copieuse intervention terminée — cassation ou pas, il en avait profité pour reprendre les points principaux de son argumentation —, l'avocat général se rassied. Le président Antona, conformément au code de procédure pénale, demande à la défense si elle souhaite répliquer. Tous les regards sont fixés sur Paul Lombard.

« Viala et moi, nous dira Me Collard, nous nous attendions à ce que la défense soulève une véritable tempête — d'ailleurs très justifiée — avec cris et fureurs à propos de cette production inopinée de pièces non communiquées. Je pensais qu'il y aurait suspension d'audience, appel au bâtonnier, conférence générale avec la cour dans la chambre du conseil... C'était un incident énorme, incroyable, inespéré pour une défense qui se battait le dos au mur! »

Sans même parler des pièces, la réplique de l'avocat général justifiait en soi une réaction violente. Si notre mémoire est bonne, on n'eût pas fait cela à un Torrès ou à un Tixier-Vignancour, dans une affaire où une vie était en jeu, sans se retrouver enseveli sous une éruption vengeresse. On n'eût pas risqué cela contre un Maurice Garçon, dont le mépris hautain eût fait se retourner contre son auteur la tentative impudente. Quant à René Floriot, il nous semble qu'il eût écouté l'avocat général avec la plus grande attention, les yeux brillants derrière ses verres de loupe, puis qu'il aurait dit au président : « Tout ça est bien intéressant, Monsieur le Président. J'ai encore trois heures de plaidoirie. » Et il aurait tout repris à zéro.

Fatigue au terme d'un long plaidoyer? Epuisement même, d'avoir dû lutter si durement dans un environnement si hostile? Paul Lombard se borna à une réponse tenant en quelques phrases :

— C'est la première fois que je vois un avocat général répliquer après une plaidoirie de la défense. Cela prouve au moins une chose, c'est que vous êtes peu sûr de votre dossier pour éprouver ainsi le besoin de le replaider. Faut-il donc que l'accusation soit chancelante pour avoir besoin de ce nouveau coup d'épaule!

Ou bien la défense se satisfait-elle de tenir un cas de cassation pratiquement imparable? Tandis que son patron prononce sa courte apostrophe, Jean-François Le Forsonney rédige fébrilement des conclusions car l'incident des pièces non communiquées doit être mentionné dans le procès-verbal des débats pour que la cour de cassation puisse en être saisie. Son texte rédigé, il le porte au conseiller Vulliet, assesseur du président Antona. M. Vulliet est considéré comme un expert de la procédure pénale. Il préside souvent les assises et sa désignation comme assesseur de M. Antona est un signe de l'attention toute particulière accordée au procès Ranucci. Il lit le texte du jeune avocat et lui suggère une modification : « Attention, votre " donner acte " risquerait de ne pas être régulier. » Me Le Forsonney est si touché par cette complicité qu'il s'aventure à remercier d'un clin d'œil. La cour donne acte à l'accusé « de la production aux débats d'une pièce non communiquée par M. l'avocat général », conformément à la demande de la défense.

L'incident est clos.

*
**

« Une pièce non communiquée »? Il y en a cinq. Où sont-elles à présent? Dans le gros dossier posé devant le président Antona. Mais la défense les a-t-elle vues? Elle ne les a pas vues, elle n'en a pas demandé la communication, elle n'a pas sollicité une suspension d'audience pour les étudier à loisir...

Dommage. Si elle l'avait fait, tout pouvait basculer et la vie de Christian Ranucci n'eût peut-être pas été tranchée.

Contrairement à ce que M. Viala a donné à croire (en toute bonne foi, bien sûr : ce sont ses auditeurs qui l'ont mal compris), la déposition dont il a parlé dans sa réplique, et qui fait état d'un homme au pull-over vert, n'est pas de

M. Albertini, témoin de la défense et père de deux petites filles agressées par un satyre : elle émane d'un garçon de quatorze ans témoignant sur des faits qui n'ont rien à voir avec cette affaire. Par contre, l'un des procès-verbaux contient la déposition de M. Albertini enregistrée à l'Evêché le 4 juin 1974, et le témoin parle bien d'un homme au pull-over rouge. Ses deux filles, interrogées avec lui, confirment que leur agresseur portait un pull-over rouge. Un autre procès-verbal est celui de la déposition de M. Martel, enregistrée elle aussi à l'Evêché le 4 juin 1974. Elle est exactement conforme aux déclarations qu'il a faites le matin même à la barre et donne un signalement extrêmement détaillé de l'homme au pull-over rouge.

« Témoins indécents », « manœuvre impudente de la défense »...

En vérité, les avocats de Christian Ranucci n'étaient pas condamnés à attendre la pénultième minute du procès pour que les preuves de la véracité de leurs témoins fussent à portée de leur main. Ces preuves étaient disponibles depuis vingt mois. Elles attendaient qu'on veuille bien les recenser dans les collections des journaux régionaux. Les journalistes sont oublieux par nécessité mais la presse est une mémoire.

C'est le 3 juin 1974 qu'un inconnu enlève Marie-Dolorès Rambla. On retrouve son cadavre le 5 dans l'après-midi et Christian est arrêté dans la soirée. Il avouera le 6 juin.

Le 5 juin, *Var-Matin* signale dans le cadre de l'enquête sur l'enlèvement « une plainte déposée samedi dernier par les parents de deux sœurs de huit et dix ans habitant une cité du 10e arrondissement sur lesquelles un individu se serait livré à des attouchements. » C'est l'affaire Albertini-Martel : la cité des Cerisiers est dans le dixième arrondissement ; les filles de M. Albertini ont huit et dix ans ; les faits se sont bien déroulés le samedi 1er juin. Le reporter poursuit : « Quelques jours auparavant, une autre habitante de la cité avait signalé un vol de sous-vêtements féminins. » L'un des procès-verbaux produits in extremis par M. Viala concerne cet incident. Une dame Garcia, de la cité des Cerisiers, porte plainte pour le vol de sept à huit culottes, de deux soutiens-gorge et de deux maillots de bain dérobés sur son balcon.

Où le reporter de *Var-Matin* a-t-il obtenu ses informations ?

A l'Evêché, bien entendu, dont il hante les couloirs comme tous ses confrères locaux en s'efforçant d'obtenir révélations et confidences des policiers chargés de l'affaire Rambla.

Dans *Le Provençal* du 6 juin, imprimé après l'arrestation de Christian mais avant ses aveux, Pierre Bernard écrit : « On apprenait cette nuit que, il y a un mois environ, un individu ressemblant étrangement à Christian Ranucci avait réussi à entraîner deux fillettes dans une cité de Saint-Loup, " La Cerisaie ". Ce personnage, également très jeune, avait semble-t-il usé du même scénario pour amener les deux gamines à monter dans sa voiture : " Venez m'aider à chercher mon petit chien noir qui s'est égaré. " Bien que les deux petites filles n'aient pas connu un sort aussi tragique que Marie-Dolorès, elles ne furent pas pour autant épargnées puisque " l'homme au chien noir " s'était livré sur elles à des gestes répréhensibles. »

Ici, quelques erreurs — mais, encore une fois, il s'agit de « tuyaux » glanés au détour d'un couloir de l'Evêché et non pas d'informations livrées par la police lors d'une conférence de presse officielle. La cité s'appelle « Les Cerisiers » et non « La Cerisaie ». Les faits datent de cinq jours et non d'un mois. Enfin et surtout, nous savons que le satyre dont ont été victimes les deux filles de M. Albertini n'a pas utilisé le subterfuge du petit chien noir. Il est clair qu'il y a confusion avec l'épisode Mattéi, à la cité des Tilleuls.

Et, de fait, Pierre Bernard poursuit : « Même scénario samedi dernier, deux jours donc avant l'enlèvement et l'assassinat de Marie-Dolorès, où un jeune homme d'une vingtaine d'années avait tenté, en vain, de convaincre deux garçonnets habitant ce quartier de le suivre pour retrouver un petit chien noir disparu. » C'est d'évidence la tentative à laquelle Mme Mattéi a assisté de sa fenêtre. Mais Pierre Bernard fait encore une petite confusion : le ravisseur a parlé de son chien noir, non pas aux deux garçonnets, mais à la fille de Mme Mattéi et à son amie Carole.

Dans *France-Soir* daté du 7 juin mais paraissant le 6, François Luizet écrit : « Déjà, des personnes se sont fait connaître à l'hôtel de police. Elles rapportent qu'un individu dont le signalement correspond à celui de Ranucci aurait importuné, il y a un mois, deux fillettes du quartier Saint-Loup, à la cité « La Cerisaie ». Il les aurait entraînées dans sa voiture en usant d'un stratagème identique à celui qui, lundi, lui servit à aborder Marie-Dolorès : `` Venez m'aider à chercher mon petit chien noir qui s'est égaré. `` De même, samedi dernier, soit deux jours avant l'enlèvement de la fillette, un jeune homme d'une vingtaine d'années, ressemblant aussi à Ranucci, avait abordé deux garçons dans le quartier de la résidence Sainte-Agnès. » Mêmes informations que dans *Le Provençal,* et mêmes erreurs de détail.

Enfin, *La Marseillaise* du 6 juin publie une interview du commissaire central Cubaynes, chef de la Sûreté urbaine de Marseille, futur contrôleur général de la police. Le journaliste, Jean-Noël Tassez, a interrogé M. Cubaynes le 5 juin au soir, alors que Christian, arrêté à Nice quelques heures plus tôt, roulait vers Marseille en compagnie du commissaire Alessandra :

— A-t-il avoué?

— Il reconnaît la tentative de fuite, répond le chef de la police marseillaise, mais nie être à l'origine de l'enlèvement. Dès son arrivée cette nuit à l'Evêché, nous commencerons à l'interroger. Toutefois, à partir du moment où il reconnaît avoir pris la fuite, le reste coule de source...

— Son signalement correspond-il à celui donné par Jean, le frère de Marie-Dolorès et seul témoin du rapt?

— Oui, assez précisément. Mais nous avons peut-être d'autres témoins. Ainsi, il y a un mois, deux fillettes étaient l'objet d'une tentative d'enlèvement à Marseille. Le signalement qu'elles donnèrent de l'individu qui les avait abordées correspond aussi, dans les grandes lignes, à celui de Ranucci. Mais il y a plus : le motif choisi pour attirer ces deux enfants était le même que pour la petite Marie-Dolorès : le chien noir. Vous savez, ceci vaut tous les signalements. La corrélation que l'on peut faire entre les deux affaires semble confirmer autre chose : l'assassin a agi avec préméditation.

Cette fois, nous y sommes. Le chef de la Sûreté — et c'est bien normal de sa part — ne confond pas la tentative d'enlèvement des deux petits garçons avec celle dont ont été victimes Agnès Mattéi et Carole Barraco.

Si les défenseurs de Christian avaient cherché et trouvé l'interview de *La Marseillaise*, s'ils avaient cité à la barre le commissaire central Cubaynes, Mᵉ Collard et M. Viala auraient-ils traité de « témoin indécent » le chef de la Sûreté? L'accusateur public aurait-il stigmatisé comme une « manœuvre impudente » le rapport que ce témoin établissait le 5 juin 1974 entre la tentative sur les deux fillettes et l'enlèvement de Marie-Dolorès Rambla? Mᵉ Collard et M. Viala auraient-ils nié compétence au premier policier de Marseille pour conclure que l'emploi à deux reprises du même subterfuge « vaut tous les signalements » et qu'il démontre « une corrélation entre les deux affaires »?

« Fantomatique », l'homme au pull-over rouge? « Epouvantail » inventé par une défense aux abois? Le 15 février 1978, assis en face du commissaire Alessandra, nous lui demandons ce qu'a fait à son avis Ranucci la nuit précédant l'enlèvement. Avec sa souveraine tranquillité, le commissaire répond :

— L'hypothèse la plus plausible, c'est qu'il a passé la nuit chez l'homme au pull-over rouge, ou en tout cas avec lui.

— Vous croyez donc à son existence?

— Il y a incontestablement un mystère de l'homme au pull-over rouge. Ce qui me paraît probable, c'est qu'un homme possesseur d'un pull-over rouge est monté dans la voiture de Ranucci. Personnellement, je pense que Ranucci savait qui était cet homme, qu'il le connaissait...

Nous dédions ce dialogue à M. l'avocat général Viala, qui n'aime pas qu'on dérange les tuiles sur ses caveaux funéraires.

*
**

Que le lecteur se mette à la place de la Sûreté urbaine : tout est simple, évident, lumineux.

Une fillette est enlevée le 3 juin vers onze heures à la cité Sainte-Agnès. Un seul témoin : le petit frère, Jean Rambla, âgé de six ans (Eugène Spinelli ne fera sa déposition que le 5 juin à quatre heures). L'enfant, par bonheur, est vif, intelligent. Il explique que le ravisseur s'est débarrassé de lui en l'envoyant à la recherche d'un chien noir prétendument égaré. Il donne un signalement assez vague : « Un jeune, pas un vieux », costume gris, grand, cheveux noirs et courts. Un détail intéressant : « Il parlait comme les gens d'ici », c'est-à-dire avec l'accent marseillais. Et un indice capital s'il est avéré : sa voiture était une Simca grise. Mais peut-on faire confiance à un enfant de six ans pour identifier une marque d'automobile? Le père, Pierre Rambla, assure que son fils se passionne pour les voitures et qu'il connaît presque toutes les marques. Les policiers, prudents, soumettent cependant le petit Jean à une épreuve de contrôle et lui présentent « de nombreux types de véhicules automobiles ». L'enfant « nous a désigné un véhicule de marque Simca type Chrysler ».

Le chien noir perdu; un homme jeune et grand, aux cheveux noirs; une Simca grise.

On bat naturellement le rappel de tous les parents dont les enfants ont eu récemment à souffrir des entreprises de satyres et de maniaques. Au reste, l'émotion soulevée à Marseille par l'enlèvement de Marie-Dolorès est telle que des témoins se présentent spontanément. Certains racontent des fariboles, comme toujours en pareil cas. Mais non pas tous.

Voici Mᵐᵉ Mattéi. Elle relate l'aventure de sa fille et de l'amie de celle-ci, puis la tentative à laquelle elle a assisté sur les deux garçons.

Le chien noir perdu; un homme brun, d'une trentaine d'années; une Simca 1100 grise. Deux éléments supplémentaires : un pull-over rouge ras du cou et un pantalon de velours.

Puis, descendant de Saint-Loup, à l'autre bout de Marseille, MM. Martel et Albertini, et les deux filles de ce dernier. L'aînée, après avoir décrit les manipulations sexuelles auxquelles s'est livré l'inconnu, donne ce signalement : « L'homme doit avoir vingt-cinq ans environ. Il est grand. Il est mince. Il a les cheveux noirs non frisés. Il avait un pull-over rouge à manches longues. Il avait un pantalon noir en velours. C'est tout ce que je me souviens de lui. » La cadette : « Cet homme est âgé comme mon ami Jean-Claude [lequel a vingt-cinq ans]. Il est grand et mince. Il avait un pull-over rouge à ras du cou. Il avait un pantalon noir en velours. » Et M. Martel : « Je suis en mesure de vous fournir un signalement assez précis de cet homme et pense pouvoir le reconnaître sur photographie. Cet inconnu était de race blanche, type européen. Il mesurait environ un mètre soixante-douze à un mètre soixante-quatorze, de corpulence assez robuste et d'allure sportive. Il avait une coupe de cheveux normale. Ses cheveux étaient bruns et coiffés en arrière. Il n'avait pas de calvitie. Son visage était plutôt rond, avec des traits réguliers et fins. Il ne portait ni barbe ni moustache. Il n'avait pas de favoris non plus. Il m'a semblé que ses yeux étaient plutôt de couleur foncée. Il avait un cou un peu fort. Cet homme devait être âgé de trente-deux à trente-cinq ans, je pense. Lorsque je l'ai vu, il était vêtu très correctement d'un polo rouge vif et d'un pantalon de velours noir ou bleu marine. Je n'ai rien remarqué d'autre en ce qui concerne cet homme. »

Un homme brun, d'une trentaine d'années ; un pull-over rouge ras du cou ; un pantalon de velours noir ou bleu foncé.

Pour que la conformité soit totale avec les épisodes Rambla et Mattéi, il ne manque que le subterfuge du chien noir et la Simca — encore qu'un témoin ait vu l'agresseur des petites Albertini s'enfuir au volant d'une voiture de cette marque, comme le déclarera M. Albertini au procès et comme nous le confirmera M. Martel.

Le lien entre les trois affaires n'en est pas moins éclatant. Le chien noir et la Simca se retrouvent dans les épisodes Rambla et Mattéi-Barraco. Le pull-over rouge et le pantalon de velours figurent à la fois dans les témoignages Mattéi-Barraco et dans les dépositions Martel-Albertini. Dans les trois cas, le signalement de l'inconnu est pratiquement identique : un homme dont l'âge se situe entre vingt-cinq et trente-cinq ans, avec des cheveux noirs, en tout cas brun foncé.

Pour les policiers, une constante infiniment significative achève de lier ensemble les trois affaires. Tout malfaiteur a sa technique, sa méthode, sa « signature ». Les délinquants sexuels n'échappent pas à la règle. Or, celui-ci présente cette très exceptionnelle particularité qu'il s'attaque toujours à deux enfants en même temps. Agnès Mattéi et Carole Barraco; les deux sœurs Albertini; les deux garçonnets; Marie-Dolorès et Jean Rambla. Une « signature » pareille ne trompe pas.

Jean Rambla a été entendu dès le 3 juin. Mme Mattéi est reçue à l'Evêché le 4 juin au matin. M. Martel et les Albertini font leur déposition le même jour à trois heures de l'après-midi.

Vingt-quatre heures après la disparition de Marie-Dolorès, la Sûreté urbaine possède par conséquent des indications précises sur le ravisseur. Elle recherche un homme d'une trentaine d'années, assez grand, aux cheveux brun foncé, vêtu à l'occasion d'un pull-over rouge et d'un pantalon de velours, circulant au volant d'une Simca 1100.

*
* *

On comprend dans ces conditions que les futurs témoins de l'accusation, dont les dépositions seront jugées au procès « accablantes » et « écrasantes », aient eu tant de mal à se faire entendre. Contrairement à l'image flatteuse de son enquête que la Sûreté urbaine réussira à accréditer — celle d'une équipe policière découvrant avec diligence et maestria les témoignages dont elle a besoin —, la simple vérité est en effet que tous ceux qu'on verrait à Aix durent s'époumoner pour se faire à la fin écouter et qu'ils se frayèrent de vive force une entrée dans l'affaire.

Le 3 juin à une heure un quart, Vincent Martinez porte

plainte à la gendarmerie de Gréasque. Il livre le numéro d'immatriculation de la voiture du chauffard et signale qu' « il paraissait seul à bord ». Accident banal suivi d'un délit de fuite.

Le lendemain matin à dix heures et demie, Henri Guazzone, contremaître de la champignonnière, rend visite aux gendarmes de Gréasque, avec lesquels il entretient des relations sympathiques. Il leur raconte l'histoire de ce jeune homme enlisé la veille à trente mètres au fond d'une galerie et communique le numéro d'immatriculation de sa voiture, qui est le même que celui donné par M. Martinez.

Toujours le 4 juin, à une heure de l'après-midi, M. Guazzone apprend par la radio qu'une fillette a été enlevée la veille à Marseille. Il fait un rapprochement avec son étrange visiteur et téléphone à la gendarmerie. L'accueil est cordial mais vigoureux : « Putain, ne nous emmerde pas ! Tu nous parles d'une Peugeot et nous, on cherche une Simca. »

Le 4 juin encore, à trois heures dix, Alain Aubert téléphone à la gendarmerie de Roquevaire. Il raconte son histoire de « paquet assez volumineux ». Le gendarme note : « M. Aubert, ayant eu connaissance ce jour du rapt d'enfant à Marseille, pensait que les faits dont il avait été témoin pouvaient avoir un rapport avec l'enlèvement. » La gendarmerie de Roquevaire se contente malgré tout de transmettre l'information à celle de Gréasque, territorialement compétente pour la collision et le délit de fuite.

A trois heures cinquante-cinq, les gendarmes de Gréasque, qui ont identifié le propriétaire de la Peugeot grâce au fichier automobile, alertent d'ailleurs la gendarmerie de Nice, où réside Ranucci. La procédure banale en matière de délit de fuite suit son cours.

Ainsi se termine la journée du 4 juin dans ce département des Bouches-du-Rhône révolutionné par l'enlèvement, survolé par des hélicoptères traquant le ravisseur, quadrillé par la « recherche en surface » du commissaire central Cubaynes.

On cherche une Simca 1100.

Aussi bien la Sûreté urbaine appréhende-t-elle le 5 au matin un exhibitionniste marseillais propriétaire d'une voiture de ce modèle, bien que son signalement ne corresponde guère à celui de l'homme au pull-over rouge.

A dix heures, Vincent Martinez enclenche le processus décisif. Il téléphone à la gendarmerie de Gréasque que « contrairement à ce qu'il avait déclaré dans sa plainte (déposée quarante-huit heures plus tôt), il pensait qu'un enfant avait pu se trouver dans le véhicule tamponneur. » Pourquoi cela ? M. Aubert lui aurait dit, en revenant de sa chasse au chauffard, que celui-ci s'était enfui à pied avec un enfant. Mais M. Martinez continuera d'affirmer, tant devant la police que devant le juge d'instruction, que pour ce qui le concerne, il n'a pas aperçu de passager dans le coupé Peugeot ; sa fiancée non plus.

Gréasque alerte Toulon, qui se met en contact avec Alain Aubert. Les précisions données par celui-ci conduisent le capitaine Gras à mettre en place, au croisement de La Pomme et à ses abords, un important dispositif de recherche.

Une Peugeot 304 au lieu d'une Simca 1100... C'est déroutant.

Mais quel est le tout premier indice que découvrent le capitaine Gras et ses hommes, guidés par M. Guazzone ? Le pull-over rouge ! On le trouve à trois heures vingt dans la galerie où s'est enlisée la Peugeot. Les esprits se rassérènent. Ça colle.

Vingt-cinq minutes plus tard, le cadavre de Marie-Dolorès Rambla.

Cinquante minutes plus tard, à l'Evêché, l'inspecteur Porte enregistre la déposition d'Eugène Spinelli, témoin direct de l'enlèvement. On s'en serait bien passé. Car le bonhomme — un garagiste ! — affirme que le ravisseur a fait monter sa victime dans une Simca 1100. Et la Simca 1100, ça ne colle plus. Que fait-on en pareil cas ? On fait coller. Cela peut se limiter à éliminer d'un témoignage les bavochures qui lui enlèvent de sa pureté démonstrative. Cela consiste aussi à faire entrer à grands coups de pied les faits récalcitrants dans le schéma préétabli. L'inspecteur Porte fera dire à M. Spinelli que sa Simca 1100 pourrait bien être un coupé Peugeot. Le témoin protestera. Tant pis : on escamotera le mauvais coucheur. Les autres témoins, et notamment les Aubert, seront propulsés sur l'estrade par la police, auront les honneurs de la télévision, seront maintes fois interviewés par les stations de radio et par la presse écrite; M. Spinelli, lui, passe à la trappe. Aucun journaliste ne connaîtra son existence, donc son témoignage. Le juge d'instruction ne l'entendra pas. Il refera surface dans deux ans, mais cité au procès par la défense et avec le handicap d'apparaître comme un témoin secondaire, sinon négligeable, puisque nul n'en avait jamais entendu parler.

Christian Ranucci est arrêté à Nice. Il admet l'accident et le délit de fuite mais nie toute participation à un enlèvement. Peu importe : comme le déclare le chef de la Sûreté urbaine au reporter de *La Marseillaise :* « A partir du moment où il reconnaît avoir pris la fuite, le reste coule de source... » Le commissaire Alessandra a d'ailleurs trouvé un pantalon taché de sang dans le coffre de sa voiture et, à l'intérieur du véhicule, un cheveu fin pareil à ceux d'un enfant. Et Ranucci a les mains couvertes d'égratignures. Que demander de plus? Tout colle. Le suspect peut bien s'obstiner à nier : il capitulera demain matin. La Sûreté urbaine a neuf atouts maîtres dans sa manche.

Affaire bouclée.

**

Le lendemain matin, c'est l'effondrement. Les neuf témoins défilent devant la brochette d'inspecteurs parmi lesquels figure Christian; aucun ne le reconnaît.

Les deux filles de M. Albertini, agressées cinq jours auparavant, ne le désignent pas comme étant l'homme au pull-over rouge.

M. Martel — témoin d'une précision impressionnante, qui

commence par classer son homme dans « la race blanche, type européen » et finit par des détails tels que « il avait le cou un peu fort » —, M. Martel est formel : son gabarit n'est pas là.

Mme Mattéi ne reconnaît pas l'individu qui a abordé sous ses yeux deux garçonnets, dont le petit Alain Barraco.

Celui-ci a la même réaction négative.

Agnès Mattéi et Carole Barraco, héroïnes d'une affaire dont le chef de la Sûreté vient de souligner publiquement la corrélation avec l'enlèvement de la petite Rambla, ne reconnaissent pas leur homme au pull-over rouge.

Jean Rambla ne reconnaît pas le ravisseur de Marie-Dolorès.

Eugène Spinelli non plus.

On s'était pourtant efforcé de faire coller. Christian était présenté sans ses lunettes. Dame! bien obligé : pas un seul des neuf signalements fournis par les témoins ne mentionnait de lunettes. Et leur présence sur un visage est trop remarquable pour avoir échappé à neuf témoins à la fois. Donc, pas de lunettes pour la confrontation. C'était parer au plus pressé tout en laissant subsister une question fondamentale. Les examens médicaux bientôt subis par Christian vont confirmer qu'il souffre d'une myopie bilatérale de l'ordre de trois dioptries. Pour un sujet atteint d'une telle myopie et portant habituellement des verres correcteurs, la vision devient floue au-delà de cinquante centimètres dès qu'il ôte ses lunettes. Aussi bien Christian ne quittait-il les siennes que pour dormir. Puisque le satyre décrit par neuf témoins ne portait pas de lunettes, il faudrait donc conclure, dans l'hypothèse de la culpabilité de Christian Ranucci, qu'il avait l'imprudente habitude d'ôter ses verres correcteurs chaque fois qu'il s'apprêtait à commettre un acte répréhensible l'exposant aux risques les plus sérieux. Risques judiciaires, bien entendu, mais aussi périls physiques immédiats pouvant aller jusqu'au lynch en cas de découverte — il suffit de traîner quelques heures dans ces cités marseillaises pour imaginer le terrible châtiment que subirait un satyre pris sur le fait. Voici donc un homme — notre Christian — qui, à l'instant précis où il aurait besoin de toute sa vigilance et d'une vision acérée pour repérer d'éventuels dangers, ôte paisiblement ses verres correcteurs et s'avance dans un brouillard flou vers les silhouettes indécises de ses petites victimes...

Même sans lunettes, personne ne le reconnaît. C'est d'autant plus catastrophique que le commissaire Alessandra a rapporté de Nice une bien fâcheuse indication. Christian Ranucci était chez lui, à deux cents kilomètres de Marseille, le samedi 1er juin, jour où l'homme au pull-over rouge s'est manifesté aux Cerisiers et aux Tilleuls; il travaillait en compagnie d'un collègue lorsque le même individu a abordé Agnès Mattéi et Carole Barraco. Et l'on constatera bientôt que le vêtement trouvé dans la galerie n'est pas du tout à sa taille...

Après les confrontations négatives, la certitude s'impose : Ranucci n'est pas l'homme au pull-over rouge.

On va par conséquent évacuer prestement ce dernier, devenu bel et bien un épouvantail — mais pour la Sûreté urbaine. On rempoche les corrélations qui, dix heures plus tôt, semblaient encore si éclatantes. On ne dresse pas procès-verbal des confrontations négatives, de façon à ne pas laisser de trace dans le dossier. On renvoie les témoins dans leurs cités sans tambour ni trompette; quelques journalistes alertés par le remue-ménage sauront simplement que Ranucci a été présenté sans résultat « à quatre ou cinq enfants ». De même s'abstient-on plus que jamais de signaler l'existence d'Eugène Spinelli : il retourne à son garage ni vu ni connu.

Jean Rambla, bien sûr, on ne peut pas l'escamoter aussi facilement. Les journalistes le connaissent pour l'avoir rencontré et interviewé chez ses parents. Sur les neuf confrontations du matin, la presse ne sera donc informée que de la sienne, et de son résultat négatif. Mais quoi! n'est-ce pas compréhensible après l'effroyable épreuve subie par le petit Jean? *La Marseillaise* exprimera le sentiment général en écrivant : « Les nerfs de l'enfant, qui avait été admirable dès les premières heures de l'enquête, venaient de craquer. Pouvait-il en être autrement? »

Ce colmatage expéditif ouvre un sursis à la Sûreté urbaine mais ne modifie pas au fond sa situation, qui est angoissante.

Que lui reste-t-il dans les mains? Un pantalon taché de sang, un cheveu fin et bouclé. Les policiers savent bien les limites de l'expertise scientifique : on ne pourra pas prouver que le sang est celui de Marie-Dolorès, que le cheveu lui appartenait. Et si Ranucci était l'assassin, il n'aurait sans doute pas eu, lui qui n'est pas idiot, la merveilleuse complaisance de garder soigneusement pantalon et cheveu à la disposition de la police. Les égratignures sur ses mains? Son explication est convaincante et elle est confirmée par les témoins Guazzone et Rahou, qui ont vu les branchages glissés sous les roues de sa voiture.

Face à ces fragiles et problématiques indices, une machine infernale et des certitudes massives.

La machine infernale, c'est naturellement ce fichu pull-over rouge qu'on va désormais traîner comme un boulet explosif. Les policiers se sont abstenus de mentionner sa découverte aux témoins des Cerisiers et des Tilleuls. La presse ignore son existence. Mais si l'enquête ne débouche pas rapidement, si elle piétine, il faudra bien finir par en parler et les témoins des corrélatives affaires redescendront en rang serré de leurs cités lointaines. Eux qui ont unanimement affirmé que Ranucci n'était pas l'homme au pull-over rouge, ils reconnaîtront le vêtement — ce pull-over trouvé à quelques centaines de mètres du cadavre de Marie-Dolorès...

Des certitudes massives. Eugène Spinelli et Jean Rambla n'ont pas reconnu en Ranucci le ravisseur de Marie-Dolorès. Sa voiture est un coupé Peugeot alors que le garagiste et l'enfant affirment avoir vu une Simca 1100. Vincent Martinez a déclaré à la gendarmerie que le chauffeur du coupé était seul dans sa voiture au croisement de La Pomme.

La conclusion est d'une dramatique simplicité : si les Aubert ne reconnaissent pas Ranucci, il ne restera plus qu'à le relâcher.

Et cela est inconcevable. Les policiers marseillais ont dit aux journalistes, tout au long de la soirée de la veille, leur certitude de tenir le coupable. Les radios le répètent à chaque bulletin d'information. Les journaux du matin sont parus avec d'énormes manchettes annonçant sans ambages l'arrestation du meurtrier à Nice et son transfèrement à Marseille. L'éditorial du *Méridional* aborde déjà le problème de son châtiment et conclut : « L'impardonnable n'a pas à être pardonné. » Dans quelques heures, *Le Soir* va exiger qu'il soit « à jamais retranché de la communauté ». Les envoyés spéciaux de la presse nationale s'entassent dans les couloirs de l'Evêché; il y a même des journalistes étrangers...

Va-t-on devoir dire à tout ce monde qu'on est navré du malentendu mais que Christian Ranucci, déjà expédié sur l'échafaud par des justiciers improvisés, rentre tout bonnement chez sa mère? La presse peut être très rude pour ceux qui l'ont abusée. Un cyclone se lèverait auprès duquel les remous créés par l'affaire Cartland, si dommageables au bon renom de la Sûreté, apparaîtraient comme simple tempête dans un verre d'eau...

L'avenir de la Sûreté urbaine de Marseille va se jouer sur le témoignage Aubert. Celui de Christian Ranucci aussi.

***

Nous pourrions bien sûr commencer en évoquant l'essentielle fragilité du témoignage humain et en alignant les exemples, mais il y faudrait tout un livre, ou plusieurs.

Un seul exemple parce qu'il est récent et se situe dans le Midi. Deux touristes britanniques sont assassinés conformément à l'usage. Un homme est arrêté et inculpé après qu'une restauratrice du Lavandou, soutenue par sa fille et par une serveuse, ait affirmé qu'il avait dîné, le soir du meurtre, à côté des deux Anglais. Trente-huit ans, mère de quatre enfants, personnalité vigoureuse, la restauratrice confie à un journaliste : « Mon principal défaut, c'est d'être physionomiste. Mon mari me le reproche sans arrêt. Ce matin, j'ai encore reconnu un client qui avait consommé une seule fois, l'an dernier, à Pâques. J'ai dit au bar, devant tout le monde : " Celui-là, il est venu cinq minutes il y a un an et demi. Il m'avait juste dit être suisse. " On lui a demandé si c'était bien lui. Il était sidéré que je le reconnaisse. » Voilà le genre de témoin qui produit une excellente impression sur les jurés. Mais quand la restauratrice fait cette déclaration péremptoire, le suspect est déjà mis hors de cause grâce à d'autres témoignages absolument irréfutables ; il a passé la soirée et la nuit avec une femme à plusieurs heures de route du Lavandou. La restauratrice connaît d'ailleurs ce rebondissement, mais elle s'obstine : ce sont les autres qui se trompent — pas elle. Sa bonne foi n'est pas en cause puisqu'elle n'a aucun intérêt à accuser un parfait inconnu.

De même la bonne foi d'Alain et d'Aline Aubert ne peut-elle être mise en question. De quel droit les accuserait-on de mentir ? Pourquoi mentiraient-ils ? Ils sont jeunes, sympathiques. La vie leur sourit. M. Aubert, directeur de société, a une situation professionnelle enviable ; sa femme est une mère de famille menant une existence paisible dans une très jolie maison croulant sous les fleurs. Sans doute Aline Aubert est-elle de caractère impétueux, et le commissaire Alessandra nous en fera un portrait haut en couleurs, mais comment supposer sans une profonde injustice que sa vitalité — et même, si l'on veut, son agressivité — vont la porter à accabler un garçon de vingt ans et à le coucher sous le couperet de la guillotine ? Si nous considérons le jeune couple en train de rouler vers une confrontation dont il ignore encore la gravité, nous ne pouvons éprouver à son égard que sympathie et compassion. Nul n'a le droit d'oublier que les Aubert comptent parmi les victimes de ce drame. Car au-delà des incertitudes de leur témoignage, le fait demeure qu'ils ont vu quelque chose, qu'ils ont été à proximité immédiate de quelque chose — et c'était l'assassinat d'une fillette. Il est affreux de devoir vivre le reste de ses jours en sachant qu'une enfant a été massacrée près de vous et qu'on n'a rien pu faire pour l'empêcher.

Alain Aubert, roulant vers l'Evêché, éprouve probablement, s'ajoutant au terrible regret, un sentiment de malaise d'une autre sorte. Intelligent, cultivé comme on peut l'être dans son milieu, il sait devoir se présenter à la Sûreté urbaine avec le lourd handicap de ses déclarations successives. Quand on a parlé si longtemps d'un paquet, il n'est pas aisé d'enchaîner en affirmant tout de go que ledit paquet était bien évidemment un enfant.

Les successives affirmations d'Alain Aubert sont en effet l'illustration spectaculaire de la maïeutique du témoignage humain.

Le 4 juin à trois heures dix, il signale donc à la gendarmerie de Roquevaire que le chauffard s'est enfui « en transportant un paquet assez volumineux ».

Le 5 juin, à midi et demi, il parle toujours d'un « paquet assez volumineux ». Mais il ajoute cette fois qu'il a interpellé sans le voir le chauffard dissimulé dans les fourrés, « lui indiquant que l'accident n'avait pas de conséquences graves, qu'il s'agissait d'une affaire simple, et lui demandant de revenir sur la chaussée. » M. Aubert précisait alors qu'il n'avait obtenu « aucune réponse ».

Dans une heure, M. Aubert va au contraire affirmer au commissaire Alessandra que l'inconnu lui a répondu : « D'accord, partez, je reviendrai. » Quant au « paquet assez volumineux », il sera devenu un enfant « portant un short ou une culotte de couleur blanche ». M. Aubert ajoutera cependant avec objectivité : « En revanche, je dois vous dire que les faits se sont déroulés si rapidement que je n'ai pas réalisé dans ce mouvement s'il s'agissait d'un garçon ou d'une fille. » Qui lui en tiendrait rigueur? On ne peut exiger d'un témoin capable de confondre un paquet avec un enfant qu'il détermine le sexe dudit enfant.

Ces errements sont d'autant plus surprenants qu'Alain et Aline Aubert n'étaient pas des témoins banals. Vous êtes dans une banque, en train d'encaisser tranquillement un chèque, et voici que d'autres clients exhibent soudain des revolvers, hurlent des menaces, se ruent sur la caisse : la surprise, la stupeur, l'épouvante émoussent vos sens, annihilent vos facultés de perception, et vous ne serez même pas capable, après coup, de dire avec certitude le nombre des agresseurs : c'est normal. Rien de tel avec les Aubert. Alertés par Vincent Martinez, lancés à la poursuite d'un chauffard, ils sont sur le sentier de la guerre, aux aguets, sur le qui-vive, tous leurs sens en éveil. Lorsqu'ils aperçoivent une voiture arrêtée au bord de la route, ce n'est pas « Tiens, une voiture arrêtée », comme l'enregistreraient machinalement deux automobilistes en promenade, c'est « Ah! Le voilà! » Les Aubert ne découvrent pas inopinément une scène totalement imprévisible, comme font la plupart des témoins : ils rattrapent un chauffard qui vient d'enfreindre la loi en prenant la fuite, un gaillard peut-être dangereux — c'est le moment ou jamais d'ouvrir l'œil. Mais non. Un paquet.

Bien qu'il fût désagréable d'avoir à assumer pareilles variations, M. et Mᵐᵉ Aubert devaient se rasséréner en songeant que leur audition à l'Evêché serait une simple formalité. La police tenait le meurtrier de Marie-Dolorès Rambla. Ils l'avaient lu dans leur journal du matin et la radio le leur répétait d'heure en heure.

Une simple formalité.

*
**

Christian, toujours sans lunettes, est debout, adossé au mur, flanqué des quatre jeunes inspecteurs de la Sûreté urbaine. Ce n'est pas une séance d'identification mais un jeu de devinette. Normalement, la question posée aux témoins se formule ainsi : « Reconnaissez-vous parmi ces hommes celui que vous avez vu en telle circonstance? », étant entendu que l'individu en question ne figure pas forcément dans le groupe. Pour les Aubert, informés depuis le matin, le problème est très différent : « On a arrêté le propriétaire de la Peugeot 304, l'assassin de Marie-Dolorès Rambla. Il est là, devant vous, parmi ces cinq hommes. Lequel est-ce? »

Les Aubert ne reconnaissent pas l'homme qui a pris la fuite dans les fourrés. Ils ne désignent pas Christian Ranucci.

Puis, comme le lecteur s'en souvient, ils se retrouvent avec lui dans le bureau du commissaire Alessandra, qui fait obligeamment les présentations, et cette fois ils le reconnaissent : « La personne que vous me présentez et que vous me dites se nommer Ranucci Christian est bien celle qui était à bord du coupé Peugeot 304, etc. »

On ne saura probablement jamais ce qui s'est passé entre ces deux phases contradictoires. Nous le regrettons à plusieurs titres. D'un simple point de vue psychologique, il serait passionnant de comprendre la révolution mnémonique accomplie chez Mme Aubert et grâce à laquelle cette femme, qui venait de ne point reconnaître Ranucci, a pu l'accabler avec une violence évoquée par elle-même au procès, le traitant de menteur quand il eut le front de prétendre qu'il n'était pas l'homme qu'elle croyait.

On ne saura jamais. Et nous nous refusons aux devinettes. Nous constatons simplement que la vie de Christian Ranucci fut rompue à cet instant précis, dont il ne reste nulle trace.

Les dépositions faites ensuite par les époux Aubert allaient ajouter quelques stations à leur chemin de croix testimonial.

Vincent Martinez les lance à la poursuite de son chauffard. Ils s'engagent sur la route de Marseille. Le coupé Peugeot a disparu, masqué par un tournant. Mais après avoir parcouru environ un kilomètre de route sinueuse, ils l'aperçoivent garé au bord de la route. M. Aubert le rejoint. Il arrive « à sa hauteur » — c'est l'expression qu'il emploie, et sa femme aussi. Que voient-ils? Négligeons les déclarations faites aux journalistes (Mme Aubert va par exemple dire à l'un d'eux qu'elle a vu « le conducteur en train d'ouvrir la portière arrière » : un coupé n'a pas de portière arrière). Ne retenons que les dépositions officielles. Aline Aubert déclare à l'Evêché : « J'ai constaté qu'un homme avait ouvert la portière droite et tirait un enfant par le bras. » Son mari : « J'ai vu cet individu tirer par le bras un enfant qui se trouvait à l'intérieur du véhicule. » Devant Mlle Di Marino, Mme Aubert va dire : « J'ai vu le conducteur près de la portière passager ouvrir cette portière *de l'extérieur,* tirer par le bras un enfant etc. » Son mari : « J'ai vu l'homme tirer un enfant *après* avoir ouvert la portière côté passager. »

C'est clair : l'homme est descendu par la portière côté conducteur; il a fait le tour de sa voiture et il ouvre de l'extérieur la portière côté passager pour extirper l'enfant. Donc, cette voiture n'est pas le coupé Peugeot. Donc, cet homme n'est pas Christian Ranucci. Les examens des services techniques de la police ont établi que la collision avec la voiture de Vincent Martinez avait bloqué la portière côté conducteur du coupé Peugeot et qu'il était absolument impossible de l'ouvrir.

L'enfant parle. Elle demande : « Qu'est-ce qu'on fait? » Ce n'est pas un cri. Aline Aubert décrit sa voix : « Fluette, interrogative, mais pas du tout effrayée ».

Sort-elle donc, cette enfant, d'un coupé Peugeot qui a encaissé voici quelques secondes un choc violent, opéré un tête-à-queue complet, et qui roule depuis un kilomètre avec la carrosserie frottant contre une roue? Marie-Dolorès, dont les parents n'avaient pas de voiture, aurait-elle conservé, après cette succession rapide d'événements pour elle extraordinaires, un calme si absolu? Peut-être.

La phrase entendue par Mme Aubert pose en tout état de cause un sérieux problème. Si Christian Ranucci a nié pendant dix-neuf heures malgré les preuves rassemblées contre lui, c'est selon la police, parce qu'il était convaincu que personne ne l'avait vu avec l'enfant. L'Evêché l'a inlassablement expliqué aux journalistes. Le commissaire Alessandra l'a répété au procès. Il nous l'a confirmé avec beaucoup de force : « Il reconnaissait tout : l'accident, la champignonnière — tout! Mais pas la présence d'un enfant. C'était son point fort, comprenez-vous : il croyait que personne n'avait vu l'enfant. Il nous disait : " Peut-être que vous l'avez retrouvée à cet endroit-là, mais c'est une coïncidence. " Toute son argumentation se résumait à répéter cela : " J'y étais, mais j'étais seul. " Il se défendait très bien, avec beaucoup d'obstination et d'adresse. C'était un garçon d'une intelligence redoutable. »

Pas du tout! Un crétin! Comment peut-il espérer que l'enfant soit restée inaperçue alors que la voiture des Aubert est « à la hauteur » de la sienne, si proche en vérité que Mme Aubert réussit à entendre, vitre baissée mais moteur en marche, une enfant de huit ans demander de sa voix fluette, interrogative et pas du tout effrayée : « Qu'est-ce qu'on fait? »... C'est l'inverse qui s'impose! Ranucci doit obligatoirement réagir en fonction de cette évidence : des témoins arrivés si près de lui ont forcément vu que c'était une enfant qu'il faisait sortir de sa voiture, qu'il traînait derrière lui et à qui il faisait escalader le talus...

Comment réagit alors M. Aubert? Il s'en va. Il redémarre pour effectuer un demi-tour un peu plus loin. Une cinquantaine de mètres, d'après lui. A notre avis, il a dû parcourir une distance nettement supérieure. La route, large de huit mètres cinquante, bordée d'un côté par une ravine, de l'autre par la colline, oblige à plusieurs manœuvres pour un demi-tour. Les virages réduisent dangereusement la visibilité. Ce lundi de Pentecôte était un jour de grande circulation. Nous pensons que M. Aubert a dû parcourir sept cent soixante-quinze mètres, de façon à gagner le premier élargissement permettant de virer sans danger. Ceci n'est bien entendu qu'une supputation personnelle.

Il revient et s'arrête à la hauteur de l'endroit où l'homme a disparu. Est-il à ce moment-là descendu de voiture? « Non » répond d'abord sa femme. Mais elle se ravise : « En fait, après réflexion, je pense que mon mari est descendu du véhicule très peu de temps, pour demander à l'individu de revenir. » M. Aubert le confirme. Il a crié : « Monsieur, revenez, vous n'avez qu'un accident matériel, n'aggravez pas votre cas en prenant la fuite! » L'individu a répondu : « D'accord, partez, je reviendrai. »

L'extraordinaire dialogue entre l'assassin et son futur accusateur! Dialogue tiré de la quotidienne chronique automobile mais plaqué sur la tragédie. Or, de manière excessivement étrange, on va le gommer. Il n'est pourtant pas courant que le témoin numéro un de l'accusation ait eu l'occasion de s'entretenir avec le coupable. On tenait même là un élément d'identification et les policiers auraient dû demander à M. Aubert si la voix de Ranucci était bien celle de l'homme caché dans les broussailles. On ne commet pas cette maladresse. L'inspecteur divisionnaire Porte, lorsqu'il fera passer dans une heure de copieux aveux à Christian avec, sous ses yeux, la déposition toute fraîche d'Alain Aubert, se gardera pudiquement d'évoquer le dialogue. Mlle Di Marino observera la même discrétion quand elle enregistrera à son tour les aveux. Silence sur le dialogue! Ce silence était d'or. Tout démontre en effet que l'interlocuteur de M. Aubert ne pouvait pas être Christian Ranucci.

Celui-ci, d'après l'accusation, est donc caché dans les fourrés. Un homme l'interpelle, évoque la collision du croisement de La Pomme, assure qu'il n'y a que des dégâts matériels et l'exhorte à la raison. Cet homme a été envoyé à ses trousses par le conducteur de la voiture accidentée ou a pris de lui-même l'initiative de la chasse — en tout cas, il est au fait de l'accident. Un idiot de village comprendrait que cet homme va relever le numéro d'immatriculation de la voiture en cause. C'est inévitable! Il est venu pour ça! Un idiot de village saurait dès lors que sa voiture est « brûlée », qu'il faut l'abandonner sur place et s'enfuir. Christian Ranucci, dont l'intelligence est jugée redoutable par le commissaire Alessandra et qu'un expert psychiatre décrira au procès comme « excessivement intelligent », plonge soudain dans le crétinisme le plus résolu. En deux heures de marche à pied, il serait à Aix-en-Provence, prendrait le car pour Marseille, ferait dans le premier commissariat venu la déclaration du vol de sa voiture. Le premier réflexe des enquêteurs sera d'ailleurs de croire — un télégramme officiel l'atteste — que le coupé 304 a été en effet volé, seule explication raisonnable au fait que le conducteur l'a réintégré sans se soucier que le numéro ait été relevé. Christian, qui oscille de l'intelligence extrême à la débilité profonde au gré des besoins de l'accusation, va quant à lui remonter tranquillement dans sa voiture et attendre à Nice l'inévitable visite de la police...

Un dialogue en trop mais un cri en moins.

Le cri de l'enfant. Il faut bien un cri pour que l'assassin s'affole et prenne le risque inouï de tuer sa victime, pour la faire taire, à dix-sept mètres soixante-cinq de deux témoins. Un cri d'épouvante qui fait chavirer la raison du ravisseur et le précipite dans une folie meurtrière. Sans ce cri, point de crime. Aussi bien les aveux enregistrés par l'inspecteur Porte comporteront-ils cette phrase : « Arrivés sur le talus, l'enfant s'est mise à crier... », tandis que ceux de M\ulline Di Marino mentionneront : « La petite fille n'a plus voulu avancer, elle s'est mise à crier... »

M\unmme Aubert avait pu entendre à quelques mètres une phrase prononcée d'une voix « fluette, interrogative, pas du tout effrayée » — elle précisera même ailleurs « très fluette » — et elle n'aurait pas entendu un cri poussé par une enfant épouvantée à dix-sept mètres soixante-cinq d'elle et en surplomb de deux mètres soixante par rapport à la route, ce qui facilite la propagation du son? Cela est déconcertant. M. Aubert, qui déclara avoir repéré la position de son interlocuteur invisible grâce à des « bruits de branchage », aurait eu l'ouïe assez fine pour enregistrer des craquements de branches, mais non pas pour entendre le cri lancé par une enfant terrorisée? Cela ne se comprend pas.

Tel est le témoignage Aubert.

Nice, 5 juin 1974, six heures un quart de l'après-midi. Christian Ranucci, que nous nous allons par hypothèse, et pour quelques pages, supposer innocent, rentre à la maison après son travail. Les gendarmes l'attendent. Sa mère est aux quatre cents coups. Il demeure quant à lui d'un parfait sang-froid, se lave les mains, boit un verre d'eau minérale et rassure Héloïse : « Ne t'inquiète pas, ce n'est pas grave. Je vais revenir dans une heure. »

D'une certaine façon, il doit être soulagé. Cela fait deux jours qu'il se demande comment avouer à sa mère son accident et son délit de fuite. La seule scène vraiment pénible qu'il ait eu avec elle ne date que de quelques semaines, et c'était déjà à propos du coupé Peugeot offert au prix d'un travail d'une année : il l'avait utilisé sans être assuré; sa mère lui avait fait de violents reproches et lui avait même confisqué les clés. Et voilà que pour sa première vraie sortie, en dépit de tous les conseils de prudence, il emboutit une voiture et fiche le camp...

L'affaire est sérieuse. Imprégnation alcoolique, non-respect d'un « stop », délit de fuite. Le permis de conduire risque de lui être retiré pour un an — peut-être plus. Or, son travail va l'obliger à circuler seul lorsque son collègue Ivars aura fini de le mettre au courant. Sans permis, plus de travail.

Il faut jouer serré, limiter les dégâts. Et d'abord, ne pas parler de Marseille où il a pris sa « biture trimestrielle » La folle nuit alcoolisée du quartier de l'Opéra ne sera pas évoquée. Le « stop »? Il déclare au lieutenant de gendarmerie Darmangeat : « Je venais de démarrer en deuxième vitesse d'un « stop » lorsqu'une voiture m'a percuté sur le côté gauche. » Un démarrage : c'est donc qu'il s'était arrêté. Puis il « raccorde » directement avec la champignonnière en faisant l'impasse sur ce qui s'est passé dans l'intervalle. Là, il ne sait pas. Le trou noir. Comme il l'écrira plus tard, après l'avoir dit à ses avocats, il se rappelle s'être garé au bord de la route et avoir perdu conscience. L'alcool, la fatigue de sa nuit blanche, le choc de cet accident stupide. Quand il est revenu à lui, il était réellement, physiquement dans le noir : au fond d'une galerie. Il se souvient de s'être réveillé sur la banquette arrière du coupé, ce qui l'a étonné.

Avec le commissaire Alessandra commence une autre chanson : on l'accuse d'être un criminel, d'avoir enlevé une petite fille à Marseille et de l'avoir tuée à proximité immédiate du croisement où il a eu son accident. Christian demeure impavide. Cette folle et affreuse histoire ne peut pas le concerner. Il énerve les policiers en leur rappelant sans cesse qu'il doit absolument être au travail le lendemain matin.

On le transfère à Marseille, où l'interrogatoire reprend aussitôt. Toute l'équipe Alessandra l'entoure et l'accable. Il continue quant à lui de se battre pour le précieux permis de conduire : « Bien que je sois parfaitement en règle tant au point de vue des pièces afférentes à ce véhicule qu'à sa conduite, j'ai pris la fuite parce que j'ai eu peur. » Pour le reste, il tient tête avec une opiniâtreté tranquille. Les policiers en font part aux journalistes massés dans les couloirs, et d'autant plus volontiers qu'ils ont la certitude que les séances d'identification du matin tourneront à la confusion de Ranucci. Un dur, ce petit Niçois. Plus tard, on dira : « Il a tenu bon toute la nuit, et encore toute la matinée, mais il a fini par craquer devant les Aubert. »

Ce n'est pas vrai. Il a avoué quelque chose dès son arrivée à l'Evêché : « Le pantalon de couleur bleue qui se trouvait dans ma voiture est bien celui que je portais au moment de l'accident. Les taches (que vous me dites être des taches de sang) qui se trouvent sur la poche sont inexplicables en ce qui me concerne. Je pense que ce sont des taches de terre. »

Cette déclaration faite le 6 juin à une heure et demie du matin est capitale. Elle élimine la possibilité que le sang tachant le pantalon provienne de Christian, qui se serait blessé au cours de la collision : il l'aurait dit. C'est donc celui de Marie-Dolorès? Evidemment. Mais alors, la culpabilité de Ranucci ne fait aucun doute? Elle est au contraire plus problématique que jamais car ce pantalon porté au moment de l'accident et souillé du sang de la malheureuse victime plaide éloquemment pour son innocence — on y reviendra. Considérons pour l'instant la curieuse réponse du garçon : vous devez vous tromper, je pense que ce sont des taches de terre. S'il est coupable, cette échappatoire est imbécile. S'il a tué, il devrait ici renoncer à ses furieuses dénégations, baisser pavillon, passer aux aveux. Car il s'épuise pour rien. Sa position sera à bref délai intenable. Et il le sait : passionné de chimie, amateur de revues scientifiques, grand liseur de romans policiers, Christian Ranucci n'ignore pas qu'en 1974, la science a les moyens de reconnaître les taches de sang des taches de terre.

*
**

Les tortures...

Réputation oblige. Celle de l'Evêché interdit d'écarter d'un revers de main, comme on le souhaiterait, la scandaleuse possibilité que Christian Ranucci ait été torturé. Au moment précis de sa comparution devant les assises, la chambre d'accusation d'Aix-en-Provence examinera une affaire sinistre où sont compromis des policiers marseillais soupçonnés d'avoir sodomisé deux jeunes garçons avec une matraque pour obtenir des aveux. Plus tard, il y aura ce petit cambrioleur dont la mésaventure remuera les magistrats de

Marseille : il raconte qu'au cours de sa garde à vue à l'Evêché, deux policiers lui ont passé sur la tête une cagoule et l'ont emmené dans une pièce où, déshabillé, étendu sur une table, arrosé d'eau, il aurait subi le supplice de l'électricité. Un certificat médical établit la réalité des sévices. Il est signé du docteur Vuillet, qui a examiné Christian au terme de sa garde à vue.

Prudence oblige : on ne se conduit pas envers une vedette du crime comme avec d'anonymes petits malfaiteurs. Les policiers savent bien que des dizaines de journalistes piétinent derrière la porte du bureau où ils interrogent Ranucci. A supposer qu'ils en soient capables, les sévices spectaculaires leur sont interdits. Mais le « matraquage vietcong » évoqué au procès par Christian ne fait justement pas partie des sévices spectaculaires laissant des traces accusatrices. C'est paisible et insupportable. Une matraque n'est même pas nécessaire : il suffit d'un journal roulé et plié d'une certaine façon. Le « matraquage vietcong » relève des techniques de « torture propre » que la mère des démocraties, l'Angleterre, a su porter à un degré de perfection jamais atteint auparavant dans sa campagne de répression en Irlande du Nord, et dont le fleuron est l'isolement sensoriel : le détenu, placé au centre d'une cellule obscure et insonorisée, ne voit rien, n'entend rien, ne touche rien, et verse rapidement dans une folie plus destructrice que n'importe quel supplice corporel. Ainsi peut-on aisément torturer un homme séparé par une simple porte de plusieurs journalistes aux aguets. La souffrance physique, pratiquement inexistante, ne le conduira pas à pousser des cris révélateurs. Simplement, il sera victime d'une souffrance psychique si insupportable qu'elle le conduira à parler, et même à dire n'importe quoi, pour que cesse son tourment.

Le fait est que Jean-François Le Forsonney, lorsqu'il rencontra pour la première fois son client dans les geôles du palais de justice de Marseille, lui trouva le crâne cabossé : « Il avait une " grosse tête ". » Héloïse Mathon, par contre, lui vit un visage hagard, des yeux rouges, une chevelure ébouriffée, mais n'aperçut aucune bosse suspecte. Si le fils n'avait pas été présentable, les policiers n'auraient d'ailleurs pas permis à la mère de le voir, fût-ce une brève minute.

L'acide, même dilué, est invraisemblable. Des gouttes d'acide sur le sexe infligent une souffrance si brutale que le hurlement de douleur est irrépressible : les journalistes l'auraient entendu ; le sexe aurait gardé des traces ; le docteur Vuillet les aurait aperçues. On a peut-être menacé Christian de ce supplice — pure supposition de notre part — et il a fait de la menace une réalité. Sa haine du commissaire Alessandra était si virulente qu'elle devait le conduire à utiliser contre lui n'importe quel argument. L'accusation fut lancée au procès. C'était un peu tardif. Christian, jusqu'alors, s'était borné à de vagues allusions devant ses avocats ; il n'avait jamais soulevé le problème devant sa mère. Deux de ses lettres à Héloïse Mathon traitent des aveux ; aucune ne mentionne la moindre torture.

Il n'a pas été torturé. Jean-Marie Deveaux non plus. Et pas davantage le jeune Jean-Pierre, qui s'accusa du crime de Bruay-en-Artois. La torture est sans doute un procédé d'une efficacité expéditive pour obliger un prisonnier à dévoiler une cachette, livrer des complices, révéler un complot. Pour convaincre un homme d'accepter la responsabilité d'un crime — qu'il soit ou non coupable — et pour avoir quelque garantie qu'il continuera d'assumer cette responsabilité après sa sortie des locaux de la police, le moyen le plus sûr est de lui démontrer que sa culpabilité est logiquement irréfutable, que tout l'accable, qu'il est fou — littéralement fou — de s'obstiner à nier l'évidence. Pour l'innocent accusé d'un crime, le moment le plus dangereux n'est pas celui où les policiers l'entourent en hurlant et en gesticulant, voire même en le frappant : c'est celui où leur chef, écartant ses hommes d'un geste réprobateur, explique d'une voix bonasse, cordiale, qu'il faut être raisonnable et témoigner d'un élémentaire bon sens. Ainsi ont été obtenus presque tous les aveux dont il fut ensuite constaté qu'ils ne correspondaient pas à la réalité. Tant et si bien que ceux de Christian, au lieu d'appartenir à la catégorie des confessions aberrantes extorquées par la violence physique, s'apparenteraient plutôt aux aveux de ce jeune homme dont toute la presse rapporte la triste aventure dans le mois où nous écrivons ces lignes. Un couple de Marseillais est abattu à coups de revolver. La Sûreté arrête un garçon que ce couple avait recueilli. Il passe des aveux complets, précis, circonstanciés. Quelques questions suffisent cependant au juge d'instruction pour constater que tout cela ne tient pas debout : le pauvre gosse ne sait même pas comment fonctionne une arme... Il avait été victime de la puissance de suggestion policière et, convaincu lui-même de sa culpabilité, avait trouvé à l'Evêché une aide efficace pour formuler un récit convaincant du crime. Le juge le libère aussitôt et délivre un non-lieu.

Sans prétendre comparable ce qui ne l'est pas, cette irrésistible suggestion est assez bien illustrée par certaine séquence d'une émission de télévision célèbre en son temps : « La caméra invisible ». Un piéton, filmé à son insu, arrive devant un magasin spécialisé dans la vente de récepteurs de télévision; la devanture est garnie de ces récepteurs. Il s'arrête car cinq ou six badauds sont groupés devant la vitrine, fixant les récepteurs. L'étonnement se lit sur le visage de notre piéton : tous les écrans sont blancs, aucune émission n'est retransmise. Mais les badauds — qui sont bien entendu des acteurs professionnels engagés pour l'émission — réagissent comme s'ils suivaient un passionnant match de football : exclamations approbatives, invectives, commentaires techniques. L'œil du piéton s'affole. Il scrute anxieusement le visage de ses voisins. Ce sont des hommes d'apparence banale, qui ne semblent pas se connaître, visiblement captivés par le spectacle. Ils ne sont pas fous. Le piéton en conclut raisonnablement, logiquement, que c'est lui-même qui est fou — il est à tout le moins victime d'une hallucination passagère et ne voit pas ce que tout le monde voit. Son voisin se tourne soudain vers lui et s'exclame : « Il aurait dû shooter, vous ne trouvez pas? » — « Absolument, répond notre piéton, c'était le moment ou jamais... » Et le voici qui entre dans le jeu et y va spontanément de son commentaire comme s'il voyait vraiment un match de football se dérouler sur l'écran du récepteur. Personne ne l'y oblige, rien ne l'y contraint, sinon l'impérieuse nécessité intime de se plier à la logique commune, de ne pas s'expulser soi-même de l'univers rationnel, de ne point s'éprouver a-normal.

Les hommes les mieux trempés — tel un Artur London, vétéran de la guerre d'Espagne et de la Résistance, rescapé des tortures de la brigade spéciale parisienne — ont senti vaciller leur raison et s'évanouir leurs certitudes quand il leur est apparu que la logique était tout entière contenue dans la thèse accusatrice.

A l'Evêché, la force initiale de Christian réside dans sa certitude de n'avoir pas enlevé une petite fille. Pourquoi irait-il enlever un enfant? Il vit entouré d'enfants. Il les aime bien mais sans éprouver pour eux la moindre attirance sexuelle. Quant à sa faiblesse, elle tient bien sûr à sa nuit d'ivresse, à sa matinée embrumée d'alcool, à son collapsus consécutif au choc physique et psychique de l'accident, à ce « blanc » dans sa mémoire — un « blanc » qui a duré plusieurs heures et sur lequel on peut désormais imprimer n'importe quoi.

En face de lui, des professionnels experts dans l'art de casser un homme, des pères de famille qui viennent de voir le pitoyable Pierre Rambla s'évanouir sur le cadavre atrocement mutilé de sa petite fille, des policiers sincèrement persuadés d'avoir en face d'eux le responsable de ce déferlement d'horreur et de malheur. La haine. A vingt ans, Christian ne l'a pas encore rencontrée, lui qui n'a jamais eu à affronter que des adjudants en colère. Et la vague sans cesse recommencée des exhortations à la raison, au bon sens : « Mais avoue donc! On a toutes les preuves! On a retrouvé dans ta voiture les empreintes de la gamine [ce n'est pas vrai]... Il y en avait partout! Et des cheveux à elle! Ton pantalon, c'est du sang, pas de la terre. Tu vas faire rigoler tout le monde, avec des taches de boue! Du sang! Le sang de la petite! Six témoins... Deux qui t'ont vu en train de l'embarquer... Plus les deux que tu as emboutis au carrefour... Deux autres qui t'ont vu fuir dans les fourrés avec la petite... Ça fait six. Six témoins! Tu ne pourras jamais t'en sortir. On n'a jamais eu une affaire aussi facile. Tiens, regarde les photos de la petite... Regarde-les! »

Cela dure toute la nuit. Puis un bref entracte en attendant les séances de présentation aux témoins. Christian continue de nier, même si sa résistance s'effrite. On lui montre le pantalon bleu. Taches de sang. Il ne comprend pas. Que s'est-il passé? Qu'a-t-il fait? Six témoins...

Bien entendu, on s'abstient de l'informer que personne ne le reconnaît. Il gardera le souvenir confus d'adultes et d'enfants défilant devant lui sans dire un mot. Eprouvant remue-ménage. Et toujours la certitude proclamée de sa culpabilité — certitude oppressante, bouleversante, qui finit par entamer les résistances les plus assurées. Il aurait raison contre dix policiers, six témoins, les empreintes, les cheveux, les taches de sang?

L'épuisement physique. Il est sur le gril depuis dix-neuf heures d'affilée.

L'assaut d'Aline Aubert emporte sa dernière défense. Impérieuse, sûre d'elle-même, elle fulmine son accusation : « Vous mentez! » Il éclate en sanglots et balbutie, dans sa stupeur de se découvrir assassin, qu'il n'est pourtant pas un salaud.

Demain, il surprendra son avocat en lui disant en détachant les syllabes : « C'est obli-ga-toirement moi! C'est sûr: il y a toutes les preuves, tous les témoins! »

Le 20 octobre 1974, quatre mois plus tard, Christian écrit à sa mère : « Au début, je me suis dit : c'est impossible. [Mais] dans ce trou de plusieurs heures, il pouvait bien y avoir la place pour ce drame, et puis ça collait et ils semblaient sûrs d'eux et de leurs " preuves " qu'ils me montraient ou me démontraient. Et puis j'ai fini par me dire : " probable ", puis " possible ", puis ensuite : " C'est moi ". On me montre des photos que je ne reconnais pas, mais qu'importe les photos : il y a des preuves, des témoins, etc., qu'ils disent. Donc, ce ne peut être que moi. C'est moi. J'y croyais. » Et le 3 janvier 1975, toujours dans une lettre à sa mère : « J'étais le bouc émissaire parfait, rarissime... Je n'aurais jamais dû croire que ce pût être moi. »

* * *

Pour convaincre un suspect de la vanité de sa résistance, le meilleur argument des policiers est la démonstration sans cesse renouvelée de leur connaissance intime de l'affaire : « A quoi bon t'obstiner? On sait tout! » Cela les conduit à dévoiler les dépositions déjà recueillies, à répéter inlassablement les faits révélés par les témoins, à décrire les décors, à convaincre enfin le suspect qu'ils ont reconstitué le tableau complet de l'affaire et qu'il n'y manque plus que sa signature. Si le suspect, quoique innocent, passe finalement des aveux, il dispose ainsi de tout le matériau nécessaire pour construire en collaboration avec les policiers un scénario satisfaisant et cohérent. Un bon moyen de tester l'authenticité des aveux consiste par conséquent à rechercher s'ils contiennent des éléments que les policiers ne pouvaient connaître lorsque le suspect a commencé de parler. Dans l'affirmative, l'authenticité est indéniable. Dans la négative, elle est peu vraisemblable.

Au procès, l'accusation prétendra que l'affirmative s'impose dans le cas de Ranucci : il aurait révélé des détails que lui seul pouvait connaître. Exemple : il a déclaré devant le juge d'instruction qu'il avait envoyé le petit Jean Rambla à la recherche d'un animal pour s'en débarrasser, car il avait choisi d'emmener sa sœur. Cet exemple est si peu probant que *La Marseillaise* du 5 juin, parue avant la découverte du cadavre de Marie-Dolorès, précisait déjà : « L'hypothèse d'un enlèvement commis par un déséquilibré ou un sadique semble prendre corps. Ainsi l'on note que le subterfuge utilisé par le ravisseur envoyant le petit garçon à la recherche d'un '' chien noir '', afin de n'enlever que la petite fille seule, est très inquiétant et pourrait confirmer cette hypothèse. » Il était en effet évident que si le ravisseur avait expédié le frère à la recherche d'un animal perdu, c'était pour rester seul avec la sœur.

Que le lecteur veuille bien reprendre les aveux de Christian (et ce faisant, il recevra de nouveau, avec la force d'un coup de poing, la terrible certitude *subjective* de la culpabilité...), qu'il relise avec attention le texte de l'inspecteur Porte : il ne trouvera pas un seul élément qui n'était déjà à la connaissance des policiers grâce aux témoignages Rambla, Spinelli, Martinez, Alain et Aline Aubert, Rahou et Guazzone. Toute la nouveauté réside dans l'habillage à la première personne, générateur d'une implacable force de conviction. Ce qui frappe, au contraire, c'est à quel point ces aveux s'appuient sur les dépositions déjà enregistrées. Le récit du crime, certes, est inédit. Mais on savait les coups de couteau, les branches d'épineux pour dissimuler le cadavre : il n'était pas difficile d'imaginer les gestes.

Si ! Un élément nouveau : cet arrêt au bord de la route, le temps de fumer une cigarette, entre Marseille et le croisement de La Pomme. Il était imposé par l'horaire. Les policiers savaient que Marie-Dolorès avait été enlevée vers onze heures et que l'accident avait eu lieu à midi un quart. Or, le trajet n'est que de vingt kilomètres. Il fallait meubler cet intervalle d'une heure un quart.

Une heure un quart. Ils ont bavardé, le ravisseur et l'enfant, durant cet assez long voyage. Marie-Dolorès a huit ans. Les enfants de cet âge sont peu portés au maniement des idées générales. Ils disent que Vincent a fait ceci — et tout le monde est censé savoir qui est Vincent —, que Jean n'a pas fait cela. Ils parlent de l'école, de l'institutrice, des dernières vacances ou des prochaines, de telle amie avec qui on est un peu brouillé. Que Christian Ranucci rapporte un seul détail de cette longue conversation, et nous croyons à l'authenticité de ses aveux : ce qu'il livrerait là, lui seul pouvait le connaître. Le lecteur cherchera en vain ce détail. N'importe quel policier de peu d'expérience sait pourtant qu'il doit « nourrir » les aveux pour les rendre incontestables. L'inspecteur divisionnaire Porte, qui a trente et un ans de métier derrière lui, l'aurait-il ignoré, ou bien le vide lamentable qui caractérise cette partie de son texte s'explique-t-il par le fait qu'il ne pouvait pas en l'occurrence s'appuyer sur une déposition extérieure?

Un mot sur le fameux plan dessiné par Christian et censé représenter le lieu de l'enlèvement. La cité Sainte-Agnès est bâtie au milieu d'étendues désolantes de ciment et de béton mais à l'endroit précis où jouaient Marie-Dolorès et Jean Rambla se dresse un grand et merveilleux platane que sa solitude fait encore plus remarquable : on ne voit que lui.

Le commissaire Alessandra nous dira : « Dans ses aveux et sur le plan, il a mentionné la présence d'un platane. Et il y a effectivement un platane à cet endroit-là. Ça, c'est le signe qui ne trompe pas. » La remarque est amusante car Christian n'a justement jamais parlé du platane et ne l'a pas dessiné. Le procès-verbal lui fait dire : « Je ne me souviens pas exactement de l'endroit, je peux cependant vous dire que cette rue était assez étroite et qu'elle n'était pas bordée d'arbres. » Il n'a pas vu le grand platane épanoui dans la plénitude de juin. Comment M. Alessandra peut-il se tromper à ce point? Il est victime d'un phénomène mnémonique classique. La mémoire, elle aussi, obéit à la logique. Celle du commissaire, confrontée à l'existence du platane, l'a purement et simplement intégrée aux aveux et au plan parce que, logiquement, Christian aurait dû en effet mentionner la présence de l'arbre unique et remarquable.

Un plan? Un gribouillis sans signification. Nous avons procédé à une expérience que nous livrons à titre indicatif. Le mardi 13 septembre 1977, nous nous sommes installé à l'ombre du platane avec, à la main, le décalque du plan dressé par Christian. Nous avions tracé une croix à l'emplacement de l'enlèvement — cet emplacement où nous étions. Pendant une heure, nous avons abordé les passants — pour la plupart, des ménagères allant à leurs courses — en leur tenant à peu près ce discours : « Excusez-moi, on m'a fixé rendez-vous dans le quartier en me donnant ce plan, mais je ne vois pas bien où je dois aller : pouvez-vous m'aider? » Sur les treize personnes ayant accepté d'engager le dialogue et d'examiner le plan, pas une seule ne nous a dit : « Mais voyons, vous êtes précisément à l'endroit indiqué par la croix ! » Toutes nous ont dit en substance : « Mon pauvre Monsieur, ce n'est pas un plan, ça, c'est rien du tout. Comment voulez-vous qu'on s'y reconnaisse ?... »

***

« Vous avez avoué devant les policiers, Ranucci !... Vous avez avoué devant le juge d'instruction !... Vous avez avoué devant le psychiatre !... » Le morceau d'éloquence sera efficace. Il était impudent. Un simple rappel de l'horaire eût suffi à le démontrer.

Christian Ranucci craque à l'Evêché le 6 juin entre midi et une heure. Il a été arrêté la veille en fin d'après-midi et cela fait donc dix-neuf heures qu'il est soumis à la pression policière. L'inspecteur Porte lui fait signer sa déposition à cinq heures et demie. Aura-t-il le droit de souffler ? Point du tout. On le conduit sans désemparer dans le cabinet de Mlle Di Marino, qui l'interroge aussitôt et fait enregistrer par son greffier « les aveux devant le juge d'instruction ». L'inculpé est écroué aux Baumettes vers huit heures du soir. Cela fait vingt-six heures d'affilée qu'il est sur la sellette. L'incarcération se déroule dans un climat de haine et de peur : insultes des autres détenus, mesures de sécurité exceptionnelles. Un traumatisme de plus. On peut imaginer ce qu'est cette première nuit en prison. En tout cas, elle est courte. Mais une journée de calme s'ouvre-t-elle devant Christian, qui pourrait enfin retrouver ses esprits ? Ce serait mal connaître Mlle Di Marino. Elle le fait extraire des Baumettes dès le matin du 7 et enregistre une nouvelle giclée d'aveux. Est-ce enfin le terme de cette course ahurissante ? Absolument pas. Christian est à peine de retour dans sa prison qu'il voit arriver, coudes au corps, le docteur Fiorentini : ce seront « les aveux devant le psychiatre ».

Aveux devant la police : après-midi du 6 juin. Aveux devant le juge d'instruction : après-midi du 6 juin et matinée du 7. Aveux devant le psychiatre : après-midi du 7 juin.

Cela s'appelle battre le fer pendant qu'il est chaud. Lorsque le psychiatre quitte Christian, celui-ci est donc plongé depuis *quarante-huit heures* dans un tourbillon démentiel tout juste interrompu par sa première nuit en cellule — nuit traversée de cris haineux et de menaces de mort. C'est dire que ses triples aveux ne furent pas le fait d'un homme reconnaissant posément, à intervalles raisonnables, sa culpabilité. Bien au contraire, on a gravé implacablement sur la cire molle de ses esprits en déroute le texte trois fois répété des aveux obtenus par l'inspecteur Porte. Aussi bien Me Le Forsonney a-t-il vu le vendredi 7 à midi, dans les geôles du palais de justice, un Ranucci « halluciné ». Dès le 11, Christian dira à Myriam Colder ne pas se souvenir des circonstances du crime qu'on lui a fait avouer, mais il lui faudra des semaines pour s'en libérer complètement et évacuer cette mémoire factice qu'on a greffée sur son amnésie.

Détail qui témoigne du niveau de civilisation juridique d'une nation : tout cela a été fait hors la présence de tout avocat. On a pris de vitesse les défenseurs. Le juge d'instruction franchissait déjà la ligne d'arrivée qu'ils n'étaient pas encore sur celle du départ! Admirable vélocité. Et l'on se plaint des lenteurs de la justice... Sans doute les règles ont-elles été respectées. L'inspecteur Porte a notifié, au début des aveux, les termes de l'article 105 du code de procédure pénale selon lesquels Christian pouvait ne faire aucune déclaration supplémentaire et demander à être conduit immédiatement devant le juge d'instruction. Mlle Di Marino, aussitôt après l'avoir inculpé, lui a précisé qu'il était libre de ne rien dire tant qu'il n'aurait pas de défenseur. Ces garde-fous édifiés par un législateur justement prudent sont bien superflus pour les malfaiteurs professionnels et les criminels endurcis : ils connaissent leurs droits et n'ont pas besoin qu'on les leur rappelle. L'intention du législateur est de protéger les justiciables emportés par un courant impétueux vers les chutes de l'erreur judiciaire : c'est pourquoi il a arrimé dans le torrent des bouées de sécurité auxquelles se raccrocher. Mais un homme déjà submergé est incapable de les saisir. Un innocent perturbé au point de passer des aveux insensés n'est pas en situation psychique d'utiliser les garanties offertes par la loi. Il faudrait, d'évidence, les lui imposer au lieu de se borner à les lui proposer.

A quoi bon disserter plus longtemps sur les aveux puisque leur inexactitude est attestée par le commissaire Alessandra en personne? Son adjoint, Jules Porte, a fait dire à Christian qu'il avait passé la nuit précédant l'enlèvement à Salernes, garé dans un chemin creux. En vérité, il était à Marseille, où il renversait en fin d'après-midi un chien égaré sur la chaussée. Ultime mensonge d'un assassin contraint de capituler? On n'en aperçoit pas l'intérêt. En quoi cela changeait-il le sort ultérieur de Ranucci? La meilleure preuve qu'il n'a pas délibérément glissé dans des aveux sincères un élément mensonger — paille introduite dans la poutre afin de la rendre fragile — c'est qu'il n'a jamais argué par la suite du chien écrasé pour démontrer sa présence à Marseille et l'inexactitude des aveux.

Ses avocats eux-mêmes affichaient pourtant leur scepticisme quant à la réalité de la nuit à Marseille. Christian, pour les convaincre, n'avait qu'à faire état de l'accident. Il y avait eu constat, échange d'identités, et l'on pouvait donc facilement retrouver le propriétaire du chien. Au procès, l'allégation de l'accusé suscitera un scepticisme encore plus vif de la part du président Antona et fera finalement sombrer le peu de crédit que conservait encore Ranucci. Pressé de questions, sommé d'expliquer pourquoi les policiers « voulaient à toute force le faire dormir à Salernes » au lieu de noter qu'il avait passé la nuit à courir les bars de Marseille, Christian ne lancera pas à la cour la révélation de l'accident avec le chien, qui eût assurément fait sensation. Ainsi son emploi du temps la veille de l'enlèvement a-t-il contribué à sa perte au lieu de renforcer sa position : on ne peut souhaiter meilleure démonstration de son honnêteté.

Dans sa lettre du 20 octobre 1974, après avoir expliqué à sa mère le mécanisme de ses aveux (« Donc ce ne peut être que moi. C'est moi. J'y croyais. »), il poursuit : « Une fois la culpabilité établie, deuxième stade : " Qu'avez-vous fait pendant le week-end? Etc. " Et là, seconde erreur de ma part, mais là ce n'était pas de ma faute, je croyais vraiment que c'était moi. Il me faut inventer et donner quelques détails du week-end, et aussi du " scénario " que la police me fournit (je regrette d'employer ce mot pour un drame si grave, mais il est étymologiquement exact : c'est celui qu'il me faut employer). Je les aide donc. Je ne pouvais bien sûr pas décrire mon emploi du temps exact, ne le connaissant pas. Où j'ai mangé? Dans la voiture. Où j'ai dormi? Dans la voiture. Etc. Il fallait que ça colle avec le reste. A la fin, j'ai cru ce que je disais. »

On sait, grâce au commissaire Alessandra, qu'il en fut bien ainsi. Nous en avions eu le pressentiment en lisant dans le rapport psychiatrique une réponse de Christian Ranucci. Interrogé sur son emploi du temps avant le rapt, il avait répondu, « assez étonnamment » selon les experts eux-mêmes, en évoquant « la version officielle » et en affirmant qu'il n'avait point dormi à Salernes. Les psychiatres, surpris, avaient alors cru bon de lui signifier : « Nous ne vous demandons pas de répondre selon la version officielle mais bien en conformité avec ce qui s'est passé. »

Il ne se souvenait plus de ce qui s'était passé et l'authenticité de son amnésie est démontrée par l'oubli d'un épisode essentiel à sa défense. Christian Ranucci est mort sans avoir été capable de se remémorer l'accident avec le chien. Quand un homme apporte la preuve de sa sincérité et de l'authenticité d'un état amnésique en posant sa tête sur l'échafaud, on peut le croire.

La Sûreté urbaine, avertie par le propriétaire du chien avant le procès d'Aix, s'est comportée comme dans une affaire de vol de poulailler : on ne dérange pas le procureur de la République pour des vétilles. Mais il s'agissait d'un crime de sang où l'accusé risquait sa tête, et la Sûreté le savait. Elle savait aussi que la révélation de l'épisode du chien écrasé infligerait une irréparable fêlure à la pureté cristalline des aveux, car la certitude de leur fausseté sur tout ce qui a précédé le crime les frappe d'une suspicion majeure quant au crime lui-même. La Sûreté urbaine a choisi de faire le mort. Elle a eu raison. Avec un pareil levier, un avocat de la force de Paul Lombard eût fait basculer dans le néant tout le bloc des aveux.

*
* *

Le couteau.

Deux souvenirs fichés dans la mémoire des journalistes qui ont suivi l'affaire Ranucci; deux phrases clé pour exprimer, à plusieurs années de distance, leur sentiment sur cette affaire. C'est d'abord : « Ce pauvre type qui sortait pour la première fois des jupons de sa mère »; c'est ensuite : « La culpabilité ne faisait aucun doute : il avait indiqué lui-même où il avait caché l'arme du crime. » La preuve décisive, imparable.

C'est une bien curieuse histoire.

Au procès, la défense a eu raison de s'étonner de l'extraordinaire apathie du commissaire Alessandra. Son suspect lui avoue avoir caché l'arme du crime à l'entrée de la champignonnière et il ne le fourre pas aussitôt dans une voiture, avec le juge d'instruction, pour lui faire désigner solennellement, en présence de témoins peu récusables, l'endroit où est enfoui le couteau? N'importe quel policier eût agi ainsi! Aucune raison ne l'aurait fait renoncer à une démarche éliminant par avance toute contestation! Et quelle raison, d'ailleurs, à l'appui du choix inverse? L'ordre public? La crainte d'une émotion populaire? On n'allait pas à la cité Sainte-Agnès mais dans une champignonnière perdue dans la campagne et où nul attroupement vindicatif ne risquait de se former. Mlle Di Marino, qui craignait si fort le coup de fusil d'un justicier lors de la reconstitution, n'arrêtera pas son « cabinet d'instruction roulant » à la cité Sainte-Agnès mais n'hésitera pas, pour sa part, à faire le voyage de la champignonnière et à mettre pied à terre.

Après tous les déboires de la matinée, après des aveux sonores et creux obtenus à l'arraché, la découverte de l'arme du crime par le criminel en personne n'était certes pas un luxe. Le commissaire Alessandra ne semble pas en avoir aperçu l'intérêt puisqu'il s'est déchargé sur la gendarmerie de la recherche du couteau comme d'une besogne secondaire.

Ce qui suit est extravagant. On alerte le capitaine Gras dans le courant de l'après-midi. Prévenu qu'il aura bientôt à chercher un couteau, il emprunte quelques modèles chez un coutelier d'Aubagne pour régler son appareil de détection électromagnétique. Pourquoi ne pas lui avoir défini immédiatement le champ de ses investigations? C'est seulement à cinq heures et demie qu'on le met en chasse. La rédaction des aveux est terminée depuis une demi-heure mais elle avait commencé à deux heures de l'après-midi... Ranucci, selon le procès-verbal, a dit avoir enfoncé le couteau sur le chemin d'accès à la champignonnière, à « une espèce de place où est étalée de la tourbe ». C'est en fait un tas de fumier mais le doute n'est guère possible car le chemin est bordé de buissons sur tout le reste du trajet.

Les recherches vont durer une heure cinquante-cinq. Presque deux heures pour découvrir le couteau dans un tas de fumier et avec une « poêle à frire » exactement réglée. Le récit du capitaine Gras fait comprendre ce long délai : « On a commencé par chercher dans les bois, tout autour. Là, c'était facile parce qu'il n'y avait en terre aucun objet métallique. On a remonté tout le long du chemin et on a fini par le tas de fumier. Là, il y avait toutes sortes de saloperies en métal, notamment des boîtes de conserve... » A la bonne heure! Mais pourquoi n'avoir pas commencé par le tas de fumier? Pourquoi avoir perdu tant de temps dans les bois? On le comprend d'autant moins que les gendarmes sont en liaison par radio téléphone avec l'Evêché. M. Guazzone, spectateur passionné, suit attentivement le dialogue : « Alors, où il est exactement, ce couteau ? » — « Cherchez par ici, cherchez par là... » Une heure cinquante-cinq!

Détail tout à fait surprenant : le 6 juin à cinq heures et demie de l'après-midi, c'est-à-dire à l'heure exacte où commencent les recherches, l'inspecteur Porte mentionne par procès-verbal la réception d'un « couteau à cran d'arrêt de marque Virginia-Inox, à ouverture automatique, manche nacre » saisi par la brigade de gendarmerie de Gréasque le 5 juin, c'est-à-dire la veille! Et la photo du couteau versée au dossier de la cour mentionnera effectivement qu'il a été saisi par procès-verbal du 5 juin 1974! On avouera que la découverte de l'arme, présentée par l'accusation comme une preuve irréfutable, est enveloppée d'une ombre étrange et pour tout dire inquiétante...

Décisive, cette découverte? Est-ce bien sûr? Nous savons que le couteau appartenait à Christian puisqu'il l'a dit à ses avocats et nous jugeons plausible qu'il l'ait en effet enfoncé d'un coup de talon dans la couche de fumier durci. Ne l'a-t-il pas reconnu devant Mlle Di Marino à la toute fin de l'instruction, le 27 décembre 1974, alors qu'il niait depuis plusieurs mois sa culpabilité? « Je reconnais par contre que c'est bien moi qui ai indiqué aux enquêteurs à quel endroit était le couteau m'appartenant et que vous m'avez montré lorsqu'il a été retrouvé. » Il y a chez ce garçon intelligent une candeur ahurissante qui ressemble fort à de la franchise. On l'a vu balancer avec objectivité entre sa « probable culpabilité » et sa « probable innocence ». Ses défenseurs et sa mère le supplient pendant des semaines de dire s'il n'a pas aperçu un rôdeur sur la route, après son accident — un rôdeur vêtu peut-être d'un pull-over rouge : il se refuse à l'affabulation. A la fin de l'instruction, il reconnaît encore avoir indiqué où était le couteau. Et à quelques jours du procès, il déclare toujours à M^e Le Forsonney que ce couteau était à lui. Ce n'est qu'à Aix, dans le box, qu'il bascule dans le mensonge après avoir reçu en plein visage l'haleine puante de la foule, entendu les cris de mort compris dès les premières minutes de son interrogatoire qu'on l'avait piégé et que personne ne le croirait — que personne ne pouvait le croire, le dossier étant ce qu'il était.

Il faut revenir à l'homme au pull-over rouge

**

C'est quitter le domaine de l'hypothèse, qu'elle soit d'innocence ou de culpabilité, et retrouver les faits têtus.

Un satyre au pull-over rouge a opéré dans les cités marseillaises les jours précédant l'enlèvement. Il circule en Simca 1100. Son vêtement, reconnu au procès par les témoins, a été retrouvé dans la galerie de la champignonnière où s'était enlisée la voiture de Ranucci. Son propriétaire serait donc venu dans la galerie.

L'homme était également sur les lieux du crime.

Il est bien malheureux que la preuve en ait échappé à Paul Lombard. Il a des excuses : cette perle est enfouie dans la gangue épaisse du rapport de gendarmerie. Il s'agit encore une fois d'un chien. C'est le troisième de cette histoire, et leur rôle à tous trois était en somme de saint-bernard secourables. Le premier, noir de poil et prétendument égaré, établissait un lien direct entre l'homme au pull-over rouge et le ravisseur de Marie-Dolorès; on a fait en sorte que les jurés n'y croient pas. Le second, que Christian avait renversé à Marseille, établissait la fausseté au moins partielle des aveux; on a caché son existence. Le troisième est le chien policier de la compagnie de gendarmerie d'Arles; personne n'a vu son importance.

On découvre le pull-over rouge à trois heures vingt. Le chien policier arrive d'Arles vingt minutes plus tard. « Une belle bête », constate M. Guazzone. On lui fait flairer le vêtement et on le met en piste à quatre heures moins vingt. L'animal remonte le sentier menant à la route nationale, emprunte cette route et arrive à la hauteur du lieu du crime. Il est quatre heures vingt. Son arrivée passe totalement inaperçue car on a retrouvé, vingt-cinq minutes plus tôt, le cadavre de Marie-Dolorès. Les gendarmes n'en constatent pas moins que le chien, après avoir couvert en quarante minutes un trajet d'un kilomètre deux cents, « arrive à la hauteur du lieu où a été découvert le cadavre, qu'il dépasse de trente mètres, et s'arrête. Ramené à la hauteur du lieu de la découverte, il s'immobilise en ce lieu et ne reprend plus la piste. »

Cela signifie que l'homme au pull-over rouge a parcouru le trajet menant de la galerie au lieu du crime. L'a-t-il fait à pied ou en voiture? Le 28 octobre 1977, nous avons interrogé l'officier commandant l'école de Gramat, où sont dressés tous les chiens policiers de la gendarmerie française. Voici la sténographie de la conversation :

— Un chien peut-il suivre la piste d'une voiture, même sur une distance assez courte, un kilomètre par exemple?

— C'est rigoureusement impossible. Figurez-vous, cher monsieur, que tous les gangsters de France et de Navarre le savent : dès qu'ils ont réembarqué dans leur voiture, ils sont tranquilles.

— Voici le problème. On trouve quelque part un vêtement suspect et on le donne à flairer à un chien. Le chien prend la piste et mène à un endroit où se trouve un cadavre. Il n'est donc pas possible que le possesseur du vêtement ait fait ce chemin en voiture?

— Je viens de vous le dire : c'est rigoureusement impossible. Il est même impossible à un chien policier de suivre la piste d'un homme à moto ou à cyclomoteur. Pour une raison évidente, très simple : les gaz d'échappement submergent les effluves et brouillent tout. Dans le cas que vous me posez, l'homme n'a pu aller qu'à pied.

L'homme au pull-over rouge est donc allé à pied de la galerie de la champignonnière au lieu du crime. Plus précisément, il a dépassé ce lieu de trente mètres, puisque le chien a suivi sa piste jusque-là. Après, sa trace se perd. C'est bien évidemment qu'il est monté dans une voiture garée à trente mètres au-delà du buisson tragique.

Tels sont les faits.

[*]

Il ne nous appartient pas d'en déduire un scénario. C'était à la Sûreté urbaine et au juge d'instruction de présenter un dossier intégrant toutes les données de l'affaire et non pas seulement celles qui s'accordaient avec l'a priori de la culpabilité de Christian Ranucci. Aussi se bornera-t-on à tirer quelques conséquences évidentes ou probables de faits incontestables.

C'est bien entendu l'homme au pull-over rouge qui enlève Marie-Dolorès Rambla. Il utilise sa technique habituelle : prise de contact avec deux enfants et emploi du subterfuge du chien noir perdu. Il fait monter l'enfant dans sa Simca 1100 comme en témoignent Jean Rambla et Eugène Spinelli.

Un ami de Christian? Au moins une connaissance? C'est l'opinion du commissaire Alessandra : « Personnellement, je pense que Ranucci savait qui était cet homme, qu'il le connaissait. » Venant du policier ayant dirigé l'enquête, la phrase est mémorable. M. Alessandra nous dit en somme que l'homme au pull-over rouge serait complice d'un enlèvement d'enfant suivi de meurtre. Or, pas un mot à son sujet dans la procédure établie à l'Evêché! Pas une question à Christian sur l'identité de son complice! Les aveux n'y font même pas allusion! L'escamotage est stupéfiant...

Un ami? Christian habitait à deux cents kilomètres de Marseille, où il ne connaissait que Monique et sa famille. Il avait aussi l'adresse d'un ancien camarade de régiment dont il ignorait d'ailleurs qu'il était parti travailler à Paris. Une relation de hasard? Quelqu'un dont il aurait fait la connaissance au cours de sa nuit de beuverie dans le quartier de l'Opéra? On se met à deux pour courir la gueuse, pas pour enlever une petite fille; les satyres sont des loups solitaires. Et si l'homme au pull-over rouge était un quidam rencontré quelques heures plus tôt, Christian aurait-il gardé le silence à son propos jusqu'au pied de l'échafaud? Se serait-il sacrifié pour un inconnu alors que la révélation de la présence de ce tiers aurait en tout état de cause entraîné un partage de responsabilité — surtout si l'autre a une trentaine d'années comme l'indiquent presque tous les témoins?... Le déroulement des faits rend du reste peu plausible l'hypothèse du commissaire Alessandra.

Christian, perdu dans une brume alcoolisée, a son accident au croisement de La Pomme. Il est seul dans sa voiture, ainsi qu'en témoigneront constamment Vincent Martinez et sa fiancée devant les gendarmes, les policiers et le juge d'instruction. M. Martinez, dont la R 16 surplombait le coupé Peugeot, n'aurait pas manqué d'apercevoir une enfant de huit ans qui, lors du tête-à-queue effectué par le coupé, eût été projetée en tous sens.

Le tête-à-queue tend à prouver que Christian ne connaissait pas l'homme au pull-over rouge. Celui-ci va en effet se manifester entre le lieu du crime et la champignonnière, comme le démontrent la présence de son vêtement dans la galerie et le parcours effectué par le chien policier. Or, c'est fortuitement que Christian a repris la direction de Marseille, donc de la champignonnière. La collision lui a fait faire un demi-tour complet. Si elle avait été moins violente, sa voiture aurait été orientée vers Aix ou vers Toulon et son destin en eût été changé.

Jusqu'ici, ce processus intègre parfaitement les témoignages recueillis, alors que la version officielle n'est admissible qu'en taxant d'erreur Jean Rambla, Eugène Spinelli, Vincent Martinez et sa fiancée, c'est-à-dire tous les témoins.

Il élimine de même certaine impossibilité matérielle du témoignage Aubert sans pour autant faire disparaître les incohérences qui rendent son utilisation extrêmement aléatoire. Si les époux Aubert, lancés à la poursuite du chauffard, s'arrêtent à la hauteur d'une voiture qui est la Simca 1100 de l'homme au pull-over rouge et non pas le coupé Peugeot de Christian, on comprend qu'Aline Aubert ait vu le conducteur ouvrir une portière arrière, comme elle l'a déclaré à un journaliste — une Simca 1100 possède quatre portes —, qu'Alain et Aline Aubert aient vu en tout cas l'inconnu ouvrir une portière côté passager *après* être sorti par la portière côté conducteur : la Simca 1100 n'a pas été accidentée et aucune portière n'est bloquée, au contraire du coupé Peugeot.

Par contre, deux faits apparemment irréductibles. Les Aubert ont parlé d'un coupé Peugeot. Mais si l'accusation a prétendu qu'un garagiste pouvait confondre les deux voitures, cela doit être encore plus vrai de deux personnes peu expertes en matière automobile et dont l'attention était au surplus monopolisée par l'attitude inquiétante de l'inconnu : « J'ai compris que l'homme ne reviendrait pas, dira M. Aubert devant le juge d'instruction, mais sur les conseils de ma femme, j'ai jugé imprudent de suivre l'homme dans les fourrés car sur le moment j'ai pensé qu'il avait volé le véhicule et que par conséquent l'individu n'était pas intéressant. » Deuxième fait incompatible : les Aubert ont rapporté à Vincent Martinez le numéro d'immatriculation du coupé. On notera cependant qu'ils le possédaient sans doute dès le départ puisque M. Martinez précisera à la police : « J'ai demandé à un automobiliste de passage de le prendre en chasse, car je n'étais pas sûr du numéro minéralogique relevé. »

On ne discutera pas plus avant le témoignage Aubert. Il est ce qu'il est, c'est-à-dire le fait de deux êtres profondément perturbés par la révélation postérieure d'une tragédie atroce qu'ils n'ont pas pu empêcher. Alain Aubert dira à l'envoyé spécial de *France-Soir :* « Je regretterai toute ma vie de n'avoir pas eu le courage de pénétrer dans le sous-bois pour rattraper cet homme qui ne répondait pas à mes appels. » M. Aubert aurait eu ce courage s'il avait su qu'une vie d'enfant était en jeu ; il aurait à tout le moins requis le renfort de M. Martinez, qui l'attendait au tout proche croisement. Mais s'il n'avait pas lieu d'être en proie au remords, Alain Aubert devait à tout le moins éprouver un regret lancinant et son soulagement dut être bien vif, à l'Evêché, en constatant que nul ne songeait à reprocher à sa femme et à lui-même de n'avoir pas su empêcher la mort de Marie-Dolorès : on ne leur demandait que de ne pas laisser échapper son meurtrier Avec compréhension et compassion pour ce couple accablé par un destin injuste, nous nous bornerons à constater que son témoignage n'autorise aucune reconstruction cohérente, ni dans un sens ni dans l'autre.

La suite est problématique dans son détail mais elle comporte à coup sûr l'intervention de l'homme au pull-over rouge, dont la présence sur les lieux du crime est certaine. Bien que le commissaire Alessandra ne nous ait pas précisé quand il est monté, selon lui, dans la voiture de Christian Ranucci, on peut présumer que c'est à ce moment-là. Et si cet homme découvre le coupé Peugeot garé à peu de distance avec Christian inconscient et affalé sur le volant, tout s'éclaire pour lui. Il n'avait rien compris à l'interpellation d'Alain Aubert : que lui voulait-on? De quel accident s'agissait-il? Voici donc le responsable de l'accrochage. L'idée devait s'imposer d'en faire l'assassin de l'enfant.

L'accusation a beaucoup insisté au procès sur le cheveu clair et bouclé trouvé dans le coupé Peugeot. Elle en aurait moins parlé si le commissaire Alessandra avait dit à la barre : « Ce qui me paraît probable, c'est qu'un homme possesseur d'un pull-over rouge est monté dans la voiture de Ranucci » car on eût alors compris que le cheveu clair et bouclé pouvait être tombé des vêtements de l'homme qui venait de serrer l'enfant contre lui. Par contre, il fut très peu parlé du cheveu raide et foncé trouvé également dans le coupé. Christian était châtain clair et avait le cheveu fin. Presque tous les témoins ayant aperçu l'homme au pull-over ont dit qu'il avait les cheveux noirs.

Si l'homme pousse Christian sur la banquette arrière et conduit la voiture dans la champignonnière, une coïncidence disparaît. C'était une surprenante coïncidence que Christian Ranucci, habitant Nice et venu pour la première fois dans ces parages, empruntât par hasard un chemin de terre peu visible de la route et qui débouchait justement sur des galeries utilisées pour ses ébats par une faune bizarre. (Il faut être vraiment bizarre pour venir s'enfouir dans ces souterrains absolument lugubres.) S'agissant de l'homme au pull-over rouge, il n'y a plus coïncidence : les galeries sont pour lui un repaire familier.

Il abandonne ainsi Christian, piégé au fond d'un tunnel boueux dont nulle voiture ne peut s'extraire sans aide extérieure, et s'en retourne à pied à son propre véhicule : c'est le chemin que fera le chien policier.

Christian Ranucci reprend conscience après un laps de temps indéterminé. La réaction de stupeur surmontée, il s'emploie à sortir de la galerie. Ses premières tentatives échouent. Il coupe des branches pour empêcher les roues de patiner, s'égratignant ainsi les mains, et trouve un morceau de grillage. Tout est vain. L'évidence s'impose : il ne s'en sortira pas sans aide extérieure. Il va la chercher.

Et cela est prodigieux. Voilà un homme qui, à dix-sept mètres soixante-cinq de deux témoins avec lesquels il aurait dialogué, a tué une enfant dont le cadavre encore tiède repose à un kilomètre : au lieu de fuir précipitamment, de gagner Aix à pied et de rejoindre Marseille, il cherche du monde pour l'aider à sortir sa voiture... Cette démarche est si démentielle que la mémoire de la plupart des observateurs de l'affaire refusera de l'intégrer telle quelle : beaucoup nous dirons leur certitude que « Rahou a frôlé la mort quand il a découvert Ranucci dans la galerie car le meurtrier a dû envisager de le supprimer ». M. Rahou n'a pas « découvert » Ranucci : il a été sollicité par lui. Mais on comprend aisément la réaction : si Christian avait tué l'enfant pratiquement sous les yeux de deux témoins qui devaient en bonne logique mettre en branle la machine policière, il ne se serait pas attardé à proximité immédiate du lieu de son forfait; s'il avait été le meurtrier, il n'aurait pas pris le risque insensé de se présenter à des tiers, et surtout pas pour demander qu'on l'aidât à sortir sa voiture d'une galerie où sa présence était à la fois spectaculaire et inexplicable.

Avant d'aller chercher du secours (il compte téléphoner à un garagiste), Christian change de pantalon car il s'est copieusement taché de boue en glissant les branchages sous les roues. Il jette le pantalon bleu dans le coffre de sa voiture. Il n'a même pas remarqué les taches de sang séché.

Et cela est capital.

On notera tout d'abord que s'il était le meurtrier, son pantalon présenterait, avec « des traces de boue prédominant à sa partie inférieure et devant le genou droit », davantage que des traces de sang au-dessus de la braguette, au voisinage de la poche droite et à la hauteur de la face interne de la cuisse droite. Les blessures infligées à Marie-Dolorès sont de telle nature (lésion de l'artère carotide primitive droite) que le jaillissement de sang aurait imprégné tout le vêtement. On remarquera d'autre part que les traces relevées se situent là où l'homme au pull-over rouge a pu empoigner Christian pour le faire basculer du siège avant sur la banquette arrière.

Mais surtout, si Christian était le meurtrier, il est bien évident que l'éventualité de traces accusatrices ne lui aurait pas échappée et qu'il se serait débarrassé du compromettant vêtement. Les policiers et les experts ont dit et redit son intelligence. Mᵉ Fraticelli, excellent observateur, a sans doute le meilleur qualificatif : « super-organisé ». Son esprit de méthode, sa minutie poussée jusqu'à la maniaquerie éclatent dans tous les actes de sa vie. Qu'on se souvienne du système de correspondance complexe organisé à seize ans avec Monique pour tromper la vigilance parentale. Il faut lire ses lettres à sa mère, lorsqu'il est en Allemagne : les règles de fonctionnement des divers appareils de la maison sont rappelées dans le moindre détail. Christian Ranucci est un garçon qui note sur son agenda la date de toutes ses vaccinations, de tous les rappels, et son groupe sanguin, les numéros de son livret de caisse d'épargne, de son compte en banque, de son permis de conduire, de sa police d'assurance automobile (avec le montant de la prime et les dates d'échéance) — en somme, il ne serait étourdi que quand sa vie est en jeu ? Cet homme méthodique, meurtrier d'une enfant qu'on retrouvera vidée de son sang, n'aurait même pas eu l'idée que quelques gouttes aient pu jaillir sur son vêtement ?

L'aveuglante vérité est qu'il n'a jamais envisagé que le

pantalon pût être souillé de sang. Il s'est changé dans la galerie obscure sans même l'examiner, parce qu'il se savait couvert de boue. Arrêté, conduit à l'Evêché, pressé de questions, il s'étonne quand on lui parle de taches de sang, dit qu'elles sont en ce qui le concerne inexplicables et assure que ce sont des taches de terre. Il ne répondrait pas cela s'il ne le croyait pas car il sait bien qu'une analyse de laboratoire aurait tôt fait de le démentir. Cette réponse donnée à une heure trente du matin, alors qu'il va se battre dix heures encore, est la preuve la plus éclatante de sa bonne foi.

Mais s'il n'avait jamais songé que le pantalon pût être taché de sang, si cela lui paraissait encore invraisemblable le 6 juin à une heure et demie du matin, comment croire à sa culpabilité?

Et les chaussures? Pourquoi n'a-t-on pas saisi les chaussures, qui pouvaient — devaient! — également être tachées? La chose était aisée puisque Christian portait au moment de son arrestation la même paire qu'au cours de sa sortie de la Pentecôte. Tous les policiers savent combien il est difficile de faire disparaître le sang dont le cuir s'imprègne profondément. A-t-on oublié d'examiner les chaussures de Christian Ranucci ou bien n'a-t-on rien trouvé?

Pourquoi n'a-t-on pas saisi la nourrice? L'accusation prétendra au procès qu'elle était pleine d'eau, ce qui aurait permis à Ranucci de faire une toilette complète. Rares sont les automobilistes transportant dans leur coffre trente litres d'eau, sauf pour affronter le Sahara, et nous savons d'ailleurs que la nourrice était pleine d'essence puisque l'ami de Christian Chardon, raccompagnant Mme Mathon à Nice le 7 juin, a fait le plein avec son contenu. L'essence lave encore mieux que l'eau? C'est vrai, mais elle a une odeur: MM. Rahou et Guazzone auraient trouvé à leur visiteur un parfum particulier.

Christian, cherchant du secours, découvre M. et Mme Rahou en train de prendre le frais devant leur maison. Ils le trouvent bien vêtu, très propre, d'un calme absolu. M. Guazzone, gaillard peu impressionnable, renonce au tutoiement qui lui vient naturellement aux lèvres. L'explication de son enlisement donnée par Christian (le pique-nique dans le fumier, le frein à main qui a lâché) est d'une niaiserie absolue, mais il faut bien qu'il invente quelque chose puisqu'il ne sait pas comment il a abouti dans la galerie, et l'imagination n'a jamais été son fort. Le propos est si peu crédible que M. Guazzone s'inquiète et menace d'appeler les gendarmes. ce qui laisse le garçon de marbre : « Prévenez-les si vous voulez, monsieur. Je suis chez vous, c'est vrai, mais je n'ai rien fait de mal. » Tout est humainement possible, bien sûr, y compris que Ranucci, qui vient selon la thèse de l'accusation de basculer dans un affolement meurtrier, affiche peu après une maîtrise de soi prodigieuse, mais enfin on avouera que le renversement est rude...

Il n'est certainement pas bourrelé d'inquiétude, encore moins angoissé, mais on peut se demander, à considérer ses démarches ultérieures, s'il n'est pas en proie à une certaine perplexité dont il continuera d'être habité les deux jours suivants et qui justifiera à Nice l'achat inhabituel d'un quotidien. Sa voiture a été tractée par M. Guazzone. Il est six heures. Christian a promis à sa mère d'être rentré pour le dîner. Et il doit en avoir par-dessus la tête de la champignon-nière. Or, il s'attarde. Il accepte de prendre une tasse de thé avec les Rahou. Puis il redémarre en direction de la galerie sous prétexte de remercier encore une fois M. Guazzone, qui a fort bien pu repartir — il échouera d'ailleurs à le retrouver. C'est après toutes ces tergiversations qu'il se décide enfin à mettre le cap sur Nice. En vérité, jamais assassin ne fut moins pressé de décamper des lieux du crime! On a l'impression que Christian cherche à s'informer, à découvrir, à comprendre. Certes, il avait beaucoup à comprendre — ne serait-ce que la manière dont il avait abouti à cet endroit. C'est pourquoi il est allé au moins reconnaître par quel chemin il était arrivé à la galerie. Mais on ne peut écarter la possibilité d'une question encore plus troublante. Dès l'instant que l'homme au pull-over rouge est monté dans sa voiture, tout est possible, y compris que cet homme ne se soit pas contenté de le piéger au fond d'une galerie et de cacher à côté de sa voiture le pull-over connu depuis sa mésaventure de la cité des Cerisiers. L'assassin, trouvant le couteau de Christian dans sa poche, a pu le souiller de sang pour parachever son maquillage. Christian, découvrant l'arme, la voyant sanglante, n'y comprenant toujours rien mais sentant une obscure menace dans ces événements incompréhensibles, se serait à toute éventualité débarrassé du couteau dans le tas de fumier voisin. Si les choses se sont ainsi passées, le souvenir l'aura hanté tout au long de son interrogatoire et aura magistralement contribué à lui faire accepter à la fin le scénario de culpabilité ressassé par les policiers. Il s'était réveillé avec un couteau sanglant posé à côté de lui et il ne pouvait pas en fournir, fût-ce à lui-même, le début d'une explication.

Simple hypothèse. Encore une fois, la présence de l'homme au pull-over rouge dans le coupé Peugeot ouvre toutes les possibilités. Ce qui demeure certain, quant au couteau, ce sont les extravagantes conditions dans lesquelles on l'a découvert, les deux heures passées à retrouver un objet dont on prétend savoir qu'il est enfoui dans un tas de fumier de quelques mètres carrés, les ahurissantes contradictions chronologiques qui font que l'inspecteur Porte accuse réception d'une arme à l'heure précise où le capitaine Gras est censé entamer sa recherche.

Notre propos n'est pas d'avancer des hypothèses ni de construire un scénario, qu'il soit de culpabilité ou d'innocence. C'était à l'enquête de reconstituer les faits dans leur réalité. Cette enquête n'a pas été faite. On ne la refera pas quatre ans après. Le seul à savoir aujourd'hui ce qui s'est exactement passé le 3 juin 1974 vers midi un quart à proximité du croisement de La Pomme, c'est l'homme au pull-over rouge.

*

La Sûreté fait le ménage et bétonne.

Le ménage consiste à éliminer du dossier Ranucci les témoignages Mattéi, Martel, Barraco et Albertini. Nulle trace ne doit subsister de l'homme au pull-over rouge. Les sept témoins entendus à l'Evêché dans le cadre de l'enquête sur le meurtre a Marie-Dolorès et confronté avec Ranucci passent purement et simplement à la trappe. Avec un art raffiné, on conserve au contraire dans le dossier le procès-verbal de l'audition d'un pauvre diable cueilli par la Sûreté le 5 juin, dans le hall d'entrée d'un immeuble, alors qu'il allait rembourser une dette à un ami, et qui n'avait rien à voir dans l'affaire. On laisse la brave Di Marino fatiguer les collègues niçois de commissions rogatoires : elle cherche des témoins ayant vu Ranucci avec un pull-over rouge... Puis tout finit par s'apaiser et le vêtement trouvé dans la galerie n'est plus que le scellé 979/74 dont plus personne ne se soucie. C'est gagné.

Mais le jeudi 12 juin 1975, Héloïse Mathon rencontre Jeannine Mattéi à la porte des Baumettes. Puis elle prend son bâton de pèlerin et remonte la filière des témoins. Elle est contrainte de s'avancer masquée : si l'on découvrait qu'elle est la mère de Christian Ranucci, les portes se refermeraient aussitôt. Tous ceux qu'elle rencontre savent bien que Ranucci n'est pas leur homme au pull-over rouge mais ils sont tout aussi convaincus que le prisonnier des Baumettes est le meurtrier de Marie-Dolorès puisqu'ils l'ont lu dans leur journal. La défense, au lieu de demander leur audition générale, choisit de faire entendre la seule Mme Mattéi.

La Sûreté bétonne, telle une équipe de football jouant massée devant son but pour préserver un mince avantage et fauchant impitoyablement les attaquants adverses. La situation n'est pas désespérée; l'inspecteur divisionnaire Porte va exploiter admirablement les faiblesses adverses. Mme Mattéi est vulnérable puisque son fils a commis quelque peccadille. Mme Mathon est par principe peu crédible : elle est la mère du meurtrier. Leur rencontre aux Baumettes ne fait pas sérieux. Mlle Brugère, substitut du procureur, chargée de recueillir le témoignage de Mme Mattéi — entre autres —, demande par écrit si une procédure a été établie « soit au commissariat Saint-Just, soit à l'Evêché », à propos d'une éventuelle plainte de son témoin. L'inspecteur Porte répond qu'aucune déposition n'a été enregistrée ni au commissariat ni à l'Evêché. Il admet cependant que « Mme Mattéi a vraisemblablement été invitée à l'hôtel de police avec sa fille (et l'amie de celle-ci) en vue de reconnaître éventuellement le nommé Ranucci Christian. Cette confrontation étant demeurée négative, aucun procès-verbal n'a été donc rédigé. »

Le procureur général d'Aix-en-Provence a ordonné une enquête sur les révélations du témoin « afin qu'il ne puisse être un jour reproché à la Justice d'avoir négligé un élément d'appréciation qui pourrait disparaître ». La formule est solennelle et digne. L'inspecteur reçoit ce témoin, qui parle d'un homme au pull-over rouge, et cela n'éveille pas en lui le souvenir de M. Martel, de Mme Barraco et de sa fille Carole. de M. Albertini et de ses deux filles, qui avaient parlé, eux aussi, d'un satyre au pull-over rouge? L'inspecteur Porte ne juge pas indispensable d'adresser au substitut Brugère les procès-verbaux des dépositions Martel et Albertini que la Sûreté a dans ses tiroirs et qu'elle sortira au dernier jour du procès d'Aix? L'inspecteur Porte est si peu au courant de cette histoire de pull-over rouge qu'il s'embrouille jusqu'à faire dire à Mme Mattéi que c'est sa fille qui portait le fameux vêtement? L'inspecteur Porte se moque du procureur général, qui est la plus haute autorité du ressort judiciaire.

Le témoignage de Mme Mattéi n'aurait été enregistré ni au commissariat Saint-Just ni à l'Evêché? Elle serait seulement venue à l'hôtel de police pour une confrontation négative? Mais la confrontation est du 6 au matin et c'est le 5 au soir que le commissaire central Cubaynes, supérieur hiérarchique de l'inspecteur Porte, fait allusion à l'affaire Mattéi devant un journaliste de *La Marseillaise*. Et M. Cubaynes la connaissait dans le détail puisqu'il évoquait le subterfuge du chien noir perdu. On n'aurait pas enregistré la déposition d'un témoin assez important pour que le chef de la Sûreté urbaine en fasse état devant la presse? L'inspecteur Porte aurait fait recueillir par l'un de ses adjoints, le 5 juin, au plus fort de l'enquête, la déposition d'une dame se plaignant du vol de sept culottes, peut-être huit — et cela pour la seule raison que le larcin avait été commis dans cette cité des Cerisiers où s'était manifesté l'homme au pull-over rouge — mais il aurait négligé de faire enregistrer le témoignage de Mme Mattéi? Il aurait recueilli lui-même le 4 juin les témoignages de M. Albertini et de ses deux filles, qui ne parlaient que d'un satyre au pull-over rouge — et l'on n'avait pas encore retrouvé le vêtement dans la galerie de la champignonnière — mais il aurait tenu pour superfétatoire le témoignage de Mme Mattéi du même 4 juin concernant un satyre circulant en Simca 1100 et utilisant le stratagème du chien noir perdu, c'est-à-dire exactement conforme aux indications données par Jean Rambla? Cela ne se peut pas. Il y a, quelque part, un procès-verbal d'audition de Mme Mattéi. On l'a soigneusement enterré.

La police est au service de la justice. La Sûreté urbaine de Marseille, bien loin de déférer aux instructions du procureur général d'Aix-en-Provence, s'est systématiquement employée à travestir, a tronquer, à dissimuler la vérité.

Les conséquences ont été meurtrières.

L'enquête tournant court, M. Martel et M. Albertini se sont présentés aux assises persuadés d'un quiproquo, convaincus d'avoir été cités par erreur. Mme Barraco a préféré s'abstenir. Mme Mattéi, seule à témoigner en connaissant l'importance de sa déposition, est arrivée à la barre déconsidérée par avance, et le sachant, de sorte que sa déposition murmurée fut plus néfaste qu'utile.

On a abusé l'avocat général Viala et Me Collard, avocat de la partie civile, qui devaient légitimement conclure au caractère fantaisiste, voire impudent, de témoignages tardifs évoquant des faits dont ils n'avaient trouvé aucune trace dans le dossier. M. Viala eût probablement prononcé un autre réquisitoire s'il n'avait pas eu l'exaspérante impression que la défense cherchait à tromper la justice, et par des moyens dérisoires. Un climat passionnel avait été créé auquel nul ne pouvait échapper.

On a enfermé les avocats de Ranucci dans une contradiction fatale au point de les amener à louvoyer entre deux stratégies, ce qui ne pardonne pas plus aux assises qu'à la guerre. Car si la première réaction de Jean-François Le Forsonney et de Paul Lombard avait été de considérer avec scepticisme l'irruption inattendue du témoignage Mattéi, ils avaient fini par se rendre à l'évidence au fil des semaines et au fur et à mesure que la malheureuse mère remontait maillon par maillon la chaîne des témoignages, Mme Mattéi indiquant M. Martel et celui-ci désignant M. Albertini. Comment croire à une conjuration de témoins si divers, répartis dans tout Marseille, et qui se seraient mystérieusement accordés pour sauver un assassin d'enfant? Comment douter de la bonne foi de Mme Mattéi qui leur parlait dans sa lettre d'un M. Martin habitant la Ceriseraie alors que Mme Mathon allait découvrir un M. Martel habitant les Cerisiers? S'il y avait eu complot pour tromper la justice, les conjurés auraient au moins su leurs noms!

La Sûreté urbaine ayant verrouillé ses tiroirs, le drame de la défense fut d'en savoir suffisamment pour être convaincue que l'innocence était plausible, mais pas assez pour faire partager cette conviction à la cour et aux jurés. Il s'ensuivit cet « étrange et fascinant ballet » entre l'exigence de l'acquittement et l'imploration des circonstances atténuantes. Les yeux baissés sur son dossier, Paul Lombard avait, sinon la certitude de l'innocence, du moins celle que les choses ne s'étaient pas passées comme l'avait proclamé M. Viala, et c'est à l'accusation de prouver les faits. Mais s'il levait les yeux vers les magistrats et les jurés, il leur voyait ce même visage sceptique qu'il avait eu lui-même, neuf mois plus tôt, quand son jeune collaborateur était venu lui dire la singulière apparition du témoin Mattéi. Nous avons demandé un jour à

Paul Lombard, qui doit se savoir vilipendé par ses confrères pour la manière dont il a défendu Ranucci : « Si c'était à refaire, plaideriez-vous encore l'innocence? » Il a répondu dans un cri : « Mais naturellement! » Ce cri est beau, même s'il est lancé sur le cadavre du décapité, ce cri est grand et il élève Mᵉ Lombard au-dessus d'un « marchand de résultats », car il atteste la plus haute exigence humaine, qui est celle de la Justice. On ne plaide pas coupable quand on croit à l'innocence. Ce serait capituler, déserter. L'accusé ne l'eût d'ailleurs pas admis.

Cet accusé, les manœuvres de la Sûreté l'ont convaincu à juste titre qu'on s'employait à saboter sa défense, à détruire ses témoins, à empêcher la manifestation de la vérité. On a enragé Christian Ranucci au point de l'amener à offrir l'image la plus opposée à sa vraie personnalité. Ce garçon tranquille, réservé, dont tous ceux qui l'ont vu vivre disent l'extrême gentillesse, est apparu dans le box noué de hargne, l'invective aux lèvres, plein de superbe tant qu'il a cru pouvoir confondre ses ennemis, puis pareil à une bête prise dans les mâchoires d'un piège et qui comprend avec horreur qu'on va venir pour la tuer.

Ainsi la miraculeuse rencontre de sa mère avec Mᵐᵉ Mattéi ne fut-elle pas pour Christian Ranucci l'embellie soudaine dans un ciel obstinément ténébreux. Il était décidément écrit que tout se retournerait toujours contre lui, et même l'unique clin d'œil du destin. Car il eût mieux valu que cette rencontre ne se fît pas. Il ne serait pas venu à Aix pour y assister au couronnement de l'innocence triomphante et au châtiment de ceux qui s'ingéniaient depuis des mois à tromper la justice. Il n'aurait pas affiché cette vindicte hargneuse dont chacun se sentit offensé (« Ranucci s'est lui-même condamné à mort » titrera un hebdomadaire). Ses avocats n'auraient même pas songé à plaider l'innocence et ils avaient dans leur dossier ce qu'il fallait pour lui obtenir — peut-être — les circonstances atténuantes.

La fatalité l'aura poursuivi jusqu'au bout du procès.

Combien sont-ils dans la salle à croire à l'existence de cet homme au pull-over rouge dont les avocats s'épuisent vainement à démontrer la réalité? Tout au plus une poignée... Pour l'immense majorité, il n'est qu'un « épouvantail », un personnage « fantomatique ». Mais pas pour les policiers de la Sûreté assis dans le public. Ceux-là *savent*. Le commissaire Alessandra, alerté, croit l'accusation en péril. Il se trompe, mais la réaction est compréhensible : le commissaire Alessandra *sait*. Il fait porter d'urgence à Aix quelques procès-verbaux. Le cocktail est admirablement dosé. On n'y trouvera pas, bien sûr, la déposition de Mme Mattéi. Par contre, la Sûreté livre celles de M. Martel et de M. Albertini, qui ont témoigné à l'audience du matin, pimentées des déclarations de la dame dont on a dérobé les sous-vêtements. La quatrième pièce est un rapport de transmission des auditions. Il confirme que Christian Ranucci a été présenté en vain à tous les témoins des Cerisiers. La cinquième, que l'avocat général choisit de privilégier lors de sa reprise de parole, fait sensation et consomme la déroute de la défense. On croira en général que M. Viala démontre que M. Albertini a menti en déclarant à la barre que le satyre portait un pull-over rouge : le procès-verbal de son audition à l'Evêché mentionnait un pull-over vert.

Quelques auditeurs plus attentifs comprendront que le témoin en question n'est pas M. Albertini mais qu'il a vu en tout cas opérer un satyre porteur d'un pull-over vert. Conclusion : il y a à Marseille toutes sortes de satyres vêtus de pull-overs de toutes les couleurs et il ne faut pas être obnubilé par une teinte particulière...

Le procès-verbal ne dit pas cela. Le témoin est un garçon de quatorze ans habitant les Cerisiers et venu à l'Evêché le lendemain de l'audition de MM. Martel et Albertini. Il déclare qu'il a vu, le 25 mai, un homme dont le pull-over était vert jouer avec deux petites filles de la cité, puis s'en aller au volant d'une Dyane. S'est-il livré à des gestes indécents, comme l'autre sur les jeunes Albertini? Pas du tout. A-t-il eu au moins un comportement suspect? Même pas. Mais alors, est-ce un satyre? Rien ne l'indique. C'était peut-être un parent, un ami de la famille — on ne sait pas; le témoin n'a du reste pas cherché à savoir... Mais ce témoin est-il lui-même lié aux deux petites filles? Absolument pas. Pourquoi vient-il donc témoigner, et pour ne rien dire? C'est qu'il a fait un rapprochement entre la mésaventure des petites Albertini, qui a mis en émoi toute la cité des Cerisiers, et la scène à laquelle il a assisté... Les signalements lui paraissent correspondre, sauf que son homme à lui était châtain clair tandis que l'autre avait les cheveux noirs. C'est tout. Manifestation banale du prurit du témoignage comme en déclenche n'importe quelle affaire remuant une collectivité.

C'était bien joué.

La cour et le jury délibèrent depuis plus de deux heures. Jean-François Le Forsonney se dit que c'est bon signe, même si les journalistes, autour de lui, envisagent le pire. Il n'ose plus attendre l'acquittement mais espère que la cour ordonnera un supplément d'information.

Dans la salle des pas perdus, la foule s'agglutine en groupes éphémères qui se font et se défont au fil des conversations. Le service d'ordre a été renforcé derrière les barrières protégeant la salle d'audience. Dehors, des C.R.S. ont pris position aux divers accès du palais. Les marches extérieures sont noires de monde.

On se montre Paul Lombard, blême, très tendu, qui arpente la grande salle. Plusieurs fois, il va toucher le bois d'un arbuste placé au pied de l'escalier. Des gens disent qu'il aura en effet besoin de beaucoup de chance. La télévision a installé ses caméras; on se prend les pieds dans les câbles.

André Fraticelli a conduit Héloïse Mathon et Monique dans une petite pièce isolée où elles attendent le verdict sous la protection d'un policier. « J'étais comme folle, enfermée là-dedans, dit la jeune fille. J'aurais préféré être avec les autres... » Elle est très déçue de n'avoir pas réussi à échanger un seul regard avec Christian.

Mᵉ Lombard, entouré d'hostilité, martelé par les cris de mort inlassablement hurlés par la foule extérieure, aperçoit soudain une jeune femme qu'il connaît depuis près de dix ans.

Il se précipite sur elle, la main tendue. L'amie se détourne en disant : « Vous n'aviez pas le droit... Il s'agissait d'un enfant. »

Huit heures quinze. La sonnerie annonce la fin du délibéré et le verdict. Une dernière ruée sur la porte de la salle d'audience. M. et Mme Théric parviennent à entrer, mais non Chantal Lanoix. « A un moment, raconte Monique, on a entendu courir dans un couloir au-dessus de nos têtes. J'ai voulu sortir mais Héloïse m'a dit : " Non, ne me laisse pas seule! " Je suis restée. »

Les défenseurs sont à leur banc. La cour et les jurés vont faire leur entrée. Me Lombard dit à Jean-François Le Forsonney : « Je ne veux pas les regarder. Faites-le et dites-moi ce que vous en pensez. » Les trois magistrats et les neuf jurés apparaissent l'un après l'autre à la porte. Ils ont des visages décomposés mais cela ne signifie rien. Le président Antona ordonne : « Gardes, faites entrer l'accusé. » Au moment où Christian pénètre dans le box sous le regard de ses juges, Jean-François Le Forsonney voit un frémissement horrifié parcourir le visage de la femme juré. Il murmure à Me Lombard : « C'est cuit. »

Le président Antona annonce qu'il ne tolérera aucune manifestation. Son avertissement est lancé avec une dureté contrastant avec sa bonhomie habituelle. Dans un silence absolu, il lit les cinq questions sur la culpabilité. La cour et le jury ont répondu par l'affirmative. « Existe-t-il des circonstances atténuantes? » Non, à la majorité de huit voix au moins.

C'est la mort. Il est huit heures vingt-trois.

Christian, très pâle, les deux mains posées sur le rebord du box, baisse la tête, puis la relève. On l'entend murmurer : « Ils sont fous!... Ils sont fous! » Le journaliste Patrick Séry sentit passer dans le public « un long frisson angoissé et délicieux, telle une onde de choc. » Il n'y eut pas un cri. Micheline Théric pleure, étreinte par son mari.

Dehors, dans la grande salle des pas perdus, c'est au contraire l'explosion. « Je vais souvent voir les matches de football au stade de Marseille, raconte Chantal Lanoix. Quand un joueur tire au but et marque, il y a cette délivrance, ce cri de délivrance de la foule. C'était la même chose. Les gens ont crié exactement comme au stade. » Puis les applaudissements crépitent et la foule bascule dans l'hystérie : « C'était un déchaînement. Des femmes criaient : ' On devrait lui arracher les yeux! " Et d'autres : " Qu'on le guillotine tout de suite, ici même! " Je ne croyais pas que c'était possible, cette haine. Je suis certaine, absolument certaine que si on leur avait lâché Ranucci, ils l'auraient tué sur place. Je me disais que de toute façon, s'il avait tué l'enfant, c'était dans un moment de folie, tandis que là, on décidait de le tuer à froid, et dans l'enthousiasme. Ça, c'était affreux. »

Paul Lombard et Jean-François Le Forsonney ont rassuré Christian avant que ses gardes ne l'entraînent : « Ne vous inquiétez pas : avec les procès-verbaux de l'avocat général, c'est la cassation assurée. » Christian a acquiescé, puis il a dit : « Vous n'auriez jamais dû plaider contre la peine de mort. Les jurés ont pensé : " S'ils plaident contre la peine de mort, c'est qu'il est coupable. " » M^e Le Forsonney a promis d'aller le voir le lendemain matin.

La salle d'audience se vide lentement. M. Viala, le visage défait, l'air épuisé, range son dossier. Jean Laborde, de *L'Aurore,* et Alain Dugrand, de *Libération,* sortent ensemble et découvrent la foule hurlant sa joie. « Je hais la populace » murmure Laborde. « D'habitude, constate Alain Dugrand, c'est le genre de phrase que je ne supporte pas. Là, à cet instant, je ressentais exactement la même chose que lui. »

Gilbert Collard est agressé par des énergumènes qui ne lui pardonnent pas sa plaidoirie généreuse. On lui arrache son épitoge. Il se dégage et rejoint son client, Pierre Rambla, vers qui se tendent les micros des reporters de la radio. Il l'entraîne en disant : « Non! On ne commente pas un verdict de mort! » Paul Lombard annonce à la presse que Christian Ranucci va se pourvoir en cassation. Jean-François Le Forsonney regagne l'hôtel du Pigonnet, où il va passer la nuit. « J'étais sonné mais pas inquiet parce que j'étais sûr et certain que ce serait cassé. »

Héloïse et Monique voient entrer Me Fraticelli dans la petite pièce où elles sont cloîtrées. « C'est fini, dit-il. Venez, je vous ramène à Marseille. » Elles le regardent en silence. « Nous étions toutes les deux interloquées, raconte Monique. Héloïse lui a demandé! " Mais que s'est-il passé? " Je n'ai pas pu me retenir, je lui ai crié : " Mais vous ne comprenez donc pas? Ils l'ont condamné à mort! " La pauvre femme était effondrée, écrasée je dirais même. Elle a murmuré : " Me Lombard m'avait pourtant promis qu'il le sortirait de là... " Moi, j'étais sûre qu'il serait condamné à la guillotine. Je le savais depuis que j'étais arrivée à Aix. Même si je deviens vieille, je n'oublierai jamais ces gens qui hurlaient " A mort! A mort! " Les jeunes et les vieux, les hommes et les femmes. »

Encadrée par Monique et par l'avocat, la mère est reconnue à la sortie. Flambée de haine. On se rue sur elle. On lui crache au visage. Des mains se tendent pour la frapper, la déchirer. Monique et Me Fraticelli sont eux aussi insultés et bousculés. Cinglé par les crachats, l'avocat se déchaîne et frappe des deux poings pour ouvrir un passage à la malheureuse. Les époux Théric assistent horrifiés à cette mêlée sauvage. « Si Fraticelli n'avait pas été là, dit Chantal Lanoix, ils l'auraient lynchée. Personne ne peut imaginer ces visages convulsés de haine... J'ai trouvé cela plus effroyable que tout le reste. Parce que cette pauvre femme n'était pas coupable. On venait de lui condamner son fils à mort et on voulait encore la frapper. J'ai su que je n'oublierais jamais cela et que je n'aurais plus jamais la même idée des hommes, de la société, de la vie. »

Quatrième partie

L'EXÉCUTION

On l'avait enfermé dans une cellule du quartier des condamnés à mort, tout au fond des Baumettes, dans l'aile droite du dernier bloc. Côté couloir, la cellule se présentait comme une cage à gros barreaux, ce qui permettait la surveillance permanente du condamné, conformément au règlement. Deux gardiens étaient assis jour et nuit derrière une table placée face à la grille.

L'intérieur de la cellule était aménagé de manière à ce que le prisonnier ne fût jamais hors de vue. A droite en entrant, un cabinet à la turque. A gauche, une table et un tabouret en ciment. La paillasse était au fond, le long du mur de gauche. Il n'y avait pas de fenêtre. Une ampoule électrique fonctionnait en permanence. La nuit, elle était insuffisante pour lire mais trop forte pour que Christian pût dormir. Le directeur, auquel s'étaient plaints les avocats, leur avait rappelé la règle formelle : une cellule de condamné à mort doit être éclairée jour et nuit, et suffisamment pour permettre une surveillance attentive. Au moment de se coucher, Christian étalait donc des journaux sur les barreaux supérieurs de sa cage de manière à atténuer l'éclat de l'ampoule. Il était vêtu d'une tenue grise de l'administration pénitentiaire.

André Fraticelli alla le voir le lendemain de sa condamnation pour lui faire signer son pourvoi en cassation. Christian l'accueillit par les mêmes mots qu'il avait eus en entendant l'arrêt de mort : « Ils sont fous! » La cellule-parloir était juste en face de sa cage. Avant de l'y conduire, on lui entravait les mains, non pas avec des menottes, mais avec une chaîne fermée par deux cadenas.

Sa mère, qui le vit le surlendemain, fut bouleversée par la chaîne et éclata en sanglots. Elle le trouva fatigué, abattu. Jean-François Le Forsonney eut au contraire l'impression qu'il réagissait assez bien. Il est vrai que l'avocat apportait l'espoir. « Ranucci nous avait toujours crus, Lombard et moi. Il nous faisait toute confiance. Alors, comme on lui affirmait que le verdict serait cassé, il le croyait. » Paul Lombard avait envoyé un télégramme : « Mon petit gardez confiance nous avons fait tout ce qui était humainement possible pour vous sauver formez d'urgence un pourvoi en cassation je continuerai à être auprès de vous et au côté de votre mère. »

Monique lui avait écrit dès son retour d'Aix une lettre touchante et terrible : « Je te quitte à l'instant! Nous étions avec ta mère dans la salle. J'espérais que tu tournerais la tête pour nous voir... Pour moi, tu n'es pas coupable et tous ces gens qui te haïssent et t'accusent, ainsi que les jurés, je n'en crois rien. Même demain si tu pars, je veux que tu saches que aujourd'hui encore je t'aime. Tu te souviens peut-être la signification et la valeur de ce mot pour toi et moi jadis. Aujourd'hui, en te voyant après tant de temps, je suis toujours amoureuse de toi. Je t'aime, Christian. Peut-être Me Lombard va-t-il t'aider autrement?... Tu étais beau dans ton costume bleu. Moi aussi, j'étais en bleu clair. Tu sais, Christian, si tu pars, une grande partie de moi et de ma vie part avec toi... Je t'aime, je t'aime. Tiens bon! »

Il reçut aussi une lettre d'une inconnue habitant près de Nancy : « Bonjour, Christian. Je m'appelle Marie-Hélène. J'ai dix-sept ans et je fais partie d'un groupe de filles de quinze à dix-huit ans. Certaines d'entre nous aimeraient bien correspondre avec toi, car nous pensons que tu dois te trouver bien seul en ce moment. » Christian lui répondit.

Le 17 mars, il écrivit à sa mère : « Voilà une semaine maintenant qu'ils m'ont condamné à mort. Depuis, toute mon affection et toutes mes pensées vont vers toi, encore plus qu'avant. Je sais le courage dont tu continues à faire preuve. Tu es valeureuse. Je crois qu'il y en a peu qui supporteraient cela avec autant de dignité, de volonté, de courage.

« Je sais aussi combien tu souffres et combien ta peine est profonde, même si tu essaies de me le cacher. Toi et moi, tâchons d'être forts, faisons front, luttons même si nous connaissons le doute et la désillusion. Parfois, je suis angoissé, je crois que j'ai un peu de lassitude. Ton chagrin, cette injustice, ma révolte, mon impuissance aussi, tout cela me serre le cœur, tout cela m'étouffe.

« Pendant vingt et un mois, nous avons tous deux attendu, avec espoir et confiance dans la justice, le jour du procès pour que je sois enfin lavé de cette accusation. Et ils m'ont condamné à mort.

« Je n'arrive pas à comprendre comment ils ont pu croire que je puisse être l'auteur d'un acte aussi lâche et odieux. Peut-être y a-t-il de ma faute? Au tribunal, j'ai mal su m'exprimer. Je n'étais pas moi-même. Ce long internement m'a usé.

« Tous ceux qui me connaissent savent qu'en aucun cas je n'aurais fait une chose pareille. Aucun cas.

« Tu sais, Maman chérie, l'amour et l'affection que je te porte. Si cela avait été le cas, si j'avais eu quelque chose à me reprocher, même un tel acte, à toi, la seule qui compte, je te l'aurais dit.

« Je suis totalement innocent. Ils n'ont pas voulu me croire. Tu sais que j'avais bu, qu'après l'accident, je me suis évanoui dans la voiture, et lorsque, plus tard, j'ai repris connaissance, la voiture se trouvait alors embourbée dans la champignonnière. C'était vrai et ils ne m'ont pas cru.

« Quelques personnes m'ont dit qu'innocent ou non, j'aurais dû avouer, que j'aurais eu la vie sauve. Au procès aussi, ils m'ont reproché de ne pas avoir avoué. Je ne pouvais quand même pas avouer si je n'ai rien fait.

« Je préfère mourir innocent que d'avouer un crime que je n'ai pas commis.

« J'ai ma conscience pour moi. Mais tu sais, Maman, je

suis fatigué. C'est trop injuste, depuis trop longtemps. Je pense constamment à toi et au temps passé Baisers affectueux. Christian. »

C'était aussi dans le temps passé que sa mère cherchait un refuge contre l'angoisse. Elle lui écrivait le même jour : « A vingt et une heures tous les soirs, prions ensemble. Que Dieu nous entende! Mon enfant bien-aimé, pensons à ta petite vie d'avant tes vingt ans. Que Dieu te rende justice! »

Elle allait aux Baumettes trois fois par semaine pour une visite d'une demi-heure. Sa santé n'était pas bonne. Une angine qui n'en finissait pas. Le directeur avait refusé de regrouper deux parloirs en un seul, d'une heure. Elle écrivait pratiquement chaque jour et, à mesure qu'on avancerait vers l'été, collerait sur ses lettres des pétales de fleurs, jonchée lumineuse et gaie contrastant étrangement avec la longue et sourde plainte des phrases tracées d'une main fébrile. Elle écrivait aussi à tous ceux qui lui semblaient pouvoir offrir une aide ou une espérance. Le pape lui fit envoyer un chapelet bénit qu'elle aspergea d'eau de Lourdes.

Le 6 avril, Christian eut vingt-deux ans. Elle reçut ce jour-là une longue lettre : « Maman chérie, heureusement que je reçois tes visites chaque semaine, et aussi celles des avocats. Du matin au soir, les journées sont interminables. Ce sont toujours les mêmes idées qui viennent et reviennent sans cesse. Je ne comprends toujours pas pourquoi ils m'ont condamné. Ils m'avaient l'air d'être des gens sensés et pourtant ils n'ont pas hésité, pour je ne sais quelle raison, à me condamner en faisant abstraction des témoignages, des faits établis, de la personnalité de celui qu'on accusait, à négliger le bon sens le plus élémentaire.

« D'ailleurs, qu'importent les preuves de mon innocence, car même sans elles, il suffisait de se donner la peine de connaître mon passé et mon caractère pour mesurer combien, dans ce sordide assassinat, le seul soupçon est sot et grotesque.

« Je ne comprends pas, les idées tournent et retournent comme moi dans la cage où je suis. Aujourd'hui, je n'ai plus rien à perdre, ils m'ont volé ma vie et mon honneur et je vais peut-être mourir. Alors il faut que toi, ma mère, la seule famille que j'aie au monde, tu saches bien que si je meurs, je mourrai innocent.

« Toi, tu me fais confiance, tu sais que je t'ai toujours dit la vérité, je n'ai tué personne ni même jamais nui à quiconque. D'ailleurs, si j'avais eu quelque chose à me reprocher, je te l'aurais dit puisque maintenant tout est fini. Nous savons bien tous deux, les avocats et toutes les personnes qui ont vu le coupable, que je n'ai rien à voir avec cette douloureuse affaire. Mais je t'en prie, toi qui es dehors, dis à tous ceux que tu vois que je suis innocent.

« J'ai envie de hurler mais personne ne veut m'écouter car tout le monde s'en fout. En France, on vous condamne un innocent à mort et ça laisse indifférent. Il n'y a que parmi ceux qui savent, parmi la famille, parmi les amis et connaissances, que l'on s'indigne. Comme nos amis étrangers qui ont écrit : " Nous avons honte d'un tel verdict, nous avons honte pour les Français. " Tout le reste s'en fout.

« Je ne t'ai pas dit dans quelles conditions l'on me fait vivre ici. Je vais te le dire. On est correct mais j'ai l'impression d'être un animal. Je suis surveillé jour et nuit sans arrêt, quoi que je fasse. Seul mais toujours observé. Tu ne peux pas savoir ce que c'est d'être en permanence dans cette sorte de cage sans fenêtre et toujours éclairée. Où je suis obligé de tout faire en public (toujours deux ou trois gardiens). Où je n'ai ni fourchette ni couteau, où même pour la viande, je n'ai qu'une cuiller.

« Je vois le soleil une fois par jour dans une cage un peu plus grande où je tourne en rond. La première fois que Mes Lombard et Le Forsonney sont venus me voir, je me suis senti gêné de devoir leur serrer la main car désormais je suis enchaîné dès que je sors de la cage. Que craignent-ils? Pourquoi cette mise en scène avilissante? Le plus insupportable, c'est cette solitude silencieuse, c'est de ne parler à personne.

« Leur dernière trouvaille, que l'on me destine, c'est

l'installation d'une petite caméra de T.V. Comme pour un sujet d'expérience qu'on espionne. C'est pire que tout. C'est à devenir fou. Je ne peux même pas allumer une cigarette seul (on me prête mon briquet) ni me raser moi-même. Qu'est-ce que j'ai fait pour être traité pareillement? Qu'est-ce que j'ai fait pour être là? Qu'est-ce que j'ai fait pour être condamné?

« Le principal est qu'il me reste ma conscience pour moi et que tu saches que tu n'as pas à rougir de ton fils car il n'a rien à se reprocher. Dis à tous ceux qui ont écrit qu'ils ont raison de m'accorder leur confiance, que je suis innocent. Un jour, la vérité se saura. On comprendra alors ce que j'ai enduré.

« Je pense à toi. Affectueux baisers. Ton fils Christian. »

On peut se demander si cette lettre n'était pas un peu à usage externe : sa mère n'en avait pas besoin pour savoir qu'on lui enchaînait les mains. Toujours est-il qu'elle la recopia, l'envoya à plusieurs journalistes, et en remit un exemplaire à Edwige Andreani, journaliste à *Var-Matin,* qu'elle avait pris l'habitude d'aller voir quelques instants au retour de ses visites aux Baumettes. Le bureau toulonnais était sur son chemin. Edwige Andreani, très belle et très blonde, avait d'abord été déroutée par le calme opaque de Mme Mathon mais elle s'était vite prise de sympathie pour elle et la réconfortait de son mieux.

***

Il n'avait pas peur. Le cérémonial organisé autour de sa cage lui rappelait à chaque instant qu'il était en sursis, les gardiens lui témoignaient la même sollicitude contrainte qu'aux grands malades à qui l'on veut cacher leur état, mais il n'envisageait pas vraiment que la mort fût possible. Sa cellule était l'ultime étape de son calvaire et non point l'antichambre de l'indicible. D'une certaine façon, c'était même mieux d'avoir été condamné à mort : l'injustice en prenait un sombre éclat dont seraient éblouis ceux qui avaient désormais la charge de son destin.

Bien loin de trembler, il savourait à l'avance sa revanche sur ses tourmenteurs. « Je garde un moral excellent et je me soigne, écrivait-il à sa mère dès le 25 mars. Les crapules ne peuvent pas toujours gagner... » Puis, le 2 mai, en post-scriptum : « Lorsque j'aurai obtenu ma réhabilitation et que les procédures que j'engagerai contre les responsables et pour obtenir réparation seront suffisamment engagées, nous parti-rons en Amérique (je ne citerai pas le pays ici). C'est un pays neuf, immense, en pleine croissance, hospitalier et où le travail ne manque pas (il a d'ailleurs été très peu touché par la crise 73-76). Je t'en dirai plus en quelques parloirs concernant l'affaire que j'y monterai. Ça te plaira, j'en suis sûr. » Et le 23 mai encore : « Je suis sûr qu'à l'heure où j'écris ces lignes, il y en a qui doivent prier pour que je sois atteint rapidement de folie, ou d'un infarctus du myocarde, ou tout autre chose pour que je disparaisse, croyant ainsi pouvoir dormir tran-quille sur un dossier clos... »

M. Viala échappait à sa vindicte car ses défenseurs lui avaient expliqué que la réplique de l'accusateur lui vaudrait la cassation de l'arrêt et un nouveau procès dans une ambiance plus sereine. Il comprenait pourtant mal l'attitude de l'avocat général : « Comment expliquer, écrivait-il, le zèle excessif par lequel il m'a chargé... pour ensuite me donner les armes qui me permettront d'obtenir la cassation? Je ne saisis pas très bien les raisons de cette manœuvre... Mais je lui sais tout de même gré de m'avoir donné des motifs de cassation et d'avoir pour moi l'attention de me souhaiter d'obtenir enfin justice. »

La routine régna bientôt dans la cage de transit, puisqu'elle s'installe partout. Il lisait chaque matin *Le Figaro;* chaque semaine *Paris-Match;* chaque mois *Yatching, L'Automobile* et *Science et Vie.* La bibliothèque lui fournit des lectures de plus longue haleine; il découvrit Jean-Jacques Rousseau avec les *Rêveries du promeneur solitaire.* Il écoutait aussi la radio; lorsque son poste à transistors tomba en panne, on lui permit de le remplacer par un autre. Il mangeait avec appétit, reprenant plusieurs fois de chaque plat : la tradition pénitentiaire assure aux condamnés à mort un régime copieux.

Chaque jour, on le faisait sortir de sa cellule pour le mener dans une cour minuscule entourée de hauts murs. C'était la promenade réglementaire. Jean-François Le Forsonney, qui allait souvent le voir à l'heure de cette promenade, en avait chaque fois le cœur serré. La cour était si profonde — l'avocat l'appelait « la fosse aux lions » — qu'un unique rayon de soleil parvenait à s'y faufiler. Christian était toujours le dos au mur, les yeux fermés, offrant son torse nu au rayon de soleil et progressant avec lui pour ne point perdre sa chaleur. On eût dit qu'il attendait la salve d'un peloton d'exécution.

La grande affaire, c'était « le récapitulatif ». Il avait en effet décidé d'écrire son histoire afin de pouvoir informer l'opinion publique dès que l'arrêt de cassation serait intervenu. Il ne faisait plus confiance qu'à l'opinion publique. C'était devenu une obsession, dont la lettre recopiée et distribuée par sa mère traduisait la première manifestation. Avec l'aide d'Héloïse, il refaisait sans cesse la liste des journaux auxquels on enverrait le récapitulatif. La presse étrangère leur donnait du mal : les adresses étaient difficiles à trouver.

Le récapitulatif s'ouvre par quelques phrases où l'on ne retrouve pas sa manière habituelle et qui éveillent un souvenir : « Mon innocence se suffit à elle-même. Je suis innocent parce que je suis innocent. Et si je m'abaisse à discuter, à étaler les raisons de cette innocence etc. » Faut-il croire au hasard, ou bien avait-il capté du fond de sa cellule, tel le rayon de soleil dans la fosse aux lions, un écho lointain du cri superbe et efficace lancé par un autre condamné et dont toute l'intelligentsia était à juste titre remuée.

La cour de cassation allait lui rappeler qu'il n'était pas Pierre Goldman.

***

Paul Lombard avait visé haut et frappé fort : inscription en faux. La démarche, rarissime, est grave dans la mesure où elle peut mettre en cause la bonne foi d'un haut magistrat, aussi la loi la suspend-elle à l'appréciation du premier président de la cour de cassation, à qui l'on doit présenter requête aux fins d'autorisation d'inscription en faux.

Le procès-verbal des débats d'Aix-en-Provence, signé par le greffier et par le président Antona, indiquait que ce dernier avait fait communiquer à la défense les cinq procès-verbaux produits in extremis par l'avocat général Viala. Les trois avocats protestaient que cette mention ne correspondait pas à la réalité et l'attaquaient en faux. S'ils étaient entendus, la cassation était acquise.

Le premier président repoussa la requête au motif qu'aucun début de preuve n'était rapporté. Me Ryziger, qui la présentait au nom de Ranucci, fut étonné par cette motivation, la procédure d'inscription en faux ayant précisément pour objet de rapporter la preuve.

Les défenseurs s'efforcèrent donc de trouver des témoins pouvant attester que les pièces n'avaient pas été communiquées. Les journalistes contactés répondirent que dans le brouhaha de la fin de l'audience, ils n'avaient pas prêté attention à ce détail. Me Gilbert Collard fut sollicité. C'était le mettre dans une position difficile. Il répondit qu'il donnerait son témoignage si le conseil de l'ordre du barreau de Marseille lui en faisait obligation. Le conseil de l'ordre abandonna le problème à la prudence et à la conscience de l'avocat. On n'en sortait pas. Le projet avorta.

Le plus extraordinaire est encore que le procès-verbal des débats comporte une autre mention indubitablement inexacte qui aurait largement justifié une cassation. Elle n'aurait pas soulevé les mêmes problèmes que la précédente car elle n'impliquait pas une violation des droits de la défense. Christian avait fait citer deux témoins de moralité. L'un était M. Hazarebedian; l'autre, le frère Bonnard, qui avait été son professeur à l'école Saint-Joseph de Voiron. Le premier était venu témoigner mais le second avait fait défaut. Or, le greffier a confondu les deux témoins et attribué au frère Bonnard la déposition faite en vérité par M. Hazarebedian. Mais personne ne l'a remarqué. Ce n'est jamais qu'une malchance de plus.

Mᵉ Ryziger soutint cinq moyens de cassation. Le seul à présenter chance sérieuse d'être retenu était la production tardive des cinq pièces. La cour de cassation jugea que ces pièces ayant été communiquées aux avocats et ceux-ci ayant eu l'opportunité d'en prendre connaissance et de les discuter, les droits de la défense n'avaient pas été violés, contrairement à ce qu'avait cru M. Viala lui-même. Ainsi la fatalité continuait-elle son inexorable cheminement. La réplique de l'avocat général avait bien réussi à détruire l'argumentation des défenseurs mais elle n'aboutissait pas à faire casser l'arrêt de mort car, s'agissant de Christian Ranucci, la cour de cassation choisissait de n'être point Chimène.

Mᵉ Lombard déclara à la presse sa certitude que « la vérité demeurait inconnue », ajoutant : « Je continuerai à me battre de toutes mes forces pour que la vérité triomphe et pour qu'un adolescent ne subisse pas le plus injuste et le plus atroce des destins. »

Christian nota sur son agenda, à la date du 17 juin : « Radio, 22 h 30 : cassation *refusée*. Ils ont eu tort. »

Entre l'échafaud et lui, il n'y avait plus que la grâce présidentielle.

Elle paraissait acquise. Sans doute avait-on entendu récemment une nouvelle déclaration officielle en faveur de la peine de mort, mais c'était l'aboiement machinal de M. Lecanuet. Quant à M. Giscard d'Estaing, il venait, trois semaines plus tôt, de prendre position sur le problème au cours d'une conférence de presse. « Pour ce qui est de la peine de mort, avait-il dit le 22 avril, je souhaite que la communauté nationale française, et donc son législateur, se saisissent, le moment venu, de ce problème. Naturellement, il ne convient sans doute pas de le faire à un moment où la situation de violence, et en particulier de certaines violences inadmissibles, rend la société française extraordinairement sensibilisée à ce problème.

« Parmi les violences inadmissibles que je citerai, il y a deux cas, d'une part, celui des rapts prémédités d'enfants comportant pour eux la quasi-certitude de la mort, et ceci par un calcul d'intérêt, et c'est, d'autre part, le cas de ceux qui, avec un acharnement inhumain, s'attaquent à des personnes âgées isolées en ayant préparé leur agression pour leur soustraire leurs malheureuses ressources. »

Cette déclaration indiquait que le président se sentait désormais en mesure de surmonter l' « aversion profonde » qu'avait éprouvée le candidat à l'égard de la peine de mort, et beaucoup trouvaient de la redondance à prévoir l'application du châtiment suprême dans les deux seuls cas où il risquait d'être demandé par les jurés, mais enfin la déclaration présidentielle ouvrait à Christian Ranucci les portes de la vie. Personne n'avait jamais prétendu que l'enlèvement pour lequel on l'avait condamné eût comporté dès le départ la « quasi-certitude » de la mort de l'enfant — le sentiment contraire s'était même imposé —, et surtout le « calcul d'intérêt » faisait totalement défaut. D'évidence, le président avait en tête l'inculpé de Troyes et non le condamné de Marseille. Paul Lombard avait d'ailleurs lancé aux jurés d'Aix : « Si vous jugez Ranucci coupable et si vous le condamnez à mort, lui qui en tout état de cause n'aurait pas enlevé l'enfant pour monnayer sa vie, que ferez-vous à ceux dont les motivations sont bassement matérielles? Vous les couperez en trois, en quatre?... »

Deux cas de « violences inadmissibles » : Christian ne se rangeait ni dans l'un ni dans l'autre.

Des observateurs rassis tenaient cependant qu'une grâce présidentielle est aussi un acte politique et que le climat n'était pas favorable à la clémence. La majorité venait de subir une défaite aux élections cantonales. La cote présidentielle était en baisse. Beaucoup de ses électeurs semblaient reprocher à M. Valéry Giscard d'Estaing un libéralisme trop avancé. D'autre part, le pourvoi en cassation d'un autre condamné à mort venait d'être rejeté et l'homme attendait lui aussi la décision élyséenne. Il avait tué une femme de quatre-vingt-trois ans pour lui voler ses économies. C'était l'un des deux cas de « violences inadmissibles ». Mais le criminel était un ancien harki et les agitations et revendications des anciens harkis faisaient justement problème. L'exécution de l'un des leurs n'arrangerait rien. Elle irriterait les rapatriés d'Algérie, qui proclamaient leur solidarité et dont le poids électoral était évident. Christian Ranucci ne représentait que lui-même et n'était soutenu par personne (1).

L'éventualité de sa mort prochaine ne l'effleurait toujours pas. Le 18 juin, Paul Lombard lui avait envoyé un télégramme : « Pourvoi malheureusement rejeté gardez espoir nous arriverons à faire triompher la vérité et à ce que justice soit rendue déposons recours en grâce viendrai matinée ou après-midi courage. » Christian avait jeté quelques notes sur le papier pour préparer l'entrevue avec ses avocats. Il ne s'éprouvait pas en posture de suppliant. « Demanderai non pas ma grâce, écrivait-il, mais ma mise en liberté immédiate. » Selon lui, il fallait proposer au président « un marché à l'amiable » : « Mon innocence doit influer sur l'homme et votre menace d'en appeler à l'opinion publique doit influer sur sa raison. Bien insister que, de mon côté, je respecterai mes engagements : me taire, ne pas informer l'opinion publique, ne pas engager de procédures, et disparaître à l'étranger contre ma liberté, ma réhabilitation. » Il acceptait en effet de renoncer à sa vengeance « pour le bien de la Justice et éviter un scandale ». Sa position de force lui paraissait si évidente qu'il avait conscience d'être généreux envers le président en lui permettant de faire l'économie d'un bien fâcheux scandale.

Le 20 juin, il écrivit à sa mère : « Je sais combien cette épreuve injuste est cruelle à supporter, mais ne désespère pas. Nous arriverons à obtenir justice. Ceux qui veulent se débarrasser de moi, croyant se mettre à l'abri, ne peuvent pas gagner... Il faut lutter. A ces charognards qui suent le crime

_____

(1) Le harki sera grâcié en août.

422

et la peur d'être découverts, opposons la sérénité de l'innocence et notre mépris. Nous vaincrons. »

A la mi-juillet, le président de la République se rendit à Toulon pour passer en revue la flotte de guerre. Héloïse Mathon découpa les abondants reportages photographiques publiés à cette occasion dans la presse régionale et, conformément à sa demande, les envoya à son fils, qui avait toujours éprouvé pour M. Giscard d'Estaing un intérêt admiratif. Au parloir suivant, Christian lui parla longuement de cette manifestation et l'exhorta à ne se faire aucun souci : le président avait un visage « bon et humain ».

Ses avocats étaient convoqués la semaine suivante à l'Elysée.

**
*

Jean-François Le Forsonney ne fut pas du voyage à Paris Me Lombard lui avait expliqué que le président de la République ne recevait jamais qu'un seul défenseur. Lorsque le jeune avocat apprit, beaucoup plus tard, que ce n'était pas exact, il ressentit de la perplexité. Essentiellement modeste, il ne pensait pas à la vertu décisive de son éloquence (et s'agissait-il encore d'éloquence?) mais il croyait que sa jeunesse aurait peut-être été un argument silencieux plus fort que tous les mots en rappelant au président que le garçon dont il allait fixer le sort avait tout juste vingt-deux ans.

Paul Lombard fut reçu à l'Elysée le 21 juillet au milieu de l'après-midi. Il appela ensuite son collaborateur : « J'en sors. Impénétrable. Il connaissait très bien le dossier. J'ai plutôt bonne impression. »

Le soir, Me Lombard alla dîner chez un ami, près de Paris Il avait quelque peu sollicité l'invitation car son hôte était un intime du président de la République. On lui prodigua l'apaisement. En le raccompagnant à sa voiture, l'ami lui dit encore : « Ne t'inquiète pas. Il faudrait vraiment qu'on kidnappe un gosse demain... »

L'avocat démarra et ouvrit son autoradio. Un flash d'information le pétrifia sur son siège : on venait d'enlever un garçon de huit ans au Pradet, à quelques kilomètres de Toulon.

Comme pour Marie-Dolorès Rambla, deux ans auparavant, et comme pour Philippe Bertrand, il y avait à peine six mois, des manchettes énormes annoncèrent à la une des journaux régionaux la disparition de Vincent Gallardo et les reporters dirent l'angoisse des malheureux parents, la stupeur des voisins, l'immense colère de toute une population.

Le cadavre du petit garçon fut découvert deux jours plus tard. Il était mort noyé. Son ravisseur échappa aux recherches.

« Ce fut l'événement de l'été, raconte Edwige Andreani. L'émotion des gens était extraordinaire. Un détail : les journalistes qui ont suivi l'enquête au Pradet n'ont pas pu payer un seul repas, ni même une simple communication téléphonique. C'était une façon de les remercier d'avoir publié les réactions très violentes de la population. »

La découverte du cadavre le 23 juillet, surlendemain de la visite de Paul Lombard à l'Elysée, déclencha une manifestation publique. « C'était l'appel au meurtre général » écrivit *Le Provençal*. La foule, conduite par un conseiller municipal, s'assembla devant la mairie et le maire la harangua en exigeant « une punition exemplaire : la peine de mort ». En une heure, une pétition au président de la République recueillit plus de douze cents signatures; elle exigeait « un jugement rapide et extrêmement sévère pour tous les ravisseurs d'enfants ». Les vacanciers, nombreux parmi les manifestants, apportaient une sorte de caution nationale au cri populaire. Le maire du Pradet confia au reporter du *Provençal* : « Je suis pour un jugement rapide et radical. Même si l'assassin est fou, il faut la peine de mort. Et encore, il faudrait le faire souffrir... »

« Personnellement, dit Edwige Andreani, j'ai tout de suite pensé que l'affaire Gallardo signifiait la mort pour Ranucci. Quand on a retrouvé l'enfant tué, je me suis dit : " C'est foutu pour Ranucci. " »

Logiquement, le crime du Pradet aurait dû avoir l'effet inverse. Il démontrait le peu d'exemplarité de la peine de mort. A quoi servait-elle si le châtiment suprême prêt à s'abattre sur un homme condamné pour l'enlèvement et le meurtre d'un enfant n'en dissuadait pas un autre d'enlever et de tuer à son tour un enfant, et à quelques dizaines de kilomètres des Baumettes?

« J'ai tiré le gros lot du malheur sans même avoir acheté de billet » avait écrit Christian Ranucci. Traçant ces lignes en 1975, il ignorait encore que le pire était à venir de cette invraisemblable cascade maléfique qui s'abattait sur sa tête avec une régularité effrayante. Par trois fois, son chemin avait croisé celui d'un ravisseur d'enfant. Il allait payer pour les trois, tandis que l'homme au pull-over rouge resterait impuni, que l'assassin de Vincent Gallardo ne serait jamais retrouvé, que Patrick Henry sauverait sa tête.

Un mot encore à propos du dernier. Ses juges, avertis par l'exécution de Ranucci, surent qu'il n'y aurait point de clémence présidentielle et que la vie ou la mort était entre leurs mains. Ils refusèrent la mort. Mais il y eut encore plus bizarre dans cette folle partie de billard qu'institue la peine de mort et où les boules sont des têtes d'homme. A son procès, Patrick Henry reste muré dans un silence glacial, enfermé comme dans une citadelle, incapable de lire la déclaration qu'il avait préparée pour la première audience et dans laquelle il exprimait son remords. Cette attitude désole ses avocats et consterne ceux qui espèrent envers et contre tout que la vie gagnera. Elle le condamne aussi sûrement que l'horreur de son crime. « Tout à fait à la fin, racontera son avocat, Mᵉ Badinter, aux reporters de *Paris-Match,* alors que nous avions déjà plaidé, le président lui a dit : " Vous n'avez rien à ajouter? " Et là, il a craqué : il a tout dit, mais en des termes tout différents de ce qu'il avait préparé, plus directs, plus précis. Il a dit qu'il savait que ce qu'il avait fait était horrible, il demandait pardon aux parents; toute sa vie si on le laissait vivre, il regretterait son crime, il expierait. Il avait un accent d'une profondeur, d'une sincérité totales. Un peu plus tard, je lui ai demandé : " Qu'est-ce qui vous a fait parler? " Il m'a dit : " La lettre que Mᵐᵉ Ranucci a envoyée à ma mère. " S'il n'y avait pas eu cette lettre, conclura Mᵉ Badinter, il est probable qu'il se serait tu. Il est possible qu'il aurait été condamné à mort. »

*

Le dimanche 25 juillet, Héloïse écrivit à son fils : « Mon attente est très pénible, oppressante. » Mais elle lui disait sa totale confiance en Paul Lombard et sa certitude que le président avait compris qu'il était innocent.

Le même jour, Christian lui écrivit sa déception : il avait pensé que l'entretien de l'Elysée se déroulerait d'autre manière et « l'impassibilité totale de l'interlocuteur » le surprenait. Il attendait d'en savoir plus avec le retour de Mᵉ Lombard. « De toute façon, ajoutait-il, il semble bien qu'ils ne veuillent pas se raisonner et faire marche arrière. Nous devrons donc en passer par l'opinion publique... Je me porte bien et me soigne. Toi aussi, soigne-toi bien et conserve ton courage et ta volonté comme tu l'as si bien fait jusqu'à maintenant et qui fait l'admiration. Nous avons la force du bon droit et la volonté tranquille de ceux qui ont raison, et de toute façon nous vaincrons. Ils ont déjà échoué. »

Le lendemain après-midi, Jean-François Le Forsonney alla chercher Paul Lombard à l'aérodrome de Marignane. Deux

journalistes les abordèrent sur le chemin du parc de stationnement en leur demandant avec un grand sourire :

— Alors, vous savez la nouvelle?

— Quelle nouvelle?

— Mais... vous êtes bien les avocats de Ranucci?

— Oui...

— Eh bien, il est gracié! On vient de l'annoncer!

Les avocats se ruèrent sur les cabines téléphoniques de
l'aérogare. Paul Lombard voulait appeler la chancellerie, à
Paris, mais retournait en vain ses poches pour rassembler la
monnaie nécessaire. A côté de lui, Jean-François Le Forsonney appela le cabinet du cours Pierre-Puget. Une secrétaire
surexcitée lui cria :

— Venez vite! Il est gracié! Ça téléphone de partout!
Mme Mathon est déjà là, folle de joie...

Ils rentrèrent à Marseille à tombeau ouvert. Tous les
collaborateurs du cabinet étaient au balcon pour les accueillir.
Héloïse pleurait de bonheur. La grâce avait été annoncée par
FR 3 et Radio Monte-Carlo. Les avocats étant attendus par
de nombreux clients, ils dirent à la mère qui riait dans ses
larmes : « Ne partez pas : on va dîner tous ensemble pour
fêter ça. » Elle s'installa dans un coin. Depuis le temps qu'elle
venait cours Pierre-Puget, elle y avait connu de si longues
heures d'attente et d'angoisse qu'elle n'en aurait pas pu faire
le compte. Le cauchemar était terminé.

Jean-François Le Forsonney était submergé d'appels téléphoniques. Ses parents, très émus, lui parlèrent longuement.
Puis sa secrétaire le prévint que le parquet général d'Aix
l'appelait et il eut au bout du fil un substitut qui lui demanda
d'une voix glaciale :

— Qu'est-ce que c'est que cette histoire de fou?

— Quelle histoire?

— La grâce! La chancellerie nous demande une explication. Nous savons que le président n'a pas encore fait
connaître sa décision, alors pouvez-vous me dire comment il
se fait que l'annonce de la grâce est diffusée partout?

Stupéfait, l'avocat répondit qu'il ne pouvait fournir aucune explication : son confrère Lombard et lui-même avaient appris la nouvelle comme tout le monde, c'est-à-dire par les journalistes. Le scepticisme du substitut fut si peu dissimulé que Mᵉ Le Forsonney comprit tout à coup qu'on les soupçonnait d'avoir sciemment lancé la fausse nouvelle pour forcer la main présidentielle.

A peine avait-il raccroché que sa secrétaire lui passait une journaliste de FR 3. Il eut au bout du fil une interlocutrice effondrée : « Nous sommes terriblement désolés, dit-elle, il y a eu confusion entre deux dépêches. Nous allons faire passer un démenti aux informations régionales, tout à l'heure. Excusez-nous... »

Titubant sous le choc, l'avocat rejoignit Héloïse Mathon, qui l'accueillit avec un sourire radieux. Il se jeta à l'eau :

— La télé vient de m'appeler. Il paraît que ce serait une fausse nouvelle. Enfin, prématurée. Mais ne vous inquiétez pas : ça va s'arranger.

Ils passèrent dans le bureau de Mᵉ Lombard. La pauvre mère, foudroyée, était dans l'hébétude. Paul Lombard lui dicta les termes d'un télégramme à l'Elysée. C'était une ultime supplication.

Puis elle partit seule prendre son train pour Toulon. Elle avait vu Christian l'après-midi même, avant de se rendre cours Pierre-Puget. Il lui était apparu fatigué, triste, et n'avait pas une seule fois souri. En le quittant, elle lui avait dit : « A mercredi... »

Sachant la décision imminente, la rédaction parisienne de l'A.F.P. avait commandé à un journaliste marseillais deux articles résumant l'affaire Ranucci. L'un devait être rédigé comme si la grâce venait d'être accordé; l'autre, dans l'optique inverse. Le journaliste avait envoyé ses articles par télex mais un hasard malencontreux avait fait que le télex était branché sur FR 3 et sur Radio Monte-Carlo lorsque l'article annonçant la grâce était passé.

Alain Dugrand, de *Libération,* rencontra un avocat marseillais qui lui dit : « Ranucci va être exécuté. Le parquet a demandé à un juge d'instruction de laisser son numéro de téléphone personnel. »

Christian Ranucci sut par ses gardiens l'annonce de la grâce et le démenti ultérieur.

***

Le lendemain matin, 27 juillet, *Rouge* annonça, sous le titre « Une mort au petit matin » : « A l'heure où sortira ce journal, à l'heure où vous l'aurez entre les mains, un homme sera peut-être mort, exécuté par décapitation... Nous sommes horrifiés devant la perspective d'un tel assassinat, censé en venger un autre, aussi horrible était-il. » *Libération* avertissait ses lecteurs de l'imminence du dénouement.

Pierre Rambla se rendit à la préfecture pour une démarche administrative. Un fonctionnaire qu'il connaissait lui dit en confidence : « Demain, tout sera terminé pour Ranucci. » M. Rambla n'en fut pas surpris. On lui avait rapporté, la veille, que Radio Monte-Carlo annonçait la grâce mais il n'en avait rien cru : « Giscard ne pouvait pas gracier un mec comme ça. » M. Rambla faisait lui aussi une confiance totale au président de la République. Par la suite, il allait lui écrire personnellement pour lui exposer ses difficultés et demander aide et assistance. Dans son esprit, il s'agissait d'un appui pour retrouver du travail, aussi fut-il déçu et blessé de recevoir, le 29 octobre 1976, la réponse d'un chargé de mission à l'Elysée : « Votre lettre est bien parvenue à Monsieur le président de la République, qui en a pris connaissance. Il m'est agréable de vous faire parvenir de sa part le mandat ci-joint de cinq cents francs pour vous aider dans la situation présente. »

Le hasard devait finalement mettre les deux hommes en présence. Ce serait l'été suivant, aux Baux-de-Provence, à l'occasion du mariage du fils de M. Poniatowski. M. Giscard d'Estaing était témoin du marié ; M. Rambla avait été engagé comme extra. Il servit une orangeade au président. « Je ne lui ai pas dit qui j'étais. A quoi ça aurait servi ? »

L'après-midi eurent lieu au Pradet les obsèques du petit Vincent Gallardo.

« Je n'ai pas vécu la guerre, raconte Edwige Andreani, mais j'avais l'impression d'être dans une ville en guerre. Une atmosphère écrasante, comme après une grande catastrophe. A la levée du corps, il y a eu une scène à vous glacer le sang. Au moment où l'on sortait le petit cercueil de la maison pour le placer dans le fourgon, la grand-mère est apparue sur le balcon, toute noire, et a poussé un long cri de mort, de deuil, qui a duré jusqu'à ce que le fourgon ait démarré et se soit éloigné d'une centaine de mètres. C'était lancinant, insoutenable, et dans la foule qui était massée devant la maison, des gens se sont mis à hurler à leur tour avec des balancements d'hystérie. Je suis sûre que si quelqu'un s'était écrié : " C'est lui ! " en montrant un homme, n'importe lequel, le malheureux aurait été écharpé sur place.

« Derrière le fourgon, tous les hommes politiques du coin sans aucune exception, tous les représentants de toutes les organisations et associations. Et un cortège immense, inouï pour cette petite ville, un cortège de plus de cinq mille personnes. Toute la population locale était là, et aussi beaucoup de touristes, de vacanciers.

« Tous les magasins étaient fermés, rideau baissé. Une opération " ville morte " avait été décidée en signe de deuil, bien sûr, mais aussi pour montrer l'indignation unanime de la population contre les assassins d'enfants. Les gendarmes alignés le long du parcours saluaient au passage et les gens s'agenouillaient sur les trottoirs.

« L'église était bien trop petite pour contenir tout ce monde mais on avait installé une sonorisation sur la place pour que la foule puisse suivre la cérémonie.

« On savait que la grâce de Ranucci allait être accordée ou refusée d'un jour à l'autre, d'une heure à l'autre. On en parlait beaucoup. Mon opinion personnelle, c'est que si Ranucci avait été gracié, les cinq mille personnes du Pradet, et bien d'autres avec elles, se seraient retrouvées devant la prison des Baumettes pour réclamer la tête de Ranucci et, au besoin, se faire justice. »

Vers cinq heures de l'après-midi, Jean-François Le Forsonney reçut à son cabinet un appel téléphonique du procureur de la République. « J'aimerais connaître vos coordonnées personnelles, lui dit le magistrat. Où puis-je vous joindre éventuellement? » Me Le Forsonney donna le numéro de téléphone de son domicile et appela immédiatement Paul Lombard. Celui-ci le rassura : « Aucune décision n'est encore prise. » Mais, peu après, coup de fil d'Alain Dugrand : « Attends-toi à des choses désagréables : il y a un mouvement de C.R.S. sur les Baumettes et on a demandé à un juge d'instruction de se tenir à disposition. »

André Fraticelli, de retour d'Alger, fut appelé vers six heures par le procureur : « Je voudrais avoir votre emploi du temps pour la semaine et vos coordonnées. C'est à propos de l'affaire Ranucci. » Me Fraticelli donna l'adresse et le numéro de téléphone de sa maison de campagne, où il comptait se rendre, puis, saisi d'une sourde inquiétude, demanda : « Mais ce n'est pas pour cette nuit? » — « Non. Je vous demande ces renseignements bien que la chancellerie n'ait encore pris aucune décision. Vous avez naturellement votre carte professionnelle? Très bien, je vous rappellerai. »

A huit heures, nouvel appel du procureur : « J'ai une très mauvaise nouvelle à vous annoncer. Une triste besogne nous attend. C'est pour demain matin. Rendez-vous à quatre heures moins le quart aux Baumettes. Notez bien l'heure. Je donnerai votre nom au service d'ordre : il n'y aura aucune difficulté. »

André Fraticelli appela aussitôt son confrère Lombard. Celui-ci venait d'avoir le procureur. Les deux avocats s'interrogèrent sur l'opportunité de prévenir la mère de Christian. Ils décidèrent en fin de compte de s'abstenir, redoutant que la pauvre femme, dont les nerfs venaient d'être mis à rude épreuve, n'allât se livrer à quelque démonstration devant la porte des Baumettes. C'était probablement une crainte injustifiée, Héloïse Mathon étant peu portée aux agitations spectaculaires. Elle allait seulement se croiser contre la peine de mort et écrire des lettres compatissantes aux familles de tous ceux que menacerait le couperet, quel qu'ait été leur crime.

Jean-François Le Forsonney avait quitté son bureau à huit heures et demie. Il devait dîner avec Paul Lombard et voulait se changer. Une demi-heure plus tard, il reçut à son tour l'appel du procureur : « Voilà, on a reçu le résultat. L'opération est fixée à demain matin. Il conviendrait que vous soyez présent à quatre heures moins le quart précises. »

Il rejoignit Paul Lombard. Après quelques minutes de conversation oppressée, Mᵉ Lombard lui dit : « Ecoutez, on ne va pas rester là, face à face, à attendre cette chose, ou ça va être une veillée funèbre. Je vous propose d'aller dîner avec mes amis. » Ils se rendirent donc dans un restaurant de Marseille. Les amis — un homme et une femme — ignoraient ce qui aurait lieu dans quelques heures. Mᵉ Le Forsonney fut étonné par la maîtrise de soi dont témoignait son patron, qui animait la conversation comme à son ordinaire.

Vers onze heures, il quitta la table pour appeler ses parents. Ceux-ci habitaient sur le chemin des Baumettes et les avocats s'y retrouveraient pour arriver ensemble à la prison. Il demanda à sa mère de leur préparer du thé et du café.

Le repas se termina vers onze heures et demie. Mᵉ Le Forsonney, qui était en voiture, raccompagna à leurs domiciles respectifs Paul Lombard et ses amis, puis rentra chez lui. Il téléphona à André Fraticelli pour l'informer du rendez-vous chez ses parents; ils se retrouveraient à trois heures du matin.

Minuit sonna et ce fut le 28 juillet. La date était importante dans le plan de campagne dressé par Christian. Pour la première fois depuis deux ans, sa confiance dans ses avocats était ébranlée et il avait décidé de passer à l'action avec sa mère. Celle-ci, le 26, avait envoyé en haut lieu deux lettres avertissant que si Christian n'était pas mis en liberté le 28 juillet à midi, son dossier serait communiqué à tous les journaux et à toutes les ambassades étrangères. Christian avait noté par ailleurs : « Parallèlement, si 28 pas libéré, nous déposons plainte pour crime contre l'humanité. »

Jean-François Le Forsonney se doucha, se changea, puis appela Paul Lombard : « Vous pouvez dormir?

— Non.

— J'arrive. »

Ils retrouvèrent André Fraticelli au rendez-vous fixé et burent du thé en se demandant encore une fois s'ils devaient ou non prévenir la mère de Christian; ils conclurent définitivement par la négative. Puis ils partirent pour les Baumettes.

Libération mettait sous presse une lettre ouverte au président de la République demandant la grâce du condamné.

*
**

La prison était gardée par des forces de police, C.R.S. et gendarmes mobiles, largement suffisantes pour disperser un cortège de manifestants. De nombreux journalistes attendaient devant la porte. A côté d'eux, un homme assis sur sa mobylette, le casque sous le bras. Il avait déjà passé la nuit précédente à attendre l'exécution et manifestait sa satisfaction de ne pas avoir veillé une seconde fois pour rien. Il apprit aux journalistes que son grand-père avait assisté à la dernière exécution capitale pratiquée en public.

Jean-François Le Forsonney gara sa 504 près de la porte. La conciergerie était violemment éclairée. Les trois avocats entrèrent dans la prison, traversèrent la première cour et se retrouvèrent dans le grand hall. Il y avait là trente à quarante personnes, gardiens compris. Tous trois furent surpris par cette assemblée relativement considérable : ils n'auraient jamais pensé qu'une exécution puisse requérir tant de monde.

Ils reconnurent et saluèrent d'un signe de tête le président Antona, le procureur de la République adjoint Tallet, le contrôleur général Cubaynes, chef de la Sûreté urbaine de Marseille. Le juge d'instruction Pierre Michel, qui avait succédé à Mlle Di Marino pour les procédures finales de transmission du dossier, était appuyé contre un mur, le visage livide. Le greffier des Baumettes circulait en survêtement de sport de couleur verte.

André Fraticelli, tant son trouble était profond, croisa un homme qu'il ne reconnut pas : le docteur Totsi, médecin de la prison, dont il était l'ami et qu'il invitait fréquemment chez lui. Il remarqua par contre « un homme qui ressemblait à un vieux maquignon, âgé d'au moins soixante-dix ans, petit, les épaules de travers, tout tordu. Il était le seul à être en chemise, sans veste, avec de larges bretelles, et s'affairait de gauche à droite d'un air préoccupé. »

Personne ne parlait. Des hommes marchaient, comme absents.

L'avocat général Viala, qui avait eu le singulier courage de se relever de son siège pour requérir une seconde fois, quelle qu'ait été sa motivation profonde, n'avait pas trouvé ce matin-là le courage élémentaire de se lever de son lit pour assister à l'exécution de l'homme dont il avait demandé la tête. C'était démontrer qu'il était à tout le moins un adversaire militant du spectacle de la peine de mort, même quand elle était infligée sur ses réquisitions.

Le capitaine de gendarmerie Gras n'était pas là et n'avait pas à y être. Il nous dira le 16 février 1978 : « Personnellement, je ne l'aurais pas condamné à mort. Je lui aurais donné vingt ans. Même après sa condamnation, je n'ai pas cru un seul instant qu'il serait exécuté. Je pensais qu'il serait gracié. Je ne comprends pas... »

Le commissaire Alessandra n'était pas là et n'avait pas à y être. Il nous dira le 15 février 1978 : « Personnellement, j'estime qu'il avait un minimum de circonstances atténuantes. Je ne l'aurais pas condamné à mort. C'est un garçon qui a été persécuté par le destin. »

Le professeur Sutter n'était pas là et n'avait pas à y être. Il nous dira le 13 février 1978 : « Si j'avais été juré, je n'aurais certainement pas condamné Ranucci à mort. »

A quatre heures, une section de C.R.S. en tenue de combat, avec casques, mousquetons et sacs de grenades, pénétra dans la prison.

M. Tallet, procureur de la République adjoint, s'adressa à l'assemblée en disant : « Bon, il faut y aller... »

**

A la surprise d'André Fraticelli, le cortège n'emprunta pas le large corridor reliant entre eux les trois blocs de la prison : on le fit obliquer vers la droite et descendre un escalier menant aux caves. Au bas de l'escalier mal éclairé, l'avocat trébucha et faillit tomber. Il se rendit compte qu'il s'était pris le pied dans une couverture. Tout le couloir souterrain était tapissé de couvertures afin que la marche du cortège ne réveillât pas les détenus. On craignait l'émeute que risque toujours de déclencher une exécution capitale. Il y avait des C.R.S. partout. On avait protégé Ranucci pendant deux ans contre une agression possible de ses codétenus et l'on se protégeait cette nuit contre la colère de ces mêmes détenus au cas où ils auraient découvert qu'on allait lui trancher la tête.

Le cortège monta et descendit des marches, puis arriva au prétoire de la prison. Sur la table étaient étalés le costume bleu que Christian avait porté à Aix, une chemise, une ceinture, des chaussettes et une paire de chaussures.

En arrivant au pavillon des condamnés à mort, un gardien demanda d'un signe impératif un silence absolu. Le gardien-chef, à voix basse, divisa le cortège en deux files alignées en oblique devant la grille de la cellule. Le procureur adjoint Tallet souffla aux avocats : « Vous entrerez sur mes pas... »

Christian dormait sur sa paillasse, recroquevillé en chien de fusil, face au mur comme il le faisait toujours pour se protéger de la lumière électrique. C'était sa sept cent quatre-vingt-quatrième nuit en prison.

Deux gardiens ouvrirent la grille avec précaution et se ruèrent sur lui.

« Il a poussé deux cris de bête fauve que je n'oublierai jamais, dit Mᵉ Fraticelli. Deux cris suraigus. J'ai senti une main étreindre la mienne à toute force. C'était le président Antona. »

Il y eut une lutte violente et brève. Christian heurta durement le mur. Les gardiens parvinrent à lui passer les menottes. Il cria : « Je le dirai à mes avocats! » Quelqu'un dit : « Mais vos avocats sont là... » Paul Lombard s'avança : « Oui, nous sommes là, mon petit... » Le procureur adjoint prononça la phrase rituelle : « Votre recours en grâce a été rejeté. Ayez du courage... » Christian s'écria : « Qu'est-ce qu'on a encore été raconter à Giscard? »

Hagard, saignant du nez, la lèvre ouverte, vêtu d'un pyjama rayé, il contemplait tous ces hommes qui avaient fait irruption dans sa nuit.

Jean-François Le Forsonney avait honte. « Nous lui avions dit qu'il ne serait pas condamné à mort, et il l'avait été. Nous lui avions dit que la condamnation serait cassée, et elle ne l'avait pas été. Nous lui avions dit qu'il serait gracié, et il ne l'était pas. Là, ce n'était plus possible de lui dire que l'exécution allait rater. C'était inéluctable. C'était fini. Nous l'avons embrassé. Il était d'une dignité admirable. »

Le cortège repartit sous terre.

Christian marchait en tête, les mains menottées dans le dos, les pieds nus, tenu par deux gardiens. Paul Lombard était à son côté. « Lombard a été véritablement extraordinaire, raconte Mᵉ Fraticelli. Il l'a soûlé de paroles. Il l'a entouré d'une muraille de mots. Quand il a été à bout, nous avons pris le relais, Le Forsonney et moi. »

Des bassines d'eau étaient disposées le long du couloir souterrain. Deux ou trois fois, les gardiens s'arrêtèrent et lui épongèrent le visage. Il saignait toujours du nez. Paul

Lombard étancha avec son mouchoir le sang qui perlait à sa lèvre ouverte.

« C'est à ce moment-là que nous l'avons tutoyé pour la première fois, dit Mᵉ Le Forsonney. Il répétait sans cesse qu'il était innocent. C'était déchirant. " Mais vous savez bien que je suis innocent. " Je lui ai dit : " Que tu sois présent ou pas ne changera rien : nous continuerons à nous battre. Tu seras réhabilité. Je te le promets. Tu seras réhabilité. " »

Il se plaignit que les gardiens lui faisaient mal au bras. Paul Lombard hurla : « Lâchez-le! Ça suffit comme ça! » Un gardien répondit : « Mais non, Maître, on ne lui fait pas mal! Regardez : on le tient à peine... »

Paul Lombard lui parlait du courage de sa mère et lui promettait qu'il ne souffrirait pas. Christian ne parlait que de son innocence.

Au prétoire, on lui proposa de s'habiller. Il refusa.

La procession s'arrêta enfin. Une table couverte d'un drap sale; c'était l'autel. Un tabouret. Une petite porte fermée.

Planté au milieu du couloir, un homme avait regardé s'avancer Christian. Mᵉ Fraticelli reconnut le personnage qui s'était affairé dans le hall, la mine soucieuse. C'était le bourreau. « Il a regardé Christian avec un regard de maquignon, les yeux plissés, comme s'il le jaugeait. J'ai trouvé cela sordide. Il était entouré d'hommes vêtus de bleus de chauffe, grands et forts, l'air sinistre. Ce qui m'a frappé, c'est qu'ils étaient tous couperosés. »

On fit asseoir Christian sur le tabouret, le dos à la porte, et on lui enleva les menottes. « C'était un spectacle hallucinant et misérable, dit Mᵉ Le Forsonney. Il était là, dans son pyjama à rayures, la braguette béante, le sexe à l'air... J'avais honte pour nous tous. »

L'aumônier de la prison s'approcha : « Ranucci, commença-t-il, je suis souvent venu vous voir... » Mais Christian l'interrompit avec un geste définitif de la main gauche « Négatif! » L'aumônier se retira.

Jean-François Le Forsonney lui fit lire une carte de sa mère. Elle commençait par cette phrase : « Mon très cher fils

Christian, je t'écris cette carte que tes avocats te remettront au cas où ton recours en grâce serait rejeté. » Elle lui disait qu'il avait été un bon fils et qu'il lui avait apporté tout le bonheur qu'elle avait espéré au jour de sa naissance. L'avocat lui demanda s'il voulait répondre. Il fit signe que non. Il ne parlait toujours que de son innocence.

Un gardien s'approcha avec un verre d'alcool. Il le refusa net : « Ah non! » Jean-François Le Forsonney lui offrit une cigarette. Il aspira deux bouffées, violemment, goulûment, et la rejeta.

Le bourreau s'avança et demanda : « Est-ce qu'on peut disposer? » Il n'avait pas lieu d'être impatient. Grâce au refus de Christian de s'habiller et d'entendre la messe, tout allait bon train.

Personne ne répondit.

Les aides s'approchèrent avec la sûreté d'hommes qui savent leur ouvrage. En deux coups de ciseaux, l'un d'eux échancra sa veste, qu'un autre rabattit sur ses épaules. Ils lui coupèrent les cheveux sur la nuque. Ils lui ligotèrent les bras et les chevilles avec de la ficelle d'emballage. Ils tiraient à petits coups secs. L'entrave prenait les bras très haut de manière à rejeter les épaules en arrière et à projeter la nuque.

Jean-François Le Forsonney et Paul Lombard se tenaient par la main. André Fraticelli, hypnotisé, s'efforçait en vain de détourner son regard du cou de Christian.

Quand les aides le soulevèrent du tabouret, il tourna la tête vers Paul Lombard et lui dit : « Réhabilitez-moi! »

Mᵉ Le Forsonney suivit machinalement. « D'après ce que j'avais lu, je croyais qu'il y avait un rideau, une draperie qui masquait la guillotine. Il n'y en avait pas. La petite porte qu'on venait d'ouvrir donnait directement sur l'échafaud. En voyant la guillotine, j'ai reculé. Je n'ai pas eu le courage de rester. J'ai fait demi-tour et je suis allé au fond du couloir. »

Paul Lombard, livide, était adossé au mur.

André Fraticelli s'avança et bouscula même un gardien qui s'était placé en travers de la porte. Il vit plaquer Christian contre la planche verticale, qu'on fit basculer à l'horizontale.

Le bourreau fixa le harnais avec un claquement sec tandis qu'un aide, placé de l'autre côté de la machine, abattait le tranchant de sa main sur la nuque de Christian. Puis le bourreau appuya du pouce sur un bouton et le couperet tomba. Il était quatre heures treize. La tête coupée rebondit deux fois.

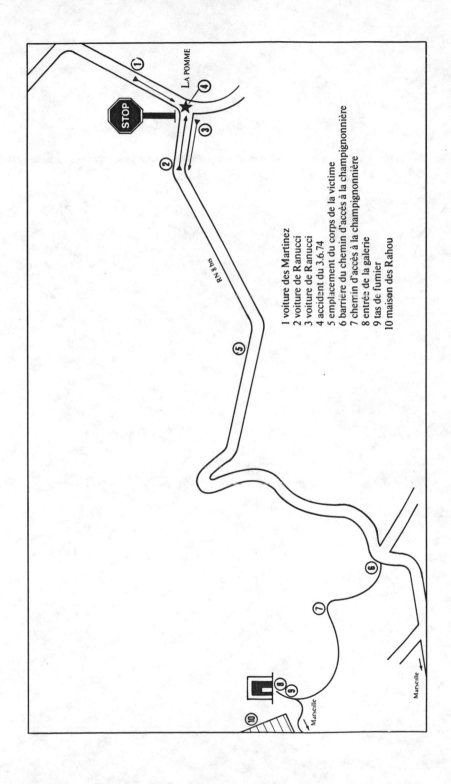

1 voiture des Martinez
2 voiture de Ranucci
3 voiture de Ranucci
4 accident du 3.6.74
5 emplacement du corps de la victime
6 barrière du chemin d'accès à la champignonnière
7 chemin d'accès à la champignonnière
8 entrée de la galerie
9 tas de fumier
10 maison des Rahou

Achevé d'imprimer le 10 mai 1982
sur presse CAMERON
dans les ateliers de la S.E.P.C.
à Saint-Amand-Montrond (Cher)
pour le compte de France Loisirs
123, boulevard de Grenelle, Paris

Dépôt légal : mai 1982.
N° d'Édition : 6920. N° d'Impression : 740.
Imprimé en France